Morte Súbita

J.K. ROWLING

Morte Súbita

Tradução e edição
Izabel Aleixo
Maria Helena Rouanet

EDITORA
NOVA
FRONTEIRA

Primeira edição publicada no Reino Unido, em 2012, pela Little, Brown

Título original: THE CASUAL VACANCY

EDITORA NOVA FRONTEIRA PARTICIPAÇÕES S.A.
Rua Nova Jerusalém, 345 – Bonsucesso – CEP: 21042-235
Rio de Janeiro – RJ – Brasil
Tel.: (21) 3882-8200 – Fax: (21)3882-8212/8313

CIP-BRASIL. CATALOGAÇÃO NA FONTE
SINDICATO NACIONAL DOS EDITORES DE LIVROS, RJ

R657m Rowling, J.K.
Morte súbita / J.K. Rowling; tradução e edição Izabel Aleixo e Maria Helena Rouanet. - Rio de Janeiro: Nova Fronteira, 2012.

Tradução de: The casual vacancy
ISBN 978-85-209-3253-7

1. Ficção inglesa. I. Rouanet, Maria Helena. II. Aleixo, Izabel. III. Título.

CDD: 823
CDU: 821.111-3

Para Neil

Parte Um

6.11 Será declarada a vacância do mandato de um conselheiro:
(a) quando este deixar de tomar posse no cargo dentro do prazo regulamentar;
(b) quando este entregar o seu pedido formal de renúncia; ou
(c) em caso de morte súbita do titular (...)

Charles Arnold-Baker
Administração dos Conselhos Locais
7ª edição

Domingo

Barry Fairbrother não estava com a mínima vontade de sair para jantar. Passou o fim de semana praticamente todo tendo que aguentar uma dor de cabeça latejante e lutando para redigir a matéria de capa do jornal local.

Na hora do almoço, porém, a sua esposa estava meio emburrada e sem dizer palavra, e Barry deduziu que o cartão que lhe mandou pelo aniversário de casamento não havia conseguido atenuar o crime que ele cometeu passando a manhã inteira trancado no escritório. E, ainda por cima, escrevendo sobre Krystal, de quem Mary não gostava absolutamente, embora fingisse o contrário.

— Estava pensando em levá-la para jantar, Mary — mentiu ele, numa tentativa de quebrar o gelo. — Dezenove anos, meninos! Dezenove anos, e a sua mãe nunca me pareceu tão linda...

Mary se desarmou e sorriu. Barry, então, ligou para o clube de golfe, que ficava perto de casa e onde conseguiriam uma mesa sem problemas. Tentava agradar a esposa com essas pequenas bobagens, porque chegara à conclusão, depois de quase duas décadas de convivência, de que geralmente a desapontava quanto às coisas mais importantes. Nunca de propósito. Simplesmente, os dois tinham noções muito diferentes com relação ao que devia ocupar mais espaço nas suas vidas.

Os quatro filhos do casal já tinham passado da idade de precisar de uma babá. Estavam vendo televisão quando se despediram dos pais pela última vez, e só Declan, o caçula, se virou para olhar para o pai e lhe deu um tchau com a mão.

A cabeça de Barry continuava latejando num ponto atrás da orelha quando ele saiu com o carro pelas ruas do lindo vilarejo de Pagford, onde moravam desde que tinham se casado. Seguiram pela Church Row, a ladeira íngreme onde as casas mais luxuosas se erguiam em toda a sua solidez e a sua extravagância vitoriana. Dobraram a esquina da igreja em estilo que imitava o gótico, onde tinham ido assistir à peça *José e seu manto technicolor*, em que as filhas gêmeas trabalharam, e cruzaram a praça de onde se via o esqueleto negro das ruínas da abadia que, do topo de uma colina, dominava a cidade, mesclando seus contornos ao céu violeta.

A única coisa em que Barry conseguia pensar ali, às voltas com o volante do carro, navegando por aquelas curvas tão conhecidas, era nos erros que certamente havia cometido tentando terminar às pressas o artigo que acabava de enviar por e-mail para a *Gazeta de Yarvil e Adjacências*. Encantador e extrovertido pessoalmente, tinha a maior dificuldade em expressar a própria personalidade numa folha de papel.

O clube de golfe ficava a apenas quatro minutos da praça, pouco além do ponto em que o vilarejo ia se extinguindo num último suspiro de velhos chalés. Barry estacionou a caminhonete diante do Birdie, o restaurante do clube, e ficou parado por um instante ao lado do veículo enquanto Mary retocava o batom. Achou gostoso sentir no rosto o arzinho frio da noite. Olhando os contornos do campo de golfe que iam se desintegrando na escuridão, ficou se perguntando por que continuava a ser sócio daquele clube. Era mau jogador: o seu *swing* era irregular, e o seu *handicap*, bem alto. Tinha tantas outras preocupações na vida... As pontadas na cabeça estavam cada vez mais fortes.

Mary desligou a luz interna e fechou a porta do carona. Barry apertou o botão da chave para acionar o alarme. Ouviu os saltos do sapato da mulher batendo no chão, o apito do sistema de segurança do carro, e se perguntou se o enjoo que sentia ia melhorar depois que comesse alguma coisa.

De repente, uma dor como jamais havia sentido antes atravessou o seu cérebro como se tivesse sido atingido por uma daquelas bolas de demolição. Mal sentiu os joelhos quando eles bateram no chão frio; o seu crânio estava inundado de fogo e sangue; a agonia era insuportável, mas precisou suportá-la, já que o desfalecimento só veio um minuto depois.

Mary gritou. E continuou gritando. Vários homens vieram correndo do bar. Um deles voltou às pressas lá para dentro para ver se algum dos médicos aposentados que eram sócios do clube estava no local. Percebendo toda aquela comoção, um casal, que Barry e Mary conheciam, abandonou a refeição malcomeçada e correu para ver se podia ser de alguma ajuda. O marido pegou o celular e ligou para o serviço de emergência.

A ambulância tinha que vir de Yarvil, a cidade vizinha, e levou vinte e cinco minutos para chegar. Quando a luz azulada se aproximou piscando, Barry estava deitado numa poça do próprio vômito, imóvel e sem qualquer reação. Mary estava agachada ao seu lado, com a meia-calça rasgada nos joelhos, segurando a sua mão, aos prantos e sussurrando o seu nome.

Segunda-feira

I

— Coragem! — disse Miles Mollison, de pé na cozinha de um dos casarões da Church Row.

Esperou dar seis e meia da manhã para telefonar. A noite tinha sido terrível, cheia de longos períodos em claro pontuados por alguns momentos de um sono agitado. Às quatro da manhã, percebeu que a sua mulher também estava acordada e conversaram baixinho no escuro. Mesmo ali, enquanto os dois falavam sobre o que haviam sido obrigados a presenciar, cada qual tentando rechaçar vagos sentimentos de medo e choque, a simples ideia de dar a notícia ao seu pai provocava em Miles ondas de empolgação. Decidiu esperar até as sete horas, mas o medo de que alguém pudesse ser mais rápido o fez telefonar mais cedo.

— O que houve? — indagou Howard, com aquele seu vozeirão que tinha um leve toque áspero. Miles ligou o viva-voz para Samantha poder ouvir a conversa. A mulher, vestida num robe rosa-claro, havia aproveitado o fato de terem acordado cedo para passar mais um pouco de autobronzeador na pele de um moreno jambo, que já estava começando a recuperar a sua palidez habitual. A cozinha estava impregnada da mistura dos cheiros de café instantâneo e coco sintético.

— Fairbrother morreu. Foi ontem à noite, lá no clube de golfe. Sam e eu estávamos jantando no Birdie.

— Fairbrother *morreu?* — bradou Howard.

Pelo seu jeito de falar, dava para ver que ele esperava alguma mudança dramática no estado de Barry Fairbrother, mas que nem mesmo ele imaginara a sua morte.

— Ele caiu no estacionamento — disse Miles.

— Meu Deus! — exclamou Howard. — Ele tinha o quê, pouco mais de quarenta, não é? Meu Deus...

Miles e Samantha ouviam Howard respirar como um cavalo ofegante. Ele sempre tinha a respiração mais difícil pela manhã.

— O que foi? Coração?

— Parece que foi alguma coisa no cérebro. Acompanhamos Mary até o hospital e...

Mas Howard já não estava prestando atenção. Miles e Samantha ouviram-no dizer, afastando o fone:

— Barry Fairbrother morreu! É Miles!

Os dois então tomaram uns goles de café esperando que ele voltasse. Quando Samantha se sentou à mesa da cozinha, o seu robe se entreabriu revelando os contornos dos seios grandes apoiados nos seus antebraços. Assim pressionados, eles pareciam mais cheios e suaves que quando pendiam sem qualquer suporte. Da fenda entre eles, naquela pele crestada, surgiam umas linhas miúdas que já não desapareciam nem mesmo quando não havia pressão alguma. Mais jovem, ela fora usuária assídua das câmaras de bronzeamento artificial.

— O quê? — indagou Howard, voltando ao telefone. — O que você estava dizendo sobre o hospital?

— Sam e eu fomos na ambulância — disse Miles, falando com toda a clareza. — Com Mary e o corpo.

Samantha percebeu que a segunda versão de Miles enfatizava o que se poderia chamar de aspecto mais comercial da história. Mas não o culpava por isso. A única recompensa que teriam com aquela terrível experiência era o direito de contar a todos o que tinha acontecido. Ela mesma achava que jamais se esqueceria daquilo: Mary chorando; os olhos de Barry ainda entreabertos, surgindo acima da máscara que parecia uma focinheira; ela e Miles tentando ler a expressão do paramédico; os solavancos naquele espaço reduzido; as janelas escuras; o terror.

— Meu Deus! — exclamou Howard pela terceira vez, ignorando o interrogatório de Shirley, com a atenção inteiramente voltada para Miles. — Ele simplesmente caiu morto no estacionamento?

— Exatamente — replicou Miles. — Assim que o vi tive a certeza de que não havia mais nada a fazer.

Foi a sua primeira mentira, e ele evitou olhar para a esposa quando disse aquilo. Ela se lembrava muito bem do seu braço grande e protetor sobre os ombros trêmulos de Mary: *Ele vai ficar bom... Ele vai ficar bom...*

Mas, afinal de contas, pensou Samantha, fazendo justiça ao marido, *como saber se vai acontecer isso ou aquilo com aquela gente ali colocando máscaras e enfiando agulhas?* Parecia que estavam tentando salvar Barry, e nenhum deles ficou sabendo que era tudo em vão até que a jovem médica veio andando na direção de Mary lá no hospital. Samantha ainda podia ver, com uma nitidez assustadora, o rosto vulnerável, petrificado de Mary e a expressão da moça de óculos, cabelo liso e jaleco branco: tranquila, embora um tanto cautelosa... Aquele tipo de coisa vive aparecendo nos seriados da televisão, mas quando é de verdade...

— De jeito nenhum — dizia Miles. — Gavin só jogava *squash* com ele às quintas-feiras.

— E, aparentemente, estava tudo bem com ele?

— Claro! Ele arrasou com Gavin!

— Meu Deus! Isso é para você ver, sabe? Para você ver... Espere um pouco, a sua mãe quer lhe dar uma palavrinha.

Depois de uma pancada e de um outro barulhinho, ouviu-se a voz suave de Shirley na linha.

— Que coisa horrível, Miles — disse ela. — Você está bem?

Samantha foi tomar um gole de café, mas se atrapalhou um pouco: a bebida lhe escorreu pelos cantos da boca e ela enxugou o rosto e o peito com a manga do robe. Miles já estava com aquela voz que geralmente usava quando falava com a mãe: mais profunda que de costume, uma voz do tipo nada-me-abala, vigorosa e pragmática. Às vezes, especialmente quando bebia, Samantha imitava as conversas entre mãe e filho. "Não se preocupe, mamãe. Miles está aqui. O seu soldadinho." "Você é maravilhoso, querido: tão grande, tão corajoso, tão inteligente." Recentemente, ela tinha feito essa imitação uma ou duas vezes na frente de outras pessoas, deixando o marido chateado e na defensiva, embora fingisse achar graça. Da última vez, tiveram até uma briga no carro, voltando para casa.

— Vocês foram junto com Mary para o hospital? — indagou Shirley ao telefone.

Não, pensou Samantha. *No meio do caminho ficamos de saco cheio e pedimos para saltar.*

— Era o mínimo que podíamos fazer. Gostaria de poder ter feito mais.

Samantha se levantou e foi até onde estava a torradeira.

— Tenho certeza de que Mary ficou muito agradecida — disse Shirley.

Samantha fez um barulhão pegando o pão e enfiando quatro pedaços nas fendas do aparelho. A voz de Miles já estava praticamente normal.

— Bom, quando os médicos vieram dizer... ou melhor, confirmar que ele estava morto, Mary quis chamar Colin e Tessa Wall. Sam ligou para eles. Esperamos até que chegassem e, só então, viemos embora.

— Que sorte a dela vocês estarem lá — disse Shirley. — Papai quer falar mais uma coisa, Miles. Vou passar o telefone para ele. Nos falamos mais tarde.

— Nos falamos mais tarde — murmurou Samantha, dirigindo-se à chaleira e balançando a cabeça. No reflexo distorcido, via o próprio rosto inchado, depois da noite em claro, e os olhos castanho-escuros estavam vermelhos. Na pressa de estar presente quando Miles desse a notícia a Howard, ela tinha se descuidado e passado a loção autobronzeadora nas pálpebras também.

— Por que você e Sam não vêm até aqui hoje à noite? — indagou Howard aos brados. — Não, espere aí... Mamãe está dizendo que vamos jogar *bridge* com os Bulgen. Amanhã, então. Venham jantar. Lá pelas sete.

— Pode ser — disse Miles, dando uma olhada para a mulher. — Tenho que ver se Sam já marcou alguma coisa.

Ela não deu qualquer sinal indicando se queria ir ou não. Uma estranha sensação de anticlímax se espalhou pela cozinha quando Miles desligou.

— Eles não conseguem acreditar — observou ele, como se Samantha não tivesse ouvido a conversa toda.

Comeram as torradas e tomaram uma caneca de café fresco em silêncio. Parte da irritabilidade de Samantha foi desaparecendo enquanto ela mastigava. Lembrou que tinha acordado sobressaltada, pulando da cama no quarto ainda escuro àquela hora da manhã, e que tinha se sentido absurdamente aliviada e agradecida por ver Miles ali ao seu lado, grandalhão e barrigudo, com cheiro de vetiver e ranço de suor. Depois, se imaginou contando aos fregueses da loja que um homem tinha caído morto bem na sua frente, e falando também da corrida desabalada na ambulância até o hospital. Pensou em várias maneiras de descrever os detalhes daquele trajeto e a cena apoteótica com a médica. A juventude daquela mulher tão segura de si fazia tudo aquilo parecer ainda pior. Eles tinham que encarregar alguém mais velho de dar uma notícia como aquela... Depois, para melhorar ainda mais o seu ânimo, lembrou que tinha um encontro com o representante de vendas da Champêtre no dia seguinte e que o sujeito tinha sido bem agradável, meio que flertando com ela por telefone.

— É melhor eu ir andando — disse Miles, tomando um último gole de café e com os olhos pregados no céu, que ia ficando mais claro do outro lado da vidraça. Soltou um profundo suspiro e deu uns tapinhas no ombro da mulher quando passou junto dela para levar a caneca e o prato vazios até a lava-louça. — Deus do céu! Isso faz a gente repensar um monte de coisas, não é mesmo? — disse ele. E saiu da cozinha balançando a cabeça com aquele cabelo curtinho que começava a ficar grisalho.

Às vezes, Samantha achava o marido absurdamente e cada vez mais idiota. De quando em quando, porém, gostava daquele seu ar pomposo exatamente como gostava, nas ocasiões mais formais, de usar chapéu. Afinal de contas, assumir um ar solene e um tanto nobre era a atitude mais adequada para aquela manhã. Terminou de comer a torrada e guardou as coisas do café da manhã aperfeiçoando mentalmente a história que pretendia contar à moça que trabalhava com ela.

II

— Barry Fairbrother morreu — exclamou Ruth Price, ofegante.

Tinha subido o gélido caminho do jardim quase correndo para ter mais alguns minutos com o marido antes de ele sair para o trabalho. Nem parou para tirar o casaco na varanda: ainda de luvas e cachecol, entrou na cozinha onde Simon e os filhos adolescentes estavam tomando café.

O marido ficou imóvel, com a torrada a caminho da boca, e, depois, tornou a botá-la no prato com uma lentidão teatral. Os dois garotos, ambos de uniforme, olharam para o pai e para a mãe, não muito interessados.

— Acham que foi aneurisma — disse Ruth, ainda meio sem fôlego, tirando as luvas dedo a dedo, desenrolando o cachecol do pescoço e desabotoando o casaco. Era uma mulher magra, de cabelo castanho-escuro, com uns olhos cansados e melancólicos. Aquele uniforme de enfermeira todo azul lhe caía muito bem. — Foi lá no estacionamento do clube de golfe. Sam e Miles Mollison o levaram para o hospital. Depois, Colin e Tessa Wall chegaram...

Às pressas, foi até a entrada da casa para pendurar as suas coisas e voltou bem a tempo de responder à pergunta que Simon tinha feito aos gritos.

— O que é uma aneurisma?

— *Um* aneurisma. É o rompimento de uma artéria no cérebro.

Com movimentos sempre rápidos, aproximou-se da chaleira, ligou o fogo e começou a limpar os farelos de pão espalhados pela bancada da pia e em torno da torradeira, falando sem parar.

— Deve ter tido uma hemorragia cerebral fortíssima. Coitadinha da mulher dele... Está absolutamente arrasada...

Abalada, Ruth ficou olhando a brancura irregular do seu gramado coberto de geada, a abadia do outro lado do vale, aquele esqueleto que se erguia abrupto contra o céu de um rosa e de um cinza desbotados, a visão panorâmica que era a glória de Hilltop House e que se tinha da janela da sua cozinha. Pagford, que à noite não passava de um punhado de luzinhas piscando lá embaixo no escuro, estava agora emergindo à claridade gélida do sol. Ruth não via nada daquilo: a sua cabeça ainda estava no hospital, vendo Mary sair do quarto onde Barry estava deitado e de onde já haviam sido removidos todos aqueles aparelhos, tentativas inúteis de salvar a sua vida. A piedade de Ruth Price fluía mais espontânea e mais sincera com relação àqueles que acreditava serem como ela mesma. "Não, não, não, não", gemia Mary, e aquela negação instintiva ecoou lá dentro de Ruth, porque a cena representava uma visão de si mesma em situação idêntica...

Mal conseguindo aguentar aquela lembrança, voltou os olhos para Simon. O cabelo castanho-claro do marido ainda era espesso, o seu porte era quase tão rijo quanto fora aos vinte anos, e as rugas nos cantos dos olhos ainda tinham lá o seu charme, mas, para Ruth, a retomada do trabalho como enfermeira depois de uma longa pausa voltou a confrontá-la com as mil e uma maneiras pelas quais o corpo humano pode deixar de funcionar direito. Envolvia-se menos quando era mais moça; agora compreendia a sorte que tinham de estar todos vivos.

— Não deu para fazer nada? — perguntou Simon. — Não podiam, sei lá, dar uns pontos?

Havia frustração na sua voz, como se achasse que a medicina tinha vindo, mais uma vez, atrapalhar tudo, recusando-se a fazer as coisas mais simples e óbvias.

Andrew estremeceu com um prazer selvagem. Ultimamente, vinha reparando que o pai estava com mania de contestar a mulher: sempre que ela usava termos médicos, lá vinha ele com sugestões broncas, ignorantes. *Hemorragia cerebral. Dar uns pontos.* A sua mãe não se dava conta do que o marido estava fazendo. Como sempre, aliás. E Andrew continuou a comer o seu cereal, morrendo de ódio.

— Quando ele deu entrada no hospital já era tarde demais — replicou Ruth, pondo uns saquinhos de chá dentro do bule. — Ele morreu na ambulância, pouco antes de chegarem.

— Que merda! — exclamou Simon. — Que idade ele tinha? Quarenta?

Mas Ruth não estava prestando atenção.

— Paul — disse ela —, o seu cabelo está todo embaraçado na parte de trás. Você se penteou?

Tirou uma escova da bolsa e a pôs na mão do filho caçula.

— Ele não teve nenhum sintoma? Nada? — perguntou Simon, enquanto Paul escovava o cabelo rebelde.

— Parece que vinha tendo dor de cabeça há uns dois dias.

— Ah! — exclamou Simon, mastigando uma torrada. — E não deu bola?

— Claro. Não achou que fosse nada grave.

Simon engoliu a torrada.

— Está vendo só? — disse ele, com ares de quem sabe das coisas. — Você precisa se cuidar.

Ah, quanta sabedoria, pensou Andrew com o maior desprezo, *quanta profundidade*. Quer dizer que a culpa era toda de Barry Fairbrother se o cérebro dele tinha estourado... *Seu babaca pretensioso*, disse ele, xingando o pai alto e bom som dentro da própria cabeça.

— Ah, e por falar nisso — acrescentou Simon, apontando com a faca para o filho mais velho —, *ele* vai começar a trabalhar. O nosso amigo Cara de Pizza.

Atônita, Ruth se voltou para o filho. As espinhas se destacavam, lívidas e lustrosas, no rosto todo vermelho do garoto, que olhava fixo para a tigela cheia daquela papa bege.

— É isso mesmo — prosseguiu Simon — Esse merdinha preguiçoso vai começar a ganhar algum dinheiro. Se quer fumar, tem que arcar com as próprias despesas. Acabou essa história de mesada.

— *Andrew*! — exclamou Ruth em tom de lamento. — Você não andou...?

— Andou, sim. Peguei ele lá no galpão de lenha — disse Simon, com uma expressão que destilava desprezo.

— *Andrew*!

— Da gente, ele não tem mais um tostão. Quer cigarro? Pois que compre... — provocou o pai.

— Mas tínhamos decidido... — principiou Ruth, chorosa. — Tínhamos decidido... Os exames estão chegando...

— Pelo jeito como ele se ferrou no simulado, já vai ser uma sorte se conseguir passar. Talvez seja melhor passar antes pelo McDonald's, para ir ganhando experiência — disse Simon, levantando-se, empurrando a cadeira, deliciando-se com a visão do filho sentado ali de cabeça baixa, deixando ver apenas o contorno do rosto inchado pela acne. — Porque nós é que não vamos ficar sustentando um repetente, viu, cara? É agora ou nunca!

— Ah, Simon — disse Ruth, em tom de reprovação.

— *O que foi?* — perguntou Simon, aproximando-se da mulher com passadas fortes. Ruth se encolheu de encontro à pia. A escova de plástico rosa caiu da mão de Paul. — Não vou ficar financiando o vício desse babaca! Que cara de pau, porra! Fumando lá na merda do *meu* galpão!

E bateu no próprio peito ao dizer a palavra "meu". Ao ouvir o ruído surdo daquela pancada, Ruth fez uma careta.

— Quando tinha a idade desse merdinha, já trazia um salário para casa. Se ele quer fumar, que compre os seus próprios cigarros, certo? *Certo*?

O rosto de Simon estava agora a uns quinze centímetros do de Ruth.

— Certo, Simon — disse ela bem baixinho.

Parecia até que as entranhas de Andrew tinham se derretido. Menos de dez dias atrás, havia feito um juramento; será que tinha chegado a hora? Assim tão cedo? Mas o seu pai se afastou da sua mãe e saiu da cozinha, rumo à porta da rua. Ruth, Andrew e Paul ficaram ali, praticamente imóveis. Era como se tivessem prometido não se mexer na ausência dele.

— Encheu o tanque? — gritou Simon, como sempre fazia quando a mulher dava plantão no turno da noite.

— Enchi — respondeu ela, também gritando, louca por um pouco de leveza, de normalidade.

A porta da frente fez um barulho metálico e bateu.

Ruth tratou de se ocupar com o bule, esperando que aquele clima inflado murchasse até voltar às proporções normais. Só falou quando Andrew estava quase saindo da cozinha para ir escovar os dentes.

— Ele está preocupado com você, Andrew. Com a sua saúde.

Preocupado o cacete! Esse babaca!

Mentalmente, Andrew rebatia com palavrões os palavrões que o pai dizia. Mentalmente, enfrentava Simon de igual para igual.

Em voz alta, para a mãe, disse:

— Claro...

III

O Evertree Crescent era uma meia-lua de chalés dos anos 1930, que ficava a dois minutos da praça principal de Pagford. No número trinta e seis, numa casa alugada há muito mais tempo que qualquer outra da rua, Shirley Mollison estava na cama, recostada nos travesseiros, tomando o chá que o marido havia lhe trazido. O reflexo que a encarava das portas espelhadas do armário embutido era um tanto esfumado, o que se devia em parte ao fato de ela não estar de óculos, em parte à claridade branda que penetrava no quarto através das cortinas com estampa floral. A essa luz lisonjeira, enevoada, o rosto enrugado, em tons de rosa e branco, que surgia sob o cabelo curto bem grisalho era como o de um querubim.

No quarto, mal cabiam a cama de solteiro de Shirley e a de casal de Howard, juntas, meio entulhadas, como gêmeas não idênticas. O colchão de Howard, que ainda trazia a vigorosa marca do seu corpo, estava vazio. Dava para ouvir o barulhinho do chuveiro dali de onde Shirley e o seu reflexo rosado estavam sentados, uma defronte do outro, saboreando a notícia que ainda parecia efervescer no ar como champanhe borbulhante.

Barry Fairbrother tinha morrido. Batido as botas. Acabado. Nenhum acontecimento de importância nacional, nem guerra, nem crise do mercado financeiro ou ataque terrorista teria sido capaz de deixar Shirley naquele estado de espanto, de ávido interesse e de especulação febril que agora a consumia.

Detestava Barry Fairbrother. Ela e o marido, que em geral concordavam inteiramente quanto a amizades e inimizades, divergiam um pouco nesse caso. Por vezes, Howard se confessou cativado pelo homenzinho barbudo que lhe fazia uma oposição tão ferrenha nas mesas compridas e arranhadas do salão da igreja. Ela, porém, não fazia diferença alguma entre o aspecto político e o pessoal. Barry tinha enfrentado Howard naquilo que o seu marido mais desejou na vida, o que bastou para fazer dele, aos olhos de Shirley, o pior dos inimigos.

A lealdade ao marido era o principal motivo daquela aversão apaixonada, mas não o único. Os instintos de Shirley com relação às pessoas eram apuradíssimos numa única direção, como um cachorro treinado para farejar drogas. Estava sempre pronta para detectar condescendência, e há muito havia sentido o seu cheiro nas atitudes de Barry Fairbrother e dos seus comparsas no Conselho. Os Fairbrother da vida partiam do pressuposto de que, por terem formação universitária, eram melhores que pessoas como ela e Howard; que as suas opiniões eram mais importantes. Pois bem, a sua arrogância tinha sofrido um duro golpe hoje. A morte súbita de Fairbrother veio reforçar uma convicção que Shirley nutria há tempos: independentemente do que ele e os seus seguidores pudessem pensar, Fairbrother sempre foi uma criatura inferior ao seu marido, e mais fraca, pois Howard, além de todas as outras virtudes que possuía, tinha conseguido sobreviver a um ataque cardíaco sete anos atrás.

(Em momento algum Shirley achou que Howard fosse morrer, nem mesmo quando ele estava na sala de cirurgia. Para ela, a presença de Howard neste mundo era um fato inquestionável, como a luz do sol e o oxigênio. Disse isso inúmeras vezes, depois desse episódio, quando amigos e vizinhos falavam de gente que escapava como que por milagre, da sorte que tinham por contar com uma unidade cardiológica assim tão pertinho, em Yarvil, e comentavam como ela devia ter ficado terrivelmente preocupada.

— Sempre soube que ele ia se safar — dizia ela, na maior tranquilidade. — Nunca duvidei disso.

E lá estava ele, tão saudável como sempre, ao passo que Fairbrother estava no necrotério. Dito e feito.)

No entusiasmo daquelas primeiras horas da manhã, Shirley se lembrou do dia seguinte ao nascimento do filho Miles. Tinha se sentado na cama, anos e anos atrás, exatamente como estava agora, com a luz entrando pela janela da enfermaria, segurando uma xícara de chá que alguém tinha preparado para ela, esperando que lhe trouxessem o seu lindo bebê para mamar. Nascimento e morte: era a mesma consciência de existência iluminada e do destaque da sua própria importância. A notícia da morte súbita de Barry Fairbrother jazia no seu colo como um recém-nascido rechonchudo a ser exibido para todos os seus conhecidos. E ela seria a fonte, por ter sido a primeira, ou quase, a ficar sabendo.

Nada daquele prazer que fervia e borbulhava dentro dela tinha se manifestado enquanto Howard estava no quarto. Antes de ele ir tomar banho, os dois se limitaram a fazer os comentários adequados nesses casos de morte súbita. É claro que, enquanto ficaram passando aquelas palavras e frases-padrão de um lado para o outro, como se fossem as contas de um ábaco, Shirley sabia perfeitamente que o marido devia estar tão perto do êxtase quanto ela própria. No entanto, expressar tais sentimentos em voz alta, quando a notícia da morte ainda estava fresquinha, pairando ali no ar, teria sido praticamente como dançar nu e gritar obscenidades, e tanto Howard quanto Shirley estavam sempre envergando uma camada invisível de decoro da qual nunca se desfaziam.

De repente, outra ideia feliz lhe passou pela cabeça. Shirley deixou a xícara e o pires na mesinha de cabeceira, levantou da cama, vestiu o robe de chenile, pôs os óculos e saiu descalça pelo corredor para bater à porta do banheiro.

— Howard?

A resposta foi um som interrogativo que suplantou o ruído regular do chuveiro.

— Acha que eu devia postar alguma coisa no site? Sobre Fairbrother?

— Boa ideia — gritou ele, lá de dentro, depois de refletir por um instante. — Excelente ideia.

E lá se foi a mulher para o escritório. O cômodo havia sido antes o menor quarto da casa e estava vazio há tempos, desde que a sua filha Patricia foi para Londres e raras vezes voltou a ser mencionada.

Shirley se orgulhava imensamente das suas habilidades na internet. Tinha feito um curso noturno em Yarvil, dez anos atrás, sendo uma das alunas mais velhas da turma e a mais lenta. Mesmo assim, perseverou, decidida a ser a administradora do novo site do Conselho Distrital de Pagford, que estava empolgando a todos. Fez o login e abriu a página da instituição.

A breve declaração saiu com tanta facilidade que parecia até que os seus dedos estavam redigindo aquilo por conta própria.

> Conselheiro Barry Fairbrother
> É com grande pesar que comunicamos o falecimento do conselheiro Barry Fairbrother. Voltamos os nossos pensamentos para a sua família nesse momento tão difícil.

Releu as poucas frases com todo o cuidado, teclou "Enter" e viu o texto aparecer na área de mensagens.

A Rainha mandou que a bandeira fosse hasteada a meio mastro no Palácio de Buckingham quando a princesa Diana morreu. Sua Majestade ocupava um lugar bem especial na vida interior de Shirley. Contemplando a mensagem ali na tela, ficou satisfeita e feliz por ter feito a coisa certa. Seguir o exemplo dos melhores...

Saiu da área de mensagens da página do Conselho e entrou no seu site de medicina favorito. Escrupulosamente, digitou as palavras "cérebro" e "morte" na caixa de pesquisa.

Havia inúmeras sugestões. Shirley foi passando aquelas diversas possibilidades, com os olhos plácidos percorrendo as páginas de alto a baixo, perguntando-se a qual daquelas condições fatais, algumas de nomes impronunciáveis, devia a felicidade que sentia agora. Tinha adquirido algum interesse por assuntos médicos desde que começou a trabalhar como voluntária no Hospital Geral South West e, às vezes, chegava mesmo a fazer diagnósticos para os amigos.

Mas hoje de manhã era impossível se concentrar naquelas palavras compridas e naqueles sintomas: a sua cabeça só pensava em continuar a espalhar a notícia, e, a essa altura, ela já estava reunindo e remanejando toda uma lista de números de telefone. Será que Aubrey e Julia já estavam sabendo? E o que diriam? Será que Howard deixaria que ela desse a notícia a Maureen ou ia querer ter ele mesmo esse prazer?

Tudo aquilo era *imensamente* empolgante.

IV

Andrew Price fechou a porta da casa, que era pequena e branca, e foi atrás do irmão, descendo a rampa do jardim, que hoje estalava por causa do gelo, e que ia dar no portão de metal gelado além do qual ficava a rua. Nenhum dos garotos se dignou a olhar para a vista já tão conhecida que se estendia mais abaixo: o minúsculo vilarejo de Pagford encravado no espaço contido entre três colinas, uma das quais encimada pelo que restava da abadia do século XII. Um riozinho estreito serpenteava ao pé da colina e cortava o vilarejo, onde era atravessado por uma ponte de pedra que parecia até de brinquedo. Aquilo tudo era tão sem graça quanto um cenário pintado para os dois irmãos. Andrew achava o fim do mundo o jeito como o seu pai, nas raras ocasiões em que recebiam visitas, parecia se vangloriar da paisagem, como se ele próprio a tivesse planejado e construído. Recentemente, o garoto percebera que preferiria mil vezes um cenário de asfalto, janelas quebradas e grafites. Sonhava com Londres e com uma vida que fizesse algum sentido.

Os dois irmãos foram andando até o fim da rua e pararam na esquina da estrada mais larga. Andrew enfiou a mão pelos arbustos da cerca viva, tateou por alguns instantes e tirou dali um maço de Benson & Hedges pela metade e uma caixa de fósforos ligeiramente úmida. Depois de algumas tentativas inúteis, já que a cabeça do fósforo se desmanchava sempre que ele riscava um, o garoto conseguiu acender o cigarro e deu duas ou três tragadas profundas. O ruído do motor do ônibus escolar veio romper aquela quietude. Com todo o cuidado, Andrew apagou o cigarro e enfiou o que tinha sobrado no maço.

Quando chegava àquela esquina de Hilltop House, o ônibus já vinha trazendo dois terços dos seus ocupantes, pois passava antes pelas fazendas e pelas casas dos arredores. Como sempre, os dois irmãos sentaram em lugares separados, cada um deles com um assento vago ao seu lado, e se viraram para olhar pela janela enquanto o veículo ia descendo, ruidoso e cambaleante, a caminho de Pagford.

Ao pé da colina onde moravam, havia uma casa com um jardim triangular. Em geral, os quatro Fairbrother ficavam esperando no portão da frente, mas hoje não tinha ninguém ali. Todas as cortinas estavam fechadas. *Por que será que as pessoas têm o hábito de ficar sentadas no escuro quando alguém morre?*, perguntou-se Andrew.

Umas semanas atrás, ele tinha saído com Niamh Fairbrother, uma das filhas gêmeas de Barry, para ir a uma festa no auditório da escola. Depois disso, a garota passou um tempo com a mania de andar atrás dele. Os pais de Andrew mal conheciam os Fairbrother. Aliás, Simon e Ruth praticamente não tinham amigos, mas pareciam simpatizar um pouquinho com Barry, que tinha sido gerente da minúscula filial do único banco que ainda resistia no vilarejo. Vira e mexe, o sobrenome Fairbrother aparecia ligado a coisas como o Conselho Distrital, peças encenadas no teatro local e a corrida anual da igreja. Mas Andrew não se interessava a mínima por esses assuntos, e os seus pais também não participavam de nada disso, a não ser comprando uma rifa vez por outra.

Quando o ônibus virou à esquerda e começou a descer a Church Row, passando pelos casarões vitorianos que iam formando uns patamares ladeira abaixo, Andrew se deu ao luxo de criar toda uma fantasia em que seu pai caía morto, atingido pelos disparos de um atirador invisível. O rapaz se via dando uns tapinhas nas costas da mãe, que soluçava, e telefonando para a funerária. Cigarro na boca, encomendava o caixão mais barato que existia.

Os três Jawanda — Jaswant, Sukhvinder e Rajpal — pegaram o ônibus no final da Church Row. Andrew tinha feito questão de escolher um lugar atrás de um banco vazio e torceu para que Sukhvinder viesse sentar à sua frente, não pela garota (Bola, o seu melhor amigo, a chamava de P&B, forma reduzida de "Peito & Bigode"), mas porque *Ela* quase sempre escolhia sentar ao lado de Sukhvinder. E fosse porque os seus poderes telepáticos estivessem particularmente afiados naquela manhã ou por qualquer outro motivo, Sukhvinder veio mesmo se sentar no banco da frente. Radiante, Andrew ficou olhando para o vidro sujo da janela e ajeitou bem a mochila no colo para esconder a ereção provocada pelos solavancos regulares do ônibus.

A sua ansiedade ia aumentando a cada novo sacolejar, enquanto o veículo grandalhão abria caminho pelas ruelas estreitas, fazendo curvas fechadas para contornar a praça do vilarejo e rumando para a esquina da rua *Dela*.

Andrew nunca tinha sentido um interesse assim tão grande por uma garota. Ela tinha acabado de chegar. Que hora estranha para mudar de escola: no último trimestre, já tão perto dos exames finais... Chamava-se Gaia, um nome perfeito, pois o garoto nunca o tinha ouvido antes, assim como nunca tinha visto alguém como ela. Pegou o ônibus, certa manhã, parecendo uma simples declaração dos píncaros sublimes que a natureza pode alcançar, e veio sentar dois bancos à sua frente. E ele ficou fascinado, olhando para a perfeição daqueles ombros e da parte de trás daquela cabeça.

O seu cabelo comprido, de um castanho-acobreado, descia em ondas largas e lhe batia pouco abaixo dos ombros; o nariz, absolutamente certinho, era pequeno e fino, destacando ainda mais a boca clara, de lábios cheios, provocadores; os olhos, bem separados, com cílios espessos, eram de um castanho-claro com umas manchinhas esverdeadas, lembrando uma daquelas maçãs *golden*. Andrew nunca a tinha visto maquiada, e a sua pele não tinha nenhuma mancha ou sarda. O rosto de Gaia era uma síntese de perfeita simetria e proporção fora do comum; podia passar horas e horas olhando para ela, tentando descobrir por que era tão fascinante... Ainda na semana passada, ele voltou para casa depois de dois tempos de aula de biologia, quando, por uma divina disposição aleatória de carteiras e de cabeças, conseguiu olhar para a garota quase o tempo todo. Mais tarde, a salvo no seu quarto, escreveu (depois de meia hora olhando para a parede e de um tempo se masturbando) "beleza é geometria". Rasgou a folha de papel imediatamente e, sempre que se lembrava disso, sentia-se um idiota. Mesmo assim, não deixava de ser verdade. A beleza de Gaia era uma questão de pequenos ajustes com relação a um padrão, e dessa operação resultava uma harmonia de tirar o fôlego!

Ela ia entrar no ônibus a qualquer momento e, se viesse sentar ao lado daquela chata e mal-humorada da Sukhvinder, como geralmente fazia, ia ficar tão perto que poderia até sentir que ele cheirava a nicotina. Andrew gostava de ver objetos inanimados reagirem ao corpo dela; gostava de ver o assento do banco ceder um pouco quando Gaia atirava o seu peso sobre ele, e adorava ver aquela massa castanha-acobreada fazer uma curva ao encostar na barra de ferro do alto do banco.

O motorista reduziu a velocidade, e Andrew desviou os olhos da porta, fingindo estar perdido em pensamentos. Só ia olhar depois que ela entrasse, como se tivesse acabado de perceber que o ônibus havia parado. Aí, sim, olharia para ela; talvez até a cumprimentasse com um aceno de cabeça. Ficou esperando ouvir as portas se abrindo, mas a vibração suave do motor não foi interrompida por aquele barulho tão conhecido.

Andrew olhou então pela janela e não viu nada além da Hope Street, uma rua pequena e feiosa, com duas fileiras de casinhas geminadas. O motorista se inclinou para a frente, buscando ver se a garota estaria vindo. O garoto teve vontade de mandar que ele esperasse, já que, ainda na semana passada, ela saiu às pressas de uma daquelas casinhas e veio correndo pela calçada (pôde observar a cena sem problemas porque todos ali dentro também estavam olhando). A visão de Gaia correndo era o bastante para ocupar os seus pensamentos por horas a fio, mas o motorista manejou o grande volante e o ônibus seguiu o seu caminho. Andrew voltou a olhar o vidro sujo da janela, sentindo uma dor no coração e no saco.

V

No passado, a Hope Street havia sido uma vila operária. No banheiro da casa de número dez, Gavin Hughes se barbeava lentamente, com um cuidado desnecessário. Ele era tão claro e tinha uma barba tão rala que esse ritual só precisava mesmo ser feito duas vezes por semana. Mas aquele banheiro gelado e meio sujo era o seu único refúgio. Se ficasse enrolando ali dentro até as oito horas, poderia perfeitamente dizer que precisava sair correndo para o trabalho. Estava morrendo de medo de ter de conversar com Kay.

Ontem à noite, conseguiu evitar qualquer conversa começando a transa mais longa e criativa que os dois haviam tido desde os primeiríssimos dias da relação. Kay reagiu imediatamente e com um entusiasmo que chegava a dar nervoso: passava de uma posição a outra; abria as pernas fortes e roliças; contorcia-se como uma acrobata eslava, o que ela aliás bem poderia ser, com aquela pele dourada e o cabelo escuro cortado bem curtinho. Já era tarde demais quando Gavin percebeu que ela estava interpretando aquela sua atitude tão pouco usual como uma confissão tácita de tudo aquilo que ele estava decidido a não dizer. Ela o beijou com avidez. Quando começaram a ficar juntos, ele achou os seus beijos molhados e profundos muito eróticos; agora, achava-os levemente repulsivos. Demorou muito para chegar ao clímax, pois o horror que sentia pelo que havia começado estava sempre ameaçando atrapalhar a sua ereção. E até isso acabou conspirando contra ele: Kay pareceu considerar aquele vigor nada comum uma verdadeira demonstração de virtuosismo.

Quando enfim terminaram, ela se aninhou bem junto dele, no escuro, e acariciou os seus cabelos por alguns instantes. Infeliz, Gavin ficou só olhando para o nada, consciente de que, depois de fazer tantos planos vagos para afrouxar aquelas amarras, tinha acabado por reforçá-las involuntariamente. Kay adormeceu, e ele ficou ali deitado, com um dos braços preso sob o corpo dela, sentindo a desagradável sensação do lençol úmido grudando na sua coxa, naquele velho colchão de molas todo irregular. Tudo o que queria era ter coragem de ser um filho da puta, sair de fininho e nunca mais voltar.

O banheiro de Kay tinha cheiro de mofo e esponjas molhadas. Havia um bolinho de cabelos num dos cantos da pequena banheira. A tinta das paredes estava descascando.

— Isso está precisando de uma obra — disse ela.

Gavin teve o cuidado de não se oferecer para ajudar. As coisas que não tinha lhe dito eram o seu talismã, a sua salvaguarda. Armazenou todas elas na cabeça e vivia repassando aquilo tudo, como se desfiasse as contas de um rosário. Nunca tinha dito a palavra "amor". Nunca tinha falado em casamento. Nunca tinha lhe pedido que fosse morar em Pagford. Apesar de tudo, porém, ela estava ali e, sabe-se lá como, fazia com que ele se sentisse responsável.

O seu rosto também o encarou do espelho manchado. Tinha umas sombras arroxeadas debaixo dos olhos, e o cabelo louro que começava a rarear estava quebradiço e ressecado. A lâmpada sem luminária que pendia do teto iluminava aquele rosto frágil e comprido com uma crueldade fria e meticulosa.

Trinta e quatro anos, pensou ele, *e pareço ter no mínimo uns quarenta.*

Ergueu a lâmina e, com todo o cuidado, raspou aqueles dois pelos mais grossos que nasciam de ambos os lados do seu proeminente pomo de adão.

Esmurraram a porta. A mão de Gavin escorregou, e o sangue começou a escorrer do seu pescoço magro, indo manchar a camisa branca limpinha.

— O seu namorado ainda tá no banheiro — berrou uma voz feminina. — Vou chegar atrasada!

— Já acabei! — gritou o rapaz.

O corte estava doendo, mas e daí? Agora tinha uma desculpa perfeita: *Veja só o que a sua filha fez! Vou ter que dar um pulinho em casa para trocar de camisa antes de ir para o trabalho.* Quase contente, passou a mão na gravata e no paletó que tinha pendurado no cabide atrás da porta e abriu o ferrolho.

Gaia entrou às pressas, bateu a porta e a trancou, visivelmente furiosa. Parado ali no minúsculo patamar, de onde se sentia um cheiro de borracha queimada, Gavin se lembrou da cabeceira da cama batendo na parede na noite anterior, dos rangidos do móvel de pinho vagabundo, dos gemidos e dos gritos de Kay. Às vezes chegava a esquecer que a filha dela estava em casa...

Desceu correndo. Kay disse que estava planejando mandar lixar e lustrar aquela escada sem carpete, mas ele duvidava muito que ela pusesse esse plano em prática... O apartamento dela em Londres era bem caído e em péssimo estado de conservação. De qualquer forma, Gavin estava convencido de que a moça pretendia ir morar com ele logo, logo, coisa que não ia permitir. Aquele era o último bastião, e nesse ponto, se preciso fosse, ia resistir com todas as suas forças.

— O que aconteceu? — gritou ela, vendo a mancha de sangue na camisa. Estava usando aquele quimono vermelho vagabundo que Gavin tanto detestava, mas que lhe caía muito bem.

— Gaia esmurrou a porta e me assustei. Tenho que passar em casa para trocar de camisa.

— Ah, mas já preparei o seu café! — replicou ela mais que depressa.

Gavin se deu conta de que o tal cheiro de borracha queimada vinha, na verdade, dos ovos mexidos. Eles pareciam anêmicos e cozidos demais.

— Não dá, Kay. Preciso trocar de camisa. Logo cedo, tenho...

Mas a moça já estava pondo aquela maçaroca nos pratos.

— Cinco minutos não vão fazer diferença...

No bolso do paletó, o celular tocou bem alto, e ele o pegou imediatamente perguntando-se se teria a sorte de poder alegar algum chamado urgente.

— Meu Deus! — exclamou, genuinamente horrorizado.

— O que foi?

— Barry. Barry Fairbrother! Ele... Que merda! Ele... morreu! É uma mensagem de Miles. Meu Deus! Que merda, meu Deus!

Kay soltou a colher de pau.

— Quem é Barry Fairbrother?

— Um cara com quem jogo *squash*. Ele só tinha quarenta e quatro anos! Meu Deus!

Leu mais uma vez a mensagem. Kay ficou olhando, sem entender nada. Sabia que Miles era sócio de Gavin no escritório de advocacia, mas ela nunca tinha sido apresentada a ele. Para ela, Barry Fairbrother era apenas um nome.

Ouviu-se um barulhão vindo lá da escada: era Gaia, descendo a toda.

— Ovos! — exclamou a garota, parada na porta da cozinha. — Toda manhã é a mesma coisa! *Não, obrigada*. E, graças a *ele* — acrescentou, lançando um olhar furioso para a nuca de Gavin —, com certeza já perdi a droga do ônibus.

— Bom, se não ficasse tanto tempo se penteando... — gritou Kay para a filha, que já estava indo embora. Gaia nem respondeu. Disparou pelo corredor, esbarrando nas paredes com a mochila, e saiu batendo a porta da frente.

— Tenho que ir, Kay — disse Gavin.

— Mas já está tudo pronto. Você pode tomar o seu café antes...

— Preciso trocar de camisa. E... Merda! Fui eu que preparei o testamento de Barry. Vou ter que cuidar disso. Não, sinto muito, mas preciso ir mesmo. Não dá para acreditar — acrescentou, relendo a mensagem de

Miles. — Não dá para acreditar. Nós dois jogamos *squash* nessa quinta-feira agora! Não dá... Meu Deus!

Um homem tinha morrido. Não havia nada que ela pudesse dizer; não sem acabar se sentindo culpada. Gavin deu um beijo rápido naquela boca que não reagiu e foi embora, atravessando o corredor estreito e escuro.

— Vamos nos ver...?

— Ligo mais tarde — gritou ele, fingindo que não tinha ouvido nada.

Atravessou a rua correndo para pegar o carro, engolindo aquele ar gélido e levando na cabeça a ideia da morte de Barry como se fosse um frasco de algum líquido volátil que ele não ousava sacudir. Quando virou a chave na ignição, pensou nas gêmeas de Barry chorando, deitadas de bruços na cama-beliche. Já as tinha visto deitadas ali, uma em cima, a outra embaixo, jogando Nintendo DS, quando passou pela porta do quarto na última vez que tinha ido jantar lá.

Os Fairbrother eram o casal mais unido que jamais vira. Nunca voltaria a comer naquela casa. Vivia dizendo a Barry que ele era um homem de sorte. Mas, pelo visto, nem tanto...

Alguém vinha pela calçada na sua direção; apavorado, achando que fosse Gaia vindo brigar com ele ou lhe pedir carona, deu marcha a ré com tanta pressa que bateu no carro estacionado atrás: era o velho Vauxhall Corsa de Kay. Quando a tal pessoa chegou diante da janela do carro, Gavin viu que era uma velha esquálida e meio manca com uns chinelinhos de pano. Suando, girou o volante e saiu em disparada. Enquanto pisava no acelerador, deu uma olhada pelo retrovisor e viu Gaia entrando de volta na casa de Kay.

Não estava conseguindo pôr ar suficiente nos pulmões. Sentia um aperto no peito. Só então percebeu que Barry Fairbrother era o seu melhor amigo.

VI

O ônibus chegou a Fields, o bairro que crescia nos arredores da cidade de Yarvil. Eram umas casas de um cinza sujo, algumas com iniciais e obscenidades pichadas na fachada. Aqui e ali, uma janela vedada com tábuas; várias antenas parabólicas e mato crescido: nada que merecesse, por parte de Andrew, mais atenção do que ele dedicava às ruínas da abadia de Pagford reluzindo com os cristais de gelo. De início, o garoto havia ficado intrigado e intimidado por aquele bairro popular, mas há muito que a familiaridade tinha transformado tudo aquilo em algo banal.

As calçadas estavam repletas de crianças e adolescentes a caminho da escola, muitos usando só camisetas, apesar do frio. Andrew avistou Krystal Weedon. Lá ia ela, saltitante, dando gargalhadas escandalosas, no meio de um grupo de adolescentes de ambos os sexos. Tinha vários brincos em cada orelha, e, por cima do cós da calça de moletom usada bem abaixo da cintura, dava para ver perfeitamente o elástico da calcinha. Andrew conhecia Krystal desde a escola primária, a garota protagonizou várias das mais vivas lembranças da sua infância. Um dia, por exemplo, ela voltou do recreio com o uniforme molhado e os meninos começaram a gritar: "Krystal fez xixi! Krystal fez xixi!" Em vez de chorar, como fariam quase todas as meninas, a garotinha de cinco anos entrou na dança, rindo e gritando também: "Krystal fez xixi!" Então, baixou a calça, na frente da turma toda, e fingiu que estava fazendo mesmo. Andrew tinha a nítida lembrança daquela vulva rosada e sem pelos. Parecia até que o Papai Noel tinha se materializado no meio da turma. E ele também lembrava que a srta. Oates, vermelha como um pimentão, foi levando a menina para fora da sala.

Quando tinha uns doze anos e foi para a escola secundária, Krystal já era a garota mais desenvolvida da sua série. Um dia, ficou lá no fundo da sala, onde os alunos deviam deixar o exercício de matemática já feito e pegar a nova folha. Como tudo aquilo começou, Andrew (um dos últimos a acabar o exercício, como sempre) não fazia a mínima ideia, mas, quando chegou perto das pastas que continham as folhas de exercícios, cuidadosamente empilhadas em cima dos armários que ficavam lá atrás, viu que Rob Calder e Mark Richards estavam se revezando para segurar e apertar os seios da garota. A maioria dos outros garotos estava só olhando, eletrizada, com o rosto escondido atrás do livro posto de pé em cima da carteira; já as garotas, muitas delas vermelhas de vergonha, fingiam que não estavam vendo nada. Andrew percebeu que metade dos alunos da turma já tinha tido a sua vez e que todos esperavam que ele entrasse na brincadeira, coisa que queria e não queria fazer. Não eram os peitos de Krystal que o assustavam, mas o ar ousado, desafiador que havia no rosto da garota... Ficou morrendo de medo de fazer tudo errado. Quando o sr.

Simmonds, o professor desligado e ineficaz, finalmente ergueu os olhos e disse "Vai ficar aí para sempre, Krystal? Pegue logo um exercício e volte para o seu lugar", Andrew sentiu um alívio quase absoluto.

Embora andassem com pessoas diferentes há muito tempo, continuavam a ser da mesma turma na escola, portanto Andrew sabia que Krystal só aparecia nas aulas de vez em quando, faltava muito e estava quase sempre metida em alguma confusão. Não sabia o que era medo, como os garotos que chegavam à escola com tatuagens que eles próprios haviam feito, lábios cortados, cigarros e mil casos de drogas, de sexo fácil e de confrontos com a polícia.

A Escola Winterdown ficava bem no centro de Yarvil. Era um prédio grande e feio, de três andares, com uma fachada cheia de janelas intercaladas com painéis pintados de azul-turquesa. Quando as portas do ônibus se abriram, Andrew se juntou aos grupos cada vez maiores de gente usando blazers pretos e suéteres que cruzavam o estacionamento, dirigindo-se às duas entradas principais. Já chegando ao afunilamento que se formava para passar pela porta de duas folhas, reparou num Nissan Micra que vinha parando e se afastou daquela massa para esperar pelo melhor amigo.

Fofo, Elefa, Wally, Wallah, Gordo, Bolota, Bola: ninguém naquela escola tinha mais apelidos que Stuart Wall. O seu jeito de andar, com umas passadas bem largas, a sua magreza, o rosto fino e chupado, as orelhas avantajadas e um ar de eterno sofrimento já bastariam para fazer dele um sujeito bem diferente dos demais. Mas eram o seu humor sarcástico, o seu ar distante e a sua pose que faziam dele um caso à parte. Sabe-se lá como, Stuart sempre conseguia se desvincular de qualquer coisa que se poderia definir como um caráter menos flexível, desvencilhando-se do embaraço de ser filho de um vice-diretor muito impopular e ridicularizado, e de ter uma mãe que, além de gorda e cafona, era a orientadora educacional da escola. Stuart era acima de tudo e exclusivamente ele mesmo: Bola, celebridade e ponto de referência na Winterdown. Até os alunos lá de Fields riam das suas piadas e, diante da frieza e da crueldade com que o garoto retribuía qualquer deboche, raramente se davam o trabalho de fazer gozações com os seus infelizes laços familiares.

Nesta manhã, a confiança de Bola permaneceu intacta quando, na frente daquelas hordas libertas dos pais que passavam pelo pátio, teve de saltar do Nissan em companhia não apenas da mãe, mas também do pai, que, em geral, vinha para a escola em horário diferente. Enquanto Bola trotava na sua direção, Andrew voltou a se lembrar de Krystal Weedon com a calcinha aparecendo.

— Tudo certo, Arf? — perguntou o recém-chegado.

— Oi, Bola.

Foram se juntar à multidão, com as mochilas penduradas no ombro, dando uns encontrões nas crianças menores, abrindo algum espaço no seu rastro.

— Pombinho andou chorando — disse Bola, enquanto iam subindo as escadas abarrotadas de alunos.

— O quê?

— Barry Fairbrother morreu ontem à noite.

— É, fiquei sabendo — replicou Andrew.

Bola lhe deu aquela olhada de esguelha que adotava quando outras pessoas tentavam se mostrar, fingindo que sabiam mais do que efetivamente sabiam, que eram mais do que efetivamente eram.

— A minha mãe tava no hospital quando trouxeram ele — acrescentou Andrew, irritado. — Ela trabalha lá, lembra?

— Ah, claro — disse Bola, já sem aquele ar desconfiado. — Bom, sabe que Pombinho e ele tinham um caso... E é Pombinho que vai dar a notícia. A coisa vai ficar feia, Arf.

No alto da escada, os amigos se separaram, e cada um foi para uma sala. Quase todos os colegas de Andrew já estavam lá dentro, sentados nas carteiras, balançando as pernas, ou apoiados nos armários que ficavam nas paredes laterais. As mochilas estavam debaixo das cadeiras. Como sempre, nas segundas de manhã, o falatório era mais alto e descontraído que de costume, porque, quando desse o sinal, iam sair da sala e atravessar o pátio para chegar ao ginásio de esportes. A professora estava sentada à sua mesa, assinalando a presença de quem ia entrando. Ela nunca se dava o trabalho de fazer a chamada: esse era um dos tantos expedientes que usava para tentar cativar a turma, e os alunos a desprezavam por isso.

Krystal chegou quando o sinal tocou.

— Tô aqui, fessora! — gritou lá da porta e voltou a sumir. Todos a seguiram, falando sem parar. Andrew e Bola se encontraram no alto da escada e, no meio daquela multidão, saíram pela porta dos fundos e foram andando até o outro lado do imenso pátio de cimento cinza.

O ginásio de esportes cheirava a suor e a tênis usado. O tumulto provocado por mil e duzentos adolescentes que não paravam de falar ecoou pelas paredes caiadas. Um tapete grosso, cinza-chumbo, todo manchado, cobria o chão e trazia, em diferentes cores, os traçados das quadras de *badminton* e de tênis, os gols do hóquei e do futebol. Aquele troço esfolava a pele toda se alguém caísse ali sem estar de calça comprida para se proteger. Mas, para os traseiros, ainda era melhor que a madeira dura onde tinham que ficar sentados até o final da reunião de todas as turmas da escola. Andrew e Bola já tinham conquistado o privilégio das cadeiras de pés tubulares e encosto de plástico que ficavam no fundo do ginásio para os alunos das últimas séries.

Lá na frente, virado para os alunos, havia um daqueles velhos púlpitos de madeira e, junto dele, estava a diretora, a sra. Shawcross. O pai de Bola, Colin "Pombinho" Wall, veio ocupar o seu lugar ao lado dela. Era um sujeito muito alto, com uma testa larga, entradas pronunciadas e um andar que pedia para ser imitado: saltitando mais que o necessário para se deslocar para a frente, com os braços bem colados ao corpo. Todos o chamavam de Pombinho por causa da sua célebre mania de vigiar, esvoaçando feito um pombo, os escaninhos que ficavam junto à porta do seu escritório, zelando para que estivessem sempre na mais perfeita ordem. As folhas de chamada eram depositadas em alguns deles depois de prontas, enquanto outras eram remetidas a departamentos específicos. "Veja lá se não vai pôr isso no escaninho errado, Ailsa!" "Não deixe a folha pendurada desse jeito ou ela vai acabar caindo, Kevin!" "Cuidado, garota! Pegue isso do chão e me dê aqui. Essa folha tem que ficar nesse escaninho!"

E até os outros professores acabaram chamando os tais escaninhos de "pombal". Todos achavam que eles faziam isso para deixar claro que não eram como Pombinho.

— Cheguem para lá, cheguem para lá — disse o sr. Meacher, professor de marcenaria. Isto porque Andrew e Bola tinham deixado uma cadeira vazia entre eles e Kevin Cooper.

Pombinho tomou o seu lugar atrás do púlpito. Os alunos não se aquietaram tão depressa quanto teriam feito se fosse a diretora. No exato momento em que a última voz se calou, uma das portas duplas do lado direito se abriu, e Gaia entrou no ginásio.

Deu uma olhada ao seu redor (Andrew se permitiu virar para vê-la, já que metade dos presentes estava fazendo o mesmo. Ela estava atrasada, não conhecia quase ninguém, era linda e, afinal, era apenas Pombinho que estava falando) e, com passos rápidos, mas sem correr (porque, como

Bola, ela tinha o dom da confiança), foi para trás dos alunos já instalados. A essa altura, Andrew já não podia se virar para continuar olhando, mas uma ideia lhe passou pela cabeça com tamanha força que os seus ouvidos chegaram a zumbir: ao obedecer à ordem do sr. Meacher, ele tinha deixado um lugar vago bem ao seu lado.

Ouviu uns passos leves e rápidos que se aproximavam e, de repente, ali estava ela. Veio sentar exatamente ao seu lado. Empurrou um pouco a cadeira, o corpo esbarrando no dele. As narinas de Andrew captaram um ligeiro perfume. Todo o lado esquerdo do seu corpo ardia com a consciência da presença dela, e o garoto ficou feliz da vida porque justamente daquele lado o seu rosto tinha menos espinhas que do outro. Nunca tinha estado assim tão perto de Gaia e ficou se perguntando se teria coragem de olhar para ela, de dar algum sinal de que a reconhecia. Logo, porém, concluiu que tinha ficado paralisado por tanto tempo que já não dava para fazer isso de uma forma natural.

Coçou a têmpora esquerda para esconder o rosto. Revirou então os olhos e olhou para aquelas mãos juntas, pousadas no colo da garota. As unhas eram curtas, limpas e sem esmalte. Num dos dedos mindinhos, ela tinha um anelzinho de prata.

Discretamente, Bola lhe deu uma cotovelada.

— E por último... — disse Pombinho, e Andrew percebeu que já tinha ouvido o professor dizer aquelas palavras duas vezes. E que a quietude que reinava no ginásio tinha se tornado um sólido silêncio: todo o movimento havia cessado, e o ar ficou impregnado de curiosidade, animação e embaraço.

— E por último... — repetiu Pombinho, e a sua voz tremeu sem que ele pudesse controlá-la. — Tenho uma notícia... Uma notícia muito triste para lhes dar. O sr. Fairbrother... que foi treinador da nossa tão... vitoriosa equipe feminina de remo durante os últimos dois anos... — Nesse ponto, ele como que engasgou, e passou uma das mãos pelos olhos. — ...morreu...

Pombinho Wall estava chorando diante de todos. A sua careca cheia de protuberâncias pendeu para a frente. Ouviram-se, simultaneamente, murmúrios de espanto e risinhos pela plateia, e muitos rostos se viraram para Bola, que continuou ali sentado, com um ar sublime de quem não tinha nada a ver com aquilo. Parecia um tanto intrigado, mas, a não ser por isso, estava impassível.

— ...morreu... — disse Pombinho, soluçando, e a diretora se levantou, parecendo aborrecida. — ...morreu... ontem à noite.

De repente, um som estridente brotou de algum lugar lá no meio das cadeiras do fundo do ginásio.

— Quem riu? — rosnou Pombinho, e o ar ali dentro chegou a estalar de tanta tensão. — COMO SE ATREVE?! Quem foi a menina que riu? Quem foi?

O sr. Meacher já estava de pé, gesticulando furioso para alguém no meio da fileira bem atrás de Andrew e Bola. A cadeira de Andrew balançou novamente porque Gaia tinha se virado, como todos os demais, para ver o que estava acontecendo. Andrew tinha a impressão de que o seu corpo inteiro era agora hipersensitivo: dava para sentir que o corpo de Gaia estava meio debruçado na sua direção. Caso se virasse para o outro lado, o seu peito esbarraria no dela.

— *Quem foi que riu?* — repetiu Pombinho, erguendo-se absurdamente na ponta dos pés, como se pudesse descobrir o culpado lá do lugar onde estava. Meacher esbravejava e gesticulava febrilmente dirigindo-se à pessoa que decidira acusar.

— Quem é, sr. Meacher? — gritou Pombinho.

O professor pareceu relutar em responder. Não estava conseguindo convencer o culpado a se levantar da cadeira. Mas, como Pombinho já dava sinais de que ia sair lá da frente para investigar pessoalmente, Krystal Weedon se pôs de pé de um salto, inteiramente vermelha, e foi saindo da fileira de cadeiras onde estava.

— Passe no meu escritório assim que terminarmos aqui — gritou Pombinho. — É absolutamente lamentável! Uma completa falta de respeito! Saia já daqui!

Mas Krystal parou na ponta da fila de cadeiras, ergueu o dedo médio para Pombinho e berrou:

— FIZ NADA NÃO, SEU BABACA!

Por todo lado ouviram-se risos e murmúrios excitados. Os professores tentavam em vão impor silêncio aos alunos, e um ou dois deles chegaram mesmo a se levantar, procurando intimidar as turmas pelas quais eram responsáveis.

As portas duplas se fecharam atrás de Krystal e do sr. Meacher.

— Quietos! — gritou a diretora, e um silêncio precário, cheio de sussurros e movimentos, voltou a se instalar no ginásio. Bola olhava fixo para a frente, e, pela primeira vez, havia um quê de forçado naquela indiferença e um ligeiro rubor na sua pele.

Andrew sentiu Gaia se endireitando na cadeira. Armou-se de coragem, olhou para o lado esquerdo e sorriu. Ela retribuiu o seu sorriso.

VII

Embora a delicatéssen de Pagford só abrisse às nove e meia, Howard Mollison já tinha chegado ao local. Era um homem de sessenta e quatro anos, de uma obesidade extravagante. A barriga avantajada formava uma prega que lhe caía diante das coxas e, assim que batia os olhos nele, a maioria das pessoas logo pensava no seu pênis: quando o teria visto pela última vez, como conseguia lavá-lo, como conseguia realizar qualquer dos atos para os quais serve o pênis? Em parte porque o seu porte físico provocava esse tipo de pensamento, em parte por causa da sua baixa tolerância a brincadeiras, Howard conseguia deixar as pessoas sem jeito e desarmá-las quase na mesma medida. Talvez por isso fosse tão comum os fregueses comprarem mais do que pretendiam na primeira visita que faziam à loja. Trabalhando, Howard conversava o tempo todo, enquanto a mão de dedos curtos ia acionando o cortador de frios para lá e para cá, e as fatias fininhas e sedosas de presunto iam caindo no celofane colocado ali para recebê-las, com os olhos redondos e azuis sempre prontos para uma piscadela, a papada balançando com o riso fácil.

Ele tinha idealizado um uniforme de trabalho: camisa branca, avental de lona verde-escuro, calças de veludo e um daqueles chapéus estilo Sherlock Holmes no qual havia enfiado várias moscas de pescaria. Se algum dia o tal chapéu tinha sido uma brincadeira, há tempos que deixara de ser: toda manhã, antes de abrir a loja, ele o posicionava com a maior precisão sobre os bastos cachos grisalhos com o auxílio de um espelhinho instalado no banheiro dos funcionários.

Para Howard, era sempre um prazer abrir a delicatéssen de manhã. Adorava circular pela loja vazia, numa hora em que só se ouvia o barulhinho constante das geladeiras. Deliciava-se em ir trazendo tudo de volta à vida — acender as luzes, subir as persianas, tirar as tampas para deixar à mostra os tesouros do balcão-frigorífico: as pálidas alcachofras de um verde-acinzentado, as azeitonas pretas como ônix, os tomates secos enroscados como cavalos-marinhos vermelhos boiando naquele azeite temperado com ervas.

Hoje, porém, esse prazer vinha mesclado de impaciência. A sua sócia já estava atrasada e, como acontecera mais cedo com Miles, Howard temia que alguém pudesse passar à sua frente e contar primeiro aquela notícia sensacional, uma vez que Maureen não tinha celular.

Parou junto do arco recém-aberto na parede que separava a sua loja da velha sapataria que em breve ia se tornar o mais novo café do vilarejo, e verificou se estava tudo certo com o plástico grosso que fazia as vezes de cortina para proteger a delicatéssen da poeira da obra. Estavam planejando abrir o café antes da Semana Santa, a tempo de atrair turistas que seguiam todo ano para a região do West Country e cuja bagagem Howard enchia de sidra local, queijo e peças de artesanato em palha de milho.

A sineta tocou às suas costas. Howard se virou com o coração remendado e reforçado batendo mais forte de tanta empolgação.

Maureen, a viúva do sócio original de Howard, era uma mulher de sessenta e dois anos, magra e meio encurvada. A sua postura a fazia aparentar muito mais idade, embora ela fizesse os mais diversos esforços para manter um pé na juventude: pintava o cabelo de preto retinto, usava roupas coloridas e se equilibrava em cima de imprudentes saltos altos, que tirava ao chegar na loja para calçar uns tamancos Dr. Scholl.

— Bom dia, Mo — disse Howard.

Tinha decidido não estragar a revelação fazendo as coisas atabalhoadamente, mas logo, logo os clientes começariam a chegar, e ele tinha muito para contar.

— Já soube?

Maureen o encarou, franzindo as sobrancelhas, com um ar inquiridor.

— Barry Fairbrother morreu.

A mulher ficou de boca aberta.

— *Não*! — exclamou ela. — Como?

— Alguma coisa arrebentou — disse o seu sócio, dando um tapinha na lateral da cabeça. — Por aqui. Miles estava lá. Viu tudo. Foi no estacionamento do clube de golfe.

— *Não*! — repetiu Maureen.

— Mortinho — disse Howard, como se houvesse graus diferentes de morte e Barry Fairbrother tivesse sido vítima de um particularmente sórdido.

A boca de Maureen, pintada com um batom forte, pendia frouxa. Ela fez o sinal da cruz. O seu catolicismo sempre dava um toque pitoresco a momentos como aquele.

— Miles estava lá? — indagou ela, e Howard percebeu, naquela voz meio rouca e profunda de ex-fumante, o desejo de saber de tudo, nos mínimos detalhes.

— Não quer pôr a chaleira no fogo, Mo?

Pelo menos podia prolongar a agonia da sua sócia por mais alguns instantes. Na pressa de voltar, Maureen respingou chá fervente na mão. Os dois então sentaram juntos, atrás do balcão, nos bancos altos de madeira que Howard havia posto ali para as horas de menos movimento, e Maureen apanhou um punhado de raspas de gelo da bandeja das azeitonas para aliviar a queimadura. Juntos, desfiaram todos os aspectos convencionais da tragédia: a viúva ("vai ficar perdida; ela vivia para Barry"); os filhos ("quatro adolescentes; não vai ser fácil criá-los sem um pai"); a relativa juventude do morto ("ele não era muito mais velho que Miles, não é mesmo?"); e, por fim, chegaram ao verdadeiro ponto de partida, com relação ao qual tudo o mais não passava de vagos rodeios.

— E agora? — indagou Maureen num tom ávido.

— Ah — replicou Howard. — Bom, e agora? Aí é que está! Temos uma vacância, Mo, e isso pode fazer toda a diferença.

— Temos uma o quê? — perguntou a mulher, temendo ter deixado passar algo absolutamente crucial.

— Vacância — repetiu Howard. — É o que acontece quando uma cadeira do Conselho fica vaga por morte do seu titular. É o termo legal — acrescentou ele, didaticamente.

Howard era o presidente do Conselho e o representante máximo de Pagford. Esta posição se fazia acompanhar de um colar com uma insígnia em ouro e esmalte que agora descansava no minúsculo cofre que Shirley e ele haviam mandado instalar no fundo do armário embutido feito sob medida. Se ao menos o distrito de Pagford houvesse sido elevado à categoria de município, ele poderia se intitular prefeito... Apesar de tudo, porém, para todos os efeitos, era isso que ele era. Shirley tinha deixado as coisas bem claras no site do Conselho, onde, sob uma reluzente foto colorida de Howard envergando o colar com a sua insígnia, lia-se com todas as letras que ele receberia de bom grado convites para participar de quaisquer eventos cívicos e comerciais do vilarejo. Poucas semanas atrás, ele tinha entregado os certificados de conclusão do curso de ciclismo da escola primária local.

— Veja bem, Mo, Fairbrother era um safado — disse Howard, tomando um gole do seu chá e esboçando um sorrisinho para atenuar a afirmação que fazia. — Ele sabia ser um grandessíssimo safado.

— Sei disso — replicou a mulher. — Sei disso.

— Eu ia ter que chamá-lo às falas se não tivesse morrido. Pergunte só a Shirley. Ele sabia ser um vigarista safado!

— Ah, eu sei.

— Bom, agora, veremos. Veremos. Isso deve pôr um ponto final nessa história. Veja bem, é claro que eu não queria vencer assim — prosseguiu Howard, com um profundo suspiro —, mas, pensando no bem de Pagford... na comunidade... até que não é nada mau... — E, olhando o relógio, acrescentou: — Já são quase nove e meia, Mo.

Aqueles dois nunca se atrasavam para abrir a loja e nunca fechavam mais cedo: administravam o seu comércio com a regularidade e os rituais de um templo.

Meio cambaleando, Maureen foi até a porta, subiu as persianas, e recortes do exterior foram se revelando progressivamente: uma praça pitoresca e bem-cuidada, graças, em boa parte, aos esforços coordenados daqueles cujas propriedades davam para o local. Por todo canto, viam-se jardineiras, cestos pendurados e vasos com flores coloridas que, por combinação dos moradores, variavam de ano para ano. O Black Canon (um dos pubs mais antigos da Inglaterra) ficava defronte da Mollison & Lowe, do outro lado da praça.

Howard se apressou a ir algumas vezes aos fundos da loja para buscar umas bandejas retangulares com patê fresco e depositá-las, com os seus adornos de rodelas de limão e frutas vermelhas reluzentes, no balcão envidraçado. Um tanto ofegante pelo esforço extra exigido por toda aquela conversa matinal, ele ajeitou o último patê e parou um pouquinho, observando o monumento aos mortos da guerra, que ficava bem no meio da praça.

Pagford estava linda como sempre assim pela manhã, e Howard experimentou um sublime instante de exultação tanto na própria existência quanto na daquela cidade à qual se sentia ligado como um coração pulsante. Estava ali para se impregnar de tudo aquilo — os bancos pretos luzidios, as flores vermelhas e roxas, o sol brilhando no alto da cruz de pedra —, e Barry Fairbrother tinha desaparecido. Era difícil não ter a sensação de estar diante de um desígnio maior, revelado por essa súbita alteração ocorrida no que Howard via como um campo de batalha em que ele e Barry haviam se enfrentado por tanto tempo.

— Howard — exclamou Maureen bruscamente. — *Howard*!

Alguém vinha atravessando a praça a passos largos. Era uma mulher magra, morena, de cabelos pretos, que usava uma gabardine e, com ar aborrecido, olhava as próprias botas enquanto andava.

— Acha que...? Será que ela já sabe? — sussurrou Maureen.

— Não faço ideia — respondeu Howard.

Maureen, que ainda não tinha tido tempo de calçar os tamancos Dr. Scholl, quase torceu o tornozelo ao recuar às pressas, afastando-se da janela e correndo para ficar atrás do balcão. Lentamente, com toda a majestade, como um canhoneiro dirigindo-se ao seu posto, Howard foi ocupar o seu lugar diante da caixa registradora.

A sineta soou, e a dra. Parminder Jawanda empurrou a porta da delicatéssen, sempre com aquele ar aborrecido. Agiu como se os donos não estivessem ali e foi direto para a prateleira dos azeites. Os olhos de Maureen a seguiram com o êxtase e a concentração de um falcão espreitando um rato-do-mato.

— Bom dia! — disse Howard, quando Parminder se aproximou do balcão segurando uma garrafa.

— Bom dia.

A dra. Jawanda raramente o encarava, fosse nas reuniões do Conselho, fosse quando se encontravam fora do salão da igreja. Howard achava engraçada a incapacidade que ela tinha de disfarçar o seu desagrado: aquilo o tornava jovial, extravagantemente galante e cortês.

— Não foi trabalhar hoje?

— Não — respondeu Parminder, remexendo na bolsa.

Maureen não conseguiu se conter.

— Que coisa horrível — disse, com aquela sua voz rouca. — Barry Fairbrother, não é?

— Hmmm — resmungou a outra, mas acabou perguntando: — O quê?

— Barry Fairbrother — repetiu Maureen.

— O que houve com ele?

Mesmo depois de dezesseis anos morando em Pagford, ela ainda tinha um forte sotaque de Birmingham. Uma linha vertical profunda entre as sobrancelhas lhe dava um ar eternamente tenso, parecendo às vezes raiva, às vezes concentração.

— Morreu — respondeu Maureen, olhando ávida para aquele rosto contraído. — Ontem à noite. Howard acabou de me contar.

Parminder ficou praticamente imóvel, com a mão enfiada na bolsa. Voltou então os olhos na direção do comerciante.

— Caiu morto no estacionamento do clube de golfe — disse ele. — Miles estava lá e presenciou tudo.

Mais alguns segundos se passaram.

— Por acaso isso é uma piada? — perguntou Parminder, e a sua voz soou dura e meio esganiçada.

— Claro que não — retrucou Maureen, saboreando a própria coragem. — Quem faria uma piada dessas?

Parminder botou a garrafa de azeite em cima do balcão de vidro com toda a força e saiu da loja.

— Ora, ora... — exclamou Maureen, num êxtase de desaprovação. — Isso é uma piada? Que simpatia!

— Choque! — replicou Howard com muita sensatez, observando Parminder, que atravessava a praça quase correndo, com a gabardine esvoaçando às suas costas. — Essa aí ficou tão transtornada quanto a viúva. Olhe, vai ser interessante... — acrescentou, coçando a prega da barriga que geralmente comichava — ver o que ela...

Deixou a frase inacabada, mas isso não tinha a mínima importância: Maureen sabia exatamente o que ele estava pensando. Vendo a conselheira Jawanda desaparecer numa esquina, ambos estavam contemplando a tal vacância, e, a seus olhos, ela não era um espaço vazio, mas a cartola de um mágico, cheinha de possibilidades.

VIII

A antiga casa paroquial era a última e a mais imponente das casas vitorianas da Church Row. Ficava bem na esquina, num grande jardim triangular, em frente à Igreja de São Miguel e Todos os Santos.

Parminder, que tinha feito os últimos metros correndo, teve alguma dificuldade em abrir o ferrolho da porta da frente e finalmente entrou. Não ia acreditar naquela história até ouvir a notícia dada pela boca de outra pessoa, qualquer uma. Mas o telefone já estava tocando furiosamente na cozinha.

— Alô?

— Sou eu, Vikram.

O marido de Parminder era cirurgião cardiovascular. Trabalhava no Hospital Geral South West, em Yarvil, e não costumava lhe telefonar do trabalho. A mulher segurou o fone com tanta força que os seus dedos chegaram a ficar doloridos.

— Fiquei sabendo por acaso. Parece que foi um aneurisma. Pedi a Huw Jeffries que passasse a autópsia dele na frente das outras. É melhor que Mary fique sabendo do que o marido morreu. Talvez estejam trabalhando nisso agora mesmo.

— Está certo — disse Parminder num sussurro.

— Tessa Wall estava lá — acrescentou o marido. — Ligue para ela.

— Está bem — replicou Parminder. — Vou fazer isso.

Mas, quando pôs o fone no gancho, deixou-se cair numa cadeira e ficou olhando pela janela da cozinha, sem ver o jardim dos fundos, apertando com os dedos a própria boca.

Tudo tinha desmoronado. As coisas continuavam ali — as paredes, as cadeiras, os retratos das crianças nas paredes —, mas isso não queria dizer absolutamente nada. Cada átomo de todas aquelas coisas tinha explodido e se reconstituído num instante, e a sua aparência de permanência e solidez era ridícula; aquilo se desmancharia ao mínimo toque, pois, de repente, tudo tinha se tornado quebradiço, fino como papel.

Parminder não tinha controle sobre os próprios pensamentos; eles também haviam se estilhaçado, e alguns fragmentos aleatórios de lembranças vinham à tona para, depois, voltar a afundar: ela dançando com Barry na festa de Ano-Novo dos Wall, e a conversa boba que os dois tiveram saindo da última reunião do Conselho.

— A sua casa parece uma cabeça de vaca — disse ela.

— Cabeça de *vaca*? O que quer dizer com isso?

— É mais estreita na frente que nos fundos. Isso é sinal de sorte. Mas ela dá para uma interseção em T. O que é sinal de azar.

— Então, somos neutros em termos de sorte — replicou Barry.

A tal artéria na cabeça dele talvez estivesse inflando perigosamente já naquela ocasião, e nenhum dos dois poderia desconfiar disso.

Às cegas, Parminder saiu da cozinha e entrou na sala de estar eternamente na penumbra, fizesse chuva ou fizesse sol, por causa do gigantesco pinheiro-da-escócia que havia no jardim. Detestava aquela árvore, mas ela continuava ali porque Parminder e o marido sabiam perfeitamente que iam arrumar briga com os vizinhos se mandassem derrubá-la.

Não conseguia parar quieta. Passou pelo corredor, voltou à cozinha, pegou o telefone e ligou para Tessa Wall, mas ninguém atendeu. Devia estar no trabalho. Trêmula, Parminder voltou a se sentar na cadeira da cozinha.

A dor que sentia era tão grande, tão selvagem que chegava a assustá-la, como se um monstro maligno tivesse surgido das tábuas do assoalho. Barry, baixinho, barbudo; Barry, seu amigo, seu aliado.

Foi exatamente assim que o seu pai morreu. Ela tinha quinze anos, e, ao voltarem da cidade, deram com ele caído de bruços no gramado, o cortador de grama ao seu lado, o sol quente lhe batendo na nuca. Parminder tinha horror de mortes súbitas. O definhar prolongado que muita gente tanto teme era, para ela, uma perspectiva reconfortante; ter tempo para arrumar e organizar as coisas, tempo para se despedir...

Continuava pressionando a boca com ambas as mãos. Observou o rosto doce e grave do Guru Nanak preso no quadro de cortiça.

(Vikram não gostava daquela foto.

— O que isso está fazendo aí?

— Gosto dela — respondeu, enfrentando-o.)

Barry, morto.

Reprimiu a terrível vontade de chorar com aquela ferocidade que a sua mãe sempre condenava, especialmente no dia seguinte à morte do seu pai, quando as outras filhas, bem como as tias e as primas, gemiam e batiam no peito. "Logo você, que era a favorita dele!" Mas Parminder guardou aquelas lágrimas não derramadas muito bem-trancadas dentro de si, e, aparentemente, elas sofreram uma transformação alquímica, voltando ao mundo exterior sob a forma de jorros de lava de raiva despejados periodicamente sobre os próprios filhos e as recepcionistas do trabalho.

Ainda podia ver Howard e Maureen atrás do balcão, ele, imenso, ela, magricela, e, na imagem mental que fazia, os dois a encaravam do alto ao lhe dizer que o seu amigo tinha morrido. Num ímpeto quase reconfortante de fúria e de ódio, Parminder pensou: *Aqueles dois estão felizes da vida. Estão achando que, agora, vão vencer.*

Mais uma vez, pulou da cadeira, foi até a sala de estar e tirou, lá da prateleira de cima, um volume dos *Sainchis*, o livro sagrado que acabara de comprar. Abrindo-o ao acaso, leu, não surpreendida, mas antes com a sensação de estar olhando num espelho o próprio rosto arrasado:

Ó mente, o mundo é um poço escuro e profundo. Por todo lado, a Morte lança a sua rede.

IX

A sala destinada ao serviço de orientação educacional da Winterdown dava para a biblioteca da escola. Não tinha janelas e era iluminada por uma única daquelas lâmpadas fluorescentes bem compridas.

Tessa Wall, chefe do setor e esposa do vice-diretor, entrou na sala às dez e meia, atordoada de tanto cansaço e trazendo na mão uma xícara de café bem forte que tinha apanhado no refeitório dos funcionários. Era baixinha e gorda, com um rosto largo sem atrativos e uma franja quase sempre meio torta, já que ela cortava o próprio cabelo, que estava começando a embranquecer. Usava umas roupas que davam a impressão de serem feitas em casa e adorava bijuterias de contas e madeira. Hoje estava com uma saia comprida que mais parecia de juta, combinando com um casaquinho verde-claro, largo e grosso. Raramente se olhava num espelho de corpo inteiro e boicotava as lojas em que isso fosse inevitável.

Tessa havia tentado amenizar a semelhança daquela sala com uma cela pendurando na parede um panô do Nepal que tinha desde os seus tempos de estudante: sobre um fundo com as cores do arco-íris, um reluzente sol amarelo e uma lua estilizados emitiam os seus raios ondulantes. De resto, o que se via ali eram cartazes contendo dicas para estimular a autoestima ou telefones de grupos anônimos de apoio para diversas questões de saúde física ou emocional. Na última vez que entrou naquela sala, a diretora havia feito uma observação ligeiramente sarcástica a respeito desses cartazes.

— Pelo que estou vendo, se nada disso funcionar é só ligar para a Fundação de Amparo à Criança e ao Adolescente — disse ela, apontando para o mais destacado deles, que continha o nome e o telefone de uma organização.

Tessa afundou na cadeira com um gemido abafado, tirou o relógio de pulso que estava beliscando o seu braço e o deixou em cima da mesa, junto de vários formulários e notas. Duvidava que conseguisse dar conta do que havia sido previsto para aquele dia; duvidava até que Krystal Weedon fosse aparecer por lá. Em geral, a garota ia embora da escola quando ficava chateada, zangada ou aborrecida. Às vezes, era apanhada antes de cruzar o portão e trazida de volta à força, xingando e gritando, mas também acontecia de ela conseguir driblar a vigilância, escapar dali e passar dias matando aula. Já eram dez e quarenta. A sineta tocou, e Tessa ficou esperando.

Às dez e cinquenta e um, Krystal entrou feito uma bala, batendo a porta atrás de si. Jogou-se na cadeira diante de Tessa, com os braços cruzados sobre os seios avantajados e os brincos vagabundos balançando nas orelhas.

— Diz pro seu marido — principiou ela, com voz trêmula — que eu não ri porra nenhuma, viu?

— Por favor, Krystal, nada de palavrões na minha frente — replicou a orientadora.

— *Eu não ri coisa nenhuma... ok?* — gritou a garota.

Um grupo de alunos do último ano entrou na biblioteca carregando umas pastas. Todos espiaram pela vidraça da porta. Um deles sorriu ao ver a cabeça de Krystal ali dentro. Tessa se levantou, baixou a persiana e voltou para o seu lugar, defronte do sol e da lua.

— Tudo bem, Krystal. Por que não me conta o que aconteceu?

— O seu marido disse alguma coisa sobre o sr. Fairbrother, ok? E eu não ouvi o que ele disse, entendeu? Aí, Nikki me contou, e eu não consegui acreditar na merda que...

— Krystal!

— Não dava para acreditar naquilo, tá? Aí eu gritei. Mas não ri porra nenhuma!

— Krystal!

— *Eu não ri, entendeu?* — repetiu a garota, aos berros, com os braços cruzados diante do peito e as pernas também cruzadas.

— Está certo, Krystal.

Tessa estava acostumada à raiva dos alunos que vinham com mais frequência à sua sala. Muitos não tinham a mínima educação: quase sempre mentiam, faziam bagunça e colavam nas provas. Mesmo assim, quando injustamente acusados, a sua fúria era infinita e genuína. A orientadora se julgava capaz de distinguir essa atitude autêntica daquela outra, fingida, que Krystal era perita em adotar. De todo modo, o que ouviu lá no ginásio tinha lhe parecido mais um grito de espanto e tristeza que uma gozação, e tomou um susto quando o marido identificou aquilo como uma risada.

— Tava vendo Pombinho...

— Krystal!

— Disse pra porra do seu marido...

— Krystal, pela última vez: nada de palavrões...

— Eu disse pra ele que eu não ri coisa nenhuma. Eu disse! E, mesmo assim, ele me ferrou com uma detenção!

Os olhos pintadíssimos da garota brilhavam com lágrimas de raiva. O sangue lhe subiu ao rosto e, vermelha como um pimentão, ela ficou encarando a orientadora, pronta para fugir, xingar, exibir também para Tessa o dedo médio. Uma confiança muito tênue, laboriosamente construída entre as duas durante quase dois anos, estava agora tão esgarçada que podia arrebentar a qualquer momento.

— Acredito em você, Krystal. Acredito que não riu, mas, por favor, não diga palavrões quando fala comigo.

De repente, uns dedos curtinhos estavam esfregando aqueles olhos já borrados. Tessa tirou da gaveta da escrivaninha um punhado de lenços de papel e os ofereceu à garota, que, sem dizer obrigada, se apoderou deles, enxugou os olhos e assoou o nariz. As mãos de Krystal eram o que havia nela de mais tocante: as unhas, malpintadas, eram curtas e largas, e todos os gestos que aquelas mãos faziam eram ingênuos e diretos como os de uma criança pequena.

Tessa esperou até Krystal parar de fungar.

— Dá para perceber que você ficou chateada com a notícia da morte do sr. Fairbrother...

— Fiquei, sim! — replicou a garota, com boa dose de agressividade. — E daí?

Sem mais nem menos, passou pela cabeça de Tessa a ideia de Barry ouvindo aquela conversa. Podia até ver o seu sorriso tristonho; podia ouvi-lo dizer, bem nitidamente, "ela é uma garota bacana". Incapaz de falar, a orientadora fechou os olhos, que lhe ardiam. Percebeu que Krystal se remexia na cadeira; contou até dez e voltou a abrir os olhos. A garota a estava encarando, sempre de braços cruzados, com o rosto vermelho e aquele ar desafiador.

— Também fiquei muito triste — disse Tessa. — Na verdade, ele era um velho amigo da família. É por isso que o sr. Wall está meio...

— Eu disse pra ele que não...

— Deixe eu acabar, Krystal. O sr. Wall está muito chateado hoje. Provavelmente, foi por isso que... interpretou mal o que você fez. Vou conversar com ele.

— Ele não vai desistir da porra da...

— *Krystal*!

— Tá, mas ele não vai, não — disse ela. E começou a chutar o pé da escrivaninha num ritmo acelerado.

Tessa tirou os cotovelos da mesa, para não sentir a vibração do móvel, e repetiu:

— Vou conversar com o sr. Wall.

Assumiu o que julgava ser uma expressão neutra e, com toda a paciência, ficou esperando que a garota fizesse alguma coisa. Krystal, porém, continuava sentada ali, mergulhada num silêncio truculento, chutando o pé da escrivaninha, engolindo em seco com alguma regularidade.

— Que que aconteceu com o sr. Fairbrother? — perguntou ela enfim.

— Acham que uma artéria do cérebro dele se rompeu — respondeu Tessa.

— Por quê?

— Ele nasceu com um problema, mas não sabia disso — foi a resposta da orientadora.

Tessa sabia que Krystal estava muito mais familiarizada com mortes súbitas do que ela própria. Os seus parentes por parte de mãe morriam assim com tanta frequência que parecia até que estavam envolvidos numa guerra que o resto do mundo ignorava por completo. Uma vez Krystal lhe contou que, quando tinha seis anos, encontrou o cadáver de um rapaz desconhecido no banheiro da mãe. Foi o que precipitou uma das suas tantas remoções para viver sob os cuidados da avó Cath. A velha senhora era uma presença constante em várias das histórias que Krystal contava sobre a sua infância; um estranho misto de carrasco e tábua de salvação.

— Agora, a nossa equipe vai se foder — disse a garota.

— Não vai, não — replicou Tessa. — E, por favor, Krystal, sem palavrões.

— Vai, sim.

Tessa teve vontade de contradizê-la, mas esse impulso foi vencido pelo cansaço. De certa forma, a garota tinha razão, dizia uma parte racional, uma parte independente do seu cérebro. A equipe *não* ia sobreviver. Ninguém, a não ser Barry, conseguiria integrar Krystal Weedon a qualquer grupo que fosse e mantê-la ali. Ela ia largar tudo, como Tessa bem sabia; e provavelmente Krystal também sabia disso. Ficaram sentadas por alguns instantes, em silêncio. A orientadora estava cansada demais para encontrar palavras que talvez pudessem alterar o clima que se instalara entre as duas. Sentia-se trêmula, exposta, inteiramente desprotegida. Fazia vinte e quatro horas que não dormia.

(Samantha Mollison tinha ligado às dez da noite, exatamente quando Tessa estava saindo de um banho demorado e ia ver o noticiário da BBC. Voltou a se vestir, às pressas, enquanto o marido fazia uns ruídos incompreensíveis e tropeçava nos móveis. Do térreo, gritaram avisando ao filho que estavam indo para o hospital e correram para o carro. Colin dirigiu a toda até Yarvil, como se pudesse trazer Barry de volta se conseguisse fazer o trajeto em tempo recorde, passar à frente da realidade e convencê-la a se modificar.)

— Se não vai falar comigo, vou embora — disse Krystal.

— Não seja grosseira, por favor — replicou Tessa. — Estou muito cansada hoje. O sr. Wall e eu passamos a noite inteira no hospital com a esposa do sr. Fairbrother. Somos muito amigos.

(Mary desmontou completamente quando a viu chegar. Abraçou-a e enterrou o rosto no seu pescoço, com um choro agudo e assustador. Mesmo quando as suas próprias lágrimas começaram a escorrer pelas costas estreitas de Mary, Tessa continuou pensando muito claramente que o barulho que a outra estava fazendo era o que se chamaria de carpir. O corpo mignon e esguio que Tessa tantas vezes invejara tremia nos seus braços, sem conseguir conter a dor que lhe havia sido imposta.

Não se lembrava de ter visto Miles e Samantha irem embora. Não os conhecia muito bem. Com certeza ficaram bem contentes por poder sair dali.)

— Já vi a mulher dele — disse Krystal. — Uma loura. Ela veio ver a gente competir.

— Isso mesmo.

Krystal estava mordendo as pontas dos dedos.

— Ele disse que era pra eu falar com o jornal — disse ela, abruptamente.

— Fazer o quê? — perguntou Tessa, sem entender nada.

— O sr. Fairbrother disse que era pra eu dar uma entrevista. Falando sobre mim.

Uma vez, saiu uma matéria no jornal local sobre o oito com timoneiro da Escola Winterdown, que tinha se classificado em primeiro lugar para a final regional. Krystal, que lia mal e porcamente, trouxe o exemplar do periódico para mostrar à orientadora, e Tessa leu o texto em voz alta, introduzindo exclamações de contentamento e admiração. Tinha sido a melhor sessão de orientação que já havia feito na vida.

— Iam fazer uma entrevista com você por causa do remo? — perguntou Tessa. — A equipe toda?

— Não — respondeu a garota. — Era outra coisa. O enterro vai ser quando?

— Ainda não sabemos.

Krystal ficou roendo as unhas, e Tessa não conseguiu encontrar forças para romper o silêncio que tinha se instalado à sua volta.

X

A notícia da morte de Barry no site do Conselho Distrital não chegou exatamente a provocar alguma comoção, mais parecendo uma pedrinha atirada no oceano imenso. Mesmo assim, nessa segunda-feira, as linhas telefônicas de Pagford ficaram mais ocupadas que de costume, e grupinhos de transeuntes se formavam nas calçadas estreitas para conferir, com ar chocado, a exatidão das próprias informações.

À medida que a notícia foi se espalhando, ocorreu uma estranha transmutação. A assinatura de Barry, que estava nos documentos do escritório e nos e-mails que enchiam a caixa de entrada da imensa quantidade de gente que ele conhecia, assumiu o caráter patético da trilha de migalhas de pão deixada por um menino perdido na floresta. Aqueles rabiscos apressados, os pixels combinados por dedos que, de agora em diante, nunca mais voltariam a se mexer, adquiriram o macabro aspecto de cascas ocas. Gavin já estava sentindo certa repugnância pelas mensagens de texto que o amigo morto havia enviado para o seu celular, e uma das garotas da equipe de remo, que vinha voltando do ginásio ainda chorando, quase teve um ataque histérico quando encontrou na mochila um formulário assinado por Barry.

A jornalista de vinte e três anos que trabalhava na *Gazeta de Yarvil e Adjacências* nem desconfiava que o cérebro outrora tão ativo de Barry era agora um punhado de tecido esponjoso dentro de uma gaveta metálica no Hospital Geral South West. Leu o texto que ele tinha lhe mandado por e-mail uma hora antes de morrer e ligou para o seu celular, mas ninguém atendeu. O aparelho, que Barry tinha desligado, a pedido da mulher, antes de sair para o clube, estava agora na cozinha, em silêncio, ao lado do micro-ondas, junto com o restante das coisas que o hospital tinha entregado para Mary levar para casa. Ninguém tocou em nada. Aqueles objetos tão conhecidos — o chaveiro, o celular, a velha carteira bem usada — pareciam pedaços do próprio morto; poderiam perfeitamente ser os seus dedos, os seus pulmões...

Pelos quatro cantos, a notícia da morte de Barry foi se espalhando, irradiando-se como um halo a partir daqueles que estiveram no hospital. Pelos quatro cantos, inclusive em Yarvil, onde chegou aos ouvidos de quem só o conhecia de vista, de nome ou de ouvir falar. Pouco a pouco, os fatos foram perdendo forma e foco; em certos casos, acabaram distorcidos. Em alguns lugares, o próprio Barry desapareceu por trás da natureza do seu fim, tornando-se apenas uma irrupção de vômito e urina, uma pilha contorcida de catástrofe, e parecia absurdo, até mesmo grotescamente cômico, que um homem pudesse morrer de uma morte assim tão nojenta naquele pequeno clube de golfe tão elegante.

Foi assim que Simon Price, um dos primeiros a saber da morte de Barry, ainda na sua casa construída no topo da colina de onde se via toda Pagford, deparou com uma outra versão da história na Gráfica Harcourt-Walsh, em Yarvil, onde trabalhava desde que saiu da escola. Ela lhe chegou pela boca de um rapazinho que mascava chicletes e dirigia uma empilhadeira. Simon topou com ele matando trabalho perto da porta da sua sala quando voltava do banheiro, já mais para o fim da tarde. E, diga-se de passagem, o tal garoto nem estava ali para falar de Barry.

— Aquele negócio que você disse que talvez interessasse... — balbuciou o jovem, entrando no escritório atrás de Simon e vendo que o outro tinha fechado a porta. — Posso ver isso na quarta, se você ainda tiver a fim.

— É mesmo? — indagou Simon, sentando diante da escrivaninha. — Achei que você tinha dito que já estava tudo em cima.

— E tá mesmo, mas não dá pra conseguir marcar a entrega pra antes da quarta.

— Quanto mesmo que você disse que era?

— Oitentinha. Em dinheiro.

O garoto mastigava com tanta força que Simon podia ouvir a sua saliva em ação. Mascar chicletes era uma das tantas coisas com que ele implicava loucamente.

— Mas é coisa boa, não é? — perguntou ele. — Não é uma dessas porcarias pirateadas.

— Vem direto do depósito — respondeu o outro, mexendo um pouco o pé e o ombro. — Coisa fina. Na embalagem.

— Então está combinado — disse Simon. — Pode trazer na quarta.

— O quê?! Pra cá? — exclamou o garoto, revirando os olhos. — De jeito nenhum, cara! Pro trabalho, não... Onde é que você mora?

— Em Pagford.

— Mas onde em Pagford?

Simon detestava a ideia de falar da própria casa: era uma aversão que beirava a superstição. Além de não gostar de visitantes — invasores da sua privacidade e possíveis saqueadores da sua propriedade —, via Hilltop House como algo inviolado, imaculado, um mundo à parte com relação a Yarvil e àquelas máquinas de impressão incansáveis e barulhentas.

— Passo então para pegar depois do trabalho — disse Simon, ignorando a pergunta do rapaz. — Onde é?

O outro não pareceu gostar nada da ideia. Simon o encarou.

— Vou precisar da grana adiantada — retrucou ele então.

— Dou o dinheiro quando receber a mercadoria.

— Não é assim que a gente trabalha, cara!

Simon achou que estava começando a ficar com dor de cabeça. Não conseguia se livrar da terrível ideia sugerida hoje de manhã por aquela descuidada da sua mulher: que uma minúscula bomba pode passar muito tempo armada no cérebro de um homem sem que ninguém saiba da sua existência. O bate que bate das máquinas do outro lado da porta decerto não ajudava em nada; aquela barulheira incessante devia vir afinando as paredes das suas artérias há anos.

— Está bem — resmungou e se virou na cadeira para apanhar a carteira, que estava no bolso de trás da calça. O menino chegou mais perto, com a mão estendida.

— Você mora perto do clube de golfe de Pagford? — perguntou, enquanto Simon ia botando as notas de dez libras na palma daquela mão. — Um amigo meu tava por lá ontem à noite e viu um sujeito cair duro. Do nada, o cara começou a vomitar, desabou no chão e morreu no estacionamento.

— É, ouvi dizer... — disse Simon, passando os dedos pela última das notas antes de entregá-la, para ter certeza de que não havia ali duas delas grudadas.

— Sujeito corrupto, o tal conselheiro que morreu. Andava levando propina. Os Gray tavam pagando uma grana pra ele pra continuarem como fornecedores.

— Ah, é? — disse Simon, como quem não quer nada. Mas, no fundo, estava interessadíssimo.

Barry Fairbrother, hein? Quem diria?

— Então eu passo aqui, falou? — disse o rapaz, enfiando as oitenta libras bem no fundo do bolso da calça. — E nós dois vamos lá na quarta.

A porta do escritório se fechou. De tão fascinado pela revelação da vigarice de Barry Fairbrother, Simon chegou a esquecer a dor de cabeça, que, na verdade, não passava de um ligeiro incômodo. Barry Fairbrother, sempre tão ocupado e sociável, tão popular e entusiasmado: e, o tempo todo, só embolsando as propinas que levava dos Gray...

Aquela notícia não deixou Simon tão abalado quanto deixaria praticamente qualquer outro que conhecesse Barry, nem desmereceu o conselheiro a seus olhos; muito pelo contrário, ele passou a respeitar ainda mais o falecido. Sabia perfeitamente que qualquer pessoa com um mínimo de inteligência vivia batalhando, por baixo dos panos, para abocanhar o máximo que pudesse conseguir. Ficou parado ali, com os olhos fixos na planilha aberta na tela do computador, mas sem a enxergar, e, mais uma vez, deixou de ouvir o barulho das máquinas do outro lado da vidraça empoeirada.

Quando se tem família, não há outra opção senão trabalhar das nove às cinco, mas Simon sempre soube que existiam alternativas melhores que esta. Sempre soube que uma vida de conforto e fartura pairava sobre a sua cabeça como uma daquelas imensas pinhatas das festas infantis, repleta de boas surpresas, e que ele poderia arrebentar desde que conseguisse um bastão grande o bastante e soubesse exatamente em que ponto devia bater. Como uma criança, Simon acreditava que o resto do mundo existia como palco para o desenrolar da sua própria história pessoal; que o destino estava sempre planando ao seu redor, lançando pistas e indícios no seu caminho, e tinha a nítida sensação de haver sido aquinhoado com um sinal, com uma piscadela celestial.

Essas dicas sobrenaturais estavam por trás de várias decisões aparentemente quixotescas que Simon tomou no passado. Há alguns anos, quando ainda era um simples aprendiz na gráfica, estava às voltas com uma hipoteca que mal podia pagar e uma esposa que acabava de engravidar, apostou cem libras em "Bebê de Ruthie", um cavalo muito bem-cotado para vencer o Grande Prêmio Nacional, mas que acabou perdendo na reta final. Pouco depois de comprar Hilltop House, Simon aplicou mil e duzentas libras — dinheiro que Ruth tinha esperanças de usar para comprar tapetes e cortinas — numa espécie de fundo de investimento administrado por um sujeito que conhecia lá de Yarvil. O tal dinheiro sumiu juntamente com o diretor da empresa, mas, apesar de ter esbravejado, xingado e chutado o filho caçula escada abaixo só porque ele estava no caminho, Simon não procurou a polícia. Afinal, antes mesmo de investir o seu dinheiro, tinha ficado sabendo de certas irregularidades nas operações da firma e previu a possibilidade de algumas perguntas embaraçosas.

Em contraste com essas calamidades, porém, havia golpes de sorte, expedientes lucrativos, palpites que davam certo, e era a eles que Simon acabava atribuindo um peso maior sempre que fazia um balanço dos prós e dos contras. Era graças a eles que mantinha a fé na boa estrela, que reforçava a sua convicção de que o universo lhe havia reservado muito mais do que aquela história de ficar trabalhando para ganhar um salário modesto até se aposentar ou morrer. Golpes ou jeitinhos, uma mãozinha aqui, um favorzinho ali: era o que todos faziam, até mesmo, como tinha acabado de descobrir, o baixinho Barry Fairbrother.

Ali, naquele minúsculo escritório, Simon Price vislumbrava com olhos cobiçosos a possibilidade de vir a integrar um espaço onde o dinheiro estava sendo agora despejado em cima de uma cadeira vazia, sem que houvesse um colo para recebê-lo.

(Velhos tempos)

Invasores

12.43 Com relação aos invasores (que, em princípio, devem se apoderar da propriedade alheia e de seus ocupantes, se houver algum no local)...

Charles Arnold-Baker
Administração dos Conselhos Locais
7ª edição

I

Pelo seu tamanho, o Conselho Distrital de Pagford era uma força considerável. Reunia-se uma vez por mês no gracioso salão paroquial vitoriano, e qualquer tentativa de reduzir o seu orçamento, incorporar algum dos seus poderes ou integrá-lo a um desses órgãos modernos vinha sendo exaustivamente combatida, e com sucesso, há décadas. De todos os conselhos locais submetidos à autoridade do Conselho Municipal de Yarvil, Pagford se orgulhava de ser o mais rebelde, o que tinha mais voz ativa, o mais independente.

Até domingo à noite, ele se compunha de dezesseis homens e mulheres residentes no vilarejo. Uma vez que os eleitores de Pagford tendiam a presumir que a vontade de integrar o Conselho Distrital implicava competência para fazer isso, todos os conselheiros haviam conquistado o cargo sem ter de enfrentar qualquer tipo de oposição.

Mesmo assim, esse grupo eleito de forma tão amistosa vivia atualmente num estado de guerra civil. Um problema que vinha provocando fúria e rancor em Pagford há uns bons sessenta anos tinha atingido o seu auge, e as facções se formaram em torno de dois líderes carismáticos.

Para entender direito a causa de tal disputa, seria preciso ter uma noção exata da profunda antipatia e da desconfiança que o vilarejo experimentava com relação à cidade de Yarvil, situada a alguns quilômetros mais ao norte.

As lojas, os escritórios, as fábricas e o Hospital Geral South West, todos em Yarvil, geravam o grosso dos empregos para os moradores de Pagford. Era também nos seus cinemas e boates que rapazes e moças iam se divertir nas noites de sábado. A cidade possuía uma catedral, diversos parques e dois enormes shopping centers, todos constituindo atrativos para quem já estivesse farto dos magníficos encantos do vilarejo. Apesar de tudo, porém, para os verdadeiros pagfordianos, Yarvil era pouco mais que um mal necessário. A atitude que assumiam era bem-simbolizada pela colina encimada pela abadia de Pargetter, que bloqueava a visão da cidade e lhes proporcionava a doce ilusão de que Yarvil estava muito mais longe deles do que efetivamente estava.

II

Acontece, porém, que a mesma colina Pargetter também tapava uma outra vista, só que, desta vez, tratava-se de um local que Pagford sempre havia considerado propriedade sua. Era a Sweetlove House, uma encantadora mansão estilo Rainha Ana, pintada de amarelo, que ficava no meio de um imenso parque e possuía ainda terras produtivas. Esse tesouro estava situado dentro dos limites de Pagford, a meio caminho entre o vilarejo e Yarvil.

Por quase duzentos anos, a casa foi passando sem maiores atritos de geração em geração da aristocrática família Sweetlove até que, em princípios do século XX, morreu o último dos seus descendentes. Tudo que restava desses tempos da longa relação entre os Sweetlove e Pagford era a imponente sepultura nos jardins da Igreja de São Miguel e Todos os Santos, além de um punhado de brasões e iniciais em prédios e documentos, como pegadas e coprólitos de criaturas já extintas.

Após a morte do último dos Sweetlove, a propriedade mudou de mãos com uma rapidez assustadora. Pagford vivia constantemente amedrontada pela perspectiva de alguma imobiliária comprar tudo aquilo e acabar mutilando a localidade tão amada. Até que, na década de 1950, um homem chamado Aubrey Fawley adquiriu a mansão. Logo todos ficaram sabendo que o tal Fawley era dono de um considerável patrimônio que ele ainda suplementava na City, o centro financeiro de Londres, por alguns meios misteriosos. Tinha quatro filhos e desejava se instalar no local definitivamente. A aprovação do vilarejo se elevou a níveis ainda mais sublimes quando começaram a circular boatos que davam Fawley como descendente dos Sweetlove por afinidade. O sujeito já era nitidamente quase um deles, alguém que dedicaria a sua lealdade a Pagford e não a Yarvil. O velho vilarejo estava convicto de que a chegada de Aubrey Fawley significava o retorno daqueles tempos encantadores. Para a localidade, ele seria uma versão masculina da fada madrinha, como haviam sido antes os seus antepassados, derramando graça e glamour pelas suas ruas de paralelepípedos.

Howard Mollison ainda se lembrava de ver a mãe entrar toda empolgada na minúscula cozinha da casa da Hope Street com a notícia de que Aubrey havia sido convidado para fazer parte do júri da exposição de jardinagem do vilarejo. Por três anos consecutivos, o seu feijão-trepador tinha conquistado o primeiro lugar entre as legumináceas, e ela estava louca para receber o troféu prateado das mãos de um homem que, a seu ver, já era um daqueles personagens dos romances de antigamente.

III

Mas, segundo reza a lenda local, veio então a escuridão que sempre anuncia a entrada em cena da bruxa malvada.

Justo quando Pagford andava encantada por ver que a Sweetlove House tinha caído em mãos tão confiáveis, Yarvil estava ocupadíssima construindo, ao sul do seu perímetro urbano, uma faixa de casas que a municipalidade alugaria. As novas ruas, como Pagford descobriu compungido, estavam ocupando parte das terras que ficavam entre a cidade e o vilarejo.

Ninguém ignorava que, desde a guerra, a demanda por moradias baratas tinha aumentado muito, mas Pagford, cuja atenção tinha se desviado momentaneamente da chegada de Aubrey Fawley, começou a desconfiar das intenções de Yarvil. O rio e a colina, barreiras naturais que, no passado, haviam garantido a soberania do vilarejo, pareciam ir se reduzindo no mesmo ritmo em que se multiplicavam as casas de tijolos vermelhos. Yarvil foi ocupando cada centímetro de terra como bem entendia e só parou quando atingiu o limite norte de Pagford.

O vilarejo, então, suspirou com um alívio que logo se revelou prematuro. O loteamento de Cantermill não tardou a ser considerado insuficiente para suprir as necessidades da população, e o município partiu em busca de mais terras para ocupar.

Foi então que Aubrey Fawley (que, para os habitantes de Pagford, ainda era mais um mito que alguém de carne e osso) tomou a decisão que desencadeou uma rixa virulenta que vinha se arrastando há sessenta anos.

Não vendo serventia para os poucos terrenos cobertos de mato que ficavam perto do novo loteamento, ele vendeu a terra para o Conselho Municipal de Yarvil por um bom preço e usou o dinheiro para restaurar os lambris de madeira que revestiam o salão da Sweetlove House.

Pagford não podia conter a sua fúria. Os campos da mansão Sweetlove eram uma peça importante do seu bastião contra a cidade que vinha tentando invadi-la. Agora, a antiga fronteira do vilarejo estava prestes a ser comprometida por uma avalanche de yarvilianos carentes. Assembleias agitadíssimas, longas cartas para o jornal e para o Conselho Municipal, protestos perante as autoridades competentes — nada disso foi capaz de reverter o rumo da situação.

As tais casas recomeçaram a avançar, mas com uma diferença: no breve intervalo de tempo que se seguiu ao fim das obras das primeiras residências, a municipalidade percebeu que podia fazer construções ainda mais baratas. Essa nova leva já não era de tijolos vermelhos, mas de concreto e estruturas metálicas. Esse novo loteamento era agora conhecido como Fields, em lembrança das terras onde ele havia surgido, e se distinguia de Cantermill pela arquitetura e pelo material inferior usado na sua construção.

Foi numa das casas de aço e concreto de Fields, já bem desvirtuadas e deterioradas em fins dos anos 1960, que Barry Fairbrother nasceu.

IV

Apesar das delicadas afirmações do Conselho de Yarvil, insistindo que as despesas com o novo bairro ficariam exclusivamente por sua conta, Pagford — como os seus enfurecidos moradores haviam previsto desde o começo — logo viu chegarem novas taxas. Se o fornecimento da maioria dos serviços e a manutenção das casas cabiam ao município, havia ainda alguns encargos que, daquele seu jeito autoritário, Yarvil resolveu delegar ao distrito: a manutenção das calçadas, da iluminação e do mobiliário urbano, dos pontos de ônibus e espaços públicos.

Os grafites floresceram nas pontes existentes ao longo da estrada que ligava Pagford a Yarvil, os pontos de ônibus de Fields foram alvo de vandalismo, os adolescentes do bairro enchiam o parque infantil de garrafas de cerveja e atiravam pedras nas lâmpadas dos postes. Uma calçada do vilarejo onde moradores e turistas tanto gostavam de passear tornou-se ponto de encontro — ou até mesmo coisa pior, como dizia em tom sombrio a mãe de Howard Mollison — de rapazes e moças do novo bairro. Cabia ao Conselho Distrital de Pagford a limpeza, os consertos e a substituição do que se quebrasse, e as verbas atribuídas por Yarvil eram consideradas insuficientes para o tempo exigido e as despesas necessárias.

Mas, entre todos esses transtornos indesejados, nada deixava os moradores do vilarejo mais irritados e amargurados que o fato de a educação das crianças de Fields ser da competência da escola primária local, a St. Thomas's Church of England. Eles tinham o direito de usar o tão cobiçado uniforme azul e branco, brincar no pátio onde ficava a pedra fundamental inaugurada por Lady Charlotte Sweetlove e fazer a maior algazarra nas minúsculas salas de aula com aquele sotaque estridente de Yarvil.

Em pouco tempo, todos diziam que morar em Fields tinha se tornado o objetivo de vida de todas as famílias carentes de Yarvil que tivessem filhos em idade escolar. Dizia-se até que havia um intenso vaivém na linha divisória entre Cantermill e Fields, mais ou menos como acontecia com os mexicanos que entravam no Texas. A sua linda escola, verdadeiro chamariz para profissionais vindos de fora, atraídos pelas salas pequenas, pelas carteiras com tampo corrediço, pelo velho prédio de pedra e pelo pátio com seu belíssimo gramado, ficaria superlotada e infestada pela prole de pedintes, drogados e mães que tinham cada filho de um pai diferente.

Esse roteiro de pesadelo nunca se concretizou plenamente porque, embora houvesse vantagens incontestáveis na St. Thomas, havia também alguns problemas: a necessidade de comprar o uniforme ou então preencher todos os requisitos exigidos para se qualificar como carente e ter direito a recebê-lo de graça; a necessidade de conseguir passes de ônibus e de acordar mais cedo para que os filhos chegassem na hora. Algumas famílias do novo bairro acharam esses obstáculos intransponíveis e mandaram os filhos para as grandes escolas que não exigiam uniforme e tinham sido construídas para atender à população de Cantermill. A maioria dos alunos de Fields matriculados na St. Thomas se integrou perfeitamente com os colegas de Pagford. Chegou-se mesmo a admitir que alguns deles eram ótimas crianças. Barry Fairbrother circulava, pois, pela escola toda, como aluno popular e verdadeiro palhaço da turma, só percebendo, de quando em quando, que o sorriso de um pai ou uma mãe do vilarejo murchava quando ele dizia onde morava.

Mesmo assim, a St. Thomas via-se às vezes obrigada a admitir um aluno do novo bairro com índole visivelmente questionável. Krystal Weedon estava morando com a bisavó, na Hope Street, quando chegou a época de se matricular na escola. Portanto, não havia como impedir o seu ingresso, muito embora, quando ela voltou a viver com a mãe em Fields, aos oito anos de idade, os moradores de Pagford tenham nutrido esperanças de vê-la deixar a St. Thomas de uma vez por todas.

A sua lenta passagem pela escola pareceu até a passagem de um bode pelo corpo de uma jiboia: absolutamente visível e desconfortável para ambas as partes envolvidas. Não que Krystal estivesse sempre presente: durante boa parte da sua permanência ali, ela recebeu aulas individuais de um professor especial.

Por um malévolo golpe do destino, Krystal era da mesma turma que Lexie, a neta mais velha de Howard e Shirley. Houve uma ocasião em que Krystal deu um soco na cara de Lexie Mollison com tanta força que lhe arrancou dois dentes, e o fato de eles já estarem moles não foi considerado uma circunstância atenuante pelos pais e pelos avós da menina.

Foi a convicção de que turmas inteiras de Krystals estariam à sua espera na Escola Secundária Winterdown que acabou levando Miles e Samantha Mollison a matricular ambas as filhas na St. Anne, uma escola particular de Yarvil, só para meninas, onde as duas passavam a semana inteira em regime de internato. A constatação de que as netas haviam sido expulsas, por Krystal Weedon, do lugar que lhes cabia por direito logo se tornou o exemplo favorito de Howard para demonstrar como a influência do novo bairro era nefasta para a vida de Pagford.

V

Aquelas primeiras manifestações diante da afronta experimentada por Pagford acabaram se transformando numa sensação mais discreta, embora não menos poderosa, de ressentimento. O bairro de Fields tinha vindo poluir e corromper um lugar de paz e de beleza, e os habitantes mais inflamados do vilarejo continuavam determinados a extirpar o loteamento. Revisões de limites foram solicitadas e realizadas, e reformas do governo local se alastraram pela área sem efetuar qualquer modificação efetiva: Fields continuava a fazer parte do distrito de Pagford. Quem chegava ao vilarejo logo descobria que detestar o novo bairro era um passaporte necessário para se obter as boas graças do núcleo central de pagfordianos que mandava e desmandava nas coisas por ali.

Mas agora, finalmente — uns sessenta anos depois que o velho Aubrey Fawley entregou aquele pedaço de terra fatal a Yarvil; depois de décadas de trabalho paciente, bolando estratégias, fazendo petições, coletando informações e discutindo com subcomitês —, a facção anti-Fields de Pagford se encontrava quase às portas da vitória.

A recessão estava obrigando as autoridades a simplificar, cortar, reorganizar. No Conselho Municipal de Yarvil, havia quem vislumbrasse vantagens para as próximas eleições caso o pequeno bairro caindo aos pedaços — e provavelmente destinado a ficar à míngua em função das medidas de austeridade impostas pelo governo nacional — fosse simplesmente arrebanhado para que os pobres-diabos dos seus moradores viessem se incluir na lista dos seus eleitores.

Pagford tinha o seu próprio representante em Yarvil: o conselheiro municipal Aubrey Fawley. Não se tratava do homem que possibilitou a construção de Fields, mas do seu filho, o "jovem Aubrey", que havia herdado a Sweetlove House e passava a semana inteira trabalhando como agente financeiro em Londres. Havia uma leve dose de penitência no envolvimento de Aubrey com as questões locais, como se ele se sentisse na obrigação de consertar o mal que o pai, num gesto tão impensado, tinha feito ao vilarejo. Ele e a esposa, Julia, patrocinavam a exposição agrícola e entregavam os prêmios aos vencedores, participavam de qualquer comitê que existisse por ali e todo ano davam uma festa de Natal cujos convites eram cobiçadíssimos.

Um dos maiores orgulhos de Howard, algo que o deixava encantado, era saber que ele e Aubrey eram aliados tão próximos na incessante batalha para remover o bairro popular de Fields. Afinal, Aubrey circulava nas altas rodas dos negócios, o que provocava o respeito fascinado do dono da delicatéssen. Toda noite, depois de fechar a loja, Howard pegava a gaveta da sua velha caixa registradora e contava as moedas e as notas sujas antes de guardá-las no cofre. Já Aubrey nunca botava a mão em dinheiro durante o expediente e, mesmo assim, era capaz de fazer com que quantias inimagináveis circulassem por todos os continentes. Ele administrava e multiplicava aquelas fortunas e, quando os presságios eram menos auspiciosos, mantinha-se impávido, vendo-as desaparecer. Aos olhos de Howard, Aubrey tinha uma mística que nem mesmo uma crise financeira mundial seria capaz de abalar. O dono da delicatéssen ficava irritado com quem quer que culpasse pessoas como Aubrey pela confusão em que o país se encontrava. Ninguém reclamava quando tudo estava correndo bem, era a opinião tantas vezes por ele repetida. Howard concedia ao seu aliado o respeito devido a um general ferido numa guerra impopular.

Nesse meio-tempo, na qualidade de membro do Conselho Municipal, Aubrey tinha acesso a todo tipo de estatísticas interessantes e estava em condições de transmitir a Howard uma boa dose de informações sobre o tão problemático satélite de Pagford. Os dois homens sabiam exatamente que porcentagem dos recursos públicos era destinada às ruas destruídas de Fields, sem qualquer retorno ou resultado visível. Sabiam também que ninguém ali era dono da casa onde morava (ao passo que quase todas as casas de tijolos de Cantermill eram hoje propriedade dos seus moradores e tinham passado por uma verdadeira transformação, com jardineiras nas janelas, varandas e gramados bem-tratados). E sabiam que quase dois terços dos habitantes de Fields viviam exclusivamente do dinheiro público e que um número considerável já tinha cruzado as portas da Clínica de Reabilitação e Tratamento para Dependência Química Bellchapel.

VI

Para Howard, a visão de Fields era algo que não lhe saía da cabeça, como a lembrança de um pesadelo: janelas vedadas por tábuas repletas de obscenidades, adolescentes fumando dentro dos abrigos constantemente depredados dos pontos de ônibus, parabólicas por todo canto, viradas para o céu como corolas despetaladas de sinistras flores de metal. Muitas vezes perguntava — simples pergunta retórica, é claro — por que aquela gente não se organizava e transformava aquele lugar. O que os impedia de fazer uma vaquinha com os seus parcos recursos e comprar um cortador de grama comunitário? Isso, porém, nunca aconteceu: Fields estava sempre esperando que os conselhos, distrital e municipal, limpassem, consertassem, cuidassem da manutenção. Dar isso, dar aquilo, dar aquilo outro...

Lembrava-se então da Hope Street da sua infância, com os seus minúsculos quintais nos fundos das casas, uns quadrados de terra pouco maiores que uma toalha de mesa. A maioria deles, porém, inclusive o da sua mãe, era inteiramente plantada com feijão-trepador e batata. Na sua opinião, não havia nada que impedisse os moradores de Fields de ter uma horta, nada que os impedisse de dar alguma educação àquela filharada sinistra, encapuzada, sempre às voltas com latas de spray; nada que os impedisse de se unir e, em mutirão, dar cabo da sujeira e consertar tudo que estava caindo aos pedaços; nada que os impedisse de se lavar e procurar emprego... Absolutamente nada. Só podia ser uma coisa, era a conclusão a que chegava necessariamente: eles tinham escolhido viver daquele jeito por livre e espontânea vontade, e a aparência de degradação um tanto ameaçadora do local nada mais era que uma manifestação física de ignorância e indolência daquela gente.

Já Pagford reluzia com uma espécie de brilho moral, na visão de Howard. Como se a alma coletiva da comunidade se manifestasse nas suas ruas calçadas de paralelepípedos, nas suas colinas, no seu casario pitoresco. Na sua opinião, a sua terra natal era muito mais que um conjunto de velhos prédios, um rio de águas rápidas e bordejado de árvores, a majestosa silhueta da abadia lá no alto ou as jardineiras floridas na pracinha. Para ele, o vilarejo era um ideal, um modo de ser, uma microcivilização que resistia bravamente a um declínio nacional.

"Sou um pagfordiano legítimo", dizia Howard aos turistas que apareciam por ali no verão, "nascido e criado nesta cidade". E, quando dizia isso, estava fazendo a si mesmo um imenso elogio disfarçado de banalidade. Nasceu em Pagford e ia morrer ali, e jamais sonhou em ir embora, nem desejou mudar de ares: bastava-lhe ver a passagem das estações transformar os bosques e o rio das redondezas, a praça florescer na primavera e cintilar na época do Natal.

Barry Fairbrother sabia disso muito bem. Aliás, foi algo que ele disse. E riu, sentado do outro lado da mesa no salão da igreja. Riu bem na cara do presidente do Conselho. "Sabe, Howard, para mim, você *é* Pagford." E Howard, sem se abalar a mínima (pois sempre rebateu com gozações as gozações de Barry), respondeu: "Não sei se foi essa a sua intenção, Barry, mas fique sabendo que acaba de me fazer um tremendo elogio."

E riu também. Podia se dar ao luxo de rir. A única ambição que ainda tinha na vida estava logo ali, ao alcance da sua mão: o retorno de Fields a Yarvil parecia coisa certa e iminente.

E então, dois dias antes de Barry Fairbrother cair morto num estacionamento, Howard ficou sabendo, de fonte mais que segura, que o seu antagonista tinha infringido todas as regras do jogo ao enviar para o jornal local um texto falando da bênção que fora para Krystal Weedon ser educada na St. Thomas.

A ideia de ver Krystal Weedon sendo exibida aos leitores como exemplo da integração bem-sucedida entre Fields e Pagford (nas palavras de Howard) seria cômica se não fosse trágica... Sem dúvida alguma Fairbrother ensaiou bem a garota, e a verdade sobre a sua boca suja, as aulas tantas vezes interrompidas, as lágrimas das outras crianças, as constantes remoções da casa da mãe e as outras tantas reintegrações se perderia em meio a um monte de mentiras.

Howard confiava no bom senso dos seus concidadãos; temia, porém, as invencionices jornalísticas e a interferência de gente bem-intencionada, mas ignorante. A sua objeção era tanto uma questão de princípios quanto um assunto pessoal: ainda não havia esquecido a cena da neta soluçando nos seus braços, com a gengiva sangrando no lugar dos dentes que tinham caído, e ele tentando consolá-la, prometendo que a fada do dente ia lhe trazer mais de um presente.

Terça-feira

I

Na segunda manhã depois da morte de Barry, Mary Fairbrother acordou às cinco horas. Tinha dormido na cama do casal junto com Declan, o filho de doze anos, que veio se enfiar ali, aos prantos, pouco depois da meia-noite. Agora que o menino dormia a sono solto, Mary saiu do quarto de mansinho e desceu para a cozinha, onde poderia chorar sem problemas. Cada hora que se passava só fazia aumentar a sua dor, pois a deixava cada vez mais longe do marido e era apenas uma pequena amostra da eternidade que teria de viver sem ele ao seu lado. Estava sempre esquecendo que Barry não ia voltar nunca mais e que não podia correr para ele em busca de consolo.

Quando a sua irmã e o seu cunhado apareceram para fazer o café, Mary pegou o celular do marido e foi para o escritório procurar uns telefones naquela imensa lista de contatos. Mal tinha começado, porém, o aparelho tocou na sua mão.

— Alô? — murmurou ela.

— Ah, bom dia! Estou procurando Barry Fairbrother. É Alison Jenkins que está falando. Da *Gazeta de Yarvil e Adjacências*.

Aos ouvidos de Mary, o tom desembaraçado da voz da jovem soou alto e terrível como uma fanfarra triunfal, um barulho estrondoso que chegou a obliterar o sentido das palavras.

— Como?

— É Alison Jenkins, da *Gazeta de Yarvil e Adjacências*. Queria falar com Barry Fairbrother. Com relação ao artigo dele sobre Fields.

— Ah! — balbuciou Mary.

— Ele não mandou nenhuma informação sobre a garota. O combinado foi que ela nos daria uma entrevista. A tal da Krystal Weedon.

Para Mary, cada uma daquelas palavras era um verdadeiro tapa. Numa atitude um tanto perversa, ficou sentada na velha cadeira giratória do marido, quietinha, deixando que todos aqueles golpes a atingissem.

— A senhora está ouvindo?

— Estou — respondeu Mary, com a voz embargada. — Estou ouvindo, sim.

— Sei que o sr. Fairbrother faz questão de estar presente quando entrevistarmos a Krystal, mas o tempo está passando...

— Ele não vai poder comparecer — disse Mary, e a voz lhe saiu quase como um guincho. — Ele não vai poder falar nunca mais sobre o *maldito* Fields, nem sobre qualquer outra coisa! Nunca mais!

— Como é? — indagou a moça do outro lado da linha.

— O meu marido *morreu*, ok? *Morreu*! O que significa que agora *Fields* vai ter que se virar sem ele.

As suas mãos tremiam tanto que ela mal conseguia segurar o celular e, durante os minutos que levou até poder desligá-lo, teve certeza de que a jornalista a ouviu soluçar. Lembrou, então, que a maior parte do último dia que Barry passou nesta terra, e que era o seu aniversário de casamento, tinha sido dedicada à sua obsessão pelo bairro e por Krystal Weedon. Num acesso de raiva, atirou o telefone longe: ele foi bater no porta-retratos com a foto dos seus quatro filhos e caiu no chão, lá do outro lado da sala. Mary começou a chorar e gritar. Tanto a irmã quanto o cunhado vieram correndo ver o que estava acontecendo.

De início, ela só fazia repetir:

— Fields, *maldito* Fields...

— Foi lá que Barry e eu crescemos — murmurou o cunhado, mas resolveu não dizer mais nada, temendo que Mary ficasse ainda mais histérica.

II

A assistente social Kay Bawden e a sua filha Gaia tinham vindo de Londres há quatro semanas e eram as mais novas moradoras de Pagford. Kay ignorava inteiramente a velha rixa envolvendo o bairro popular: para ela, Fields era apenas o lugar onde vivia a maior parte das pessoas que ela atendia. Tudo que sabia sobre Barry Fairbrother era que a morte desse homem tinha provocado aquela cena lamentável na sua cozinha, quando o seu namorado, Gavin, saiu correndo, fugindo dela e dos seus ovos mexidos e, com isso, pondo por terra todas as esperanças surgidas quando fizeram amor na noite anterior.

Naquela terça-feira, Kay passou a sua hora de almoço dentro do carro, num trecho do acostamento da estrada que ia de Pagford a Yarvil, comendo um sanduíche e lendo uma pilha considerável de anotações. Uma das suas colegas havia tirado uma licença médica, por motivo de estresse, o que fez com que um terço dos casos sob a sua responsabilidade viesse cair nas costas da recém-chegada. Pouco depois da uma hora, ela tomou o caminho de Fields.

Já tinha visitado o bairro inúmeras vezes, mas ainda não estava acostumada com aquele labirinto de ruas. Acabou finalmente encontrando a Foley Road e, de longe, identificou a casa que acreditava ser a dos Weedon. A ficha não deixava dúvidas sobre o que ela devia encontrar pela frente, e, à primeira vista, tudo correspondia plenamente às suas expectativas.

Junto à parede da frente, havia uma pilha de entulho: sacolas cheias de lixo misturadas com roupas velhas e fraldas sujas. Parte daquele lixo tinha caído ou sido jogada no minúsculo canteiro coberto de mato, mas o grosso estava amontoado debaixo de uma das duas janelas do andar térreo. No meio do tal canteiro, havia um velho pneu careca que alguém havia mudado de lugar recentemente, pois, a poucos centímetros de distância, dava para ver um círculo meio amarelado onde a grama morta tinha ficado amassada. Já tinha tocado a campainha, quando avistou uma camisinha usada brilhando no chão aos seus pés, parecendo até o tênue casulo de alguma larva gigantesca.

Estava sentindo aquela leve apreensão que nunca conseguiu superar inteiramente, mas aquilo não era nada comparado ao estado de nervos em que ficava na hora de bater em casas desconhecidas quando começou a trabalhar. Nessa época, apesar de todo o treinamento, apesar de estar geralmente em companhia de algum colega, chegou a ficar mesmo com medo em certas ocasiões. Cachorros bravos, homens brandindo facas, crianças com machucados esquisitíssimos: encontrou tudo isso, e até coisa pior, nesses anos que passou entrando na casa de estranhos.

Ninguém veio atender, mas, pela janela entreaberta que ficava à sua esquerda, dava para ouvir uma criança pequena choramingando. Tentou então bater à porta. Um pedacinho de tinta creme se soltou e foi cair na ponta do seu sapato. Kay se lembrou até do estado deplorável da sua nova casa. Seria tão bom se Gavin se oferecesse para ajudar a melhorar um pouco aquilo... Mas ele não falou nada... Às vezes, repassava as coisas que ele não tinha dito ou não tinha feito, como um agiota examinando promissórias, e ficava chateada e furiosa, decidida a executar aquelas dívidas.

Bateu de novo, mais cedo do que teria feito normalmente, se não estivesse querendo se livrar dos próprios pensamentos, e, desta vez, uma voz distante respondeu:

— Tô indo, pô!

A porta se abriu, revelando uma mulher que aparentava, a um só tempo, ser velha e criança, com uma camiseta azul-clara bem suja e calças de pijama de homem. Era da altura de Kay, mas extremamente mirrada. Os ossos do seu rosto e o esterno despontavam, salientes, sob a pele fina e branca; o cabelo, nitidamente pintado em casa, ressecado e de um vermelho vivo, parecia uma peruca no alto de um crânio; as suas pupilas eram minúsculas, e ela praticamente não tinha seios.

— Olá! Você é Terri? Sou Kay Bawden, do Serviço Social. Estou substituindo Mattie Knox.

Os braços finos e acinzentados da mulher estavam cheios de marquinhas de picadas e havia uma ferida aberta, em carne viva, na parte interna de um dos seus antebraços. Uma grande cicatriz, que cobria parte do seu braço direito e subia até o pescoço, dava à pele daquele local a aparência de um plástico lustroso. Em Londres, Kay tinha conhecido uma dependente química que pôs fogo na casa acidentalmente e só foi perceber o que estava acontecendo quando já era tarde demais.

— Ah, tá — disse Terri após uma pausa mais longa que o normal. Quando falava, parecia muito mais velha, pois lhe faltavam vários dentes. Virou as costas para Kay e deu alguns passos trôpegos pelo corredor escuro. A assistente social foi atrás dela. A casa cheirava a comida estragada, suor, lixo acumulado. Terri levou Kay até a primeira porta à esquerda, que se abria para uma minúscula sala de estar.

Ali dentro, não havia livros, quadros, fotos ou televisão. Havia apenas duas velhas poltronas imundas, uma estante quebrada e muito lixo pelo chão. Num canto, junto à parede, uma pilha de caixas de papelão novinhas em folha destoava inteiramente do ambiente.

No meio da sala, estava um garotinho de pernas de fora, usando uma camiseta e uma fralda que já devia ter sido trocada há tempos. Pelas informações do dossiê, Kay sabia que ele tinha três anos e meio. O seu choro parecia inconsciente e sem motivo, como o ruído de um motor que só servisse para indicar que ele estava ali, no momento atracado com uma daquelas minúsculas caixinhas de cereais.

— Esse aí deve ser o Robbie — disse Kay.

Ao ouvir o próprio nome, o menino olhou para ela, mas sem parar de choramingar.

Terri empurrou uma velha lata de biscoitos toda arranhada que tinha ficado esquecida em cima de uma das poltronas esmolambadas e se sentou, toda encolhida, olhando Kay por detrás das pálpebras caídas. A assistente social se instalou na outra poltrona, em cujo braço se equilibrava um cinzeiro abarrotado. Algumas guimbas tinham caído no assento, e Kay podia senti-las sob as coxas.

— Oi, Robbie — disse ela, abrindo o dossiê de Terri.

A criança continuou choramingando e sacudindo a tal caixinha: alguma coisa estava chocalhando ali dentro.

— O que é que tem aí? — indagou Kay.

Ele não respondeu, mas sacudiu a caixa com mais força. Um bonequinho plástico saiu voando, fez um arco no ar e foi cair atrás das tais caixas de papelão. Robbie começou a chorar. Kay olhou para Terri, que observava o filho com o rosto absolutamente impassível. Depois de algum tempo, ela finalmente murmurou:

— Que foi, Robbie?

— Será que dá pra tirar ele de lá? — perguntou Kay, satisfeita da vida por ter enfim uma desculpa para levantar e tirar aquela sujeira das pernas. — Vamos ver!

Chegou a cabeça bem perto da parede, tentando espiar pela fresta atrás das caixas. A tal figurinha não tinha caído muito no fundo. Enfiou a mão pela fresta, pois não dava para puxar aquelas caixas de tão pesadas que eram. Kay conseguiu apanhar o boneco e, quando o teve nas mãos, viu que era um homenzinho atarracado, parecendo um Buda, inteiramente roxo.

— Pronto! — disse ela.

Robbie parou de choramingar. Pegou o bonequinho, tornou a botá-lo dentro da caixa de cereais e recomeçou a sacudi-la.

A assistente social passou os olhos pela sala. Debaixo da estante quebrada viu dois carrinhos de brinquedo virados de cabeça para baixo.

— Você gosta de carro? — perguntou ao menino, apontando para os brinquedos.

Robbie não acompanhou o movimento da mão de Kay, mas apertou os olhos para enxergá-la, com uma expressão meio intrigada, meio curiosa. Depois, foi apanhar um dos carrinhos e o trouxe para mostrar a ela.

— Vrumm — fez ele. — Calo.

— Isso mesmo — exclamou Kay. — Que legal! Um carro. Vrumm, vrumm.

Voltou a se sentar e tirou o bloco da bolsa.

— E aí, Terri, como andam as coisas?

— Tudo bem — respondeu a mulher depois de um instante de silêncio.

— Bom, só para explicar o que aconteceu: Mattie entrou de licença porque está doente, e então eu vim substituí-la. Vou precisar repassar algumas informações que ela me transmitiu, para ver se não houve nenhuma mudança desde que ela veio aqui na semana passada, ok? Então, vamos ver... Robbie está na escola, não é? Dois dias em meio período e dois em horário integral.

Parecia que a voz de Kay tinha de percorrer uma distância considerável para chegar até Terri. Era como falar com alguém que estivesse sentado no fundo de um poço.

— É — disse a mulher, depois de mais alguns instantes de silêncio.

— E como ele está indo? Está gostando?

Robbie enfiou o carrinho dentro da caixa de cereais. Pegou uma das guimbas de cigarro que tinha caído da calça comprida de Kay e a esmagou tanto no carrinho quanto no tal Buda roxo.

— Tá — respondeu Terri, sonolenta.

Mas Kay estava observando atentamente as últimas anotações que Mattie havia feito antes de entrar de licença.

— Não era para ele estar lá hoje, Terri? Terça não é dia de escola?

A mulher parecia estar lutando contra o sono. Uma ou duas vezes chegou até a cabecear.

— A Krystal ia levar ele, mas não levou — disse ela enfim.

— Krystal é a sua filha, não é? Quantos anos ela tem?

— Quatorze — disse Terri, com ar meio vago. — E meio.

Segundo as informações do dossiê, Krystal tinha dezesseis anos. Desta vez, houve um bom momento de silêncio.

Tinha duas canecas lascadas no pé da poltrona de Terri. O líquido escuro dentro de uma delas parecia até sangue. Os braços da mulher estavam cruzados diante do peito quase liso.

— Eu vesti ele — acrescentou ela, como se tivesse de arrancar as palavras lá do fundo da cabeça.

— Desculpe, mas tenho que fazer essa pergunta — disse Kay. — Você usou hoje de manhã?

Terri levou à boca a mão ossuda, que mais parecia uma garra.

— Não.

— Qué cocô — disse Robbie saindo porta afora.

— Não vai com ele? — indagou Kay, vendo o menino desaparecer e ouvindo-o subir a escada.

— Precisa, não. Ele se vira sozinho — respondeu Terri, com voz arrastada, e deixou a cabeça pender sobre o punho erguido, com o cotovelo apoiado na poltrona.

— Póta! Póta! — gritou Robbie lá do andar de cima.

E as duas ouviram as batidas na madeira. Terri não se mexeu.

— Quer que eu vá ajudá-lo? — perguntou Kay.

— Tá.

A assistente social subiu a escada e abriu a porta para Robbie. O lugar fedia muito. A privada era cinzenta, com várias linhas marrons, marcando a altura da água em ocasiões diferentes. E não tinham dado a descarga. Kay tratou de fazer isso antes de deixar que Robbie subisse para se sentar ali. O menininho fechou a cara e fez muita força, indiferente à presença daquela estranha. Ouviu-se o barulho de algo caindo na água e o ar já pútrido daquele banheiro ganhou mais um reforço. Robbie então desceu da privada e puxou a fralda para cima, sem se limpar. Kay mandou que ele voltasse e tentou convencê-lo a se limpar sozinho, mas, como aquela atividade lhe era aparentemente desconhecida, ela própria decidiu fazê-lo. O bumbum da criança estava ferido: todo assado, vermelho e irritado. A fralda tinha cheiro de amônia. A moça tentou tirá-la, mas Robbie gritou, esperneou, conseguiu se desvencilhar e voltou correndo para a sala com a fralda quase caindo. Kay queria lavar as mãos, mas não tinha sabão em lugar nenhum. Prendendo a respiração, saiu e fechou a porta do banheiro às suas costas.

Antes de descer, deu uma olhada nos quartos. Os três transbordavam, despejando parte do seu conteúdo no corredor já abarrotado. Todos ali dormiam em colchões no chão. Aparentemente, Robbie dormia no quarto com a mãe, pois havia uns poucos brinquedos no meio da roupa suja espalhada pelo chão: umas coisas de plástico, bem vagabundas e para crianças menores que ele. Para surpresa de Kay, o edredom tinha capa e os travesseiros, fronhas.

Lá na sala, Robbie tinha recomeçado a choramingar, esmurrando a pilha de caixas de papelão. Terri só fazia olhar, com os olhos semicerrados. Antes de sentar, Kay deu umas batidinhas no assento da poltrona.

— Você está no programa de metadona lá na Clínica Bellchapel, não é mesmo, Terri?

— Hum, hum — respondeu ela, sonolenta.

— E como está indo?

Com a caneta na mão, Kay ficou esperando, fingindo que a resposta não estava bem ali, à sua frente.

— Continua indo à clínica, Terri? — perguntou ela.

— Fui na semana passada. Vou na sexta.

Robbie ainda estava socando as caixas.

— Sabe dizer qual a dose de metadona que está tomando?

— Cento e quinze miligramas — disse Terri.

Não era de espantar que Terri se lembrasse disso, mas não soubesse a idade da filha...

— Mattie diz aqui que a sua mãe estava ajudando a cuidar de Robbie e Krystal. Ainda está?

Robbie atirou todo o peso do corpinho socado de encontro à pilha de caixas, que vacilou.

— Cuidado, Robbie — disse Kay.

— Deixa isso aí — exclamou Terri, e, pela primeira vez, Kay percebeu um tom que era quase desperto naquela sua voz morta.

Robbie recomeçou a dar socos nas caixas, aparentemente só pelo prazer de ouvir aquele barulho surdo.

— A sua mãe continua ajudando a cuidar de Robbie, Terri?

— Mãe, não, vó.

— Avó de Robbie?

— *Minha*. Ela tá... Ela não tá legal.

Kay voltou a olhar para Robbie, com a caneta a postos. O menino não parecia abaixo do peso: deu para notar isso quando o viu, quase nu, enquanto limpava o seu bumbum. A camiseta que usava estava suja, mas, quando se debruçou sobre ele, sentiu, não sem surpresa, que o seu cabelo tinha cheiro de xampu. Não havia nenhum machucado nos seus braços e pernas branquíssimos, mas havia aquela fralda frouxa e encharcada. E ele já tinha três anos e meio...

— Qué papá — gritou o menino, dando uma última sacudidela inútil nas caixas de papelão. — Qué papá!

— Pega um biscoito — balbuciou Terri, mas não se mexeu de onde estava. Os gritos de Robbie viraram soluços ruidosos. A mãe não fez menção de se levantar. Era impossível continuar falando com aquela gritaria.

— Quer que eu pegue um para ele? — perguntou Kay.

— Tá bom.

Robbie veio correndo atrás dela até a cozinha, que era quase tão suja quanto o banheiro. Não havia nada ali, além de uma geladeira, um fogão e uma máquina de lavar. Na bancada da pia, só se viam pratos sujos, outro cinzeiro abarrotado, sacos plásticos e pão mofado. O linóleo do chão estava tão pegajoso que grudava na sola dos sapatos de Kay. A lixeira estava transbordando, e, bem no alto, uma embalagem de pizza se equilibrava precariamente.

— Aqui — disse o menino, batendo com o dedinho no armário da parede, sem olhar para Kay. — Aqui.

No tal armário, havia mais comida do que Kay poderia supor: latas, um pacote de biscoito, um pote de café instantâneo. Pegou dois biscoitos do pacote e os entregou a Robbie. Ele os agarrou e voltou correndo para perto da mãe.

— Quer dizer que você está gostando da escola, Robbie? — perguntou a assistente social, dirigindo-se ao menino, que devorava os biscoitos, sentado no chão. Mas ele não respondeu.

— Gosta, sim — disse Terri, ligeiramente mais desperta. — Né, Robbie? Gosta, sim.

— Quando ele foi para a escola pela última vez, Terri?

— Ontem.

— Impossível — retrucou Kay, fazendo umas anotações. — Ontem foi segunda-feira, segunda não é dia de escola.

— Quê?

— Perguntei sobre a escola. Hoje era dia de Robbie estar lá. Preciso saber qual foi a última vez que ele foi para a escola.

— Já disse. A última vez...

Kay ainda não tinha visto os olhos da mulher tão abertos quanto naquele momento. O tom da sua voz continuava apático, mas havia um certo antagonismo lutando para vir à tona.

— Você é sapatão? — perguntou ela.

— Não — respondeu Kay, sem parar de escrever.

— Pois parece — observou Terri.

Kay continuou escrevendo.

— Suco! — gritou Robbie, com o queixo todo sujo de chocolate.

Desta vez, Kay não se moveu. Depois de um bom tempo, Terri deu um pulo da cadeira e se embrenhou pelo corredor. Debruçando-se um pouco, Kay ergueu a tampa da caixa de biscoitos que a outra tinha empurrado para se sentar. Lá dentro havia uma seringa, um chumaço de algodão encardido, uma colher meio enferrujada e um saco de polietileno. A assistente social fechou bem a tampa, vendo que Robbie a olhava. Ouviram-se uns barulhos ao longe, e, em seguida, Terri voltou trazendo uma caneca de suco, que empurrou na direção do filho.

— Toma — disse ela, dirigindo-se mais a Kay que ao menino. E voltou a se sentar. Desta vez, porém, se atrapalhou e bateu no braço da poltrona. Deu para ouvir o choque dos ossos com a madeira, mas, aparentemente, Terri não sentiu dor alguma. Recostou-se nas almofadas deformadas e ficou olhando para a visitante com uma vaga indiferença.

Kay havia lido o dossiê de ponta a ponta. Sabia que quase tudo que pudesse ter algum valor na vida de Terri Weedon tinha sido sugado pelo buraco negro do vício em heroína. Sabia que aquilo tinha lhe custado dois filhos e que ela mal se dava conta da existência dos outros dois. Sabia que ela tinha se prostituído para comprar heroína, que tinha se envolvido em todo tipo de delitos e que, atualmente, estava em tratamento de reabilitação pela enésima vez.

Mas não sentir, não se preocupar... *Neste exato momento*, pensou Kay, *ela está mais feliz que eu*.

III

No começo do segundo tempo do turno da tarde, Stuart "Bola" Wall saiu da escola. Não havia nada de impulsivo na sua decisão de matar aula: simplesmente tinha resolvido, na noite anterior, não assistir aos dois tempos de informática que eram os últimos do dia. Podia ter escolhido qualquer outra matéria, mas acontece que o seu melhor amigo, Andrew Price (que Bola chamava de Arf), estava em outra turma de informática e, apesar de todos os esforços que fez neste sentido, Bola não conseguiu ser transferido para ficar junto com ele.

Provavelmente um e outro sabiam muito bem que, na sua amizade, admiração era um traço quase unilateral: mais de Andrew para Bola que vice-versa. Mas este último era o único que desconfiava que precisava muito mais de Andrew do que o amigo precisava dele. De uns tempos para cá, vinha considerando essa dependência uma fraqueza. Na noite anterior, porém, pensou que, enquanto as coisas continuassem assim, podia perfeitamente matar dois tempos de uma aula em que não tinha mesmo a companhia de Arf.

Um informante de toda a confiança tinha lhe garantido que a única maneira de conseguir sair da Winterdown sem que ninguém o visse de uma janela qualquer era pulando o muro lateral, perto do bicicletário. Foi exatamente o que ele fez, indo cair na ruela estreita que ficava do outro lado. Aterrissou sem maiores problemas e saiu andando. Logo dobrou à esquerda, dirigindo-se à rua principal, suja e movimentada.

E lá se foi ele, na maior tranquilidade. Acendeu um cigarro e seguiu em frente, passando por lojinhas decrépitas. Cinco quadras adiante, voltou a dobrar à esquerda, entrando pela primeira das ruas que vão dar em Fields. Sempre andando, afrouxou a gravata do uniforme com uma das mãos, mas não a tirou. Qual o problema de todo mundo saber de cara que ele era aluno da escola? Aliás, nunca lhe passou pela cabeça dar um toque pessoal ao uniforme, fosse prendendo um daqueles emblemas na lapela ou dando, na gravata, um nó que estivesse na moda. Simplesmente usava aquela roupa com o desprezo de um prisioneiro.

Na sua opinião, o maior erro de noventa e nove por cento das pessoas é ter vergonha de serem quem são, é mentir a esse respeito, fingindo ser alguém diferente. A honestidade era a sua marca, a sua arma, a sua defesa. Quando somos honestos, as pessoas se assustam, ficam chocadas. Bola descobriu que tem gente que fica aferrada a constrangimentos e falsas aparências, morrendo de medo que as suas verdades possam se espalhar. Ele, porém, gostava mesmo era das coisas nuas e cruas, de tudo que fosse feio, mas honesto, das coisas sujas que faziam pessoas como o seu pai se sentirem humilhadas e enojadas. Pensava muito sobre messias e párias, sobre homens que eram taxados de loucos ou criminosos, nobres marginais rejeitados pelas massas inertes.

O mais difícil, a verdadeira glória era ser quem a gente realmente é, mesmo quando se trata de uma pessoa cruel ou perigosa, aliás, especialmente nesses casos. É preciso ter coragem para não tentar disfarçar o animal que lhe calhou ser. Por outro lado, é preciso evitar fingir ser mais que o animal que você é: se entrar por esse caminho, se começar a exagerar ou aparentar outra coisa vai acabar se tornando um outro Pombinho, tão mentiroso, tão hipócrita quanto ele. *Autêntico* e *inautêntico* eram palavras que Bola usava com frequência, mentalmente. Na sua opinião, esses dois termos tinham uma incrível precisão de significado, e ele os aplicava referindo-se tanto a si mesmo quanto aos outros.

Tinha chegado à conclusão de que possuía características autênticas que deviam, portanto, ser estimuladas e cultivadas. Alguns dos seus hábitos mentais, porém, eram produtos desnaturados da infeliz criação que teve e, assim, já que eram inautênticos, deviam ser eliminados. Ultimamente, vinha experimentando agir de acordo com o que considerava os seus impulsos autênticos e ignorar, ou reprimir, a culpa e o medo (inautênticos) que tais atos pareciam acarretar. É claro que tudo ia ficando mais fácil com a prática... Bola queria se endurecer por dentro, tornar-se invulnerável, livrar-se do medo das consequências: libertar-se das noções espúrias de bondade e maldade.

Se andava irritado com essa história de ser tão dependente de Andrew era justamente porque a presença do amigo às vezes restringia e limitava a plena expressão do seu eu autêntico. Andrew possuía, dentro de si, um mapa do que era certo ou errado, e, ultimamente, Bola vinha percebendo no seu rosto um ar de desagrado, de espanto e de decepção que o outro não conseguia disfarçar. Andrew brecava qualquer gozação ou sacanagem que considerasse excessiva, mas Bola não o censurava por isso: afinal, o amigo não estaria sendo autêntico se entrasse na dele quando não estava efetivamente a fim... O problema era que Andrew estava se mostrando apegado ao tipo de moralidade contra a qual ele próprio vinha travando uma guerra cada vez mais ferrenha. Bola estava começando a achar que o que devia fazer, que a atitude certa a ser tomada, friamente, visando à plena autenticidade, seria se afastar de Andrew. Acontece que continuava preferindo a companhia do amigo a qualquer outra que pudesse ter...

Estava convencido de que se conhecia muitíssimo bem: explorava cada cantinho, cada brecha do próprio psiquismo com uma atenção que hoje em dia não dedicava a nenhuma outra atividade. Passava horas se indagando sobre os seus impulsos, os seus desejos, os seus medos, tentando distinguir os que eram verdadeiros dos que lhe tinham sido inculcados pela educação. Examinava os próprios apegos (tinha certeza de que não conhecia ninguém que fosse tão honesto consigo mesmo, pois todas as outras pessoas se deixavam levar pela vida afora, meio entorpecidas) e tinha chegado a algumas conclusões. Andrew, que conhecia desde os cinco anos de idade, era a pessoa por quem tinha o mais sincero afeto. Embora agora tivesse idade suficiente para compreender as atitudes da mãe, era apegado a ela, mas não tinha culpa de que as coisas fossem assim. E desprezava profundamente Pombinho, que representava o suprassumo da inautenticidade.

Na página do Facebook, de que ele cuidava com um capricho que não dedicava a praticamente nenhuma outra coisa, Bola havia postado em destaque uma citação que encontrou na biblioteca dos pais:

> Não quero crentes, acho que sou maligno demais para acreditar em mim mesmo... Tenho um medo terrível de que algum dia possam me declarar um santo... Não quero ser santo; prefiro ser um bufão... Talvez eu seja um bufão...

Andrew adorou a citação, e Bola ficou feliz da vida por ver o amigo assim tão impressionado.

Enquanto passava na frente da agência de apostas, coisa que levou poucos segundos para fazer, Bola se lembrou de Barry Fairbrother, o amigo do seu pai que tinha morrido. Durante aquelas três passadas diante dos pôsteres com cavalos de corrida por trás da vitrine imunda, o garoto viu o rosto barbudo e brincalhão de Barry e ouviu Pombinho aos berros, usando o riso como desculpa, o riso que tantas vezes brotava mesmo antes de Barry contar uma daquelas suas piadas bestas, que vinha da simples empolgação pela sua presença. Mas o garoto não quis se aprofundar naquelas lembranças: não se perguntou por que teria se encolhido assim instintivamente, não quis saber se o morto era autêntico ou não, simplesmente tirou da cabeça tanto Barry Fairbrother quanto o ridículo sofrimento do seu pai, e seguiu em frente.

Bola andava estranhamente tristonho nos últimos dias, embora continuasse a fazer todos rirem à sua volta, como sempre. A decisão de se livrar de noções morais restritivas era uma tentativa de recuperar algo que, tinha certeza, havia sido sufocado dentro dele; algo que tinha perdido ao deixar para trás a infância. O que queria recuperar era uma espécie de inocência, e o caminho que escolheu para conseguir isso foi justamente se aproximar de tudo aquilo que seria considerado ruim. Paradoxalmente,

Bola achava que esse era o verdadeiro caminho para a autenticidade, para uma espécie de pureza. É curioso ver como as coisas estão quase sempre invertidas, como são o contrário daquilo que nos dizem que elas são. Bola estava começando a acreditar que, se tirarmos da cabeça tudo que nos ensinam, chegaremos à verdade. Queria circular pelos labirintos escuros e enfrentar a estranheza que se escondia ali dentro; queria escancarar os bons sentimentos e expor a hipocrisia; queria romper os tabus e extrair sabedoria lá de dentro deles; queria atingir um estado de graça amoral e ser reintroduzido na ignorância e na simplicidade.

Foi por isso que resolveu infringir uma das poucas regras da escola que ainda não tinha infringido e estava indo para Fields. E não tomou essa decisão só porque a crua pulsação da realidade parecia mais sensível ali do que em qualquer outro lugar que conhecia. Bola tinha também uma vaga esperança de topar com alguns personagens célebres que o deixavam curioso e, embora não tivesse lá muita consciência disso — aquele era um dos poucos desejos que ele era incapaz de expressar —, procurava uma porta aberta, um pequeno indício de reconhecimento, a possibilidade de ser acolhido numa casa que não sabia que tinha.

Passando por aquelas construções acinzentadas a pé, e não no carro da mãe, percebeu que várias delas não tinham grafites pelas paredes e pilhas de entulho no quintal. Algumas até imitavam (pelo menos, foi a impressão que ele teve) a elegância de Pagford, com cortinas limpas nas janelas e enfeites no parapeito. Detalhes como esses eram menos visíveis quando se estava num carro em movimento: ao passar por ali, os olhos de Bola iam irresistivelmente das janelas tapadas com tábuas para os quintais cheios de lixo. As casas arrumadinhas não despertavam o seu interesse. O que o atraía eram os lugares em que o caos e a anarquia eram evidentes, nem que fosse apenas por conta daquela exibição pueril de grafites.

Em algum lugar por ali (Bola não sabia exatamente onde), morava Dane Tully. A família de Tully era famosa. O pai e os dois irmãos mais velhos tinham passado um bom tempo na cadeia. Diziam que, da última vez que Dane se meteu numa briga (com um garoto de dezenove anos lá de Cantermill, segundo constava), o pai o escoltou até o lugar marcado e entrou na confusão para enfrentar os irmãos mais velhos do adversário do filho. Tully apareceu na escola com o rosto cortado, o lábio inchado e o olho roxo. Todo mundo achava que ele só tinha ido à aula, coisa que raramente fazia, para exibir aqueles machucados...

Bola tinha certeza de que a sua própria atitude teria sido inteiramente diferente: aquela preocupação com o que os outros iam achar da sua cara quebrada não era nada autêntica. Ele teria brigado, feliz da vida, e, depois, agido como se nada tivesse acontecido. Se alguém ficasse sabendo, seria só porque o tinha visto por acaso.

Ele nunca havia apanhado, apesar de viver provocando todo mundo. Já tinha pensado, especialmente nos últimos tempos, em como seria entrar numa briga. Supunha que o estado de autenticidade que tanto procurava implicaria violência, ou, pelo menos, não *excluiria* violência. Estar preparado para bater e para apanhar lhe parecia uma forma de coragem à qual devia aspirar. Nunca tinha precisado dos punhos, pois a língua sempre tinha lhe bastado. Mas o Bola que vinha surgindo estava começando a desprezar a própria capacidade expressiva e a admirar a brutalidade autêntica. A história das facas, por exemplo, era algo que ele andava debatendo consigo mesmo com a maior cautela. Comprar uma faca agora mesmo e espalhar para todo mundo que andava com ela seria um ato da mais completa inautenticidade, um lamentável arremedo das atitudes de gente como Dane Tully, e Bola sentia o estômago embrulhado só de pensar nisso. Se por acaso algum dia *precisasse* andar com uma faca, aí, sim, a situação mudaria de figura. Não excluía a possibilidade de esse dia chegar, mas admitia que a ideia era assustadora: ele morria de medo de coisas que perfuram a carne, como agulhas e lâminas em geral... Foi o único que desmaiou quando tiveram de tomar vacina contra meningite, ainda no tempo da St. Thomas. Andrew já tinha descoberto que uma das poucas maneiras de tirar o amigo do sério era destampar perto dele a seringa de adrenalina injetável que sempre trazia consigo por conta de uma alergia seríssima a castanhas e amendoins. Bola chegava a ficar enjoado quando Andrew exibia aquela agulha ou fingia que ia espetá-lo.

Vagando pelo bairro, sem destino específico, Bola avistou uma placa da Foley Road. Era a rua de Krystal Weedon. O garoto não sabia se Krystal estava na escola, e a última coisa que queria era que ela pensasse que ele tinha vindo até ali para procurá-la.

Tinham combinado de se encontrar na sexta à noite. Bola disse aos pais que ia à casa de Andrew porque estavam fazendo um trabalho de inglês juntos. Aparentemente, Krystal sabia o que eles iam fazer e, pelo visto, também estava a fim. Até agora tinha deixado ele enfiar dois dedos naquele lugarzinho quente, firme e escorregadio. E abrir o seu sutiã para pôr as mãos nos seus seios quentes e pesados. No meio da festa de Natal da escola, Bola foi falar com Krystal, saiu com ela do salão, sob os olhares incrédulos de Andrew e dos outros garotos, e foi para os fundos da sala de teatro. A garota pareceu tão surpresa quanto os demais, mas, ao contrário do que ele supunha e até esperava, não opôs praticamente qualquer resistência. Aquela abordagem tinha sido um ato deliberado e, quando ele apareceu para enfrentar as gozações dos colegas, já tinha, na ponta da língua, uma resposta ousada e *blasée*:

— Quem está querendo batatas fritas não tem nada que entrar num restaurante japonês!

Tinha refletido sobre essa analogia de antemão, mas ainda precisou explicá-la aos outros.

— Vocês ficam aí tocando punheta, mas eu quero mesmo é trepar...

A sua tirada apagou o sorriso daqueles rostos. Era óbvio que todos ali, inclusive Andrew, tinham sido obrigados a engolir as gozações e substituí-las pela admiração ao vê-lo partir assim, descaradamente, em busca do único objetivo que realmente contava. Sem dúvida alguma, Bola havia escolhido o caminho mais direto para chegar lá. Nenhum deles tinha condições de contestar o seu espírito prático, e o garoto podia jurar que cada um dos colegas estava se perguntando por que não tinha tido coragem de pensar nessa forma de resolver as coisas.

— Não conta nada disso pra minha mãe, ok? — pediu ele a Krystal num momento em que ambos pararam para recuperar o fôlego entre aquelas demoradas explorações da boca um do outro, mas sem que os seus polegares parassem de esfregar os mamilos da garota.

Ela deu um risinho meio debochado e, depois, começou a beijá-lo de um jeito mais agressivo. Em momento algum perguntou por que ele a tinha escolhido; aliás, não perguntou absolutamente nada. Como Bola, ela parecia estar achando divertido ver as reações das respectivas tribos, tão diferentes uma da outra. Parecia estar adorando a perplexidade de quem os viu saindo e até mesmo a cara de nojo que os amigos dele fizeram. Os dois praticamente não se falaram durante as outras três sessões de explorações e experimentos carnais. Bola tinha arquitetado todos aqueles encontros casuais, mas ela tinha facilitado as coisas, passando a circular em lugares onde o garoto poderia vê-la sem problemas. Nessa sexta, eles tinham marcado encontro pela primeira vez. E Bola tinha comprado camisinhas.

A perspectiva de chegar finalmente às vias de fato tinha alguma coisa a ver com a sua decisão de matar aula e vir até Fields, embora Krystal não lhe tivesse passado pela cabeça (ao contrário dos seus peitos maravilhosos e da sua vagina milagrosamente indefesa) até ele ver o nome da sua rua.

Bola deu meia-volta e acendeu outro cigarro. Ver o nome da Foley Road naquela placa lhe deu a estranha sensação de ter escolhido o momento errado. Fields hoje era algo banal e impenetrável, e o que ele estava buscando, aquilo que tinha a esperança de reconhecer quando encontrasse, estava escondido em algum lugar, impossível de se ver. E, então, ele voltou para a escola.

IV

Ninguém estava atendendo o telefone. De volta à sala do Departamento de Proteção à Criança, Kay estava tentando telefonar há quase duas horas, deixando mensagens, pedindo que retornassem as suas ligações: o agente de saúde encarregado dos Weedon, o seu médico de família, a escola de Cantermill e a Clínica de Reabilitação Bellchapel. O dossiê de Terri Weedon estava aberto na mesa à sua frente, volumoso e muito manuseado.

— Mais uma recaída, é? — perguntou Alex, uma das assistentes sociais com quem Kay dividia o escritório. — Desta vez, a Bellchapel não vai querer mais saber de ver ela por lá. Ela diz que morre de medo de que lhe tirem Robbie, mas não consegue ficar longe dos picos.

— É a terceira vez que ela abandona o tratamento na Bellchapel — disse Una.

Pelo que tinha visto naquela tarde, Kay estava achando que era hora de fazerem uma reavaliação do caso, reunindo todos os profissionais responsáveis pelos vários setores da vida de Terri Weedon. Enquanto tratava de outro trabalho, continuava tentando telefonar. Nesse meio-tempo, lá no canto do escritório, o próprio telefone do serviço tocou várias vezes e entrou direto na secretária eletrônica. A sala do Departamento de Proteção à Criança era apertada, estava lotada e tinha cheiro de leite azedo, pois Alex e Una tinham mania de jogar o resto das suas xícaras no vaso de uma pobre iúca meio murcha que ficava num canto do cômodo.

As últimas anotações de Mattie eram confusas e caóticas, cheias de coisas riscadas ou incompletas e com datas erradas. Faltavam diversos documentos importantes no dossiê, inclusive uma carta enviada quinze dias antes pela clínica de reabilitação. Ficava mais fácil pedir informações a Alex e a Una.

— A última reavaliação foi... — disse Alex, olhando a planta com o cenho franzido — ...mais de um ano atrás, acho eu.

— E, na época, acharam que Robbie podia ficar com ela, é claro — observou Kay, com o fone enganchado entre o ouvido e o ombro, tentando em vão encontrar naquela pasta abarrotada as anotações referentes à tal avaliação.

— A questão não era saber se ele ficava com ela ou não, mas se ele ia voltar para ela ou não. O menino tinha sido entregue a uma mãe substituta porque Terri foi espancada por um cliente e acabou parando no hospital. Conseguiu ficar limpa, saiu do hospital e estava louca para ter Robbie de volta. Entrou mais uma vez para o programa de reabilitação da Bellchapel, parou com a prostituição e estava fazendo tudo direitinho. A mãe disse que ia ajudar. O menino voltou para casa e, meses depois, ela recomeçou a se picar.

— Mas não é a mãe de Terri que ajuda, é? — perguntou Kay, que já estava ficando com dor de cabeça tentando decifrar a letra grande e irregular de Mattie. — É a avó dela, a bisavó dos meninos. Ela já deve estar bem velha, e, hoje cedo, Terri disse alguma coisa sobre ela estar doente. Se, agora, só tem mesmo a Terri para cuidar...

— A filha dela já está com dezesseis anos — retrucou Una. — É ela que praticamente cuida de Robbie.

— E está deixando a desejar — disse Kay. — Ele estava num estado bem ruinzinho quando cheguei lá.

Mas já tinha visto coisas muito piores: machucados e feridas, cortes e queimaduras, manchas roxas, sarna e piolhos. Bebês deitados em tapetes cheios de cocô de cachorro, engatinhando sobre ossos partidos e uma vez (até hoje sonhava com a cena) deparou com uma criança que tinha passado cinco dias dentro de um armário, trancada pelo padrasto psicótico. Esse caso virou até manchete na imprensa nacional. O perigo mais imediato que ameaçava a segurança de Robbie Weedon era a tal pilha de caixas pesadas que ele tentou escalar quando percebeu que, com isso, conseguia chamar a atenção de Kay. Antes de sair, porém, a assistente social teve o cuidado de redistribuir as caixas, formando duas pilhas menores em vez de uma só. Terri não gostou nada de vê-la mexer nas caixas, como também não gostou quando ela lhe disse para trocar a fralda encharcada do filho. Na verdade, apesar de ainda estar ligeiramente entorpecida, a mulher teve um ataque de fúria e, aos palavrões, mandou que Kay fosse embora e não se metesse com ela.

O seu celular tocou. Kay atendeu. Era a responsável pelo acompanhamento terapêutico de Terri.

— Há dias que venho tentando falar com você — disse ela, visivelmente aborrecida.

Kay levou alguns minutos para lhe explicar que não era Mattie, mas isso não alterou muito a má vontade da outra.

— Terri continua vindo, sim — disse ela —, mas, na semana passada, o teste deu positivo. Se ela voltar a usar, vai sair do programa. Agora mesmo temos vinte pessoas na fila de espera, gente que talvez vá se beneficiar com o tratamento. Já é a terceira vez que ela para...

Kay não disse que sabia que Terri tinha usado drogas pela manhã.

— Alguma de vocês tem paracetamol? — perguntou, dirigindo-se às colegas depois que a terapeuta lhe passou todos os detalhes relativos ao tratamento de Terri lá na clínica, tratou de deixar bem claro que não estava vendo qualquer progresso e desligou o telefone.

Sem ânimo para se levantar e ir até o purificador de água que ficava no corredor, tomou os remédios com chá morno mesmo. A sala estava abafada, pois o aquecimento tinha emperrado numa temperatura elevada. À medida que a claridade do dia ia se extinguindo lá fora, a luz da lâmpada fluorescente da sua escrivaninha ia ficando mais forte, deixando os papéis espalhados ali em cima com um tom amarelado bem intenso, e as palavras pretas avançavam, zumbindo, em linhas intermináveis.

— Vão fechar a Clínica Bellchapel, você vai ver só — disse Una, que trabalhava no computador, de costas para Kay. — Têm que fazer cortes. É o Conselho que paga o salário de um dos terapeutas. O prédio pertence ao distrito de Pagford. Ouvi dizer que estão pensando em fazer umas reformas e alugar para alguém que pague um preço melhor. Já vêm implicando com a clínica há anos.

Kay sentia as têmporas latejarem. A menção ao nome do vilarejo onde agora morava a deixou triste. Sem parar para pensar, fez o que tinha jurado não fazer depois que ele não telefonou na véspera: pegou o celular e ligou para o escritório de Gavin.

— Edward Collins & Cia. — disse uma voz feminina, depois do terceiro toque. No setor privado, as pessoas atendiam o telefone imediatamente, já que o dinheiro podia depender daquela ligação.

— Posso falar com Gavin Hughes, por favor? — disse Kay, olhando o dossiê de Terri à sua frente.

— Quem deseja falar com ele?

— Kay Bawden.

Não ergueu os olhos: não queria enfrentar o olhar de Alex ou de Una. O tempo de espera pareceu interminável.

(Os dois tinham se visto pela primeira vez em Londres, na festa de aniversário do irmão de Gavin. Kay não conhecia ninguém ali, a não ser o amigo que a tinha levado consigo para não ir sozinho. Gavin tinha acabado de se separar de Lisa. Estava meio alto, mas parecia um sujeito decente, confiável e convencional, inteiramente diferente do tipo de homem por quem ela em geral se interessava. Ele desabafou, contando a história do namoro terminado e, depois, voltou com ela para o apartamento em Hackney. Enquanto namoraram à distância, ele se mostrou entusiasmado: vinha vê-la todo fim de semana e telefonava regularmente. Quando, porém, por um milagre, ela arranjou emprego em Yarvil, por um salário menor, e pôs à venda o apartamento de Hackney, ele aparentemente se apavorou...)

— O telefone dele continua ocupado. Quer esperar na linha?

— Quero, sim — respondeu Kay, infeliz.

(Se aquela história não desse certo... Mas *tinha que* dar. Ela se mudou por causa dele, trocou de emprego por causa dele, trouxe a filha para outra cidade por causa dele. Com toda a certeza, não deixaria tudo isso acontecer se as suas intenções não fossem sérias... Deve ter pensado nas consequências caso viessem a se separar: como seria horrível e estranho os dois viverem se encontrando pelas ruas de uma cidade tão pequena quanto Pagford!)

— Ele já vai atender — disse a secretária, e as esperanças de Kay se reacenderam.

— Oi — disse Gavin. — Como é que você está?

— Tudo bom — respondeu ela, mentindo, porque Alex e Una estavam ouvindo a conversa. — Como está sendo o seu dia?

— Ocupado — disse Gavin. — E você?

— Também.

Ficou esperando, com o telefone grudado na orelha, fingindo que ele estava falando e ouvindo aquele silêncio.

— Será que podemos nos ver hoje à noite? — perguntou ela, enfim, com o estômago embrulhado.

— Hã... Acho que não vai dar — replicou ele.

Como pode não saber se vai dar ou não? O que você anda aprontando?

— Talvez tenha que fazer uma coisa... É Mary, sabe? A viúva de Barry. Ela quer que eu seja uma das pessoas a carregar o caixão. Então, pode ser que eu... Vou ter que descobrir o que isso envolve e tudo o mais...

Às vezes, quando ela simplesmente ficava calada, deixando a inconsistência das suas desculpas reverberar pelo ar, ele ficava com vergonha e voltava atrás.

— Mas não deve levar a noite toda — disse Gavin. — Podemos nos encontrar mais tarde, se você quiser.

— Ok. Não quer ir lá para casa, já que amanhã tem aula?

— Hã... Ah, claro.

— A que horas? — perguntou Kay, querendo que ele tomasse pelo menos uma decisão.

— Sei lá... Por volta das nove?

Depois que ele desligou, Kay ainda ficou uns instantes com o celular colado ao ouvido. Finalmente, por causa de Alex e Una, disse:

— Eu também. Até mais tarde, querido.

V

Como orientadora educacional, Tessa tinha horários mais flexíveis que o marido. Em geral, esperava as aulas acabarem para levar o filho para casa no Nissan, ao passo que Colin (a quem ela nunca se referia como Pombinho, embora soubesse perfeitamente que era assim que o resto do mundo o chamava, inclusive os pais de alunos, que acabavam adotando o apelido de tanto ouvir os filhos o repetirem) só saía uma ou duas horas mais tarde, indo embora no seu Toyota. Hoje, porém, o vice-diretor veio encontrar a esposa no estacionamento às quatro e vinte, quando os estudantes iam deixando o prédio para entrar no carro dos pais ou nos ônibus que a escola fretava para transportá-los.

O céu estava de um frio cinza-chumbo, como o reverso de um escudo. Um ventinho cortante levantava a bainha das saias e sacudia as folhas das árvores ainda jovens; um vento gélido e maroto que ia buscar os pontos fracos das pessoas, como a nuca e os joelhos, e lhes negava o consolo de sonhar, de fugir um pouco da realidade. Mesmo depois de bloqueá-lo, fechando a porta do carro, Tessa continuou sentindo-se aborrecida e irritada, como se alguém tivesse esbarrado nela sem sequer pedir desculpas.

Ao seu lado, no banco do carona, com os joelhos erguidos a uma altura absurda por causa das reduzidas dimensões do carro, Colin lhe contou o que o professor de informática tinha vindo lhe dizer, procurando-o no escritório uns vinte minutos atrás.

— ...não estava na sala. Não apareceu durante os dois tempos de aula. Ele disse então que achou melhor vir me contar. Amanhã, todos os funcionários vão estar sabendo. É exatamente o que ele quer — disse Colin, furioso, e Tessa sabia que já não estavam mais falando do professor de informática. — Ele só está mostrando o dedo médio das duas mãos para mim, como sempre.

O seu marido chegava a estar pálido de tão cansado. Tinha umas sombras escuras sob os olhos vermelhos, e as mãos que seguravam a alça da pasta estavam ligeiramente trêmulas. Eram umas mãos bonitas, com juntas marcadas e dedos longos e finos, não muito diferentes das do seu filho. Recentemente, Tessa tinha feito essa observação, e nenhum dos dois demonstrou o mínimo prazer diante da perspectiva de haver a mais leve semelhança física entre eles.

— Não acredito que ele... — principiou a mulher, mas Colin já havia recomeçado a falar.

— O que significa que ele vai pegar detenção, como outro aluno qualquer, e é claro que vou me encarregar de castigá-lo em casa também. Agora ele vai ver o que é bom! Será que está achando que isso é brincadeira? Para começo de conversa, podemos deixá-lo de castigo por uma semana. Ele vai ver só como é divertido!

Mordendo a língua para não responder, Tessa passou os olhos pelo mar de alunos de uniforme preto, andando de cabeça baixa, tremendo de frio, tentando fechar mais os casacos finos, com o cabelo entrando pela boca. Um estudante do primeiro ano, bochechudo e com um ar ligeiramente espantado, olhava ao seu redor procurando alguém que ainda não tinha chegado. Quando se abriu uma brecha naquele bando, surgiu Bola, com o rosto magro todo à mostra, pois o vento soprava o seu cabelo para trás, e, como sempre, em companhia de Arf Price. Às vezes, por certos ângulos, sob certa luz, era fácil perceber como ele seria quando ficasse velho. Por um instante, lá do fundo do seu cansaço, Tessa teve a impressão de que aquele garoto era um completo desconhecido e lhe ocorreu que era muito estranho ele estar se dirigindo para o seu carro, ela ter que enfrentar de novo aquele ventinho horrível, hiper-real, para deixá-lo entrar. Quando ele chegou perto, porém, e lhe deu aquele sorriso que mais parecia uma careta, voltou de imediato a se transformar no garoto que ela amava apesar de tudo. Tessa, então, saiu do carro e ficou estoicamente parada naquele vento cortante enquanto o filho se curvava para entrar no carro onde já estava o pai, que não tinha feito menção de se mexer.

Deixaram o estacionamento na frente dos ônibus. Cruzaram Yarvil e passaram pelas construções feias e caindo aos pedaços de Fields para pegar um desvio que encurtava o caminho para Pagford. Tessa observava Stuart pelo retrovisor. Ele estava todo esparramado no banco de trás, olhando pela janela, como se os pais fossem duas pessoas que estivessem lhe dando uma carona, duas pessoas a ele ligadas apenas pelo acaso e pela proximidade.

Colin esperou até chegarem ao tal desvio para perguntar:

— Por onde andou hoje à tarde, quando devia estar na aula de informática?

Tessa não resistiu ao desejo de olhar de novo pelo retrovisor. Viu o filho bocejar. Às vezes, embora negasse insistentemente quando o marido aventava tal hipótese, ela se perguntava se Bola não estaria mesmo travando uma guerra suja e pessoal contra o pai, tendo a escola inteira por plateia. Sabia de coisas a seu respeito que não poderia saber se não trabalhasse como orientadora educacional: tinha alunos que lhe contavam umas histórias, às vezes inocentemente, às vezes por malícia.

A senhora acha ruim o Bola fumar? Deixa ele fumar em casa?

Guardava bem-trancada toda essa pequena coleção de atos ilícitos que reunia involuntariamente e jamais mencionava o que quer que fosse nem para o marido, nem para o filho, por mais que aquele fardo lhe pesasse às costas.

— Fui dar uma volta — respondeu Bola com a maior tranquilidade. — Estava precisando esticar as minhas velhas pernas...

Lutando contra o cinto de segurança, Colin se virou no banco para encarar o filho, esbravejando, mas com os movimentos ainda mais dificultados pelo sobretudo e pela maleta. Quando ele perdia o controle, a sua voz atingia tons cada vez mais altos e, agora, estava gritando quase em falsete. No meio disso tudo, Bola só ficou sentado ali, calado, com um leve sorriso insolente a lhe recurvar a boca fina, enquanto o pai lhe dava a maior bronca, bastante amenizada aliás pela aversão natural que Colin tinha aos xingamentos e pelo constrangimento que sentia quando usava algum termo mais grosseiro.

— Você é um egoísta presunçoso, seu... *merdinha*! — gritou ele, e Tessa, que já tinha os olhos tão cheios de lágrimas que mal conseguia ver a estrada à sua frente, podia jurar que, já na manhã seguinte, Bola ia contar aquela história para Andrew Price, imitando o xingamento tímido e em falsete do pai.

Bola imita direitinho o jeito de Pombinho andar, professora! A senhora já viu?

— Como se atreve a falar comigo desse jeito? Como *se atreve* a matar aula?

Colin continuou gritando, furioso. Tessa piscava os olhos, tentando se livrar das lágrimas ao pegar a entrada de Pagford, passar pela praça, pela Mollison & Lowe, pelo memorial da guerra e pelo Black Canon. Diante da Igreja de São Miguel e Todos os Santos, dobrou à esquerda, entrando pela Church Row até chegar finalmente à porta de casa. A essa altura, Colin já tinha ficado rouco de tanto gritar naquele tom estridente, e o rosto de Tessa estava lustroso e salgado. Quando saltaram do carro, Bola, cuja expressão não tinha se alterado em nada durante a longa espinafração do pai, abriu a porta da frente com a própria chave e subiu com a maior calma, sem sequer olhar para trás.

Colin atirou a maleta no chão do vestíbulo escuro e se voltou para a mulher. A única iluminação vinha do painel envidraçado da porta e dava uma coloração estranha, ora em tons de vermelho-sangue, ora num azul fantasmagórico, àquela cabeça arredondada e meio calva que o marido não parava de sacudir.

— Está vendo só? — perguntou ele aos berros, agitando os braços compridos. — Está vendo o que tenho que enfrentar?

— Estou — replicou Tessa, pegando um punhado de lenços de papel da caixa que ficava no aparador para enxugar os olhos e assoar o nariz. — Estou, sim.

— Nem sequer leva em conta o que estamos passando! — disse Colin, e começou a soluçar, uns soluços agudos, secos, parecendo até uma criança com coqueluche. Tessa se aproximou e passou os braços pelo peito do marido, não muito acima da cintura, pois, baixinha e atarracada como era, aquele era o ponto mais alto que conseguia alcançar. Ele se inclinou para abraçá-la. Dava para sentir o tremor que o sacudia e o sobe e desce da sua caixa torácica por baixo do casaco.

Minutos depois, Tessa se desvencilhou daquele abraço, levou o marido para a cozinha e lhe preparou um bule de chá.

— Vou levar uma comida para Mary — disse ela, depois de ficar uns instantes sentada ao lado de Colin, acariciando a sua mão. — Ela está com metade da família hospedada em casa. Depois, vamos para a cama cedo.

Colin assentiu, fungando, e ela lhe deu um beijo na cabeça antes de se levantar para ir até o freezer. Quando voltou, trazendo uma pesada travessa congelada, ele estava sentado à mesa, segurando a caneca com as duas mãos, de olhos fechados.

Tessa botou a travessa embrulhada em plástico-filme nas lajotas diante da porta de entrada. Enfiou o tal cardigã verde meio largo, que geralmente usava em vez de um casaco mais grosso, mas não calçou os sapatos. Pé ante pé, subiu a escada até o primeiro andar e, dali, já não tão preocupada em não fazer barulho, subiu mais um lance, dirigindo-se ao sótão.

Ao se aproximar da porta, ouviu uma certa agitação, que mais parecia coisa de ratos. Bateu, dando a Bola o tempo suficiente para esconder o que quer que estivesse vendo na internet ou quem sabe os cigarros, pois ele ignorava que a mãe sabia da existência deles.

— Que é?

Ela empurrou a porta. O filho estava agachado sobre a mochila, numa pose estudada.

— Com tantos dias no ano, você tinha que matar aula logo hoje?

Bola se levantou. Alto e magro, era bem maior que a mãe.

— Eu fui à aula. Só cheguei atrasado. Bennett nem percebeu. Ele ou nada é a mesma coisa...

— Por favor, Stuart. *Por favor.*

Às vezes, também tinha vontade de gritar com os meninos na escola. Adoraria gritar: *Você tem que aceitar a realidade dos outros. Acha que a realidade se presta a negociações, que achamos que ela é o que você decidir dizer que ela é. Tem que aceitar que somos tão reais quanto você. Tem que aceitar que você não é Deus.*

— O seu pai está muito chateado, Stu. Por causa de Barry. Não dá para entender?

— Claro.

— É como você se sentiria se Arf morresse.

Embora ele não tenha dito nada e a expressão do seu rosto tenha se mantido praticamente inalterada, Tessa sentiu o seu desprezo, a graça que o filho achava naquilo tudo.

— Sei que acha que você e Arf pertencem a uma categoria inteiramente diferente de pessoas como o seu pai e Barry...

— Não — exclamou Bola.

Tessa sabia, porém, que tudo que ele queria era pôr fim àquela conversa.

— Vou levar uma comida para Mary. Pelo amor de Deus, Stuart, não faça mais nada que possa aborrecer o seu pai enquanto eu estiver fora. Por favor, Stu.

— Tá legal — disse ele, meio rindo, meio dando de ombros.

Mesmo antes de fechar a porta, Tessa percebeu que a atenção do filho já tinha batido asas, voltando para o que lhe interessava.

VI

O ventinho irritante levou embora a nuvem baixa que tinha se formado lá pelo final da tarde e, ao pôr do sol, ele próprio desapareceu. Três casas depois da dos Wall, Samantha Mollison observava o reflexo da lâmpada acesa na penteadeira e achava deprimentes aquele silêncio e aquela quietude.

Os dois últimos dias haviam sido decepcionantes: não tinha vendido praticamente nada. O tal representante da Champêtre era, na verdade, um sujeito com uma papada considerável, uns modos grosseiros e uma sacola cheia de sutiãs horrorosos. Aparentemente, reservava o seu charme para as preliminares, pois, pessoalmente, só falava de vendas, além de tratá-la de um jeito arrogante, criticando o seu estoque e fazendo a maior pressão para ela encomendar alguma coisa. Samantha havia imaginado alguém mais jovem, mais alto e mais sexy. Ficou louca para despachar aquele homem e as suas lingeries cafonas o mais depressa possível.

Na hora do almoço, comprou um daqueles cartões que dizem "Nossos sinceros pêsames" para mandar para Mary Fairbrother, mas ficou sem saber o que escrever, porque, depois daquele pesadelo que enfrentaram juntas no hospital, só assinar não lhe parecia suficiente. A relação entre eles nunca tinha sido próxima. Num lugar tão pequeno quanto Pagford, as pessoas vivem se encontrando, mas, na verdade, ela e Miles não *conheciam* realmente Barry e Mary. Na melhor das hipóteses, o que se poderia dizer é que estavam em campos opostos por causa das intermináveis disputas entre Howard e Barry com relação a Fields... Já ela mesma não dava a mínima para essa história: mantinha-se acima da mesquinhez da política local.

Cansada, chateada e inchada depois de um dia inteiro comendo bobagens, adoraria que não tivessem marcado de ir jantar na casa dos seus sogros. Olhando-se no espelho, pôs as mãos espalmadas de ambos os lados do rosto e puxou a pele com cuidado na direção das orelhas. Por alguns milímetros, surgiu ali uma Samantha mais jovem. Virando o rosto bem devagar para um lado e para o outro, examinou a pele assim esticada. Melhor, muito melhor. Quanto será que custaria? Será que doía muito? Será que teria coragem? Tentou imaginar o que a sogra diria se a visse aparecer com o rosto renovado. Afinal, eles dois, como Shirley tantas vezes fazia questão de lembrar, estavam ajudando a pagar a educação das netas.

Miles entrou no quarto. Samantha tirou as mãos do rosto e pegou o corretivo, jogando a cabeça para trás como sempre fazia para se maquiar: a pele flácida do maxilar ficava um pouco mais rija e as bolsas debaixo dos olhos também se reduziam. No contorno dos seus lábios havia umas ruguinhas pequenas e finas. Tinha lido que era possível preenchê-las com um produto sintético injetável. Será que faria alguma diferença? Com certeza era muito mais barato que uma plástica e talvez Shirley nem reparasse. Pelo espelho viu Miles, às suas costas, tirar a gravata e a camisa, o que fez com que a barriga avantajada despencasse sobre o cós da calça.

— Você não ia se encontrar com alguém hoje? Um representante comercial? — indagou ele. E ficou parado ali, olhando para as roupas no armário, coçando o umbigo peludo.

— É, mas não valeu a pena... — respondeu Samantha. — Era tudo um horror.

Miles gostava do trabalho da mulher. Cresceu numa casa em que tudo girava em torno das vendas em varejo e nunca perdeu o respeito pelo comércio que o pai havia lhe inculcado. Ainda por cima, no ramo de negócios de Samantha, havia mil e uma oportunidades de piadas ou até mesmo outras formas menos disfarçadas de autocomplacência. Aparentemente, ele nunca se cansava de fazer as mesmas piadinhas ou as mesmas insinuações maliciosas.

— Coisa malfeita? — perguntou, com ar de entendido.

— Os modelos eram feios. E as cores, pavorosas.

Samantha escovou o cabelo castanho grosso e ressecado e o prendeu. Pelo espelho, viu Miles botar uma calça de brim e uma camisa polo. Estava no limite, sentindo que podia estourar ou começar a chorar à mínima provocação.

O Evertree Crescent ficava apenas a alguns minutos dali, mas, como a Church Row era uma ladeira bem íngreme, eles foram de carro. Aos poucos, a escuridão vinha chegando. No alto da estrada, passaram pelo vulto sombrio de um homem que tinha o corpo e o andar de Barry Fairbrother. Samantha tomou um susto e se virou para olhá-lo, imaginando quem seria o tal sujeito. O carro de Miles dobrou à esquerda e, nem um minuto depois, dobrou novamente à direita, entrando na meia-lua de chalés dos anos 1930.

A casa de Howard e Shirley, uma construção baixa, de tijolos vermelhos e amplas janelas, ostentava, tanto na frente quanto nos fundos, extensos gramados, que Miles aparava por faixas no verão. Durante os longos anos passados ali, Howard e Shirley instalaram lampiões, um portão de ferro fundido pintado de branco e vasos de terracota cheios de gerânios de ambos os lados da porta de entrada. Puseram também uma plaquinha ao lado da campainha: uma tabuinha redonda e envernizada onde se lia a palavra “Ambleside”, em letras góticas pretas e entre aspas.

Às vezes, Samantha era cruel nas brincadeiras que fazia com relação à casa dos sogros. Miles tolerava aquelas gozações admitindo que a mulher e ele, com os seus pisos e portas de madeira encerada, os seus tapetes dispostos sobre o assoalho, as suas gravuras emolduradas e aquele sofá cheio de estilo, mas nada confortável, tinham efetivamente mais bom gosto. Mas, no fundo, no fundo, preferia o chalé onde havia crescido. Ali, praticamente todas as superfícies eram cobertas com algo macio e aveludado. Não havia correntes de ar, e as cadeiras reclináveis eram deliciosamente confortáveis. Quando acabava de aparar a grama, no verão, a mãe lhe trazia uma cerveja gelada que ele tomava sentado numa dessas cadeiras, vendo um jogo de críquete na televisão de tela plana. Às vezes, uma das filhas ia junto e ficava sentada ali, ao seu lado, tomando sorvete com uma calda de chocolate que Shirley fazia especialmente para as netas.

— Oi, querido — disse ela ao abrir a porta. Baixinha e roliça como era, com o avental de florezinhas, lembrava um daqueles moedores de pimenta todo caprichado. Ficou na ponta dos pés para o filho poder beijá-la. — Oi, Sam — disse então, e logo se afastou, acrescentando: — O jantar está quase pronto. Howard! Miles e Sam chegaram!

A casa cheirava a lustra-móveis e comida gostosa. Howard surgiu, vindo da cozinha, com uma garrafa de vinho numa das mãos e um saca-rolhas na outra. Com a prática que tinha, Shirley recuou de mansinho para a sala de jantar, para que o marido, que ocupava quase toda a largura do corredor, pudesse passar. Só então foi para a cozinha a passos lépidos.

— Cá estão eles, os bons samaritanos! — bradou Howard. — E como anda o comércio de sutiãs, Sammy? Peito para enfrentar a recessão é o que não deve faltar, não é mesmo?

— Olhe, Howard, o movimento tem estado incrivelmente avantajado... — respondeu Samantha.

O sogro soltou uma sonora gargalhada, e Sam podia jurar que ele teria lhe dado um tapinha na bunda se não estivesse com as duas mãos ocupadas. Tolerava aqueles tapas e apertões que o sogro lhe dava e que, a seu ver, eram apenas o exibicionismo inofensivo de um homem que tinha engordado além da conta e que já estava velho demais para fazer qualquer outra coisa. Ainda por cima, Shirley ficava chateada, o que era sempre bom. É claro que nunca demonstrava abertamente o seu aborrecimento: o sorriso no seu rosto não se alterava e aquele tom de voz docemente sensato também não. Mas logo depois de uma dessas manifestações levemente despudoradas do marido, lá vinha ela com uma alfinetada disfarçada para a nora: como quem não quer nada, mencionava o preço cada vez mais alto das mensalidades do colégio das netas; toda solícita, perguntava a Samantha como ia a dieta ou a Miles se ele não achava que Mary Fairbrother tinha um corpinho lindo... Samantha engolia aquilo tudo com um sorriso, e, mais tarde, descontava em Miles.

— Oi, Mo! — exclamou Miles ao entrar, antes da esposa, no que Howard e Shirley chamavam de saguão. — Não sabia que você também vinha!

— Olá, bonitão — disse Maureen, com aquela sua voz profunda e rascante. — Venha me dar um beijo.

A sócia de Howard estava sentada numa ponta do sofá com um cálice de *sherry* nas mãos. Usava um vestido fúcsia, meias escuras e uns sapatos de verniz de salto alto. O cabelo muito preto cheio de laquê estava todo armado e, por baixo daquele volume, o seu rosto surgia, pálido e simiesco, com uma boca pintada de rosa-choque que se contraiu quando Miles se abaixou para lhe dar dois beijinhos.

— Estávamos tratando de negócios. Fazendo planos para o novo café. Oi, Sam, querida — acrescentou Maureen, dando uns tapinhas no sofá ao seu lado. — Como está linda, bronzeada... Ainda é de Ibiza? Venha sentar aqui. Que susto, hein, lá no clube? Deve ter sido apavorante...

— Ah, foi mesmo — disse Samantha.

E, pela primeira vez, se viu contando para alguém a história da morte de Barry, enquanto Miles ficou pairando por ali, louco por uma chance de intervir. Howard distribuiu as taças de Pinot Grigio, cuidando especialmente de caprichar na da nora. Aos poucos, embalada pelo interesse de Howard e Maureen, e com a ajuda do calorzinho gostoso que o álcool a fazia sentir por dentro, a tensão que Samantha vinha experimentando há dois dias foi se desmanchando e começou a surgir uma frágil sensação de bem-estar.

A sala era quente e impecável. Numas prateleiras, que ladeavam a lareira a gás, havia uma coleção de porcelana ornamental composta, em sua maioria, de peças comemorativas de algum momento importante da família real ou algum aniversário do reinado de Elizabeth II. Num dos cantos, uma pequena estante continha uma mistura de fotografias da realeza e livros de receitas encadernados que já não cabiam mais na cozinha. Retratos enfeitavam prateleiras e paredes: Miles e a irmã mais moça, Patricia, de uniforme escolar, sorriam num porta-retratos duplo; as duas filhas de Miles e Samantha, Lexie e Libby, estavam por toda parte, de bebês a adolescentes. Samantha só aparecia uma vez naquela galeria familiar, embora a foto fosse a maior de todas e a que merecia maior destaque: Miles e ela, no dia do seu casamento, dezesseis anos atrás. Miles, jovem e bonito, tinha franzido um pouco os penetrantes olhos azuis; já Samantha estava com os olhos entreabertos, o rosto meio virado de lado, e, por aquele ângulo, o sorriso a tinha deixado com queixo duplo. O cetim branco do vestido, repuxado nos seios já mais volumosos por causa da gravidez incipiente, a fazia parecer enorme de gorda.

Com uma daquelas mãos ossudas, que mais pareciam garras, Maureen estava brincando com o cordão que sempre usava no pescoço e onde havia um crucifixo e a aliança do falecido marido. Quando Samantha chegou ao ponto em que a médica veio dizer a Mary que não havia mais nada que se pudesse fazer, Maureen pôs a outra mão no joelho de Samantha e o apertou ligeiramente.

— O jantar está na mesa! — gritou Shirley.

Apesar de ter vindo àquele jantar contra a vontade, há dois dias que Samantha não se sentia tão bem. Maureen e Howard a estavam tratando como um misto de heroína e inválida, e os dois lhe deram uns tapinhas nas costas quando ela passou por eles a caminho da outra sala.

Shirley havia reduzido a intensidade da luz e acendido umas velas compridas, cor-de-rosa para combinar com o papel de parede e os seus melhores guardanapos. Assim na penumbra, o vapor que subia dos pratos de sopa fazia até o rosto largo e corado de Howard parecer surgido de além-túmulo. Já tendo tomado quase toda a sua taça de vinho, que não era pequena, Samantha achou que seria engraçadíssimo se o sogro anunciasse que iam começar uma sessão espírita para pedir a Barry que lhes contasse a sua própria versão dos acontecimentos do clube de golfe.

— Bom — disse Howard, com voz grave —, acho que devíamos fazer um brinde a Barry Fairbrother.

Mais que depressa, Samantha voltou a encher a taça para que Shirley não percebesse que ela já tinha tomado quase todo o seu conteúdo.

— Parece que foi mesmo um aneurisma — declarou Miles, tão logo as taças voltaram a pousar na toalha. Tinha ocultado essa informação até mesmo de Samantha e estava feliz da vida, porque, ainda agora, falando com Maureen e Howard, ela podia ter estragado tudo. — Gavin telefonou para dar os pêsames a Mary em nome da firma e começar a ver a história do testamento, e ela confirmou essa informação. Basicamente, uma artéria do cérebro dilatou e estourou — (ainda no escritório, depois de falar com Gavin, Miles foi procurar o termo na internet assim que conseguiu descobrir como se escrevia). — Podia ter acontecido a qualquer momento. É uma espécie de defeito congênito.

— Assustador — exclamou Howard, e, percebendo que a taça da nora estava vazia, levantou-se para voltar a enchê-la. Por um instante, Shirley ficou tomando a sua sopa com as sobrancelhas tão erguidas que chegavam quase a tocar a raiz dos cabelos. Só para provocá-la, Samantha tomou mais um gole de vinho.

— Sabem de uma coisa? — principiou ela, com a língua já ligeiramente pastosa. — Achei que tinha visto ele quando estávamos vindo para cá. Barry. No escuro.

— Provavelmente era um dos seus irmãos — replicou Shirley, em tom de descaso. — Eles são todos parecidos.

Mas Maureen a interrompeu, abafando a sua voz.

— Eu tive a impressão de ver Ken à noite, no dia da morte dele. Muito claramente. Ele estava no jardim, olhando para mim pela janela da cozinha. Parado no meio das suas rosas.

Ninguém disse nada. Todos ali já conheciam aquela história. Passou-se um minuto em que o único som que se ouvia era o barulhinho das pessoas engolindo e, então, Maureen voltou a falar com aquele seu grasnido de corvo.

— Gavin se dá com os Fairbrother, não é, Miles? Ele não joga *squash* com Barry? Ou melhor, não *jogava*?

— É. Barry o arrasava uma vez por semana. Gavin deve ser um péssimo jogador, afinal, Barry era dez anos mais velho que ele!

Expressões praticamente idênticas se estamparam no rosto à luz de velas das três mulheres ali presentes, um ar divertido, mas complacente. Quanto mais não fosse, uma coisa elas tinham em comum: um interesse levemente perverso pelo jovem e esguio sócio de Miles. No caso de Maureen, era apenas uma manifestação do seu insaciável apetite pelas fofocas de Pagford, e as peripécias de um rapaz solteiro eram um prato feito para ela. Shirley adorava ouvir tudo sobre as inseguranças e inferioridades de Gavin, pois elas proporcionavam um delicioso contraste que só fazia ressaltar as proezas e a autoconfiança dos dois deuses da sua vida, Howard e Miles. Quanto a Samantha, porém, a passividade e a cautela do rapaz despertavam nela uma crueldade felina e, já que ela própria não podia fazer nada a esse respeito, morria de vontade de vê-lo ser acordado a tapas, ser posto na linha ou maltratado de outra forma qualquer por alguma outra representante do sexo feminino. Implicava com ele sempre que se viam, divertindo-se com a ideia de que ele devia achá-la dominadora, alguém difícil de se lidar.

— E como andam as coisas com a namorada lá de Londres? — indagou Maureen.

— Ela não mora mais em Londres, Mo. Mudou-se para a Hope Street — disse Miles. — E se quiser saber, ele anda arrependidíssimo de ter começado essa história. Você conhece Gavin: na hora H, ele entra em pânico.

Na escola, Miles era alguns anos mais adiantado que Gavin e, até hoje, havia aquele tom de veterano no jeito como ele se referia ao sócio.

— Uma moça de cabelo castanho-escuro? Curtinho?

— Exatamente — disse Miles. — É assistente social. Só anda com uns sapatinhos baixos.

— Então ela já foi lá na loja, não é mesmo, How? — exclamou Maureen toda empolgada. — Mas, pelo jeito dela, diria no máximo que era uma cozinheira...

Depois da sopa, veio um lombo de porco assado. Com a conivência do sogro, Samantha estava aos poucos mergulhando numa agradável embriaguez. Algo nela, porém, fazia protestos desesperados, como os de um homem arrastado pelo mar. E ela, então, tentava afogá-los com mais vinho.

Um momento de silêncio pairou sobre a mesa como uma toalha limpa, imaculada e cheia de expectativas, e, desta vez, todos ali pareciam saber que era Howard quem devia introduzir o novo assunto. Por alguns instantes, ele ficou só comendo, empurrando as fartas garfadas com goles de vinho, aparentemente alheio aos olhares pregados nele. Afinal, quando o seu prato já estava pela metade, limpou a boca com o guardanapo e começou a falar.

— É, vai ser interessante ver o que acontece com o Conselho agora... — Neste ponto, foi obrigado a parar para conter um sonoro arroto e, por alguns segundos, pareceu até que ele estava enjoado. — Desculpem — disse ele, então, batendo no peito. — É. Vai ser muito interessante. Sem Fairbrother — à maneira dos homens de negócios, Howard voltou a chamar o adversário pelo nome que geralmente usava —, não acredito que o tal artigo seja publicado. A não ser, é claro, que Aluga-Ouvido resolva assumir essa tarefa — acrescentou ele.

Howard tinha apelidado Parminder Jawanda de Aluga-Ouvido depois da sua primeira participação no Conselho Distrital. Acrescentou ainda o sobrenome Bhutto, fazendo referência à célebre figura política do Paquistão. Mas foi a primeira parte do apelido que se generalizou como brincadeira entre os membros da facção anti-Fields.

— Se você visse a cara dela — disse Maureen, dirigindo-se a Shirley. — A cara que ela fez quando lhe contamos. Bom... eu sempre achei que... Sabe *o quê*, não é?

Samantha aguçou os ouvidos, mas a insinuação de Maureen era simplesmente ridícula. Parminder era casada com o homem mais lindo de Pagford. Vikram era alto, tinha um corpo bonito, um nariz aquilino, uns olhos contornados por longos cílios pretos e um sorriso perspicaz e descontraído. Há anos que Samantha vinha jogando o cabelo para trás e rindo mais que o necessário sempre que parava na rua para conversar com ele. Vikram tinha o mesmo tipo de corpo de Miles quando este ainda jogava rúgbi e não era flácido e barrigudo.

Pouco depois que os Jawanda se mudaram para o seu bairro, Samantha tinha ouvido dizer, não lembrava onde, que o casamento deles havia sido arranjado. Achou essa ideia incrivelmente erótica. Imagine só *mandarem* você se casar com Vikram, *ser obrigada* a fazer isso... Elaborou toda uma fantasia em que se via usando um véu e entrando numa sala, uma virgem condenada a cumprir o seu destino... Imagine só você erguer os olhos e ver que o seu destino é *aquilo*... E, ainda por cima, havia o frisson provocado pela sua profissão: tanta responsabilidade assim já daria um toque de sedução a qualquer outro, bem mais feio...

(Foi Vikram quem realizou a cirurgia para implantar as quatro pontes de safena em Howard, sete anos atrás. Resultado: até hoje, ele não pode entrar na Mollison & Lowe sem ser recebido por uma avalanche de brincadeiras por parte do proprietário da loja.

— Por favor, passe na frente de todos, dr. Jawanda! Deixem ele passar, minhas senhoras... Não, dr. Jawanda, eu insisto... Esse homem salvou a minha vida, gente! Remendou a velha bomba aqui dentro... O que vai ser, dr. Jawanda?

Ainda fazia questão de que o médico levasse amostras grátis e lhe dava alguma coisa de quebra em tudo que ele comprasse. E Samantha podia jurar que era por causa dessas gracinhas que Vikram raramente entrava na delicatéssen.)

A essa altura, tinha perdido o fio da conversa, mas isso pouco importava. Todos continuavam falando de alguma coisa que Barry Fairbrother havia escrito para o jornal local.

— ...ia ter que falar com ele sobre essa história — estava dizendo Howard, com aquele seu vozeirão. — É um jeito muito desonesto de fazer as coisas. Bom, bom, mas isso são águas passadas... O importante agora é saber quem vai substituir Fairbrother. E não devemos subestimar Aluga-Ouvido, por mais transtornada que ela esteja. Isso seria um tremendo erro. Muito provavelmente, ela já está tentando aliciar alguém, portanto nós também devíamos começar a pensar num substituto à altura. Quanto mais cedo, melhor. É simplesmente uma questão de boa gestão.

— O que isso representa exatamente? — indagou Miles. — Uma eleição?

— Possivelmente — respondeu Howard, com ar judicioso. — Mas duvido muito. Trata-se apenas de um caso de vacância. Se não houver nenhuma pressão para a convocação de eleições... Embora, como já disse, a gente não deva subestimar Aluga-Ouvido. Mas ela sempre pode não conseguir convencer nove pessoas a lançarem a proposta de uma eleição... Sendo assim, tudo vai se resumir à indicação de um novo conselheiro. Nesse caso, precisamos do voto de nove membros do Conselho para ratificar o nome indicado. Nove é o quórum exigido. Ainda faltam três anos para o fim do mandato de Fairbrother. Vale a pena. Nós podíamos dar uma guinada na situação pondo lá alguém do nosso lado para substituir Fairbrother.

Howard ficou tamborilando com os dedos grossos na taça de vinho e olhando para o filho do outro lado da mesa. Tanto Shirley quanto Maureen também olhavam para ele, e Miles, pelo menos foi a impressão que Samantha teve, encarava o pai como um grande labrador gorducho, ansiosíssimo na expectativa de uma recompensa qualquer.

Um segundo depois do que aconteceria se ela estivesse sóbria, Samantha compreendeu o que tudo aquilo significava e por que a atmosfera que cercava aquela mesa era tão festiva. A embriaguez vinha sendo libertadora, mas, de repente, tornou-se uma limitação, pois ela não sabia se a própria língua teria condições de lhe obedecer depois de mais de uma garrafa de vinho e de tanto tempo em silêncio. Resolveu, então, pensar as palavras em vez de dizê-las em voz alta.

Porra, Miles! Você bem que podia dizer a eles que tem que conversar comigo antes...

VII

Tessa Wall não pretendia se demorar muito na casa de Mary — nunca se sentia à vontade quando deixava o marido e Bola sozinhos em casa

—, mas a visita acabou se estendendo por umas duas horas. A casa dos Fairbrother estava abarrotada de colchonetes e sacos de dormir. A família, grande, tinha se reunido em torno do vazio deixado pela morte, mas não havia barulho ou movimento que pudessem disfarçar o abismo em que Barry havia desaparecido.

Sozinha com os seus pensamentos pela primeira vez desde que o amigo morrera, Tessa foi descendo bem devagar a Church Row no escuro, com os pés doendo e o casaco insuficiente para protegê-la do frio. Os únicos ruídos que se ouviam era o tac-tac das contas de madeira penduradas no seu pescoço e, ao longe, o som das televisões nas casas por onde ia passando.

De repente, lhe veio uma ideia: *Será que Barry sabia?*

Nunca tinha lhe ocorrido antes que o marido pudesse ter contado a Barry o grande segredo da vida dela, aquela coisa podre que jazia enterrada bem no fundo do seu casamento. Colin e ela nem sequer tocavam no assunto (embora uma leve sombra viesse turvar mais de uma das conversas do casal, principalmente nos últimos tempos).

Esta noite, porém, Tessa teve a impressão de perceber um olhar de Mary quando ela mencionou Bola...

Você está exausta e fica imaginando coisas, disse consigo mesma em tom decidido. Os hábitos de discrição de Colin eram tão fortes, tão profundamente arraigados, que ele jamais contaria algo assim, nem mesmo a Barry, que ele tanto idolatrava. Tessa detestava a ideia de Barry ter ficado sabendo... Detestava pensar que o carinho que Fairbrother tinha por Colin pudesse ser resultado da pena que ele sentia do amigo pelo que ela, Tessa, tinha feito...

Quando entrou na sala de estar, viu o marido de óculos, diante da televisão, que transmitia o noticiário. Tinha uma pilha de páginas impressas no colo e uma caneta na mão. Para alívio de Tessa, não havia sinal do filho por ali.

— Como ela está? — perguntou Colin.

— Bom, sabe como é... Não está nada bem — respondeu a mulher. Jogou-se numa das velhas poltronas, com um leve suspiro de alívio, e tirou os sapatos surrados. — Mas o irmão de Barry tem sido maravilhoso.

— Em que sentido?

— Ora... ajudando.

Fechou os olhos e massageou o dorso do nariz e as pálpebras com o polegar e o indicador.

— Sempre achei que ele não era lá muito confiável — disse Colin.

— É mesmo? — perguntou Tessa do fundo da escuridão voluntária em que se encontrava.

— É. Lembra quando ele disse que viria apitar aquele jogo contra a Paxton High e desmarcou com meia hora de antecedência? Bateman acabou tendo que ser o árbitro da partida.

Tessa teve vontade de retrucar com rispidez. Que mania ele tinha de fazer juízos definitivos a partir de primeiras impressões, de uma única atitude! Colin parecia nunca se dar conta da imensa mutabilidade da natureza humana, nem conseguir perceber que, por trás de um rosto qualquer, sempre existia toda uma extensão de terra selvagem e única como a dele mesmo.

— Bom, mas ele está sendo ótimo com as crianças — replicou ela, cautelosa. — Tenho que ir me deitar.

Mas não se mexeu. Ficou ali sentada, reparando nas dores diferentes que sentia em diversas partes do corpo: nos pés, na lombar, nos ombros.

— Sabe no que andei pensando, Tess?

— Hmmm?

As lentes reduziam tanto as proporções dos olhos dele que a testa alta e a careca ficavam ainda mais pronunciadas.

— Nas coisas que Barry estava tentando fazer no Conselho Distrital. Em tudo pelo que ele andava lutando: Fields, a clínica de reabilitação... Passei o dia todo refletindo sobre isso. — Respirou profundamente e acrescentou: — Estou pensando seriamente em assumir essas tarefas no lugar dele...

A apreensão desmoronou sobre Tessa, deixando-a pregada na poltrona e momentaneamente incapaz de articular qualquer som. Lutou para manter a expressão profissionalmente neutra.

— Tenho certeza de que era o que Barry teria desejado — prosseguiu Colin, e o seu estranho entusiasmo vinha acompanhado de uma atitude defensiva.

Nunca!, exclamou o eu mais honesto de Tessa, *nem por um segundo Barry teria desejado que você fizesse isso. Ele saberia muito bem que você é a última pessoa no mundo indicada para algo assim.*

— Puxa! — disse ela. — Eu sei que Barry era muito... Mas seria um compromisso gigantesco, Colin. E Parminder não se foi. Ela continua aqui e continua tentando fazer tudo que Barry queria.

Eu devia ter ligado para Parminder, pensou Tessa, assim que formulou aquela frase. E sentiu um aperto de culpa no estômago. *Ah, meu Deus, por que não me lembrei de telefonar para Parminder?*

— Mas ela vai precisar de apoio. Nunca vai conseguir enfrentar todos eles sozinha — insistiu Colin. — E garanto que Howard Mollison já está preparando um fantoche para substituir Barry. Talvez já tenha até...

— Ah, Colin...

— Posso apostar! Você sabe como ele é!

Abandonadas, as folhas que estavam no seu colo caíram no chão, formando uma suave cascata branca.

— Quero fazer isso por Barry. Vou levar adiante o que ele deixou inacabado. Vou fazer tudo para que o trabalho dele não tenha sido em vão. Conheço bem os argumentos que ele usava. Barry sempre disse que, aqui, teve oportunidades que jamais teria em outras circunstâncias. E veja tudo que ele fez pela comunidade em troca disso. Estou decidido a tentar. Amanhã mesmo vou ver o que preciso fazer.

— Está certo — replicou Tessa. Anos de experiência tinham lhe ensinado que, quando Colin se entusiasmava por alguma coisa, não era boa ideia contestar os seus ímpetos iniciais, pois tudo o que se conseguia, assim, era reforçar a sua determinação de seguir adiante. Os mesmos anos haviam ensinado a Colin que, muitas vezes, a sua mulher fingia concordar antes de fazer qualquer objeção. Esse tipo de diálogo era sempre permeado pela lembrança mútua, mas não verbalizada, do tal segredo há tanto enterrado. Tessa sentia que lhe devia algo. E ele se sentia credor.

— É uma coisa que quero fazer mesmo, Tessa.

— Eu entendo, Colin.

Ela se levantou da cadeira pensando se teria força suficiente para subir a escada.

— Você não vem?

— Já, já. Quero acabar de examinar isso aqui primeiro — respondeu ele, juntando as folhas que tinham caído no chão. Aparentemente, aquele novo projeto temerário estava lhe dando uma energia febril.

No quarto, Tessa começou a se despir bem devagar. A gravidade parecia ter se tornado muito mais forte: que dificuldade para erguer braços e pernas, para obrigar o zíper obstinado a fazer o que ela queria. Enfiou o robe e foi para o banheiro. Dali, dava para ouvir Bola para lá e para cá no andar de cima. Vinha se sentindo tão só e exaurida ultimamente, num constante vaivém entre o marido e o filho, aqueles dois que pareciam ter cada qual a sua existência inteiramente independente; que pareciam tão estranhos um ao outro quanto um inquilino e o seu senhorio.

Só quando foi tirar o relógio lembrou que não sabia onde o tinha posto desde a véspera. Andava tão cansada... Vivia perdendo as coisas... E como foi se esquecer de ligar para Parminder? Com lágrimas nos olhos, preocupada e tensa, arrastou-se até a cama.

Quarta-feira

I

Nas noites de segunda e terça, Krystal Weedon dormiu no chão do quarto da amiga Nikki, depois de uma briga feia com a mãe. Tudo começou quando Krystal, que tinha estado circulando pelo bairro com outras garotas, chegou em casa e viu Terri conversando com Obbo na soleira da porta. Ali em Fields, todo mundo conhecia Obbo, com aquela cara inexpressiva e meio inchada, o sorriso banguela, os óculos de fundo de garrafa e a velha jaqueta de couro nojenta.

— Guarda isso aí pra gente, Ter. É só por uns dias. E ainda vai render uma graninha pra você...

— Guardar o quê? — perguntou Krystal. Nesse instante, Robbie saiu de trás das pernas da mãe e se agarrou com toda a força aos joelhos da irmã. Ele não gostava nada de ver homens chegando àquela casa. E não era à toa.

— Nada. Só uns computadores.

— Fica com isso, não — disse Krystal, dirigindo-se à mãe.

Não queria ver Terri com algum dinheiro na mão. Não duvidava nada que Obbo fosse direto ao ponto e pagasse aquele favorzinho com uma dose de heroína.

— Fica com isso, não.

Mas Terri ficou. Krystal passou a vida toda vendo a mãe dizer sim para tudo e para todos: concordando, aceitando, consentindo. Era sempre *claro, na boa, vamos lá, tá legal, sem problemas.*

Já estava escurecendo. A garota foi encontrar uns amigos lá nos balanços. Sentia-se tensa e irritadiça. Ainda não tinha conseguido assimilar a ideia da morte do sr. Fairbrother, mas não parava de sentir uns socos na boca do estômago e estava louca para descontar aquilo em alguém. Também estava chateada e culpada por ter roubado o relógio de Tessa Wall. Mas por que diabos aquela vaca burra foi botar o tal relógio bem na cara dela e fechar os olhos? O que ela estava querendo?

Ficar com a sua turma não ajudou em nada. Jemma passou o tempo todo implicando com ela por causa de Bola Wall, e, lá pelas tantas, Krystal explodiu e partiu para cima da garota. Nikki e Leanne tiveram de segurá-la. Krystal voltou então para casa e viu que os computadores de Obbo tinham chegado. Robbie tentava subir na pilha de caixas enquanto a mãe continuava sentada, numa espécie de torpor, com todos aqueles apetrechos espalhados no chão à sua frente. Como a garota temia, Obbo tinha lhe dado um saquinho de heroína em pagamento pelo serviço prestado.

— Deixa de ser burra, sua vaca drogada! A porra da clínica vai chutar você de novo!

Mas a heroína deixava a sua mãe num lugar onde ninguém conseguia alcançá-la. Embora Terri tenha revidado, xingando a filha de vaca e de putinha, fez isso de um jeito vago, distante. Krystal lhe deu então um tapa na cara. E Terri mandou que ela caísse fora dali e morresse.

— Então vê se cuida dele pra variar, viu, sua inútil! Sua vaca viciada de merda! — berrou a garota.

Robbie veio gritando atrás dela pelo corredor, mas a irmã saiu batendo a porta.

A casa de Nikki era a preferida de Krystal. Não era tão arrumadinha quanto a da avó Cath, mas era mais acolhedora, mais barulhenta e movimentada, de um jeito que ela achava bem gostoso. Nikki tinha dois irmãos e uma irmã, e Krystal dormia no chão, num edredom dobrado entre as camas das garotas. As paredes eram recobertas de fotos de rapazes incríveis e moças lindas, todas recortadas de revistas e formando uma colagem. Krystal nunca tinha pensado em enfeitar as paredes do próprio quarto...

Mas, por dentro, ela estava roída pela culpa. Não conseguia parar de pensar na carinha apavorada de Robbie quando ela saiu batendo a porta. E foi por isso que acabou voltando para casa na quarta-feira de manhã. De qualquer jeito, a família de Nikki não estava disposta a deixá-la ficar ali por mais de duas noites seguidas. Uma vez, com a sua franqueza habitual, a amiga lhe disse que a mãe não se importava que Krystal dormisse lá, contanto que não fosse com muita frequência, que ela não fizesse a casa deles de hospedaria e, principalmente, que parasse de chegar depois da meia-noite.

Como sempre, Terri pareceu feliz ao vê-la voltar. Falou sobre a visita da nova assistente social, e Krystal ficou bem aflita, imaginando o que a desconhecida teria achado da casa, que, nos últimos tempos, andava abaixo dos seus padrões habituais de sujeira. O que mais a preocupava, porém, era que Kay tivesse visto Robbie em casa, pois Terri tinha se comprometido a mantê-lo na pré-escola, para onde ele havia sido mandado quando ainda estava com a mãe substituta. Esta havia sido a condição determinante na negociação para trazê-lo de volta para casa no ano anterior. Também ficou furiosa quando soube que a assistente social viu o menino de fraldas depois de todo o trabalho que teve para persuadi-lo a usar o vaso sanitário.

— Que que ela disse, afinal? — perguntou.

— Que ia voltar — respondeu Terri.

Krystal teve um mau pressentimento ao ouvir aquilo. Aparentemente, a assistente social que já conheciam se dava por satisfeita em deixar a família Weedon ir levando a vida sem maiores interferências. Com o seu jeitão meio distraído e nada metódico, quase sempre errando os nomes deles e confundindo as suas informações com as de outras famílias que acompanhava, ela aparecia por lá de quinze em quinze dias, dando a impressão de não ter outro objetivo senão verificar se Robbie ainda estava vivo.

A nova ameaça só fez piorar o mau humor de Krystal. Quando estava limpa, Terri se deixava intimidar pelos acessos de raiva da filha e permitia que ela mandasse e desmandasse na sua vida. Fazendo o melhor uso possível daquela autoridade temporária, Krystal mandou que a mãe fosse se vestir direito, obrigou Robbie a voltar a usar cuecas limpas, repetiu mais uma vez que ele não podia fazer xixi na calça e tratou de levá-lo para a escola. Quando viu que a irmã ia embora, Robbie abriu o maior berreiro. De início, Krystal ficou irritada, mas acabou se agachando junto dele, prometendo que ia voltar mais tarde para buscá-lo. E o menino deixou que ela se fosse.

Ela, então, matou aula, embora a quarta-feira fosse o seu dia favorito na escola, porque tinha tanto educação física quanto orientação educacional. Estava decidida a limpar um pouco a casa, passar um desinfetante com cheiro de pinho na cozinha, jogar todos os restos de comida e pontas de cigarros no latão de lixo. Escondeu a lata de biscoitos onde ficavam os apetrechos de Terri e carregou os computadores restantes (três já tinham sido entregues), para guardá-los no armário do corredor.

Enquanto raspava a comida grudada nos pratos, Krystal não parava de pensar na equipe de remo. Teriam treino na noite seguinte, se o sr. Fairbrother ainda estivesse vivo. Em geral, ele lhe dava carona na ida e na volta, já que ela não tinha outra maneira de chegar até o canal lá em Yarvil. As gêmeas Niamh e Siobhan iam no carro, e Sukhvinder Jawanda também. Na escola, Krystal não tinha nenhum contato com as três, mas, desde que passaram a fazer parte do mesmo time, elas sempre diziam "Tudo bom?" quando se cruzavam nos corredores. Krystal ficou achando que as garotas iam torcer o nariz para ela, mas acabou descobrindo que eram até legais. Riam das suas piadas. Passaram a usar algumas das suas frases favoritas. De certa forma, ela era a líder da equipe.

Na sua família, ninguém jamais teve carro. Com alguma concentração, conseguia até sentir o cheiro daquela caminhonete, apesar do fedor da cozinha da mãe. Adorava aquele cheiro de plástico. Nunca mais ia andar naquele carro. Houve ocasiões em que foram num micro-ônibus, e era o sr. Fairbrother que ia dirigindo. Aconteceu até de passarem a noite fora, quando iam competir com escolas que ficavam mais longe. Lá dos últimos bancos do micro-ônibus, a equipe começou a cantar "Umbrella", de Rihanna, e aquilo acabou virando um ritual para dar sorte, a música-tema do grupo, com Krystal fazendo, no início, o solo do rapper Jay-Z. O sr. Fairbrother quase fez xixi na calça da primeira vez que a ouviu cantar.

Uh huh uh huh, Rihanna...
Good girl gone bad —
Take three —
Action.
No clouds in my storms...
Let it rain, I hydroplane into fame
Comin' down with the Dow Jones...

Krystal nunca tinha entendido aquela letra... "Garota boazinha que virou má... Tomada três. Ação. Não existem nuvens nas minhas tempestades... Pode chover, que eu hidroplano para a fama... Caindo junto com o Dow Jones..."

Pombinho Wall mandou uma circular para todas elas, dizendo que a equipe não voltaria a se reunir até conseguirem um novo técnico. Mas nunca iam arranjar um novo técnico. Estavam na maior merda. Todo mundo sabia disso.

Era a equipe do sr. Fairbrother, o seu projeto do coração. Nikki e o resto da turma tinham caído na sua pele quando ela topou entrar para o time. Todo aquele deboche encobria incredulidade, e, com o passar do tempo, admiração porque elas ganharam várias medalhas (Krystal guardava as suas numa caixa que tinha roubado da casa de Nikki. Ela tinha mania de se apoderar de coisas que pertencessem a pessoas de quem gostava. A tal caixa era de plástico enfeitada com umas rosas. Na verdade, uma caixinha de joias de criança. Agora, o relógio de Tessa estava enroladinho ali dentro).

A melhor coisa foi quando ganharam daquelas vaquinhas metidas lá da St. Anne. Para Krystal, aquele foi o melhor dia da sua vida. A diretora chamou a equipe lá na frente, quando a escola inteira estava reunida na segunda-feira de manhã. A garota ficou meio chateada porque Nikki e Leanne começaram a rir dela, mas, depois, todos aplaudiram... A Winterdown derrotar a St. Anne não era pouca coisa, não.

Agora, porém, tudo aquilo tinha acabado: as viagens de carro, o remo, a entrevista para o jornal local. Krystal tinha gostado da ideia de aparecer de novo na imprensa. O sr. Fairbrother garantiu que ia estar lá com ela. Só eles dois.

— Eles vão querer que eu fale o quê?

— Sobre a sua vida. Estão interessados na sua vida.

Como uma celebridade. Krystal não tinha dinheiro para comprar revistas, mas podia vê-las na casa de Nikki e no consultório, quando levava Robbie ao médico. Seria ainda melhor que sair no jornal junto com a equipe inteira. Ficou empolgadíssima com a perspectiva da tal entrevista, mas, sabe-se lá como, conseguiu ficar de boca fechada e não se vangloriar nem com Nikki ou Leanne. Queria que fosse surpresa. E foi bom não ter falado nada, porque nunca mais ia aparecer no jornal.

Krystal estava sentindo um vazio no estômago. Tentou não pensar mais no sr. Fairbrother e continuou circulando pela casa, limpando tudo, sem muito jeito, mas com muita disposição. Enquanto isso, a sua mãe ficou sentada na cozinha, fumando e com os olhos pregados na janela dos fundos.

Pouco depois do meio-dia, uma mulher estacionou um velho Vauxhall azul diante da casa. Krystal a viu lá da janela do quarto de Robbie. Ela tinha o cabelo escuro bem curtinho. Estava de calça preta, usava uma espécie de colar de contas, tipo étnico, e trazia no ombro uma sacola que parecia cheia de papéis.

A garota correu escada abaixo.

— Acho que é ela — gritou para a mãe, que ainda estava na cozinha. — A assistente.

A mulher bateu à porta, e Krystal foi abrir.

— Olá. Sou Kay, a substituta de Mattie. Você deve ser Krystal.

— É — respondeu a garota, sem se preocupar em retribuir o sorriso da outra. Levou-a à sala de estar e percebeu que ela tinha reparado que o lugar estava arrumado, ao menos até certo ponto: o cinzeiro tinha sido esvaziado e boa parte das tralhas estava agora entulhada na tal estante quebrada. O tapete continuava imundo, porque o aspirador não estava funcionando, e a toalha e a pomada para assaduras jaziam no chão com um dos carrinhos de Robbie encarapitado na ponta do tubo. Krystal tinha tentado distrair o irmão com aquele carrinho enquanto limpava o seu bumbum.

— Robbie tá na escola — disse ela. — Levei ele lá. E ele tá de cueca de novo. Ela vive fazendo ele usar fralda outra vez. Já disse pra ela não fazer isso. Passei pomada no bumbum dele. Vai sarar logo, é só uma assadura.

Kay sorriu novamente. Krystal olhou na direção da porta e gritou:

— *Mãe*!

Terri veio da cozinha. Estava usando jeans e um moletom velho e sujo, mas, só por estar mais vestida, já tinha uma aparência melhor.

— Oi, Terri — disse Kay.

— Tudo bom? — replicou Terri, dando uma longa tragada no cigarro.

— Senta — disse Krystal, dirigindo-se à mãe, que obedeceu, enroscando-se na mesma cadeira da véspera. — Quer uma xícara de chá ou qualquer outra coisa? — perguntou a garota, desta vez para Kay.

— Seria ótimo — respondeu a assistente social, sentando-se e abrindo a pasta. — Obrigada.

Krystal saiu da sala às pressas, mas ficou prestando a maior atenção, tentando ouvir o que Kay dizia à sua mãe.

— Com certeza não esperava me ver de novo tão cedo, não é, Terri? — foi a frase que ouviu (a mulher tinha um sotaque estranho. Parecia gente de Londres, como aquela babaquinha toda metida a besta que tinha entrado para a escola agora e que estava deixando metade dos garotos assanhadíssimos). — É que fiquei bem preocupada com Robbie ontem. Krystal me disse que ele voltou para a escola hoje.

— Foi — disse Terri. — Ela que levou. Voltou pra casa hoje de manhã.

— Voltou? De onde?

— Tava só na... Fui dormir na casa de uma amiga — respondeu Krystal, que voltou correndo à sala para se defender.

— É, mas voltou hoje de manhã — acrescentou Terri.

A garota foi verificar a chaleira. Quando a água começou a ferver, o barulho ficou tão forte que ela não conseguiu mais ouvir uma palavra do que a mãe e a assistente social estavam dizendo. Tentando fazer tudo o mais depressa possível, despejou um pouco de leite nas canecas, junto com os saquinhos de chá, e voltou para a sala carregando as três canecas pelando. Chegou bem a tempo de ouvir Kay dizendo:

— ...falei com a sra. Harper lá na escola ontem...

— Aquela vaca! — exclamou Terri.

— Pronto! — disse Krystal, pondo as canecas no chão e virando a alça de uma delas na direção de Kay.

— Muito obrigada — replicou a assistente social. — A sra. Harper me disse, Terri, que Robbie tem faltado muito nos últimos três meses. Há um bom tempo que não vai lá uma semana inteira, não é mesmo?

— Quê? — perguntou Terri. — Não vai, não. Vai, sim. Só faltou ontem. E quando tava com dor de garganta.

— Quando foi isso?

— Quê? Tem um mês... um mês e meio... por aí.

Krystal sentou no braço da poltrona da mãe. Ficou encarando Kay ali do alto, mascando o seu chiclete com toda a força, com os braços cruzados, como Terri. Kay tinha uma pasta volumosa aberta no colo. A garota detestava aquelas pastas. Ali tinha um monte de coisas que eles escreviam, guardavam e, depois, usavam contra as pessoas...

— Eu é que levo Robbie pra escola — disse ela. — Fica no caminho da minha.

— Bom, segundo a sra. Harper, a frequência de Robbie piorou bastante — insistiu Kay, olhando as anotações que tinha feito depois da conversa com a administradora da instituição. — O problema é o seguinte, Terri: você se comprometeu a manter Robbie na pré-escola quando ele voltou para casa no ano passado.

— Porra nenhuma... — principiou a mulher.

— Não! Cala a boca! — esbravejou Krystal. E, virando-se para Kay, acrescentou: — Ele tava doente, tá? As amígdalas tavam inflamadas. A médica mandou dar antibiótico.

— E isso foi quando?

— Tem umas três semanas... Por aí, tá?

— Quando estive aqui ontem — disse Kay, voltando a se dirigir à mãe dos meninos (Krystal mascava o chiclete com toda a força e os seus braços formavam uma barreira dupla na altura das costelas) —, você parecia estar tendo muita dificuldade em atender às necessidades do seu filho.

Krystal olhou para Terri. As suas coxas eram duas vezes as da mãe na largura.

— Eu não... Eu nunca... — principiou Terri, mas mudou de ideia. — Ele tá ótimo.

Uma desconfiança passou pela cabeça de Krystal como a sombra de um abutre em voos circulares.

— Terri, você tinha usado droga quando cheguei aqui ontem, não tinha?

— Porra nenhuma! Que merda... Você tá... Não usei nada, tá bom?

Krystal sentia um peso comprimindo os seus pulmões e os ouvidos zumbindo. Pelo visto, Obbo não tinha dado só um saquinho à sua mãe, mas um monte deles. A assistente social a viu inteiramente chapada. Da próxima vez que fosse à Bellchapel, o teste ia dar positivo e, mais uma vez, iam pôr Terri para fora de lá.

(...e, sem a metadona, ia ser de novo aquele pesadelo: Terri virando um verdadeiro bicho, voltando a abrir a boca cheia de dentes quebrados para o pau de qualquer estranho e, assim, alimentar as próprias veias. E Robbie ia ser levado embora de novo, talvez para nunca mais voltar. Num coraçãozinho de plástico vermelho pendurado ao chaveiro que estava sempre no seu bolso, Krystal tinha uma foto de Robbie. Uma foto já antiga. O coração de verdade da garota começou a bater forte, do jeito que ele batia quando ela remava a toda, puxando e puxando os remos na água, com os músculos tinindo, e vendo a outra equipe ir ficando para trás...)

— Sua babaca... — gritou ela, mas ninguém a ouviu, porque Terri continuava esbravejando, e Kay, sentada ali com a caneca nas mãos, tinha um ar absolutamente indiferente.

— Não usei porra nenhuma, você não tem prova nenhuma...

— Sua babaca idiota — disse Krystal, ainda mais alto.

— Não usei nada, cacete! Que porra de mentira é essa? — berrava Terri. Um bicho preso numa rede, se debatendo e ficando cada vez mais enredado. — Não fiz merda nenhuma, tá bom? Nunca...

— A porra da clínica vai chutar você outra vez, sua filha da puta imbecil!

— Não fala assim comigo!

— Já chega — disse Kay, alto o bastante para se fazer ouvir. Pôs a caneca no chão e se levantou, assustada com o que havia desencadeado. De repente, efetivamente apavorada, gritou: — Terri! — pois a mulher tinha se erguido e, meio debruçada sobre o outro braço da poltrona, encarava a filha. Como gárgulas, as duas berravam, o nariz de uma quase encostando no da outra.

— *Krystal*! — gritou ela, quando a garota ergueu o punho.

Num movimento brusco, Krystal saiu da poltrona, afastando-se da mãe. Ficou espantada ao sentir um líquido quente lhe escorrendo pelo rosto e, um tanto confusa, achou que pudesse ser sangue. Mas eram lágrimas, apenas lágrimas, que reluziram nos seus dedos quando ela passou a mão para enxugá-las.

— Tudo bem — disse Kay, nervosa. — Vocês duas, tratem de se acalmar, por favor!

— Calma *você*, porra! — retrucou Krystal. Ainda trêmula, ela enxugou o rosto com o braço e se encaminhou para a poltrona da mãe. Terri se encolheu, mas a garota simplesmente apanhou o maço e o isqueiro, pegou o último cigarro que havia ali e o acendeu. Soltando baforadas, atravessou a sala na direção da janela e virou de costas, tentando conter mais lágrimas antes que elas começassem a escorrer.

— Ok — disse Kay, ainda de pé. — Será que podemos conversar com calma?

— Ah, cai fora daqui! — exclamou Terri, num tom apático.

— A questão toda é Robbie — insistiu Kay, que, assustada demais para relaxar, continuava de pé. — É por ele que estou aqui. Para garantir que ele fique bem.

— Tá legal, ele andou faltando à porra da escola — retrucou Krystal, lá da janela. — E desde quando isso é crime?

— ...é crime? — repetiu Terri, num eco distante.

— Não é só a escola — disse Kay. — Quando o vi ontem, ele estava mijado e assado. Robbie já está grande demais para usar fralda.

— Eu tirei a fralda dele! Agora, ele tá de cueca. Já disse, pô! — exclamou Krystal, furiosa.

— Lamento, Terri — prosseguiu Kay —, mas você não estava absolutamente em condições de cuidar sozinha de uma criança pequena.

— Eu nunca...

— Pode ficar repetindo para o resto da vida que não usou droga ontem — disse Kay, e, pela primeira vez, Krystal percebeu algo real e humano na voz daquela mulher: exasperação, irritação. — Mas vai ser submetida ao teste lá na clínica. Nós duas sabemos muito bem que o resultado vai ser positivo. Eles estão dizendo que é a sua última chance, que vão cortá-la novamente do programa.

Terri limpou a boca com o dorso da mão.

— Olhem só: dá para ver que nenhuma das duas quer perder Robbie...

— Então não leva ele embora, porra! — gritou Krystal.

— As coisas não são tão simples assim — replicou Kay, voltando a se sentar. Apanhou a pesada pasta do chão onde ela tinha caído e a pôs no colo novamente. — Quando conseguiu ter Robbie de volta, no ano passado, Terri, você estava há um tempo sem usar heroína. Na época, você se comprometeu a continuar limpa, a seguir o programa, e também aceitou algumas outras condições, como, por exemplo, manter o menino na escola...

— É, e fiz...

— Só por uns tempos — interrompeu Kay. — Por uns tempos, você fez o que prometeu, Terri, mas demonstrar que está se esforçando não é o bastante. Depois do que vi quando estive aqui ontem, e depois de conversar com a sra. Harper e com a responsável pelo seu caso lá na clínica, acho que não temos outra alternativa senão analisar mais uma vez como as coisas estão funcionando.

— Que que é isso? — indagou Krystal. — Mais uma porra de revisão de caso, é? Pra quê? Pra quê, hein? Ele tá direitinho. Tô cuidando dele... *Cala a boca, porra*! — gritou ela, dirigindo-se à mãe, que estava tentando dizer alguma coisa lá da poltrona. — Ela não... Eu é que tô cuidando dele, falou? — prosseguiu ela, parada diante de Kay, com o rosto corado, os olhos pintadíssimos cheios de lágrimas de raiva, batendo com um dos dedos no próprio peito.

Krystal visitou Robbie regularmente na casa dos pais substitutos durante todo o mês que o menino passou longe delas. Ele se agarrava à irmã, queria que ela ficasse para lanchar, chorava quando ela ia embora. Parecia que lhe arrancavam um pedaço do próprio corpo e o mantinham como refém. Krystal quis que Robbie fosse para a casa da avó Cath, como ela foi tantas vezes em criança, sempre que Terri entrava numa das suas crises. Agora, porém, a bisavó estava velha e fragilizada, e não tinha tempo para cuidar de Robbie.

— Compreendo perfeitamente que você ama o seu irmão e está fazendo tudo que pode por ele, Krystal — disse Kay. — Mas, legalmente, você não é a...

— Não sou o quê? Sou a porra da irmã dele, não sou?

— Está certo — interrompeu Kay, em tom firme. — Acho que já está na hora de encararmos os fatos, Terri. Bellchapel vai eliminá-la definitivamente do programa se você aparecer dizendo que não usou drogas e o teste der positivo. A responsável pelo seu acompanhamento deixou isso bem claro quando nos falamos por telefone.

Afundada naquela poltrona, estranho híbrido de velhinha e criança, com aqueles dentes faltando, Terri tinha o olhar vago e desamparado.

— Acho que a única maneira de você conseguir evitar isso — prosseguiu Kay — é admitir, logo de cara, que usou a droga, assumir a culpa pela recaída e mostrar que está disposta a começar tudo de novo, desta vez, do jeito certo.

Terri continuou olhando fixo. A mentira era a única forma que ela conhecia para enfrentar os seus inúmeros acusadores. — *Tá, tudo bem, vamo lá* — balbuciou ela, mas, logo depois, voltou a repetir: — *Não. Não usei, não. Não usei porra nenhuma...*

— Aconteceu alguma coisa especial esta semana para você usar heroína? Mesmo já estando com uma dose considerável de metadona? — perguntou Kay.

— Aconteceu, sim — respondeu Krystal. — Foi o Obbo que apareceu aqui, e ela não sabe dizer uma porra de um não pra ele!

— Cala a boca — disse Terri, mas sem se alterar. Aparentemente, estava tentando assimilar o que a assistente social tinha lhe dito: aquele conselho estranho e perigoso que ela lhe dera, mandando que dissesse a verdade.

— Obbo? — repetiu Kay. — Mas quem é Obbo?

— Um filho da puta! — respondeu Krystal.

— É o seu traficante? — indagou a assistente social.

— Cala essa boca — exclamou Terri mais uma vez, dirigindo-se à filha.

— Por que que você não disse não pra ele, cacete?! — perguntou Krystal, aos berros.

— Tudo bem — interrompeu Kay, mais uma vez. — Vou telefonar de novo para a clínica, Terri. Vou tentar convencer a responsável pelo seu acompanhamento, dizendo que acho que a sua permanência no programa só traria benefícios para a família.

— Vai? — exclamou a garota, atônita. Estava achando que Kay era uma grandessíssima filha da puta, mais filha da puta até que aquela mãe substituta com a sua cozinha impecável e aquele jeito todo gentil de falar com ela, o que a fazia sentir-se um lixo.

— Vou, sim — replicou a assistente social. — Mas, no que me diz respeito, como representante do Departamento de Proteção à Criança, isso é muito sério, Terri. Vamos ter que monitorar as condições domésticas de Robbie bem de perto. E precisamos ver que as coisas estão mudando.

— Tá legal — disse a mulher, concordando, como sempre concordava com tudo e com todos.

— Vão mudar, sim — interveio Krystal. — Pode deixar. Ela vai mudar. Vou ajudar. Ela vai mudar.

II

Shirley Mollison passava as quartas-feiras no Hospital South West, em Yarvil. Ali, juntamente com umas dez outras voluntárias, desempenhava várias tarefas que não se relacionavam diretamente aos serviços hospitalares: empurravam o carrinho-biblioteca até o leito dos pacientes, trocavam a água das flores e iam comprar uma coisinha ou outra na loja do saguão para aqueles que estavam de cama e não tinham nenhuma visita. De tudo isso, o que Shirley mais gostava era de ir de leito em leito, perguntando o que os pacientes iam querer na próxima refeição. Numa ocasião, de prancheta em punho e ostentando o seu crachá, foi vista como alguém da administração por um médico que cruzou com ela no corredor.

A ideia de trabalhar como voluntária lhe ocorreu durante a mais longa conversa que jamais teve com Julia Fawley, numa daquelas magníficas festas de Natal na Sweetlove House. Ficou sabendo que Julia estava empenhada em arrecadar fundos para o setor de pediatria do hospital local.

— Nós precisávamos mesmo era da visita de algum membro da família real — disse Julia, com os olhos voltados para a porta às costas de Shirley. — Vou pedir a Aubrey que tenha uma conversinha com Norman Bailey. Ah, desculpe, preciso cumprimentar Lawrence...

E Shirley ficou parada ali, ao lado do piano de cauda, dizendo “Ah, claro, claro”, mas falando para as paredes. Não fazia a mínima ideia de quem era Norman Bailey, mas sentiu a cabeça rodar. Já no dia seguinte, sem sequer dizer a Howard o que estava prestes a fazer, ligou para o Hospital South West e pediu informações sobre trabalho voluntário. Quando lhe disseram que não havia qualquer tipo de exigência, a não ser um caráter irrepreensível, uma mente sã e pernas fortes, solicitou um formulário de inscrição.

O trabalho voluntário lhe abriu as portas de um mundo inteiramente novo, glorioso. Era o sonho que, inadvertidamente, Julia Fawley tinha lhe proporcionado ao lado daquele piano de cauda: ver-se, com as mãos cruzadas à frente do corpo, toda compenetrada, com o crachá pendurado ao pescoço, enquanto a Rainha passava bem devagar diante de uma longa fila de auxiliares todos sorridentes. Imaginou-se até fazendo uma perfeita reverência que atrairia o olhar da soberana. Esta pararia, então, para lhe falar, cumprimentando-a por devotar o seu tempo livre de forma assim tão generosa... O flash de um fotógrafo e, nos jornais do dia seguinte... "A *Rainha conversa com a sra. Shirley Mollison, que trabalha como voluntária no hospital...*" Às vezes, quando se concentrava efetivamente nessa cena imaginária, era tomada por uma sensação quase sagrada.

Ser voluntária no hospital tinha lhe dado uma nova arma reluzente para ceifar as pretensões de Maureen. Quando passou de vendedora a sócia, como uma espécie de Cinderela, a viúva de Ken resolveu se dar uns ares de importância, coisa que deixava Shirley furiosa (embora ela engolisse tudo aquilo com o mais meigo dos sorrisos). Agora, porém, voltava a ficar por cima: estava trabalhando, e não por dinheiro, mas movida simplesmente pela bondade do seu coração. Era fino ser voluntária. Era o que faziam as mulheres que não precisavam de dinheiro, mulheres como ela própria e Julia Fawley. E, além do mais, o hospital lhe dava acesso a uma vasta mina de fofocas que lhe permitiam abafar a eterna lenga-lenga de Maureen sobre o novo café.

Hoje, pela manhã, Shirley declarou, em tom firme, para o supervisor dos voluntários, que a sua enfermaria preferida era a vinte e oito, e foi devidamente mandada para o setor de oncologia. Era lá que trabalhava a única amiga que fez em meio à equipe de enfermagem. Algumas das jovens enfermeiras às vezes eram grosseiras e tentavam mandar nos voluntários, mas Ruth Price, que reassumiu a profissão depois de dezesseis anos afastada, se mostrou encantadora desde o começo. Nas palavras de Ruth, ambas eram mulheres de Pagford, o que criava um laço entre elas.

(Embora, a bem da verdade, Shirley não fosse nascida em Pagford. Ela e a irmã mais moça tinham crescido com a mãe, em Yarvil, num apartamento minúsculo e malcuidado. A sua mãe bebia muito. Nunca se divorciou do pai das meninas, pai que elas jamais viram na vida. Aparentemente, todos os homens das redondezas sabiam como ela se chamava e diziam o seu nome com um risinho de deboche... Mas isso foi há muito tempo, e Shirley era de opinião que o passado se desintegra quando a gente nunca o menciona. E se recusava a se lembrar dele.)

Shirley e Ruth se cumprimentaram felizes da vida, mas havia muito trabalho a fazer por ali e não sobrava tempo para nada, a não ser uns poucos comentários sobre a morte súbita de Barry Fairbrother. Combinaram de almoçar juntas ao meio-dia e meia, e Shirley logo tratou de ir buscar o carrinho dos livros.

Estava de ótimo humor. Podia ver o futuro com tamanha clareza que parecia até que ele já estava acontecendo. Howard, Miles e Aubrey Fawley iam se unir para eliminar Fields de uma vez por todas, e isso seria comemorado com um jantar na Sweetlove House...

Shirley tinha achado o lugar deslumbrante: o imenso jardim com o relógio de sol, as cercas vivas de topiaria e os lagos. Aquele saguão amplo, todo de lambris de madeira, o porta-retratos de prata em cima do piano de cauda com a foto do proprietário contando alguma coisa engraçada para a princesa real. Não detectava qualquer vestígio de condescendência na atitude dos Fawley com relação a ela própria e ao marido, mas havia tantos atrativos competindo para chamar a sua atenção sempre que penetrava na órbita dos Fawley... Tudo que conseguia imaginar eram os cinco sentados à mesa para um jantar mais íntimo numa daquelas deliciosas salinhas laterais: Howard ao lado de Julia, ela à direita de Aubrey e Miles entre eles. (Na fantasia de Shirley, Samantha ficava irremediavelmente detida em algum outro lugar.)

Ao meio-dia e meia, as duas se encontraram perto dos iogurtes. A ruidosa cantina do hospital ainda não estava tão cheia quanto ficaria à uma hora, portanto, a enfermeira e a voluntária não tiveram muita dificuldade em encontrar uma mesa para dois, suja e cheia de migalhas, junto da parede.

— Como vai Simon? E os meninos? — perguntou Shirley depois que Ruth limpou a mesa, as duas puseram ali em cima o conteúdo das bandejas que traziam e se sentaram, uma defronte da outra, prontas para conversar.

— Si está ótimo, obrigada. Vai trazer o nosso novo computador hoje. Os meninos mal podem esperar. Dá para imaginar, não é?

Isso não era absolutamente verdade. Tanto Andrew quanto Paul tinham uns notebooks baratos, e havia também um PC que ficava num canto da minúscula sala de estar. Os garotos, porém, não tocavam nele, pois sempre preferiam evitar fazer qualquer coisa que os obrigasse a ficar perto do pai. Falando com Shirley, era comum Ruth se referir aos filhos como se eles fossem muito menores do que efetivamente eram: fáceis de levar, tratáveis, divertindo-se com qualquer coisa. Talvez ela própria quisesse parecer mais jovem, para enfatizar a diferença de idade que havia entre as duas — quase duas décadas — e fazer com que parecessem mãe e filha. A mãe de Ruth tinha morrido há dez anos, e ela sentia falta de ter uma mulher mais velha na sua vida. Já a relação de Shirley com a filha não era das melhores, como ela própria havia dado a entender.

"Miles e eu sempre fomos muito próximos", dissera Shirley. "Mas Patricia sempre teve um temperamento difícil. Hoje em dia mora em Londres."

Ruth adoraria saber mais sobre essa história, mas uma qualidade que ela e Shirley tinham em comum e admiravam uma na outra era uma delicada reticência, um orgulho em apresentar ao mundo uma superfície imperturbável. A enfermeira deixou então de lado a curiosidade, embora mantendo a secreta esperança de vir a descobrir, no seu devido tempo, o que fazia de Patricia uma pessoa tão difícil.

A afeição imediata que surgiu entre Shirley e Ruth baseava-se no mútuo reconhecimento de elas serem iguais: mulheres cujo maior orgulho estava em ter conquistado o afeto do marido e conseguido mantê-lo. Como membros de uma maçonaria, as duas compartilhavam um código fundamental, e, por isso, na companhia uma da outra sentiam-se seguras como não se sentiam com nenhuma outra mulher. A cumplicidade que havia entre elas tornava-se ainda mais prazerosa na medida em que era aquecida por uma certa noção de superioridade, já que, secretamente, uma tinha pena da outra pelo marido que havia escolhido. Para Ruth, Howard era fisicamente grotesco, e não conseguia entender como a amiga, que, apesar de rechonchuda, tinha uma beleza delicada, podia ter aceitado a ideia de se casar com ele. Já Shirley não se lembrava de ter visto Simon uma única vez que fosse, jamais ouvira o nome dele relacionado aos mais distintos trabalhadores de Pagford e havia percebido que a amiga não tinha sequer uma vida social das mais rudimentares. Para ela, portanto, o marido de Ruth parecia ser um recluso inadequado.

— Então vi Miles e Samantha chegarem trazendo Barry — disse Ruth, atacando o assunto principal sem maiores preâmbulos. Ela tinha muito menos traquejo que Shirley, achando difícil disfarçar o interesse que sentia pelas fofocas de Pagford, às quais não tinha acesso, enfurnada como vivia no alto daquela colina, isolada do vilarejo pelo temperamento antissocial de Simon. — Eles viram mesmo quando tudo aconteceu?

— Viram, sim — respondeu Shirley. — Os dois estavam jantando no clube de golfe. Sabe como é, no domingo à noite as meninas já voltaram para o colégio e Sam prefere jantar fora. Ela não é lá essas coisas na cozinha...

Aos poucos, naquelas horas de almoço, Ruth foi descobrindo detalhes da história do casamento de Miles e Samantha. Shirley lhe contou que o filho havia sido obrigado a se casar porque a namorada tinha engravidado de Lexie.

— Bom, dos males o menor — disse Shirley com um suspiro, mostrando-se visivelmente corajosa. — Miles fez a coisa certa. Eu não admitiria que fosse de outro jeito. As meninas são uns amores. Pena que não tenham tido um menino: ele seria um ótimo pai para um garoto. Mas Sam não quis um terceiro filho.

Ruth ia colecionando as críticas veladas que Shirley sempre fazia à nora. Tinha antipatizado imediatamente com Samantha, anos atrás, quando levou o filho Andrew, então com quatro anos, para o jardim de infância da St. Thomas e, lá, encontrou Samantha e a filha Lexie. Com a risada alta, o decote pronunciado e as brincadeiras inconvenientes com as outras mães no pátio da escola, aquela mulher lhe deu a impressão de ser uma perigosa predadora. Por anos a fio, Ruth viu, com desprezo, Samantha empinar os seios fartos quando conversava com Vikram Jawanda nos encontros de pais e se esgueirava como podia, arrastando Simon consigo, para evitar encontrá-la e ter de falar com ela.

Shirley continuava relatando a história que tinham lhe contado sobre as últimas horas de Barry — destacando ao máximo a presença de espírito de Miles, que se lembrou de chamar a ambulância, o apoio que ele deu a Mary Fairbrother, a sua insistência em permanecer no hospital até a chegada dos Wall. Ruth ouvia tudo atentamente, embora com certa impaciência. Shirley era muito mais divertida quando listava as impropriedades de Samantha do que quando exaltava as virtudes de Miles. Além disso, estava louca para contar à amiga uma novidade palpitante.

— E agora temos uma cadeira vazia no Conselho — disse ela, na hora em que Shirley chegou ao ponto da história em que Miles e Samantha cederam o primeiro plano a Colin e Tessa Wall.

— É o que denominamos "vacância" — replicou Shirley, toda solícita.

Ruth respirou fundo.

— Simon — disse ela, empolgada só de mencionar o fato — está pensando em se candidatar.

Shirley sorriu automaticamente, ergueu as sobrancelhas numa delicada demonstração de surpresa e tomou um gole do chá para esconder o rosto. Ruth nem podia imaginar que acabava de deixar a amiga transtornada. Estava achando que ela ia ficar encantada em saber que o seu marido e o marido da amiga seriam colegas no Conselho Distrital e, ainda por cima, tinha uma vaga desconfiança de que Shirley podia até ajudar nesse sentido.

— Ele me contou ontem à noite — prosseguiu Ruth, com certa pose. — Vem pensando nisso há alguns dias.

As outras coisas que Simon tinha dito, sobre a possibilidade de receber propina dos Gray para mantê-los como fornecedores do Conselho, Ruth tinha tirado da cabeça, como fazia com todas as tramoias, as pequenas falcatruas do marido.

— Não imaginava que Simon tivesse interesse em participar da administração local — disse Shirley, em tom descontraído e agradável.

— Tem, sim — replicou Ruth, que também não imaginava isso. — E está bem animado.

— Ele andou conversando com a dra. Jawanda? — indagou Shirley, tomando mais um gole do seu chá. — Foi ela que sugeriu que ele se candidatasse?

Ao ouvir isso, Ruth ficou perplexa, e dava para perceber que a sua surpresa era genuína.

— Não, eu... Faz tempo que Simon não vê a doutora. Quer dizer, ele tem muito boa saúde.

Shirley sorriu. Se Simon estava agindo por conta própria, sem o apoio da facção dos Jawanda, então aquela candidatura não era uma ameaça que precisasse ser levada a sério. Chegou a ter pena de Ruth, que certamente ia ter uma péssima surpresa. Ela, Shirley, que conhecia todos os que tinham alguma importância em Pagford, teria a maior dificuldade em identificar o marido de Ruth caso ele entrasse na delicatéssen. Será que a pobre Ruth achava que alguém votaria nele? Por outro lado, ela bem sabia que havia uma pergunta que Howard e Aubrey gostariam que ela fizesse naquelas circunstâncias.

— Simon sempre morou em Pagford, não é?

— Não — respondeu Ruth. — Ele nasceu em Fields.

— Ah — replicou Shirley.

Tirou a tampa metalizada do pote de iogurte e pegou uma quantidade considerável com a colher. Saber que Simon provavelmente assumiria uma posição pró-Fields era, independentemente das suas chances de se eleger, uma informação importante.

— Vai aparecer no site o que é preciso fazer para se candidatar? — perguntou Ruth, ainda na esperança de receber algum incentivo.

— Ah, vai, sim — respondeu Shirley, num tom um tanto vago. — Acredito que sim.

III

Andrew, Bola e outros vinte e sete alunos passaram o último tempo da tarde de quarta tendo aula do que Bola chamava de "asnática". Aquele era o penúltimo dos níveis de classificação por rendimento em matemática; a aula era dada pela professora mais incompetente do departamento: uma mocinha cheia de espinhas, recém-formada, incapaz de manter a disciplina nas turmas e que vira e mexe se mostrava a ponto de chorar. Bola, que ao longo do ano anterior havia colecionado uma série de notas baixas, tinha ido para um grupo mais atrasado nessa matéria. Andrew, que passava a vida lutando com os números, estava sempre com medo de acabar ficando no pior grupo de todos, junto com Krystal Weedon e o primo dela, Dane Tully.

Os dois garotos sentaram juntos, bem no fundo da sala. Às vezes, quando se cansava de divertir a turma ou de incitar os colegas a fazerem mais bagunça, Bola ensinava ao amigo como resolver uma conta qualquer. O barulho ali dentro era ensurdecedor. A srta. Harvey berrava a plenos pulmões, implorando por silêncio. Folhas de exercícios apareciam cobertas de obscenidades, os alunos se levantavam o tempo todo para ir até a carteira de um colega e faziam isso arrastando as cadeiras pelo chão, e pequenos mísseis voavam pela sala sempre que a professora estava olhando para outro lado. Vez por outra, Bola inventava uma desculpa qualquer e saía circulando pela sala imitando o andar de Pombinho, com aqueles passos saltitantes e os braços colados ao corpo. Era nessa aula que o humor do garoto se expandia ao máximo. Em inglês, matéria em que tanto ele quanto Andrew estavam no grupo mais adiantado, Bola não parecia muito interessado em usar Pombinho como material de diversão.

Sukhvinder Jawanda estava sentada bem na frente de Andrew. Tempos atrás, quando ainda estavam na escola primária, Andrew, Bola e outros colegas tinham puxado a trança comprida da menina. O cabelo bem preto preso daquele jeito era a coisa mais fácil de agarrar quando brincavam de pique. Naquela época, a trança caindo pelas costas de Sukhvinder, exatamente como agora, e escondida dos olhos da professora, representava uma tentação irresistível. Só que Andrew já não tinha a mínima vontade de puxar aquela trança, nem de tocar qualquer outra parte de Sukhvinder: ela era uma das poucas garotas por quem os seus olhos passavam sem nenhum interesse. Quando Bola chamou a sua atenção para esse detalhe, Andrew reparou na penugem escura que bordejava o seu lábio superior. Jaswant, a irmã mais velha de Sukhvinder, tinha um corpo esbelto e curvilíneo, uma cintura fininha e um rosto que, até o surgimento de Gaia, Andrew achava lindo, com as maçãs salientes, a pele ligeiramente dourada e os olhos castanhos amendoados. É claro que Jaswant sempre esteve fora do seu alcance: era dois anos mais velha e a aluna mais inteligente do último ano, com aquela aura de quem tem plena consciência dos próprios atrativos.

Sukhvinder era a única ali na sala que não estava fazendo barulho algum. Com as costas encurvadas e a cabeça baixada sobre o exercício, parecia mergulhada na mais profunda concentração. Tinha puxado a manga esquerda do casaco até cobrir a própria mão e segurou firme a bainha, formando um punho de lã. Aquela completa imobilidade chegava quase a ser exibicionista.

— A grande hermafrodita fica sentada ali, quieta, imóvel — murmurou Bola, com os olhos pregados na nuca da garota. — Bigoduda, mas com peitos grandes. Os cientistas continuam desnorteados diante das contradições da mulher-homem peluda.

Andrew deu uma risadinha, mas não estava inteiramente à vontade. Teria achado mais divertido se soubesse que Sukhvinder não podia ouvir o que Bola estava dizendo. Da última vez que foi à casa do amigo, este tinha lhe mostrado as mensagens que vinha enviando regularmente para a página dela no Facebook. Andava procurando na internet informações e fotos sobre hirsutismo e vinha postando uma referência ou uma imagem por dia.

Até que era engraçado, mas Andrew ficou meio sem jeito. Na verdade, Sukhvinder não estava provocando aquilo: ela parecia um alvo fácil demais. Andrew gostava mais quando Bola soltava a língua afiada para cima de figuras de autoridade, de colegas pretensiosos ou metidos.

— Separada do seu rebanho de seres barbudos que usam sutiã — prosseguiu Bola —, ela fica sentada, perdida nos seus pensamentos, imaginando que ficaria bem de cavanhaque.

Andrew riu, mas, depois, se sentiu culpado. Bola, porém, já tinha se desinteressado da brincadeira e estava transformando cada zero da folha de exercícios num ânus franzido. Andrew voltou a tentar adivinhar onde ficaria a vírgula da casa decimal e a sonhar com a perspectiva da volta para casa no ônibus escolar com Gaia. Era muito mais difícil arranjar um jeito de ficar de olho nela nessa viagem de volta porque, em geral, ela já estava sentada no ônibus quando ele chegava e não tinha nenhum lugar por perto. Aquele sorriso compartilhado na reunião da segunda de manhã não havia dado em nada. Depois daquele dia, a garota não tinha olhado para ele no ônibus, nem demonstrado, de um jeito ou de outro, que sabia que ele existia. Desde que se apaixonou por Gaia, quatro semanas atrás, jamais tinha falado efetivamente com ela. E ali mesmo, no meio daquela barulheira da aula de "asnática", ficou tentando imaginar algumas formas de puxar conversa com a garota. *Foi engraçada, não foi, aquela reunião da segunda...*

— Está tudo bem, Sukhvinder?

A srta. Harvey, que tinha vindo corrigir o exercício de Sukhvinder, estava olhando para a garota de boca aberta. Andrew a viu fazer que sim com a cabeça e levar as mãos ao rosto ainda baixado sobre a folha de exercícios.

— Wallah! Amendoim! — disse Kevin Cooper, fingindo sussurrar lá da sua carteira duas fileiras mais à frente. — Wallah! Amendoim!

Ele estava tentando lhes mostrar algo que os dois já haviam percebido: que Sukhvinder, a julgar pelo leve estremecimento dos seus ombros, estava chorando, e que a srta. Harvey estava pressionando a garota, numa tentativa desesperada de descobrir o que havia acontecido. A turma, notando uma nova falha na vigilância da professora, começou a fazer mais barulho ainda.

— Wallah! Amendoim!

Andrew nunca sabia se Kevin Cooper fazia aquilo de propósito ou sem querer, mas ele tinha um incrível talento para irritar as pessoas. O apelido Amendoim era antigo: vinha desde o tempo da escola primária, e Andrew sempre detestou ser chamado assim. Bola conseguiu fazer o apelido sair de moda, pois nunca o usava, e era ele quem ditava as regras em questões como essa. Até o nome de Bola ele dizia errado: Wallah havia gozado de certa popularidade, mas só por um breve tempo, e no ano anterior.

— Amendoim! Wallah!

— Se manca, seu babaca! — esbravejou Bola bem baixinho. Cooper estava virado para trás, olhando para Sukhvinder, que tinha se encurvado ainda mais e estava com a cabeça quase encostada na carteira. Ao lado dela, a srta. Harvey, agachada, balançava as mãos de um jeito cômico, pois não podia tocar na aluna e não estava conseguindo obter nenhuma explicação para aquela tristeza. Alguns outros alunos tinham percebido aquela perturbação nada comum e também estavam olhando, mas, lá na frente, vários garotos continuavam a fazer a maior bagunça, sem notar nada que não fosse o próprio divertimento. Um deles apanhou o apagador que estava na mesa vazia da professora. E o jogou longe.

O apagador atravessou a sala toda e foi bater na parede dos fundos, acertando o relógio, que caiu no chão e se espatifou: pedaços daquelas entranhas de plástico e metal voaram para todo lado, e várias garotas, entre as quais a própria srta. Harvey, gritaram de susto.

A porta da sala se abriu e bateu na parede ruidosamente. A turma inteira se calou. Pombinho estava parado ali, vermelho de raiva.

— O que está acontecendo nessa sala? Que barulheira é essa?

Parecendo um daqueles bonecos de mola, a srta. Harvey se pôs de pé, ao lado da carteira de Sukhvinder, com um ar culpado e assustado.

— A sua turma está fazendo um barulho infernal. O que está acontecendo aqui?

A professora parecia ter perdido a fala. Kevin Cooper se inclinou no encosto da cadeira, rindo, olhando da srta. Harvey para Pombinho, deste para Bola e assim por diante.

Mas foi Bola quem falou.

— Bom, para ser absolutamente sincero, pai, o problema é que a gente dá de mil nessa pobre mulher aqui.

A turma inteira caiu na gargalhada. O pescoço da srta. Harvey ficou quase roxo de tão vermelho. Balançando-se na cadeira apoiada só nos pés de trás, com um jeitão descontraído, o rosto impassível, Bola ficou olhando para Pombinho com uma indiferença desafiadora.

— Já chega! — exclamou o vice-diretor. — Se ouvir mais um barulho que seja vindo desta sala, ponho a turma inteira em detenção. Estão entendendo? A turma inteirinha.

E, quando bateu a porta, os alunos ainda estavam rindo.

— Vocês ouviram o que disse o vice-diretor! — berrou a srta. Harvey, voltando às pressas para a frente da sala. — Silêncio! Estou mandando fazer silêncio! Você, Andrew, e você, Stuart, tratem de limpar essa sujeira toda. Catem os pedaços do relógio!

A essa ordem, seguiram-se os protestos habituais de injustiça, reforçados pelos gritinhos de algumas garotas. Os verdadeiros causadores daquela destruição, de quem todos sabiam que a professora estava com medo, continuavam sentados nas suas carteiras, com um sorriso maroto no rosto. Como só faltavam cinco minutos para tocar o sinal da saída, Andrew e Bola ficaram embromando ao máximo, porque, assim, poderiam ir embora deixando aquele trabalho de limpeza inacabado. Enquanto Bola provocava mais risos imitando o andar do pai, com aqueles passinhos saltitantes e os braços colados ao corpo, Sukhvinder enxugava os olhos com a mão embrulhada na manga do casaco, disfarçadamente, e voltava a mergulhar na obscuridade.

Quando a sineta tocou, a srta. Harvey nem tentou controlar a barulheira e a correria dos alunos porta afora. Andrew e Bola chutaram vários pedaços do relógio para baixo dos armários dos fundos da sala e penduraram a mochila nas costas.

— Wallah! Wallah! — gritou Kevin Cooper, correndo para alcançá-los já no corredor. — Em casa, você chama Pombinho de pai? Chama mesmo? Fala sério...

Estava achando que tinha conseguido pegar Bola.

— Você é um babacão, Cooper — replicou o garoto, com ar de tédio. E Andrew caiu na gargalhada.

IV

— A dra. Jawanda está uns quinze minutos atrasada — disse a recepcionista.

— Ah, tudo bem — replicou Tessa. — Não estou com pressa.

Já estava entardecendo, e as janelas da sala de espera projetavam nas paredes umas formas de um azul forte. Só havia mais duas pessoas ali: uma velha meio aleijada, que usava uns chinelos de pano e respirava com dificuldade, e uma jovem mãe, que lia uma revista enquanto a filha pequena remexia na caixa de brinquedos que ficava num canto da sala. Tessa pegou uma velha revista *Heat* da mesinha de centro, sentou-se e começou a folheá-la, vendo apenas as figuras. O atraso lhe dava mais tempo para pensar no que diria a Parminder.

Tinham se falado rapidamente por telefone de manhã. Cheia de dedos, Tessa se desculpou por não ter ligado imediatamente para lhe comunicar o que acontecera com Barry. Parminder lhe disse que não tinha importância, que Tessa deixasse de ser boba, que ela não tinha ficado chateada com isso. Mas, com a sua longa experiência em lidar com pessoas frágeis e suscetíveis, Tessa tinha certeza de que, por debaixo daquela carapaça meio exasperada, a médica estava magoada. Tentou explicar que andou absolutamente exausta nos últimos dois dias e ainda teve de lidar com Mary, Colin, Bola e Krystal Weedon. Disse que estava se sentindo sobrecarregada, perdida e incapaz de pensar em outra coisa além dos problemas imediatos que tinham lhe caído nos ombros. Mas Parminder interrompeu aquelas desculpas intermináveis, dizendo-lhe, com toda a calma, que ela passasse para vê-la mais tarde no consultório.

O dr. Crawford, com aquele seu ar de urso de cabelos brancos, apareceu na porta da sua sala, cumprimentou Tessa efusivamente e chamou:

— Maisie Lawford?

A jovem mãe teve certa dificuldade em convencer a filha a largar o velho telefone com rodinhas que ela tinha encontrado na caixa de brinquedos. Levada pela mão da mãe para o consultório do médico, a menina ficou de olho comprido naquele telefone cujos segredos jamais viria a descobrir.

Quando a porta se fechou, Tessa percebeu que estava sorrindo feito uma boba e apressou-se a retomar a sua expressão habitual. Ia se tornar uma daquelas senhoras horríveis que ficam encantadas com qualquer criança pequena que lhes passa pela frente, resolvem brincar com elas e acabam por assustá-las. Adoraria ter tido uma filhinha loura e gorducha para fazer companhia ao seu filho moreno e magricela. *Que horror*, pensou Tessa, lembrando-se de Bola bebê, *é tão esquisito esse jeito como uns fantasminhas dos filhos vivos ficam assombrando o coração da gente... Eles nunca vão saber, e ficariam furiosos se soubessem, que o seu crescimento é um luto constante.*

A porta do consultório de Parminder se abriu. Tessa ergueu os olhos.

— A sra. Weedon — disse a médica. Viu Tessa e lhe deu um sorriso que não era absolutamente um sorriso, mas apenas um estreitamento da boca. A velha miúda de chinelos de pano se levantou com dificuldade e, mancando, contornou a divisória, acompanhando a médica. Tessa ouviu a porta se fechar.

Leu a legenda de uma série de fotos mostrando a mulher de um jogador de futebol com todos os trajes diferentes que ela havia usado nos cinco dias anteriores. Analisando as pernas compridas e esguias da mulher, Tessa se perguntou se a sua vida teria sido diferente se ela tivesse umas pernas assim. E não pôde se impedir de supor que teria sim, e muito. As suas eram grossas, curtas e não torneadas. Adoraria escondê-las o tempo todo dentro de botas; o problema é que era difícil achar botas que fechassem nas suas batatas das pernas. Lembrava-se de ter dito a uma menina bem gorducha, lá no serviço de orientação educacional, que a aparência não tinha a menor importância, pois o que contava mesmo era a personalidade. *Quanta besteira a gente diz para as crianças*, pensou ela, virando a página da revista.

Uma porta que não dava para ver dali foi aberta com um golpe seco. Ouviu-se uma voz meio rouca, que gritava.

— Você só tá me fazendo piorar! Isso não tá certo! Vim aqui pra ficar melhor! Esse é o seu trabalho... É a sua...

Tessa e a recepcionista se entreolharam. Em seguida, viraram-se na direção daqueles gritos. Tessa ouviu a voz de Parminder, com aquele sotaque de Birmingham ainda perceptível depois de tantos anos morando em Pagford.

— A senhora continua fumando, sra. Weedon, e isso interfere na medicação que lhe dei. Se parasse de fumar... Os fumantes metabolizam a teofilina muito mais depressa, portanto o cigarro não está apenas agravando o seu enfisema, mas também afetando a capacidade que o remédio teria de...

— Não grita comigo! Já tô de saco cheio! Vou denunciar você! Você me deu a porra do remédio errado! Quero outro médico! Quero me consultar com o dr. Crawford!

A velha saiu da sala, mancando, ofegante, com o rosto inteiramente vermelho.

— A vaca dessa paquistanesa vai acabar me matando! Não chegue perto dela! — gritou a mulher, dirigindo-se a Tessa. — Ela vai matar você com esses remédios de merda! Sua páqui filha da puta!

E lá se foi ela rumo à saída, com aquelas pernas finas, andando sem muita firmeza com os pés calçados de chinelos, a respiração ruidosa, xingando tão alto quanto lhe permitiam os seus pulmões comprometidos. A porta se fechou às suas costas. Mais uma vez, Tessa e a recepcionista se entreolharam. E a porta do consultório também voltou a se fechar.

Uns cinco minutos depois, Parminder reapareceu. A recepcionista fez questão de ficar olhando fixo para a tela do computador.

— Sra. Wall — disse a médica, mais uma vez apertando os lábios num daqueles sorrisos que não chegavam a ser um sorriso.

— O que aconteceu? — perguntou Tessa, já sentada diante da mesa de Parminder.

— A nova medicação da sra. Weedon está lhe causando uns problemas estomacais — respondeu a outra, com toda a calma. — Então, vamos tirar sangue hoje?

— É — disse Tessa, a um só tempo intimidada e magoada com a fria atitude profissional de Parminder. — Como é que você está, Minda?

— Eu? — exclamou a outra. — Tudo bem. Por quê?

— Bom... Barry... Sei o que ele representava para você e você para ele.

Os olhos da médica se encheram de lágrimas, e ela piscou, tentando eliminá-las, mas já era tarde, pois Tessa tinha percebido.

— Olhe, Minda... — principiou ela, pondo a mão gorducha sobre a mão magra de Parminder. Esta, porém, recolheu a mão, como se Tessa a tivesse espetado. Em seguida, traída pelo próprio reflexo, começou a chorar abertamente, incapaz de esconder isso naquela salinha minúscula, embora tenha tentado fazê-lo virando o mais que pôde a cadeira giratória.

— Fiquei arrasada quando me dei conta de que não tinha ligado para você — disse Tessa, sem se calar diante dos imensos esforços que a outra fazia para conter os soluços. — Fiquei com ódio de mim mesma. Tinha a intenção de telefonar — mentiu —, mas não dormimos, passamos a noite inteira no hospital e, depois, fomos direto para o trabalho. Colin desabou no meio da reunião geral quando deu a notícia e acabou tendo um ataque de fúria com Krystal Weedon na frente de todo mundo. E, ainda por cima, Stuart resolveu matar aula. E Mary naquele estado... De qualquer jeito, me desculpe, Minda. Eu devia ter telefonado.

— ...ículo — exclamou Parminder de forma meio inaudível, pois tinha o rosto escondido atrás de um lenço de papel que havia tirado da manga do jaleco. — ... Mary... o que mais importa...

— Você seria uma das primeiras pessoas para quem Barry teria ligado — observou Tessa com tristeza e, para seu grande constrangimento, caiu no choro também. — Lamento tanto, Minda... — disse ela, soluçando —, mas tive que tentar dar apoio a Colin e a um monte de outras pessoas.

— Não seja boba — retrucou Parminder, tentando engolir o choro e dando uns tapinhas no rosto magro. — Nós duas estamos sendo bobas.

Não estamos, não. Ah, Parminder, deixe de ser tão contida, por uma vez na vida...

Mas a médica aprumou os ombros magros, assoou o nariz e voltou a se sentar bem ereta.

— Foi Vikram quem lhe deu a notícia? — indagou Tessa timidamente, apanhando alguns lenços de papel da caixa que estava em cima da mesa.

— Não — respondeu a outra. — Foi Howard Mollison. Lá na loja.

— Ai, meu Deus, Minda! Sinto muito.

— Não seja boba. Está tudo bem.

Parminder estava se sentindo um pouquinho melhor depois de ter chorado, e mais receptiva com relação a Tessa, que estava enxugando o próprio rosto sem graça e bondoso. E isso a deixava aliviada, pois, agora que Barry tinha partido, Tessa era a única amiga de verdade que ela tinha em Pagford. (Falando consigo mesma, fazia questão de acrescentar "em Pagford", fingindo que, em algum lugar fora daquele vilarejo, ela tinha centenas de amigos leais. Nunca admitiu realmente que tudo o que possuía eram lembranças da sua turma de escola lá em Birmingham, gente de quem a vida a tinha separado há tempos, e os colegas médicos, com quem havia estudado e feito estágio, e que ainda lhe mandavam cartões de Natal, mas nunca vinham vê-la, e que ela tampouco visitava.)

— Como está Colin?

— Ah, Minda... — gemeu Tessa. — Ah, meu Deus! Ele agora está dizendo que vai se candidatar para ocupar a vaga de Barry no Conselho Distrital.

O vinco vertical entre as sobrancelhas escuras e espessas de Parminder ficou ainda mais pronunciado.

— Dá para imaginar Colin concorrendo numa eleição? — perguntou Tessa, apertando na mão os lenços de papel encharcados. — Tendo que lidar com gente como Aubrey Fawley e Howard Mollison? Tentando agir como Barry, determinado a vencer essa batalha por Barry...? Toda a responsabilidade...

— Colin lida com uma série de responsabilidades no trabalho — interrompeu Parminder.

— Nem tanto — disse Tessa, sem pensar. De imediato, achou que estava sendo desleal e recomeçou a chorar. Aquilo tudo era muito estranho... Veio até ali achando que ia consolar Parminder, mas, na verdade, era ela que estava desabafando. — Sabe como ele é, leva tudo muito a sério, encara tudo como se fosse uma questão *pessoal*...

— Mas, pesando os prós e os contras, ele dá conta de tudo, e muito bem — disse Parminder.

— Ah, sei disso — retrucou Tessa, parecendo cansada. Aquela luta estava escapando das suas mãos. — Sei disso.

Colin era praticamente a única pessoa por quem a sempre séria e contida Parminder demonstrava simpatia. Em contrapartida, ninguém podia dizer o que fosse contra ela na frente do vice-diretor: ele era o seu mais ardoroso defensor em Pagford. "Excelente clínica geral", retrucava Colin se alguém ousasse criticá-la. "A melhor que já tivemos por aqui." Parminder não tinha muitos defensores. Era impopular entre a velha guarda do vilarejo, com fama de não gostar de antibióticos e repetir sempre as mesmas receitas.

— Se deixarmos as coisas por conta de Howard Mollison, não vai haver eleição nenhuma — disse Parminder.

— Como assim?

— Ele mandou um e-mail para todos os membros do Conselho. Recebi meia hora atrás.

Virou-se então para o computador, digitou uma senha e abriu a caixa de entrada. Ajeitou o monitor para Tessa poder ler a tal mensagem. No primeiro parágrafo, Howard dizia o quanto lamentava a morte de Barry. No segundo, sugeria que, considerando-se que o primeiro ano do mandato de Fairbrother havia terminado, talvez fosse melhor indicar um substituto a ter de enfrentar o dispendioso processo de realizar eleições.

— Ele já tem alguém em vista — prosseguiu Parminder. — Está tentando nos empurrar um dos seus aliados antes que um de nós possa impedir. Não me espantaria nada que fosse Miles.

— Ah, não — replicou Tessa imediatamente. — Miles estava lá no hospital com Barry... Não, ele estava chateadíssimo...

— Ah, quanta ingenuidade, Tessa! — exclamou a médica, e Tessa ficou chocada com o tom ferino que havia na voz da amiga. — Você não percebe como é Howard Mollison. Ele é um sujeito execrável, execrável. Não ouviu o que disse quando descobriu que Barry tinha escrito sobre Fields para o jornal. Não sabe o que está tentando fazer com a clínica de reabilitação. Pois espere só para ver!

A sua mão tremia tanto que ela precisou fazer algumas tentativas até conseguir fechar a mensagem de Mollison.

— Espere só para ver... — repetiu ainda uma vez. — Bom, mas é melhor irmos logo com isso. Já está quase na hora de Laura ir embora. Primeiro, vou verificar a sua pressão.

Parminder estava lhe fazendo um favor, atendendo-a assim tão tarde, depois da escola. A auxiliar de enfermagem, que morava em Yarvil, ia deixar a amostra de sangue de Tessa no laboratório do hospital antes de ir para casa. Sentindo-se nervosa e estranhamente vulnerável, Tessa arregaçou a manga do velho cardigã verde. A médica prendeu a braçadeira no seu braço. Olhando para Parminder assim mais de perto, via-se nitidamente a semelhança entre ela e a filha mais moça, já que, por causa do seu porte físico tão distinto (Parminder era magrinha e Sukhvinder, gorducha), mãe e filha pareciam bem diferentes. Desse jeito, porém, a semelhança dos traços faciais saltava aos olhos: o nariz adunco, a boca larga com o lábio inferior mais carnudo e os grandes olhos redondos e escuros. O braço flácido de Tessa doía com a pressão da braçadeira, e Parminder observava o medidor.

— Dezesseis e meio por nove — disse a médica, franzindo o cenho. — A sua pressão está alta, Tessa. Alta demais.

Com gestos rápidos e habilidosos, Parminder rasgou o invólucro da seringa descartável, esticou o braço branco e cheio de pintas de Tessa e enfiou a agulha na dobra interna do cotovelo.

— Vou levar Stuart a Yarvil amanhã à noite — disse Tessa, olhando para o teto. — Para comprar um terno para o enterro. Não quero nem pensar na cena que vai ser se ele tentar ir de jeans. Colin vai ficar uma fera.

Estava tentando não prestar atenção ao líquido escuro e misterioso que ia enchendo o tubinho de plástico. Tinha medo de que ele pudesse traí-la, revelar que não tinha se comportado tão bem quanto deveria, permitir que todas as barras de chocolate e os doces que havia comido aparecessem ali sob a forma traiçoeira da glicose.

Pensou então com amargura que seria muito mais fácil resistir ao chocolate se a sua vida fosse menos estressante. Já que passava praticamente todo o seu tempo tentando ajudar os outros, era difícil ver os doces como algo assim tão danoso. Observando Parminder colar as etiquetas nos frascos com o seu sangue, viu-se, embora o marido e a amiga pudessem considerar isso uma heresia, torcendo para que Howard Mollison saísse vencedor, evitando, assim, a realização de uma eleição.

V

Todo dia, Simon Price saía da gráfica invariavelmente às cinco horas. Tinha cumprido o seu horário e pronto. A casa estava à sua espera, limpinha e gostosa, lá no alto da colina; um mundo bem distante do barulho incessante do seu local de trabalho em Yarvil. Permanecer ali além da hora de bater o ponto (embora fosse agora gerente, Simon nunca parou de pensar como nos seus tempos de aprendiz) equivaleria a admitir que a sua vida doméstica deixava a desejar ou, o que era ainda pior, que estava tentando puxar o saco do gerente-geral.

Hoje, porém, tinha algo a fazer antes de ir para casa. Foi para o estacionamento encontrar o operador de empilhadeira que vivia mascando chicletes. Juntos, percorreram as ruas que já iam ficando às escuras, com o garoto indicando o caminho, até chegaram a Fields, passando aliás diante da casa onde ele tinha morado. Há anos que Simon não ia àquele lugar: a sua mãe tinha morrido, e ele não via o pai desde os seus quatorze anos e não fazia ideia de onde ele estaria. Ficou aflito e deprimido ao ver a sua antiga casa com uma das janelas coberta de tábuas e o mato crescido. A sua falecida mãe era tão caprichosa...

O rapazinho lhe disse para estacionar no final da Foley Road. Saiu do carro, deixando Simon para trás, e se dirigiu a uma casa de aparência particularmente malcuidada. Pelo que dava para ver à luz da lâmpada do poste mais próximo, parecia haver uma pilha de lixo amontoado debaixo de uma das janelas do térreo. Foi só então que Simon se perguntou se tinha sido uma atitude sensata vir buscar o computador roubado no seu próprio carro. Atualmente, com toda a certeza havia câmeras de segurança por ali, para vigiar todos aqueles vândalos e delinquentes. Olhou ao seu redor, mas não viu nada nem ninguém, a não ser uma mulher gorda que espiava, sem disfarçar, por uma daquelas janelinhas quadradas que eram todas iguais. Simon a encarou de cara amarrada, mas ela continuou ali, fumando um cigarro. Ele, então, escondeu o rosto com a mão e ficou vigiando através do para-brisa.

O garoto já vinha saindo da tal casa e voltava para o carro carregando com alguma dificuldade o computador dentro de uma caixa. Atrás dele, na soleira da porta, Simon viu uma adolescente com um garotinho aos seus pés. Mas, assim que percebeu que ele estava olhando, ela voltou lá para dentro, levando a criança consigo.

Quando o mascador de chicletes chegou mais perto, Simon já foi virando a chave na ignição e ligando o carro.

— Cuidado — disse ele, debruçando-se para abrir a porta do carona. — Ponha aqui.

O garoto pôs a caixa no banco, que ainda estava quente. Simon quis abrir e verificar se o que havia ali dentro era exatamente o que ele tinha encomendado, mas a noção cada vez mais evidente da própria imprudência superou aquela intenção. Contentou-se em sacudir a caixa: era pesada demais para sair do lugar com facilidade, e ele queria ir embora dali.

— Tem problema se eu deixar você aqui mesmo? — gritou, como se o carro já estivesse se afastando.

— Pode me dar uma carona até o Hotel Crannock?

— Desculpe, cara, mas estou indo exatamente pro lado contrário — respondeu Simon. — Até!

E acelerou. Pelo retrovisor, viu o garoto parado na calçada, com ar furioso. Percebeu que os lábios dele tinham formado as palavras "Vai se foder!”, mas nem ligou. Se caísse fora dali bem depressa, poderia evitar que a placa do seu carro fosse gravada num daqueles filmes meio desfocados em preto e branco que às vezes passam no noticiário.

Dez minutos mais tarde, chegou ao entroncamento, mas, mesmo depois de deixar Yarvil para trás, sair da estrada principal e começar a subir a colina rumo às ruínas da abadia, sentia-se tenso e chateado, e não via nem vestígio da satisfação que normalmente experimentava quando ia chegando ao topo da elevação e avistava a própria casa, além do vale onde ficava Pagford, parecendo um minúsculo lenço branco no alto da colina do outro lado.

Apesar de estar em casa há pouco mais de dez minutos, Ruth já tinha começado a preparar o jantar e estava botando a mesa quando o marido chegou trazendo o computador. Ali, em Hilltop House, almoçava-se e jantava-se cedo, pois Simon preferia que fosse assim. As exclamações entusiasmadas de Ruth ao ver o computador só fizeram deixá-lo mais irritado: ela não sabia o que ele tinha enfrentado; aliás, ela nunca entendia que pagar mais barato pelas coisas era algo que envolvia riscos. Por seu turno, Ruth percebia imediatamente quando o marido estava num daqueles humores que quase sempre pressagiavam uma explosão, e tentava evitar isso da única maneira que conhecia: começava a tagarelar sobre o seu dia de trabalho, na esperança que o mau humor se dissipasse quando Simon estivesse de barriga cheia. Contanto, é claro, que não acontecesse mais nada que pudesse irritá-lo.

Às seis em ponto, quando Simon já havia tirado o computador da embalagem e descoberto que ele não vinha com manual de instruções, a família se sentou para jantar.

Para Andrew, era evidente que a mãe estava com os nervos à flor da pele, pois não parava de falar disso ou daquilo num tom que ele conhecia muito bem e com uma animação exagerada na voz. Apesar de tantos anos vivenciando o contrário, ela parecia pensar que, se conseguisse estabelecer um clima bem amistoso, o marido não ousaria estragar tudo. O garoto se serviu do bolo de batata (que Ruth deixava pronto para ser descongelado nos dias em que ia trabalhar) e evitou olhar para o pai. Tinha coisas mais interessantes em que pensar. Gaia Bawden havia dito “Oi” quando os dois se encontraram na porta do laboratório de biologia. Falou de um jeito automático e casual, mas não olhou para ele uma única vez durante a aula.

Andrew adoraria saber mais sobre garotas... Nunca tinha conhecido nenhuma bem o bastante para compreender como a cabeça delas funcionava. Essa falha nos seus conhecimentos não chegava a atrapalhar, até o dia em que Gaia entrou no ônibus escolar pela primeira vez e ele sentiu um interesse agudo por aquela garota em particular. Era um sentimento bem diferente daquele fascínio amplo e impessoal que vinha se intensificando com o passar dos anos, todo voltado para o surgimento de seios e a visão de sutiãs aparecendo por baixo da blusa branca do uniforme, e para a curiosidade meio aflitiva por saber o que a menstruação efetivamente acarretava.

Bola tinha umas primas que vinham às vezes visitá-los. Uma vez, quando foi ao banheiro da casa do amigo logo depois que a mais bonita delas tinha acabado de sair de lá, Andrew encontrou uma embalagem de absorvente caída no chão, ao lado do cesto de lixo. Aquela era uma evidência efetiva, física, de que havia uma garota menstruada bem ali, pertinho dele, o que, para o garoto de treze anos, foi quase como ter visto um cometa raro. Ele teve o bom senso de não contar para Bola o que tinha encontrado ou sequer comentar como aquela descoberta tinha sido excitante. Tudo que fez foi pegar a tal embalagem com as pontas dos dedos, jogá-la o mais depressa possível dentro do cesto de lixo e lavar as mãos, esfregando-as com toda a força, como nunca tinha feito na vida.

Andrew passou um bom tempo diante do notebook vendo a página de Gaia no Facebook. Aquilo chegava quase a deixá-lo mais intimidado que a própria presença da garota. Ficou horas observando fotos de pessoas que ela havia deixado lá na capital. Ela vinha de um mundo diferente: tinha amigos negros, asiáticos, amigos com nomes que ele nunca ia conseguir pronunciar. Havia uma foto dela de maiô que ficou definitivamente gravada na sua memória e uma outra em que Gaia aparecia toda encostada num garoto de pele cor de café, tão bonito que chegava a ser nojento... Não tinha uma espinha, nem uma marquinha que fosse. Examinando todas as mensagens com o maior cuidado, Andrew concluiu que o tal sujeito tinha dezoito anos e se chamava Marco de Luca. Ficou então estudando aquelas mensagens com a concentração de um decifrador de códigos secretos, mas não conseguia saber se eles continuavam namorando ou não.

O tempo que Andrew passava no Facebook era geralmente acompanhado de ansiedade, porque Simon, que não entendia muito bem como funcionava a internet e, instintivamente, desconfiava dela por ser a única área da vida dos filhos em que eles eram mais livres e ficavam mais à vontade que ele, às vezes aparecia no quarto de forma inesperada para espiar o que os meninos estavam vendo. Dizia que era só para ter certeza de que os dois não iam fazer a conta subir loucamente, mas Andrew sabia que era apenas mais uma manifestação da necessidade que o pai tinha de controlar tudo. Por isso mesmo, sempre que ele ficava bisbilhotando informações sobre Gaia, deixava o cursor bem perto do quadrinho que lhe permitiria fechar a página.

Ruth continuava pulando de um assunto a outro, tentando inutilmente fazer o marido pronunciar mais que uns monossílabos mal-humorados.

— Aaah! — exclamou ela, subitamente. — Ia esquecendo: falei com Shirley hoje, Simon, sobre a sua possível candidatura ao Conselho Distrital.

Aquelas palavras atingiram Andrew como se fossem um soco.

— Você vai se candidatar? — balbuciou ele.

Simon ergueu as sobrancelhas bem devagar. Um dos músculos das suas mandíbulas tremia ligeiramente.

— Por quê? Algum problema? — perguntou, num tom de voz nitidamente agressivo.

— Não — mentiu o garoto.

Só pode ser piada, porra! Você? Candidato numa eleição? Puta que pariu!

— Parece até que você vê alguma coisa errada nisso — disse Simon, sempre olhando para o filho.

— Não — repetiu Andrew, fitando agora o seu bolo de batata.

— Não vejo problema nenhum em me candidatar para o Conselho... — insistiu Simon, que não estava a fim de desistir. Queria dar vazão à sua tensão num catártico acesso de raiva.

— Claro. Não tem problema nenhum. Fiquei surpreso, só isso!

— Será que eu devia ter consultado o senhor antes? — insistiu Simon.

— Não.

— Ah, *muito obrigado* — retrucou ele. O seu queixo estava saliente, como geralmente acontecia quando Simon estava a ponto de perder o controle. — Já arranjou emprego, seu parasita preguiçoso de merda?

— Não.

Simon tinha parado de comer e examinava o filho com uma garfada de bolo de batata parada no ar. O garoto voltou a atenção para o próprio prato, decidido a não dar mais nenhum pretexto para brigas. A pressão do ar ali na cozinha parecia ter subido. A faca de Paul arranhou o prato.

— A Shirley disse — recomeçou Ruth, com a voz meio esganiçada, determinada a fingir que estava tudo bem até que fosse absolutamente impossível — que vai estar tudo no site do Conselho, Simon. Vai aparecer o que a pessoa tem que fazer para se candidatar.

Ele ficou calado.

Já que a sua última e melhor tentativa não deu certo, Ruth também se calou. Tinha medo de saber qual era o motivo do mau humor do marido. Ficou ansiosíssima. Ela sempre se preocupava demais e não podia evitar. Sabia que ele ficava enlouquecido quando ela lhe pedia para tranquilizá-la. Não precisava dizer nada.

— Si?

— Que é?

— Está tudo certo, não está? Com o computador?

Ruth era péssima atriz. Tentou falar com uma voz calma, descontraída, mas ela saiu trêmula e esganiçada.

Não era a primeira vez que entravam objetos roubados naquela casa. Simon também havia descoberto um jeito de adulterar a medição da eletricidade e fazia uns trabalhinhos por fora, lá na gráfica, para ganhar algum dinheiro extra. Aquilo tudo deixava Ruth com dor de estômago, ou sem conseguir dormir à noite, mas Simon tinha um profundo desprezo por gente que não tem coragem de dar um jeitinho nas coisas (e, em parte, o que a encantou nele, desde o começo, foi que um rapaz assim rude e violento, que desprezava as pessoas e tratava quase todo mundo de modo áspero e agressivo, tivesse se sentido atraído por ela; que alguém tão difícil de agradar a tivesse escolhido como sendo a única que valia a pena).

— Que história é essa? — perguntou Simon, baixinho. Toda a sua atenção se voltou do filho para a mulher e se expressava pelo mesmo olhar fixo, malévolo.

— Bom, não vai ter... nenhum problema, vai?

Ele então sentiu uma necessidade brutal de castigar Ruth por ela ter intuído os seus próprios temores e instigá-los ainda mais com a sua ansiedade.

— Olha, eu não ia dizer nada — principiou ele, falando devagar para ter tempo de inventar uma história qualquer —, mas acontece que teve uns problemas, sim, quando eles foram roubados. — Andrew e Paul pararam de comer e ficaram olhando. — Parece que um segurança foi espancado. Mas, quando fiquei sabendo, já era tarde demais. A única esperança é que tudo isso acabe não dando em nada...

Ruth mal conseguia respirar. Não podia acreditar que o marido falasse de um assalto violento com toda aquela calma. Isso explicava o seu mau humor quando ele chegou em casa. Isso explicava tudo.

— Por isso é fundamental que ninguém mencione esse computador — acrescentou Simon.

Lançou aos três um olhar feroz para convencê-los dos perigos só pela força da sua personalidade.

— Não vamos dizer nada — replicou Ruth, num sopro de voz.

A sua imaginação fértil já estava lhe mostrando a polícia batendo à sua porta, o computador sendo examinado, e Simon, detido, injustamente acusado de assalto com agravante... Indo para a cadeia.

— Vocês ouviram o seu pai? — indagou aos filhos, num tom pouco mais alto que um sussurro. — Não digam a ninguém que compramos um computador novo.

— Tudo vai dar certo — observou Simon. — Não vai ter problema. Contanto que todo mundo fique de boca calada.

E se concentrou novamente no bolo de batata. Num relance, os olhos de Ruth foram de Simon aos filhos e voltaram ao marido. Paul empurrava a comida de um lado para o outro no prato, em silêncio, assustado.

Mas Andrew não tinha acreditado numa única palavra do pai.

Seu filho da puta mentiroso! Você só está querendo deixar ela com medo.

Quando acabaram de jantar, Simon se levantou e disse:

— Bom, vamos ver se pelo menos essa porra funciona. Levante daí — acrescentou, dirigindo-se a Paul —, tire aquele troço da caixa e ponha ele com cuidado, eu disse *com cuidado*, em cima da mesinha. E você — disse ainda, apontando agora para Andrew — tem aula de informática, não tem? Então pode me dizer o que fazer.

E foi para a sala de estar. Andrew sabia que o pai estava armando para que os dois fizessem alguma besteira: Paul, que era pequeno e estava nervoso, bem podia deixar cair o computador, e, com toda a certeza, ele próprio ia se confundir com uma coisa ou outra. Lá na cozinha, Ruth fazia o maior barulho, lavando a louça do jantar. Pelo menos, estava fora da linha de fogo...

Andrew foi ajudar Paul a levantar o computador, que era bem pesado.

— Ele aguenta sozinho! — esbravejou Simon. — Afinal, não é tão mariquinhas assim!

Milagrosamente, Paul, com os braços trêmulos, conseguiu pôr aquela carga em cima da mesa sem fazer nenhum estrago. Ficou então parado ali, com os braços pendendo ao lado do corpo, impedindo que o pai se aproximasse.

— Saia da frente, seu babaquinha idiota! — berrou Simon. O menino se afastou correndo e ficou olhando lá de trás do sofá. — Onde é que eu enfio isso? — perguntou ele a Andrew, pegando um fio qualquer, aleatoriamente.

Enfia no cu, seu desgraçado!

— Se me der ele aqui...

— Estou perguntando onde tenho que enfiar a porra do fio! — insistiu Simon, aos berros. — Você tem aula de informática, então me diga onde ele entra!

O garoto foi olhar a parte de trás da CPU. Primeiro, mandou o pai enfiar o tal fio no lugar errado, mas depois, por sorte, indicou a entrada certa.

Estavam quase acabando quando Ruth veio se juntar a eles na sala. Bastou uma olhadela rápida para Andrew perceber que a mãe não queria que aquela coisa funcionasse. Preferia mil vezes que o marido largasse o tal computador num canto qualquer, sem se importar com as oitenta libras gastas na sua compra.

Simon sentou diante do monitor. Depois de várias tentativas inúteis, ele se deu conta que o mouse sem fio estava sem pilhas. Mandou Paul ir correndo buscar umas na cozinha. Quando o menino voltou, o pai tirou as pilhas da sua mão como se ele fosse fugir com elas.

Com a ponta da língua aparecendo entre o lábio e os dentes de baixo, o que deixava o seu queixo projetado para a frente de um jeito estúpido, Simon agia como se a tarefa de enfiar duas pilhas naquele pequeno compartimento fosse a coisa mais complicada do mundo. Ele sempre fazia aquela cara animalesca, meio enlouquecida, como um alerta de que estava chegando ao seu limite, descendo ao ponto em que já não respondia mais pelas próprias reações. Andrew se imaginou saindo da sala e deixando o pai se virar sozinho, privando-o da plateia que ele tanto gostava de ter quando ia ficando cada vez mais enfurecido. Chegou quase a sentir o mouse lhe batendo na cabeça no momento em que, na sua imaginação, ele virava as costas para ir embora.

— Entra, porra!

Simon começou a fazer um ruído baixo, quase um grunhido, algo que só ele fazia e que combinava perfeitamente com a tal cara animalesca.

— Uuuh... uuh... ENTRA, PORRA! Enfia isso aí! É, *você*! Você que tem esses dedinhos de menina! — esbravejou ele, batendo com o mouse e as pilhas no peito do filho caçula.

Com as mãos tremendo, o menino ajeitou os tubinhos metálicos no lugar certo, fechou a tampa plástica do compartimento e devolveu o mouse ao pai.

— Obrigado, *Paulinha*.

O queixo de Simon estava tão projetado que ele parecia até o homem de Neanderthal. Normalmente, agia como se objetos inanimados estivessem conspirando para deixá-lo irritado. Mais uma vez, ele pôs o mouse em cima do *pad*.

Tomara que funcione.

Uma setinha branca apareceu na tela e começou a deslizar para um lado e para o outro, obedecendo ao comando de Simon.

Com isso, desatou-se um verdadeiro torniquete de medo. Uma rajada de alívio atingiu os três espectadores daquela cena, e Simon parou de fazer aquela cara de homem de Neanderthal. Andrew visualizou uma fila de japoneses e japonesas de jaleco branco: as pessoas que haviam montado aquela máquina impecável, todos com dedos delicados e habilidosos como os de Paul, inclinando-se para cumprimentá-lo, educadíssimos e gentis. O garoto abençoou todos eles e também as suas famílias. Essa gente jamais saberia quanta coisa dependia do bom funcionamento daquele computador em particular.

Ruth, Andrew e Paul ficaram ali esperando enquanto Simon testava a máquina. Ele abriu uns menus, teve dificuldade em fechá-los, clicou em ícones cuja função ignorava e ficou todo atrapalhado com os resultados que obtinha, mas já havia descido do platô daquela raiva ameaçadora. Depois que conseguiu a custo voltar para o desktop, disse, erguendo os olhos para a mulher:

— Aparentemente, está tudo certo, não é?

— Perfeito! — exclamou ela de imediato, com um sorriso forçado, como se a última meia hora não tivesse existido, ele tivesse comprado o computador nas lojas Dixons e instalado tudo ali sem nenhum risco de violência. — É mais rápido, Simon. Muito mais rápido que o outro.

Ele ainda não se conectou à internet, sua boba.

— É, também achei — replicou ele. Olhou então para os dois filhos. — Isso aqui é novinho e custou caro, portanto, tratem de tomar cuidado com ele, entenderam? E não digam a ninguém que temos um computador novo — acrescentou. Nesse instante, uma nova onda maligna gelou a sala. — Está bem? Ouviram o que eu disse?

Os meninos fizeram que sim com a cabeça. O rosto de Paul estava tenso e contraído. Sem que o pai percebesse, desenhou um oito na parte externa da perna com o dedo fino.

— E um de vocês vá fechar a porra da cortina! Por que ela ainda está aberta?

Porque estávamos todos parados aqui, vendo você agir como um babaca.

Andrew fechou a cortina e saiu da sala.

Mesmo já no quarto, deitado na sua cama, não conseguiu voltar àquelas agradáveis meditações sobre a figura de Gaia Bawden. A simples perspectiva de ver o pai candidato ao Conselho, surgida assim, do nada, pairava como um gigantesco iceberg que lançava a sua sombra sobre tudo, inclusive Gaia.

Desde que se entendia por gente, Andrew vira o pai viver satisfeito da vida como prisioneiro do desprezo que sentia pelos outros, fazendo daquela casa uma verdadeira fortaleza contra o mundo, um lugar onde o seu desejo era lei e o seu humor ditava o clima que a família enfrentaria a cada dia. Quando foi crescendo, o menino começou a perceber que o isolamento quase total em que viviam não era algo normal e começou a se sentir ligeiramente constrangido com aquilo. Pais de amigos seus perguntavam onde ele morava, incapazes de situar a sua família. Acontecia de lhe perguntarem se a sua mãe ou o seu pai pretendiam comparecer a eventos sociais ou beneficentes. Havia, às vezes, quem se lembrasse de Ruth na época da escola primária, quando as mães se encontravam no pátio. Ela era muito mais sociável que Simon. Talvez, se não tivesse casado com um homem assim tão antissocial, fosse como a mãe de Bola, que se encontrava com amigos para almoçar ou jantar, que participava ativamente da vida do vilarejo.

Nas raras ocasiões em que deparava com alguém que julgasse digno de sua atenção, Simon adotava aquele falso personagem a seu ver simpático, mas que deixava o garoto arrasado. Falava ao mesmo tempo que os outros, contava piadas que não tinham nada a ver e, quase sempre, feria, sem perceber, todo tipo de sensibilidade, pois não conhecia direito, e nem ligava muito para isso, as pessoas com quem era obrigado a conversar. Ultimamente, Andrew vinha desconfiando que o pai nem sequer percebia os outros seres humanos como criaturas reais.

Por que o seu pai teria sido tomado pela aspiração de atuar num palco mais amplo era algo que Andrew não conseguia imaginar, mas, sem dúvida alguma, a calamidade era inevitável. O garoto conhecia outros pais que eram aquele tipo de gente que patrocina corridas de bicicleta para conseguir dinheiro para a nova iluminação de Natal da praça do vilarejo, vende bolos nas festas beneficentes ou organiza clubes do livro. Simon não fazia nada que exigisse alguma colaboração e nunca demonstrou o menor interesse por qualquer coisa que não fosse beneficiá-lo diretamente.

Imagens terríveis passaram pela cabeça fervilhante do garoto: o seu pai fazendo um discurso recheado daquelas mentiras transparentes que a sua mãe engolia direitinho; o seu pai tentando intimidar um adversário com aquela cara de homem de Neanderthal; perdendo o controle e começando a despejar todos os seus palavrões favoritos num microfone: *porra, filho da puta, cacete, merda...*

Andrew pegou o notebook, mas desistiu da ideia quase imediatamente. Nem lhe ocorreu pegar o celular em cima da mesa. Uma aflição e uma vergonha tão grandes assim não cabiam num e-mail ou num SMS. Estava sozinho com elas. Nem Bola poderia compreender aquilo. E ele não sabia o que fazer.

Sexta-feira

O corpo de Barry Fairbrother havia sido levado para a funerária. Os talhos profundos e escuros sobre o fundo branco do couro cabeludo, como os riscos deixados no gelo pelos patins, ficaram escondidos sob a espessa floresta de cabelos. Frio, descorado e vazio, o corpo, novamente vestido com a camisa e a calça do jantar de aniversário de casamento, estava deitado numa sala, à meia-luz e ao som de uma música suave. Uma maquiagem discreta havia devolvido à sua pele um brilho semelhante ao que ela tinha em vida. Era quase como se ele estivesse dormindo, mas não exatamente.

Os dois irmãos de Barry, a sua viúva e os quatro filhos foram se despedir do morto na véspera do enterro. Até o último minuto, Mary ficou indecisa, sem saber se devia permitir que todos os filhos fossem ver os restos mortais do pai. Declan era um garoto sensível, propenso a pesadelos. Foi quando ela ainda estava às voltas com tal indecisão, na tarde de sexta-feira, que aconteceu um contratempo.

Colin "Pombinho" Wall resolveu ir se despedir de Barry também. Mary, em geral dócil e cordata, achou que aquilo era um pouco excessivo. Falando com Tessa pelo telefone, a sua voz foi ficando mais estridente, e, de repente, ela recomeçou a chorar, dizendo que ela não tinha planejado um velório convencional para Barry, que aquilo era coisa de família... Desfazendo-se em desculpas, Tessa replicou que compreendia perfeitamente e, então, foi explicar a história ao marido, que mergulhou num silêncio magoado, mortificado.

Tudo que ele queria era ficar a sós junto ao corpo de Barry e prestar uma homenagem silenciosa a um homem que havia ocupado um lugar muito especial na sua vida. Tinha despejado nos ouvidos de Barry verdades e segredos que jamais confiara a nenhum outro amigo, e aqueles olhinhos castanhos, brilhantes como os de um rouxinol, nunca deixaram de olhá-lo de um jeito amável e caloroso. Barry foi o melhor amigo que Colin teve na vida. Com ele, vivenciou um tipo de camaradagem masculina que jamais havia encontrado antes de vir morar em Pagford e que, tinha certeza, nunca mais voltaria a encontrar. O fato de alguém como ele, que se sentia um esquisitão meio excluído, para quem a vida era uma luta diária, ter conseguido ficar amigo daquele eterno otimista, tão animado e popular, sempre lhe parecera um pequeno milagre. Armou-se então do que lhe restava de dignidade, decidiu não guardar mágoa de Mary e passou o resto do dia pensando que Barry teria decerto ficado espantado e entristecido com aquela atitude da esposa.

A uns quatro quilômetros de Pagford, num charmoso chalé chamado Smithy, Gavin Hughes tentava lutar contra uma depressão que ia ficando cada vez mais intensa. Mary tinha ligado um pouco mais cedo. Com uma voz que tremia sob o peso das lágrimas, ela lhe contou que todos os filhos haviam contribuído com ideias para o funeral do dia seguinte. Siobhan, que vinha cultivando um girassol que ela mesma tinha plantado, ia cortá-lo para pôr em cima do caixão. Todos os quatro escreveram cartas, que seriam enterradas com o pai. Mary também escreveu uma e ia botá-la no bolso da camisa do marido, junto do seu coração.

Gavin desligou o telefone horrorizado. Não queria saber das cartas dos filhos de Barry, nem do tal girassol que vinha sendo cultivado há tanto tempo, mas essas coisas não lhe saíam da cabeça enquanto ele comia uma lasanha, sentado sozinho ali na mesa da cozinha. Embora fosse capaz de qualquer coisa para evitar lê-la, continuava tentando imaginar o que Mary teria dito na carta que escreveu.

No quarto, um terno preto coberto pelo plástico da lavanderia estava pendurado como um hóspede indesejado. Se ficou agradecido pela honra que a viúva lhe concedeu, reconhecendo-o publicamente como uma das pessoas mais chegadas àquele indivíduo tão popular que era Barry, há muito que essa gratidão havia sido suplantada pelo medo. Ali, lavando os talheres e o prato na pia da cozinha, Gavin pensou que simplesmente adoraria não comparecer ao enterro. Já a ideia de ir velar o corpo do amigo morto era coisa que não lhe passou e nunca lhe passaria pela cabeça.

Ele e Kay tinham brigado feio na véspera e, desde então, não voltaram a se falar. Tudo começou quando a moça lhe perguntou se queria que ela fosse ao enterro com ele.

— Claro que não! — respondeu Gavin, sem conseguir se conter.

Ao ver a expressão do seu rosto, soube de imediato que ela tinha entendido: *Claro que não! As pessoas vão achar que somos um casal. Claro que não! Por que eu iria querer você ali comigo?* E, embora esses fossem exatamente os seus sentimentos, o rapaz tentou consertar as coisas.

— Quer dizer... Você nem conhecia Barry, não é mesmo? Acho que ficaria meio esquisito, não acha?

Mas Kay não se deu por satisfeita: tentou pressioná-lo, fazê-lo dizer exatamente o que sentia por ela, o que pretendia, que futuro imaginava para os dois. Gavin rebateu as investidas da moça com todas as armas de que dispunha no seu arsenal: foi ora obtuso, ora evasivo e até pedante, pois é incrível como se pode obscurecer uma questão emocional aparentando buscar a exatidão. Até que ela o mandou embora. Ele obedeceu, mas sabia que aquilo não era o fim. Seria querer demais... O seu reflexo na janela da cozinha se mostrava triste e abatido. O futuro que a morte havia roubado a Barry parecia pesar sobre a sua própria vida como um gigantesco penhasco. Gavin estava se sentindo inconveniente e culpado, mas continuava desejando que Kay voltasse para Londres.

Anoiteceu em Pagford, e, lá na antiga casa paroquial, Parminder Jawanda examinava o próprio guarda-roupa, perguntando-se o que deveria usar na despedida de Barry. Tinha vários vestidos e terninhos escuros, mas nenhum deles seria apropriado. E ela continuava olhando as roupas penduradas, inteiramente indecisa.

Use um sári. Shirley Mollison vai ficar irritadíssima. Ande, use um sári.

Que besteira pensar isso! Era uma ideia louca, que não tinha nada a ver... Mas o pior era pensar aquilo como se estivesse ouvindo a voz de Barry! Barry estava morto. Parminder já tinha suportado cinco dias de profunda tristeza, e, no dia seguinte, iam sepultá-lo debaixo da terra. Essa perspectiva lhe parecia bem desagradável. Sempre detestou a ideia de enterrar alguém, de um corpo ficar deitado lá no fundo, intacto, apodrecendo aos poucos, devorado por vermes e moscas. O costume sique era cremar os mortos e atirar as suas cinzas em água corrente.

Deixou os olhos vagarem pelas roupas no armário, mas eram os sáris, usados nas festas de casamento da família e nas reuniões lá em Birmingham, que acabavam sempre chamando a sua atenção. Por que aquela vontade maluca de usar um deles? Parecia algo tão estranhamente exibicionista... Estendeu a mão para tocar as dobras do seu favorito, um sári azul-escuro com dourado. Parminder tinha usado aquele traje pela última vez na festa de Ano-Novo dos Fairbrother, no dia em que Barry tentou lhe ensinar dança de salão. Sem muito sucesso, diga-se de passagem, principalmente porque ele próprio não era lá muito bom no suingue. Ela, porém, lembrava-se de ter rido como poucas vezes rira na vida: loucamente, sem conseguir se controlar, daquele jeito que já vira mulheres bêbadas rirem.

Os sáris são elegantes, femininos e indulgentes com relação às formas da meia-idade: a mãe de Parminder, que já estava com oitenta e dois anos, vestia-se assim diariamente. Mas ela própria não tinha muito o que disfarçar, pois continuava esbelta como aos vinte anos. Mesmo assim, pegou aquele corte de tecido comprido e macio, botou-o diante do robe, deixando que caísse até o chão e acariciasse os seus pés descalços, e ficou observando os delicados bordados que cobriam a sua barra. Usar aquele traje seria uma espécie de brincadeira entre ela e Barry, como a história da casa com cara de vaca e todas as coisas engraçadas que ele dizia a respeito de Howard quando os dois saíam daquelas reuniões intermináveis e cheias de hostilidades.

Parminder sentia um peso terrível no peito, mas o Guru Granth Sahib não exortava amigos e parentes dos mortos a não manifestar tristeza, e sim comemorar a reunião do ente querido com Deus? Num esforço para impedir aquelas lágrimas traiçoeiras de aflorarem, começou a entoar em silêncio a oração da noite, o *kirtan sohila*.

Amigo meu, saiba que este é o momento oportuno para servir aos santos.
Para obter benefícios divinos neste mundo e viver em paz e conforto no outro.
Dia e noite, a vida vai ficando mais curta.
Ó mente, encontre o Guru e tudo se resolverá...

Deitada na cama, no escuro do quarto, Sukhvinder sabia exatamente o que cada membro da família estava fazendo. Logo abaixo dela, ouvia-se o murmúrio distante da televisão, pontuado pelo riso abafado do irmão e do pai, que assistiam a um programa cômico que passava nas noites de sexta-feira. Podia também distinguir a voz da irmã mais velha, conversando com seus inúmeros amigos pelo celular. Mais perto, estava a mãe, remexendo no armário embutido do outro lado da parede.

A garota havia fechado as cortinas e posto, na parte inferior da porta, aquele protetor que mais parecia uma cobra. Aquela cobra dificultava a abertura da porta, avisando-a se alguém quisesse entrar, já que o seu quarto não tinha chave. Mas tinha certeza de que ninguém viria até ali. Ela estava onde deveria estar, fazendo o que deveria fazer. Ou pelo menos era o que todos achavam.

Sukhvinder tinha acabado de realizar um dos seus rituais diários mais assustadores: abrir a página do Facebook e excluir mais uma postagem de um remetente desconhecido. Assim que ela bloqueava a pessoa que a andava bombardeando com aquelas mensagens, surgia um novo perfil e começava tudo de novo. Nunca sabia quando elas iam aparecer. Hoje foi uma foto em preto e branco, a reprodução de um cartaz de circo do século XIX, que apresentava como uma das suas atrações "A verdadeira mulher barbada".

La Véritable Femme à Barbe, Miss Anne Jones Elliot.

Era a foto de uma mulher de vestido de renda, com um cabelo preto bem comprido e uma barba e um bigode exuberantes.

A garota estava convencida de que era Bola Wall quem lhe mandava aquelas coisas, embora pudesse perfeitamente ser qualquer outra pessoa. Dane Tully e os seus amigos, por exemplo, que ficavam fazendo uns grunhidos meio simiescos sempre que ela falava inglês. Aqueles ali agiriam da mesma forma com quem quer que tivesse a sua cor de pele: alunos morenos eram coisa rara na Winterdown. Ela ficava humilhada, sentindo-se uma idiota, principalmente porque o sr. Garry nunca brigava com eles. Na verdade, fingia que não estava ouvindo ou que só ouvia o barulho que vinha do fundo da sala. Talvez ele também achasse que Sukhvinder Kaur Jawanda era uma macaca, uma macaca peluda.

Ficou deitada ali na cama, por cima das cobertas, desejando com todas as suas forças estar morta. Se conseguisse cometer suicídio usando apenas a própria vontade, faria isso sem qualquer hesitação. Uma morte como a do sr. Fairbrother. Por que não podia acontecer com ela? Melhor ainda, por que os dois não podiam trocar de lugar? Niamh e Siobhan teriam o pai de volta, e ela, Sukhvinder, poderia simplesmente ingressar no plano do não existir: sumir, desaparecer.

A aversão que sentia por si mesma era como uma roupa de urtigas que pinicava e queimava por todo lado. Precisava sempre da maior força de vontade para aguentar, para ficar imóvel, para não sair correndo e fazer a única coisa que poderia ajudar. Para agir, tinha de esperar que a família inteira já estivesse na cama. Mas que agonia ficar deitada ali daquele jeito, ouvindo a própria respiração, consciente do peso inútil do próprio corpo feio e repulsivo no colchão. Gostava de pensar em afogamento, num mergulho em água fria e esverdeada, e na sensação de ser lentamente empurrada para o nada...

A grande hermafrodita fica sentada ali, quieta, imóvel...

Deitada no escuro, sentiu a vergonha percorrer todo o seu corpo, como uma erupção ardida. Nunca tinha ouvido aquela palavra até Bola Wall utilizá-la quarta-feira, na aula de matemática. Por conta própria, não conseguiria descobrir o que ela queria dizer, pois era disléxica, mas não ia precisar fazer isso porque ele teve a gentileza de explicar tudinho.

A mulher-homem peluda...

Ele era pior que Dane Tully, cujas piadinhas eram sempre as mesmas. A língua malévola de Bola Wall preparava uma tortura novinha em folha, e feita sob medida, cada vez que ela aparecia na sua frente. E ela não tinha como tapar os ouvidos. Cada uma das suas piadas, cada um dos seus xingamentos ficavam gravados na memória da garota, incrustados ali, como nada que prestasse jamais ficava. Se tivesse uma prova sobre as expressões que ele já havia usado, tiraria o primeiro A da sua vida. *Peito & Bigode. Hermafrodita. Burra barbada.*

Peluda, burra e gorda. Sem graça e desajeitada. Preguiçosa, segundo a mãe, cujas críticas e irritação desabavam sobre ela diariamente. Um pouco lerda, segundo o pai, que dizia essas palavras de um jeito afetuoso; isso, porém, não chegava a abrandar o seu completo desinteresse. Ele podia se dar ao luxo de tolerar as suas notas baixas; afinal, tinha Jaswant e Rajpal, que eram sempre os primeiros da turma em todas as matérias.

— Tadinha da Ris — dizia ele, sem maior interesse, depois de passar os olhos pelo boletim da filha.

Mas a indiferença do pai ainda era preferível à raiva da mãe. Parminder parecia incapaz de compreender ou aceitar a ideia de ter gerado um filho que não fosse brilhante. Se algum professor sugerisse, por menos que fosse, que Sukhvinder devia se esforçar mais, a médica se agarrava a isso com unhas e dentes, com ar triunfante.

— "Sukhvinder desanima com facilidade e precisa acreditar mais na própria capacidade!" Está vendo só? A professora está dizendo que você não se esforça, Sukhvinder!

Com relação à única matéria em que ela conseguiu ficar no segundo nível, informática — como Bola Wall não era da mesma turma, ela às vezes tomava coragem e levantava a mão para fazer uma pergunta qualquer —, Parminder se limitou a dizer, em tom de descaso:

— Com todo esse tempo que vocês passam na internet, acho incrível você não ter ficado no nível um.

Nunca lhe passou pela cabeça contar aos pais essas histórias de grunhidos de macacos ou da interminável torrente de maldades de Stuart Wall. Isso equivaleria a confessar que não era só a sua família que a via como alguém inferior aos outros, alguém que não prestava para nada. E, de qualquer jeito, Parminder era amiga da mãe de Stuart Wall. Às vezes, a garota se perguntava se Bola não se preocupava com essa relação de amizade, mas chegou à conclusão de que ele sabia que ela não contaria nada. Stuart Wall percebeu a sua covardia, assim como percebeu o péssimo conceito que ela fazia de si mesma, e era capaz de juntar tudo isso para fazer Andrew Price rir. Houve um tempo em que Sukhvinder ficou meio interessada em Andrew Price, mas isso foi antes de compreender que era feia demais para se interessar por quem quer que fosse; antes de compreender que era esquisita e ridícula.

Ouviu as vozes do pai e de Rajpal, que iam ficando mais altas à medida que os dois subiam a escada. O riso do irmão soou bem forte exatamente diante da sua porta.

— Olhem a hora! — ouviu a mãe dizer lá do quarto dela. — Ele já devia estar na cama, Vikram!

A voz do pai lhe chegou ali do corredor, bem de perto, alta e calorosa.

— Já está dormindo, Ris?

Aquele era o seu apelido de criança, que o pai lhe dera por ironia. Jaswant era Jazz, e ela, um bebê tristonho, que raras vezes sorria, virou Ris, diminutivo de Risadinha.

— Não — respondeu Sukhvinder. — Acabei de deitar.

— Bom, talvez lhe interesse saber que o seu irmão aqui...

Mas o que Rajpal tinha feito foi abafado pelos gritos de protesto e pelos risos do garoto. Ela ouviu Vikram se afastar, sempre implicando com o filho.

Esperou então que a casa inteira ficasse em silêncio. Aferrava-se à perspectiva do seu único consolo como teria se agarrado a uma boia, e ficou esperando, esperando até todos irem se deitar...

(E, durante esse tempo de espera, lembrou-se de uma noite, pouco tempo atrás, depois de um dos treinos de remo, quando iam andando no escuro até o estacionamento, que ficava perto do canal. A gente fica tão cansada depois de remar. Os músculos dos braços e da barriga doem, mas é uma dor boa. Sempre dormia muito bem depois de remar. Lá pelas tantas, Krystal, que vinha ao lado dela, um pouco mais atrás que o resto do grupo, a chamou de páqui idiota.

Foi assim mesmo, do nada. Todo mundo estava fazendo a maior bagunça com o sr. Fairbrother. Krystal achou que estava sendo engraçada. Usava "porra" como se fosse uma vírgula e parecia não ver diferença entre uma coisa e outra. Naquele momento, disse "páqui" como poderia ter dito "boba" ou "burra". Sukhvinder percebeu que tinha desmontado e começou a sentir aquele calor tão conhecido no estômago.

— O que foi que você disse?

O sr. Fairbrother se virou para encarar Krystal. Nenhuma das garotas jamais o tinha visto zangado assim antes.

— Nada de mais — respondeu ela, meio assustada, meio desafiadora. — Tava só brincando. Ela sabe que eu tava brincando, né? — perguntou, virando-se para Sukhvinder, que, intimidada, balbuciou uma resposta afirmativa.

— Nunca mais repita essa palavra!

Todas sabiam como ele gostava de Krystal. Todas sabiam que ele tinha pagado do próprio bolso para ela poder viajar com a equipe algumas vezes. Ninguém ria mais alto que o sr. Fairbrother das piadas que ela contava. Krystal podia ser muito engraçada...

Continuaram andando, e todo mundo ficou muito sem jeito. Sukhvinder tinha medo de olhar para Krystal: estava se sentindo culpada, como sempre, aliás.

Quando estavam chegando perto da caminhonete, Krystal disse:

— Tava brincando, viu? — e falou tão baixinho que nem o sr. Fairbrother ouviu.

E Sukhvinder logo tratou de responder:

— Eu sei.

— Bom... É... Desculpa, tá?

As palavras saíram tão abafadas que Sukhvinder achou melhor fingir que não tinha ouvido nada. Mas aquilo lavou a sua alma. Restaurou a sua dignidade. No caminho de volta para Pagford, foi ela que começou a cantar, pela primeira vez, a tal música que era o amuleto da equipe e pediu a Krystal para fazer a parte de Jay-Z.)

Aos poucos, bem devagarinho, a sua família acabou finalmente indo se deitar. Jaswant passou um tempão no banheiro, fazendo uma barulheira danada. A garota esperou até a irmã terminar de se arrumar, os pais pararem de conversar no quarto, a casa ficar silenciosa.

Pronto! Agora, não tinha mais perigo. Sentou na cama e tirou a gilete de um furo na orelha do velho coelhinho de pelúcia. Tinha roubado essa lâmina do estoque que o pai guardava no armário do banheiro. Levantou e, tateando, pegou a lanterna que ficava na estante. Apanhou também um punhado de lenços de papel e foi para o outro lado do quarto, para aquele cantinho arredondado formado por um dos torreões da casa. Sabia que, ali, a luz ficaria protegida e não poderia ser vista pelas frestas da porta. Sentou no chão, com as costas apoiadas na parede, arregaçou a manga da camisola e, à luz da lanterna, examinou as marcas deixadas pela sua última sessão. Ainda eram bem visíveis, como riscas escuras no seu braço, mas já estavam cicatrizando. Com um estremecimento de medo, que era um alívio abençoado naquele mundinho restrito do seu sofrimento, posicionou a gilete mais ou menos na metade do braço e cortou a própria carne.

Foi uma dor quente, aguda, e logo o sangue começou a brotar. Depois de fazer um corte pouco acima da parte interna do cotovelo, ela o cobriu com os lenços de papel, para evitar que o sangue escorresse e manchasse a camisola ou o tapete. Um ou dois minutos mais tarde, Sukhvinder fez outro corte, agora na horizontal, junto ao anterior, como os degraus de uma escada, e, mais uma vez, parou para estancar o sangue. A gilete eliminava a dor daqueles pensamentos assustadores e a transformava numa ardência animal de nervos e pele: cada corte era um alívio, uma libertação.

Finalmente, ela limpou a gilete e verificou se estava tudo certo ao seu redor. Os talhos em interseção sangravam e doíam tanto que as lágrimas lhe escorriam pelo rosto. Precisava dormir, se a dor deixasse, mas tinha de esperar uns dez a vinte minutos, até os cortes mais recentes pararem de sangrar. Ficou sentada ali, com os joelhos encolhidos. Fechou os olhos molhados e se recostou na parede sob a janela.

Parte do ódio que sentia por si mesma tinha ido embora junto com o sangue. A sua mente começou a vagar, e Sukhvinder pensou em Gaia Bawden, a aluna nova que, de forma tão inexplicável, parecia ter gostado dela. Gaia poderia ter ficado amiga de quem quisesse, com a aparência que tinha e aquele sotaque de Londres, mas sempre vinha para perto de Sukhvinder, tanto na hora do almoço quanto no ônibus escolar, coisa que a garota não conseguia entender. Dava até vontade de perguntar a Gaia que brincadeira era aquela... Todo dia, achava que a aluna nova ia perceber que ela, Sukhvinder, peluda feito uma macaca, lerda e burra, era alguém que devia ser desprezado e xingado. Com toda a certeza, ela logo ia descobrir que tinha se enganado e, como sempre, Sukhvinder ficaria sozinha, restando-lhe apenas a piedade entediada das suas amigas mais antigas, as gêmeas Fairbrother.

Sábado

I

Por volta das nove horas da manhã, já não havia mais onde estacionar na Church Row. Várias pessoas, vestidas de cores escuras, passavam, sozinhas, aos pares e em grupos, de um lado a outro da rua, convergindo, como punhados de limalha de ferro atraídos por um ímã, para a São Miguel e Todos os Santos. O passeio calçado que levava às portas da igreja foi ficando cheio de gente e, de repente, transbordou. Os que não couberam mais naquele espaço se espalharam em meio às sepulturas, procurando lugares seguros para ficar ali, entre as lápides, temendo pisar nos mortos, mas, mesmo assim, evitando se distanciar muito da entrada do templo. Ninguém tinha dúvidas de que não haveria bancos suficientes para toda aquela gente que viera dizer adeus a Barry Fairbrother.

Os seus colegas do banco, reunidos perto do mais extravagante dos túmulos da família Sweetlove, adorariam que o augusto representante da matriz fosse embora e levasse consigo a sua conversa mole e as suas piadinhas infames. Lauren, Holly e Jennifer, integrantes da equipe de remo, separaram-se dos pais e se juntaram à sombra dos raminhos esponjosos de um teixo. Alguns membros do Conselho, formando um grupo heterogêneo, conversavam com ar solene bem no meio do caminho: um punhado de cabeças calvas e óculos de lentes grossas, outro de chapéus de palha pretos e colares de pérolas cultivadas. Uns homens dos clubes de *squash* e de golfe cumprimentavam-se discretamente. Velhos amigos da universidade reconheciam-se de longe e tratavam de se reunir. E, no meio disso tudo, circulava o que parecia ser praticamente toda a população de Pagford, envergando as suas roupas mais bonitas e mais escuras. O ar zumbia com aquelas conversas murmuradas, e os rostos se moviam, espiando, esperando.

O casaco de lã cinza de Tessa Wall, o melhor que ela possuía, estava tão apertado nas cavas que ela não conseguia erguer os braços além da altura do peito. Parada ao lado do filho, num dos lados do passeio, cumprimentava os conhecidos com um sorrisinho triste e um aceno, mas, bem baixinho, quase sem abrir a boca para que ninguém pudesse perceber, continuava a discutir com Bola.

— Pelo amor de Deus, Stu! Ele era o melhor amigo do seu pai. Pelo menos desta vez, mostre alguma consideração.

— Ninguém me avisou que essa merda ia demorar tanto. Você disse que lá pelas onze e meia já teria acabado.

— Veja como fala! Eu disse que devíamos sair da igreja por volta das onze e meia...

— ...o que me fez acreditar que estaria acabado, não é verdade? Aí marquei de encontrar com Arf.

— Mas você não pode deixar de ir ao enterro, o seu pai é um dos que vão carregar o caixão! Ligue para Arf e diga que o encontro de vocês vai ter que ficar para amanhã.

— Amanhã ele não pode. E, além disso, eu não trouxe o celular. Pombinho disse que era para não trazer o celular para a igreja.

— Não chame o seu pai de Pombinho! Ligue para Arf do meu — disse Tessa, enfiando a mão no bolso.

— Não sei o telefone de cor — replicou Bola, o que era uma mentira deslavada.

Na véspera, Tessa e Colin jantaram sem o filho, pois ele tinha ido de bicicleta para a casa de Andrew, onde iam fazer o tal trabalho de inglês. Pelo menos, foi essa a história que Bola contou para a mãe, e ela fingiu acreditar. Na sua opinião era perfeito não ter o garoto por perto, porque, assim, ele não poderia aborrecer o pai.

Mas ao menos ele estava usando o terno novo que a mãe tinha comprado em Yarvil. Na terceira loja em que entraram, Tessa perdeu a paciência. Todas as roupas que Bola experimentava o deixavam parecendo um espantalho, desengonçado e mal-ajambrado, e ela acabou achando que ele estava fazendo aquilo de propósito; que, se quisesse, poderia preencher aquele terno de uma forma mais conveniente.

— Shhh! — exclamou Tessa, por pura precaução. Bola não estava dizendo nada, mas Colin vinha chegando, trazendo consigo os Jawanda. Naquele estado de agitação em que se encontrava, ele parecia estar confundindo a função de carregador do caixão com a de mestre de cerimônias e foi se postar junto aos portões para receber os que chegavam. Parminder tinha um ar sombrio e abatido naquele sári, com os filhos enfileirados às suas costas. Já Vikram, de terno escuro, parecia um artista de cinema.

A poucos metros das portas da igreja, Samantha Mollison, parada ao lado do marido, olhava o céu claro e esbranquiçado e pensava em todo aquele sol desperdiçado por cima do teto de nuvens. Estava se recusando a ser expulsa do caminho calçado, por mais que isso obrigasse várias senhoras idosas a resfriar os pés pisando na grama: os seus sapatos de verniz de salto alto poderiam afundar na terra macia e acabar imundos.

Quando algum conhecido os cumprimentava, Miles e Samantha respondiam com simpatia, mas os dois não estavam se falando. Tinham brigado na véspera. Uma ou outra pessoa perguntou por Lexie e Libby, que, em geral, vinham passar o fim de semana em Pagford. Desta vez, porém, as duas tinham ido para casa de amigas. Samantha sabia que o marido sentia falta delas, pois adorava posar de *pater familias* em público. Ocorreu-lhe até, num gratificante ímpeto de fúria, que o marido talvez pedisse a ela e às meninas que posassem com ele para a foto dos panfletos de propaganda eleitoral. Adoraria lhe dizer o que achava dessa ideia.

Dava para perceber que Miles estava espantado com a quantidade de gente que tinha vindo até ali. Com toda a certeza, lamentava não desempenhar um papel de destaque no serviço fúnebre que ia começar: com um público tão grande de eleitores potenciais, aquela seria uma excelente oportunidade de lançar uma campanha sub-reptícia para ocupar a vaga de Barry no Conselho. Samantha decidiu não se esquecer de fazer uma alusão sarcástica à tal oportunidade perdida na primeira ocasião favorável.

— Gavin! — exclamou Miles, ao ver surgir aquela cabeça miúda e alourada, tão familiar.

— Ah, oi, Miles. Oi, Sam.

A sua gravata preta, novinha, reluzia em contraste com a camisa branca. Sob os olhos, ele tinha umas bolsas arroxeadas. Samantha ficou na ponta dos pés para que o rapaz não tivesse como evitar lhe dar dois beijos no rosto e sentir o seu perfume de almíscar.

— Quanta gente, não é mesmo? — observou Gavin, olhando ao seu redor.

— Gavin vai segurar uma das alças do caixão — disse Miles à esposa, exatamente do mesmo jeito que teria anunciado que uma criança pequena e não muito promissora tinha ganhado um vale-presente de uma livraria como prêmio pelos seus esforços. Na verdade, ele ficou um tanto surpreso quando o sócio mencionou que tinha merecido aquela honra. Havia de certa forma imaginado que ele e Samantha seriam convidados de destaque no serviço fúnebre, cercados por uma aura de mistério e importância, já que haviam presenciado aquela morte. Teria sido um belo gesto se Mary, ou alguém que lhe fosse mais próximo, houvesse lhe pedido para fazer uma das leituras ou dizer algumas palavras, pois, com isso, estariam reconhecendo que ele tinha desempenhado um papel considerável nos últimos momentos de Barry.

Samantha, porém, fez questão de demonstrar que a escolha de Gavin não a surpreendia absolutamente.

— Você e Barry eram bem próximos, não eram, Gav?

O rapaz fez que sim com a cabeça. Estava se sentindo aflito e meio enjoado. Dormiu muito mal à noite: teve pesadelos e acordou de madrugada. No primeiro deles, deixava cair o caixão, e o corpo de Barry se estatelava no chão da igreja. No outro, perdia a hora, faltava ao enterro e, quando chegava à São Miguel e Todos os Santos, encontrava Mary sozinha, no cemitério, lívida e furiosa, dizendo-lhe, aos berros, que ele tinha estragado tudo.

— Não sei exatamente onde deveria ficar — disse Gavin, olhando ao seu redor. — Nunca fiz isso antes.

— Não tem mistério, rapaz — replicou Miles. — Na verdade, só há uma única regra: não deixar cair nada! Ha ha ha!

Aquela risadinha de adolescente fez um estranho contraste com a voz profunda que havia dito a frase. Nem Gavin, nem Samantha sequer sorriram.

Colin Wall se destacava em meio àquela massa de corpos. Para Samantha, a figura comprida e desajeitada do marido de Tessa, com aquela testa alta e cheia de bossas, sempre lembrava o monstro de Frankenstein.

— Ah, aqui está você, Gavin — disse ele. — Acho que deveríamos ficar mais perto. Logo, logo eles estão chegando.

— Claro, claro! — replicou o rapaz, aliviado por receber algum comando.

— Colin — disse Miles, fazendo um aceno de cabeça.

— Ah, olá — respondeu o outro todo afobado, e logo se afastou, abrindo caminho por entre a multidão ali presente.

Samantha percebeu mais um movimento nas proximidades e ouviu a voz de trovão de Howard:

— Com licença... Ah, desculpe... Estou tentando chegar perto da família...

As pessoas foram se afastando, para evitar aquela barriga, e a figura de Howard se revelou, imensa, num sobretudo de veludo. No seu rastro, surgiram Shirley e Maureen, a primeira, discreta e elegante, estava de azul-marinho, a segunda, descarnada como uma ave de rapina, usava um chapéu com um veuzinho preto.

— Olá, olá — disse Howard, dando dois beijos estalados nas bochechas da nora. — Como vai, Sammy?

A resposta de Samantha se perdeu numa estranha movimentação que se espalhou por a toda parte. As pessoas começavam a recuar para deixar a passagem livre, não sem uma certa disputa, pois ninguém parecia disposto a abrir mão do seu direito a um lugar perto da entrada da igreja. Quando a multidão se dividiu em dois, membros de algumas famílias apareceram nas bordas dos grupos como umas tantas sementes isoladas. Samantha avistou os Jawanda, uns rostos cor de café no meio daquela brancura toda. Vikram, absurdamente lindo no seu terno escuro; Parminder de sári (por que tinha se vestido assim? Será que não sabia que, com isso, estava entregando o jogo de bandeja para Howard e Shirley?) e, ao lado dela, Tessa Wall, baixinha e gorducha, com um casaco cinzento que ela mal conseguia abotoar.

Mary Fairbrother e os filhos vinham andando lentamente pelo passeio, a caminho da igreja. Mary estava terrivelmente pálida e parecia vários quilos mais magra. Será que alguém podia emagrecer tanto assim em seis dias? Estava de mãos dadas com uma das gêmeas e tinha o outro braço passado nos ombros do caçula. O mais velho, Fergus, vinha logo atrás. A viúva andava olhando fixo para a frente, com a boca delicada bem contraída. Mais atrás vinham outros membros da família. O cortejo passou pela soleira da porta e desapareceu no interior sombrio da igreja.

De imediato, todos os presentes se dirigiram para as portas, o que provocou um deplorável congestionamento. Os Mollison se viram entalados na passagem junto com os Jawanda.

— Por favor, dr. Jawanda... — bradou Howard e, com um gesto, convidou o cirurgião a entrar primeiro. Tratou, porém, de usar o seu volume avantajado para impedir que qualquer outra pessoa passasse à sua frente e foi entrando atrás de Vikram, deixando que ambas as famílias os seguissem.

Um tapete azul-royal cobria toda a extensão do corredor central da São Miguel e Todos os Santos. Estrelas douradas reluziam no teto abobadado da igreja, e placas de cobre refletiam a luz que vinha dos lustres pendentes. Os vitrais das janelas eram elaborados, com cores deslumbrantes. Bem no meio da nave, do lado direito, o próprio Arcanjo, envergando uma armadura de prata, olhava o templo lá da maior de todas as janelas. Dos seus ombros, saíam asas recurvadas de um azul-celeste; com uma das mãos, empunhava uma espada e, com a outra, segurava os dois pratos dourados de uma balança. Um dos seus pés, calçados de sandálias, estava apoiado nas costas de um Satanás com asas de morcego, uma figura toda em tons de cinza-escuro que se contorcia, tentando se levantar. A expressão do santo era serena.

Howard parou na altura onde estava o Arcanjo e, com um gesto, indicou o banco à esquerda para o seu grupo. Vikram virou-se para o lado oposto. Enquanto os outros Mollison e Maureen iam entrando para se sentar no tal banco, Howard permaneceu plantado no tapete azul-royal e, quando Parminder passou por ele, disse:

— Que horror tudo isso... Barry... Que choque terrível.

— É — replicou ela, com ódio.

— Sempre acho que essas roupas aí devem ser confortáveis. São mesmo? — prosseguiu ele, indicando o sári com um gesto de cabeça.

A médica não respondeu, limitando-se a se instalar ao lado de Jaswant. Howard também se sentou, formando uma prodigiosa barreira que vedava a entrada daquele banco a quem quer que ainda pudesse chegar.

Os olhos de Shirley estavam pregados nos próprios joelhos, em sinal de respeito, e, com as mãos postas, ela parecia rezar. Na verdade, porém, estava ruminando aquele breve diálogo entre o marido e Parminder. Shirley pertencia a um setor de Pagford que lamentava em silêncio que a antiga casa paroquial — construída há muito tempo para ser a residência de um vigário da chamada Alta Igreja, um sujeito com bastas suíças e que dispunha de toda uma criadagem de avental engomado — fosse agora a casa de uma família de hindus (ela nunca conseguiu entender muito bem qual era a religião dos Jawanda). Achava que se ela e Howard fossem ao templo, à mesquita ou sabe-se lá que tipo de lugar de culto eles frequentavam, seriam decerto obrigados a cobrir a cabeça, tirar os sapatos ou coisa do gênero, caso contrário, seriam objeto de sérios protestos. E, no entanto, Parminder não via problema em exibir o seu sári na igreja! E não era que ela não tivesse roupas normais, pois se vestia como qualquer um deles diariamente. O que a deixava irritada era essa história de dois pesos, duas medidas... Nem passava pela cabeça da médica o desrespeito assim demonstrado para com a religião *deles* e, por extensão, para com o próprio Barry Fairbrother, de quem, supostamente, ela tanto gostava...

Shirley desfez o gesto das mãos postas, ergueu a cabeça e dedicou toda a sua atenção aos trajes das pessoas que passavam e à quantidade e ao tamanho das coroas que haviam sido enviadas. Algumas tinham sido dispostas junto à mesa do altar. Shirley localizou a do Conselho: ela e o marido foram os responsáveis pela arrecadação do dinheiro para comprá-la. Era uma grande coroa redonda, no estilo tradicional, de flores azuis e brancas, as cores das armas de Pagford. Mas tanto as suas flores quanto todas as demais ficavam ofuscadas diante do remo em tamanho natural feito de crisântemos de um alaranjado escuro que tinha sido enviado pelas garotas da equipe de remo.

Sukhvinder se virou no banco procurando por Lauren, cuja mãe, que era florista, havia confeccionado aquele remo. Queria lhe dizer, por gestos que fosse, que tinha visto o arranjo e gostado dele, mas, com toda aquela gente ali dentro, era impossível localizar a garota. Sukhvinder ficou toda orgulhosa por terem feito aquilo, principalmente quando percebeu que as pessoas que iam se sentando nos bancos logo mostravam o remo aos seus acompanhantes. Cinco das oito remadoras da equipe tinham dado dinheiro para o arranjo. Lauren disse a Sukhvinder que tinha ido atrás de Krystal Weedon na hora do almoço e enfrentado as sacanagens dos amigos dela, que estavam sentados, fumando, numa mureta perto da loja de conveniência. Perguntou a Krystal se ela queria contribuir. "Quero, sim. Claro", respondeu a garota, mas não deu dinheiro nenhum, e, por isso, o seu nome não estava no cartão. E, aparentemente, ela também não tinha aparecido no enterro.

Sukhvinder sentia um peso enorme por dentro, mas a dor no braço esquerdo, aliada às fisgadas mais agudas a cada movimento que ela fazia, funcionava como uma espécie de antídoto. E, pelo menos, Bola Wall, todo emburrado naquele terno preto, não tinha ficado perto dela. Nem a olhou quando as suas famílias se encontraram por um instante, ainda fora da igreja: estava cerceado pela presença dos pais, como às vezes ficava cerceado pela presença de Andrew Price.

Na véspera, já mais tarde, o seu cibertorturador anônimo tinha lhe enviado uma foto em preto e branco de uma criança da época vitoriana, nua e coberta de pelos escuros. Ela viu a foto pela manhã e a deletou enquanto se arrumava para o funeral.

Quando foi a última vez que se sentiu feliz? Sabia que, numa vida diferente, muito antes de as pessoas começarem a reclamar e debochar dela, passou anos vindo sentar nessa igreja e ficava toda contente. Entusiasmada, cantava hinos no Natal, na Páscoa e em Pentecostes. Sempre gostou do Arcanjo, com aquele rostinho pré-rafaelita, bonito e feminino, e o cabelo louro cacheado... Hoje, porém, pela primeira vez, ela o viu de um jeito diferente, com o pé descansando de forma quase descontraída naquele demônio escuro que se contorcia. E achou a sua expressão imperturbável sinistra e arrogante.

Os bancos estavam lotados. Ruídos abafados, passos que ecoavam e sussurros davam vida ao ar poeirento enquanto os menos afortunados continuavam a se enfileirar no fundo da igreja, ocupando o espaço disponível junto à parede da esquerda. Algumas almas mais esperançosas percorriam o corredor, pé ante pé, tentando encontrar naqueles bancos repletos um lugar que tivesse passado despercebido. Howard se mantinha firme, impassível, até que Shirley lhe deu um tapinha no ombro e sussurrou: *"Aubrey e Julia!"*

Nesse momento, Howard virou o corpo volumoso e acenou com o folheto do serviço fúnebre para chamar a atenção dos Fawley. O casal veio andando pelo corredor atapetado a passos rápidos: Aubrey, no seu terno escuro, alto, magro, com uma calvície incipiente; Julia, com o cabelo avermelhado preso para trás num coque baixo. Sorriram, agradecendo, enquanto Howard chegava para o lado, empurrando os demais para deixar bastante espaço para os Fawley.

Samantha ficou tão imprensada entre Miles e Maureen que sentia, de um lado, os ossos pontudos da bacia da viúva pressionando o próprio corpo, e, do outro, as chaves no bolso do marido. Furiosa, tentou conseguir alguns centímetros a mais naquele banco, mas nem Miles nem Maureen tinham como se mexer. Samantha ficou então olhando fixo para a frente e, para se vingar, voltou o pensamento para Vikram. Fazia mais ou menos um mês que não o via, e ele não tinha perdido nada do seu charme desde então. Era tão obviamente, tão irrefutavelmente bonito que chegava a ser ridículo, dava vontade de rir. Com as pernas compridas e os ombros largos, sem qualquer vestígio de barriga no ponto em que a camisa ia para dentro da calça e aqueles olhos escuros com cílios negros e espessos, o médico parecia um deus em comparação com outros homens de Pagford, todos tão relaxados, tão desbotados, tão gordos. Quando Miles se inclinou para sussurrar algumas brincadeiras para Julia Fawley, as chaves no seu bolso espetaram a sua coxa, e Samantha imaginou Vikram abrindo o vestido-envelope azul-marinho que ela estava usando. Na sua fantasia, porém, omitiu a regatinha do mesmo tom que tinha posto por baixo para esconder a profunda fenda entre os seus seios...

O órgão parou. O silêncio que se instalou era rompido apenas por um burburinho suave que persistiu. As cabeças se viraram: o caixão vinha percorrendo o corredor.

Os homens que o traziam formavam um grupo tão disparatado que chegava a ser quase cômico: os irmãos de Barry não tinham mais que um metro e setenta, e Colin Wall, que vinha na parte de trás, tinha quase um metro e noventa, o que fazia com que o caixão ficasse bem mais baixo na frente que atrás. O próprio caixão não era de mogno envernizado, mas todo feito de uma fibra trançada.

Que diabos!, pensou Howard, indignado. *Parece até uma cesta de piquenique!*

Um ar de surpresa se estampou em vários rostos enquanto o ataúde de salgueiro ia passando à sua frente, mas havia quem já soubesse dessa novidade de antemão. Mary contou a Tessa (que contou a Parminder) que a escolha tinha sido de Fergus, o filho mais velho de Barry: o salgueiro era um material sustentável, de crescimento rápido e, portanto, não causa danos ao meio ambiente. O garoto era um entusiasta das coisas verdes e ecologicamente corretas.

Parminder preferia mil vezes o caixão de salgueiro àqueles horrores de madeira maciça em que a maioria dos ingleses despachava os seus mortos. A sua avó sempre tivera um medo supersticioso de que a alma pudesse ficar aprisionada em algo sólido e pesado, e não se conformava com a ideia de ver os coveiros aparafusarem a tampa dos caixões. O ataúde de Barry foi posto em cima de um estrado recoberto de tecido brocado, e os homens que o carregavam se dispersaram: o filho, os irmãos e o cunhado do morto dirigiram-se aos bancos da frente, e Colin foi se reunir à sua família com aquele seu andar saltitante.

Por dois segundos vacilantes, Gavin hesitou. Parminder percebeu perfeitamente que ele não sabia para onde ir, e a sua única opção era percorrer de novo todo aquele corredor sob os olhares de centenas de pessoas.

Mary, porém, deve ter lhe feito um sinal qualquer, pois, vermelho até a raiz dos cabelos, ele foi se sentar no primeiro banco, ao lado da mãe de Barry. Parminder só tinha falado com o rapaz uma vez, quando lhe fez uns exames e tratou da sua clamídia. Depois disso, não voltara a vê-lo.

"Eu sou a ressurreição e a vida, disse Jesus; quem crê em mim, ainda que esteja morto, viverá. E todo aquele que vive e crê em mim nunca morrerá..."

O vigário não parecia preocupado com o sentido daquelas palavras, mas sim com a maneira pela qual elas saíam da sua boca, de um jeito meio cantarolado e ritmado. Parminder conhecia muito bem aquele estilo, pois passou anos assistindo ao culto de Natal com todos os outros pais de alunos da St. Thomas. Mas esse conhecimento de longa data não foi o bastante para fazê-la aceitar aquele santo guerreiro de rosto pálido que a observava lá do alto, nem aqueles bancos pesadões, de madeira escura, aquele altar estranho com a sua cruz dourada cheia de pedrarias ou os cânticos fúnebres que ela achava desagradáveis e inquietantes.

Desviou então a atenção da pretensiosa lenga-lenga do vigário e voltou a pensar no próprio pai. Ela o viu pela janela da cozinha, estirado no chão, de bruços, e o rádio tocando aos brados do alto da casinhola dos coelhos. Ele tinha ficado deitado ali duas horas, enquanto ela, a mãe e as irmãs estavam olhando as novidades na Topshop. Ainda podia sentir o ombro do pai sob a camisa quente quando ela o sacudiu. *Dadiii. Dadiiii.*

Depois, jogaram as cinzas de Darshan no Rea, um riozinho tristonho lá de Birmingham. Parminder se lembrava daquela superfície barrenta, num dia de céu carregado do mês de junho, e do filete de minúsculos floquinhos brancos e cinzentos que se afastaram boiando.

O órgão fez um barulho surdo e voltou à vida. A médica ficou de pé, como todos os demais. Avistou a cabeça de um louro-avermelhado das gêmeas Niamh e Siobhan: as duas tinham exatamente a mesma idade que ela quando perdeu Darshan. Parminder sentiu uma onda de ternura, uma dor terrível e um desejo meio confuso de abraçá-las e lhes dizer que sabia, sabia muito bem, entendia...

O dia raiou, como se fosse a primeira manhã...

Gavin ouviu um som mais estridente, que vinha da outra ponta do banco: a voz do filho caçula de Barry ainda não havia mudado. Sabia que foi Declan que escolheu essa música: mais um dos detalhes repulsivos da cerimônia que Mary tinha resolvido lhe contar.

O funeral estava sendo um sacrifício pior do que havia imaginado. Achava que talvez as coisas tivessem sido mais fáceis com um caixão de madeira: aquela caixa de fibra trançada lhe deu uma consciência terrível, visceral, da presença do corpo de Barry ali dentro. O seu peso era chocante. Será que toda aquela gente que o olhava de um jeito complacente enquanto o cortejo ia passando pelo corredor não entendia o que ele estava efetivamente carregando?

Depois, veio aquele momento pavoroso, quando se deu conta de que ninguém tinha guardado lugar para ele e que teria de fazer todo o trajeto de volta, com todos olhando, e ir se esconder entre os que tinham ficado de pé lá atrás... Mas não: foi obrigado a sentar no primeiro banco, terrivelmente exposto. Era como ficar na primeira cadeira de uma montanha-russa, tendo de encarar cada uma daquelas guinadas e daquelas descidas medonhas.

Sentado ali, a poucos centímetros do girassol de Siobhan, sentindo a cabeça como uma verdadeira panela de pressão, cercado daquela profusão de frésias e lírios amarelos, desejou que Kay tivesse vindo com ele. Parecia inacreditável, mas era isso mesmo. Seria um consolo ter alguém que estivesse ao seu lado, alguém que simplesmente tivesse guardado um lugar para ele. Não havia lhe ocorrido que pareceria um pobre coitado comparecendo ao enterro sozinho.

O hino acabou. O irmão mais velho de Barry foi lá para a frente da igreja para dizer algumas palavras. Gavin não entendia como ele podia aguentar fazer aquilo, com o cadáver do irmão bem diante dos olhos, sob o tal girassol (cultivado desde o plantio por meses e meses). Também não entendia como Mary podia ficar sentada ali, tão quietinha, de cabeça baixa, aparentemente olhando as próprias mãos juntas sobre o colo. O rapaz tentou então, com toda a dedicação, recorrer às suas referências internas e diluir, assim, o impacto do panegírico.

Ele vai contar como Barry e Mary se conheceram, quando tiver terminado com essas histórias de crianças... infância feliz, bons tempos aqueles, claro, claro... Ande, vamos logo com isso...

Teriam que pôr o corpo de Barry no carro outra vez e percorrer toda a distância até Yarvil para enterrá-lo lá, pois o pequeno cemitério da São Miguel e Todos os Santos já havia sido declarado lotado vinte anos atrás.

Gavin se imaginou baixando o caixão de fibra à sepultura diante dos olhares de toda aquela multidão. Trazê-lo para dentro da igreja e levá-lo de volta para fora não era nada comparado àquilo...

Uma das gêmeas estava chorando. Com o rabo do olho, Gavin viu Mary estender o braço e pegar a mão da filha.

Vamos acabar logo com isso, cacete! Por favor!

— Creio que podemos dizer que Barry sempre soube o que queria — disse o irmão do morto, com voz rouca. Tinha provocado uns poucos risos contando as enrascadas em que Barry se meteu quando era criança. A tensão que havia na sua voz era palpável. — Ela tinha vinte e quatro anos quando fomos passar o fim de semana em Liverpool com outros rapazes. Na primeira noite, saímos do acampamento para ir a um pub, e lá, atrás do balcão, estava a filha do proprietário, uma linda loura que era estudante e vinha ajudar o pai aos sábados. Barry passou a noite inteira recostado naquele bar, conversando com ela, deixando-a em maus lençóis com o pai e fingindo que não sabia quem eram aqueles bagunceiros lá do canto.

Ouviu-se um risinho. A cabeça de Mary pendeu ainda mais, e ela segurava com toda a força as mãos dos filhos que estavam ao seu lado.

— Naquela noite, quando chegamos à nossa barraca, ele me disse que ia casar com ela. *Espere aí! Em princípio, quem está bêbado aqui sou eu!* — Mais uma risadinha ligeira. — E ele nos obrigou a ir àquele mesmo pub na noite seguinte. Quando voltamos para casa, a primeira coisa que fez foi comprar um cartão-postal e mandar para a tal moça, dizendo que voltaria a Liverpool no fim de semana seguinte. Eles se casaram um ano e um dia depois da data em que se conheceram, e acho que todos que conviveram com eles vão concordar que, só de olhar, Barry sabia distinguir o que era bom. Os dois tiveram quatro filhos lindos, Fergus, Niamh, Siobhan e Declan...

Gavin começou a respirar pausadamente, inspirando, expirando, inspirando, expirando, numa tentativa de não ouvir nada daquilo e se perguntando o que diabos o seu próprio irmão arranjaria para dizer nas mesmas circunstâncias. Ele não tinha a sorte de Barry, a sua vida romântica não dava uma história bonitinha... Nunca entrou num pub e encontrou ali a esposa perfeita, loura, sorridente, pronta para lhe servir uma caneca de cerveja. Teve Lisa, que, aparentemente, nunca achou que ele fosse lá grande coisa. Sete anos de batalhas que só faziam se intensificar e que culminaram com um episódio de doença venérea. E, depois, praticamente sem intervalo, apareceu Kay, que grudou nele como um molusco agressivo e ameaçador...

Mas, fosse como fosse, ia ligar para ela mais tarde porque estava achando que não aguentaria voltar para o seu chalé vazio depois de tudo aquilo. Seria honesto: diria que o enterro foi terrível e estressante, e que adoraria que ela tivesse ido com ele. Com toda a certeza, isso poria fim a qualquer sombra que tivesse restado por conta da briga. Não queria ficar sozinho à noite.

Dois bancos atrás, Colin Wall soluçava de forma discreta, mas audível, com o rosto enfiado num lenço grande e encharcado. A mão de Tessa repousava na coxa do marido, pressionando-a delicadamente. Ela estava pensando em Barry: como confiava nele para ajudá-la com Colin; como se sentia reconfortada quando riam juntos; como era grande a generosidade do amigo morto. Podia vê-lo perfeitamente, baixinho e corado, dançando aquele suingue com Parminder na última festa que deu na sua casa; podia vê-lo imitando Howard Mollison nas críticas que ele fazia a Fields, ou aconselhando Colin, com aquele tato que só ele era capaz de ter, a encarar o comportamento de Bola como coisa de adolescente, e não de sociopata.

Tessa estava com medo do peso que a perda de Barry Fairbrother poderia ter para o homem que estava ao seu lado. Não sabia como conseguiriam lidar com aquela ausência tão gigantesca. Tinha medo de que o marido houvesse feito ao morto uma promessa que não teria condições de cumprir e não percebesse que Mary, com quem Colin continuava querendo falar, não gostava nada dele. E, em meio a toda aquela ansiedade e todo aquele sofrimento, surgia a sua preocupação habitual, como uma coceira persistente: Bola. E como ela poderia evitar uma explosão; como conseguiria fazê-lo ir com eles ao enterro ou como poderia esconder de Colin que ele não tinha ido — o que, afinal de contas, talvez fosse até mais fácil...

— Vamos encerrar o serviço de hoje com uma canção que as filhas de Barry, Niamh e Siobhan, escolheram e que tem um significado especial para as duas, como tinha para o seu pai — disse o vigário. De certa forma, pelo tom daquela declaração, o religioso conseguiu se isentar do que ia acontecer a seguir.

O som de bateria que veio dos alto-falantes ocultos era tão alto que os presentes se assustaram. Também aos brados, uma voz com sotaque americano começou a cantar *uh huh, uh huh*. Era o rapper Jay-Z.

Good girl gone bad —
Take three —
Action.
No clouds in my storms...
Let it rain, I hydroplane into fame
Comin' down with the Dow Jones...

Alguns dos presentes acharam que devia ter havido algum engano. Howard e Shirley se entreolharam, indignados. "Garota boazinha que virou má... Tomada três. Ação. Não existem nuvens nas minhas tempestades... Pode chover, que eu hidroplano para a fama... Caindo junto com o Dow Jones..." O que era aquilo? Mas ninguém desligou o som ou veio correndo para pedir desculpas. De repente, uma possante voz feminina começou a cantar:

You had my heart
And we'll never be worlds apart
Maybe in magazines
But you'll still be my star...

Ao som daquela declaração — "Você teve o meu coração e nunca estaremos em mundos separados. Talvez em revistas, mas você vai continuar sendo a minha estrela..." —, o caixão veio voltando pelo corredor central seguido por Mary e os filhos.

...Now that it's raining more than ever
Know that we'll still have each other
You can stand under my umbuh-rella
You can stand under my umbuh-rella

"Agora que está chovendo mais que nunca, saiba que ainda temos um ao outro. Pode ficar debaixo do meu guarda-chuva. Pode ficar debaixo do meu guarda-chuva", prosseguia dizendo a canção, e, lentamente, todos foram deixando a igreja, tentando não andar ao ritmo da música.

II

Andrew Price foi saindo da garagem segurando a bicicleta de corrida do pai pelo guidão e tomando cuidado para não esbarrar no carro. Achou melhor carregá-la para descer os degraus de pedra do jardim e passar pelo portão de grade. Já na rua, pôs o pé num dos pedais, tomou impulso por uns poucos metros e passou então a outra perna por cima do selim. Sem tocar nos freios, saiu voando pelo declive vertiginosamente acentuado da ladeira, rumo a Pagford.

As cercas vivas e o céu tornaram-se borrões. O garoto se imaginava num velódromo, com o vento soprando o seu cabelo ainda molhado e fustigando o rosto que ele tinha acabado de esfregar. Na altura do jardim triangular dos Fairbrother, Andrew acionou o freio, porque, meses atrás, fez aquela curva em alta velocidade e acabou caindo. Teve então que voltar para casa na mesma hora, com o jeans rasgado e um dos lados do rosto todo esfolado...

Tirou uma das mãos do guidão e, sem pedalar, desceu a Church Row, deliciando-se com mais uma corrida ladeira abaixo, embora desta vez em menor escala. Reduziu ligeiramente a velocidade quando viu que estavam botando um caixão num carro fúnebre parado diante da igreja e que uma multidão em trajes escuros vinha saindo por aquelas pesadas portas de madeira. Pedalou então furiosamente até a esquina, onde poderia ficar meio escondido. Não queria ver Bola sair da igreja ao lado de um Pombinho arrasado; não queria vê-lo usando o tal terno vagabundo e a gravata que o garoto tinha descrito com um desprezo cômico na véspera, durante a aula de inglês. Seria como surpreender o amigo fazendo cocô...

Contornando a praça bem devagar, Andrew afastou o cabelo do rosto com uma das mãos, perguntando-se o que o ar frio teria feito com as suas espinhas de um vermelho vivo e se o tal sabonete antibacteriano teria melhorado um pouco que fosse a aparência irritada do seu rosto. E ensaiou a desculpa que usaria: estava voltando da casa de Bola (coisa que poderia perfeitamente ser verdade. Não haveria por que duvidar). Nesse caso, era tão óbvio passar pela Hope Street quanto dobrar na primeira transversal para chegar até o rio. Gaia Bawden (se, por acaso, estivesse na janela; se, por acaso, o visse; se, por acaso, o reconhecesse) não teria portanto motivos para achar que ele tinha passado por ali por causa dela. Não que Andrew estivesse contando com a possibilidade de precisar se explicar, mas mesmo assim achou melhor ter a desculpa preparada porque acreditava que aquilo o deixaria com um ar despreocupado.

Só queria saber qual era a casa dela. Já tinha passado duas vezes de bicicleta, em fins de semana, pela rua de casas geminadas, sempre com os nervos tensos. Até agora, porém, não havia conseguido descobrir qual daquelas construções idênticas abrigava o Graal. Tudo que sabia, graças a uns olhares furtivos pelas janelas sujas do ônibus escolar, era que a garota morava do lado direito, numa das casas de número par.

Quando chegou à esquina, tratou de assumir um ar bem descontraído, fazendo de conta que estava pedalando tranquilamente em direção ao rio pelo caminho mais curto, mergulhado nos próprios pensamentos, mas não tão distraído a ponto de não reconhecer uma colega de escola caso se encontrassem...

E ali estava Gaia. Parada na calçada. As pernas de Andrew continuaram pedalando, mas ele já não sentia os pedais e, de repente, teve plena consciência de estar se equilibrando numas rodas bem finas. Ela remexia na bolsa de couro, com o cabelo castanho-acobreado lhe caindo no rosto. A casa cuja porta estava entreaberta por trás dela tinha o número dez. Uma camiseta preta curtinha, um pedaço de pele aparecendo, um cinto largo e um jeans bem justo... Quando ele já tinha quase ultrapassado a casa, Gaia fechou a porta e se virou. O cabelo voltou a descobrir o seu rosto lindo e ela disse, bem nitidamente, com aquele seu sotaque londrino: "Ah, oi!"

— Oi — respondeu Andrew. E as suas pernas continuaram a pedalar. Seis metros, doze metros. Por que não parou? A surpresa o manteve em movimento, e ele nem sequer ousou olhar para trás. Já estava no final da rua. *Só não vai cair, porra!* Dobrou a esquina, atordoado demais para avaliar se o que sentia por tê-la deixado para trás era mais alívio ou desapontamento.

Puta merda!

Seguiu pedalando pelo trecho arborizado que ficava aos pés da colina Pargetter, ponto em que o rio reluzia de forma intermitente por entre as árvores, mas tudo que conseguia ver era a imagem de Gaia gravada nas suas retinas como um neon. A estradinha se transformou numa trilha de terra batida, e o ventinho que vinha do rio acariciou o seu rosto, que, achava ele, não havia ficado vermelho, já que tudo aconteceu depressa demais.

— Puta que pariu! — exclamou ele em voz alta, dirigindo-se ao ar fresco e à trilha deserta.

Empolgado, ficou revolvendo aquele tesouro magnífico e inesperado: o corpo perfeito, revelado pela camiseta e pelo jeans justos; atrás dela, o número dez numa porta azul com a tinta descascando, e aquele "Ah, oi" dito de um jeito tão natural, tão espontâneo... O que significava que a sua fisionomia estava definitivamente gravada em algum canto da mente que vivia por trás daquele rosto deslumbrante!

A bicicleta começou a sacolejar no caminho que agora era mais irregular e pedregoso. Extasiado, Andrew só desmontou quando sentiu que estava começando a perder o equilíbrio. Saiu empurrando a bicicleta por entre as árvores até chegar à margem estreita do rio, onde a largou no chão, em meio às anêmonas-do-bosque que tinham se aberto como estrelinhas brancas desde a última vez que estivera ali.

Quando o pai resolveu lhe emprestar a bicicleta, disse:

— Não se esqueça de botar a corrente se for entrar em alguma loja. Estou lhe avisando: se ela for roubada...

Mas a corrente não era grande o bastante para contornar o tronco daquelas árvores, e, de qualquer forma, quanto mais longe Andrew ficava do pai, menos medo tinha dele. Ainda pensando naqueles centímetros de barriga à mostra e no lindíssimo rosto de Gaia, foi andando até o ponto em que a margem do rio se encontrava com a encosta erodida da colina que se projetava como um penhasco rochoso, caindo a pique sobre a água esverdeada que corria ali embaixo.

Um restinho estreito e escorregadio da margem do rio contornava o sopé da elevação. A única maneira de atravessá-lo, se os seus pés eram agora duas vezes maiores que da primeira vez que fez aquele percurso, era ficar de lado, com o corpo colado à pedra escarpada, e ir se agarrando a raízes e a qualquer ressalto da rocha, por menor que fosse.

Conhecia muito bem aquele cheiro de musgo que vinha do rio e da terra úmida do solo, como também conhecia a sensação daquela nesga de terra e mato sob os seus pés, e as fendas e pedras que procurava com as mãos na escarpa da colina. Bola e ele haviam encontrado o esconderijo secreto quando tinham onze anos. Sabiam perfeitamente que o que estavam fazendo era proibido e perigoso, pois já haviam sido alertados com relação ao rio. Apavorados, mas decididos a não confessar isso um ao outro, os dois meninos entraram por aquela passagem traiçoeira, agarrando-se a qualquer saliência que encontrassem no paredão de pedra e depois, quando chegaram à parte mais estreita, segurando firme na camiseta do companheiro.

Embora a sua atenção estivesse longe dali, anos e anos de prática permitiram que Andrew fosse se esgueirando junto à sólida muralha de terra e rocha, com a água correndo a centímetros dos seus tênis. Depois, baixando a cabeça e com um movimento ágil, penetrou pela fenda que haviam descoberto na colina tantos anos atrás. Na ocasião, aquilo lhes pareceu uma recompensa divina pela ousadia que haviam demonstrado. Agora, já não conseguia ficar de pé ali dentro, mas o lugar, pouco maior que uma barraca de acampamento para duas pessoas, era grande o bastante para que dois adolescentes ficassem deitados, um ao lado do outro, com o rio correndo lá fora e as árvores recortando o pedacinho de céu que dava para ver pela abertura triangular da gruta.

Quando estiveram naquele local pela primeira vez, cavaram a parede dos fundos com uns gravetos, mas não encontraram nenhuma passagem secreta que levasse à abadia que ficava lá no alto. Contentaram-se, porém, com o fato de só eles terem descoberto aquele esconderijo e juraram que tal descoberta seria o seu segredo para o resto da vida. Andrew tinha uma vaga lembrança de os dois terem feito um juramento solene, cuspindo e dizendo palavrões. Logo que encontraram aquela pequena gruta, batizaram-na de Caverna, mas, de uns tempos para cá, tinham passado a chamá-la de Pombal.

O esconderijo tinha cheiro de terra, embora o teto inclinado fosse pura pedra. Uma linha verde-escura mostrava que a água havia invadido aquela espécie de gruta em algum momento, cobrindo-a praticamente toda. O chão estava repleto de guimbas e filtros dos cigarros que os dois tinham fumado ali dentro. Andrew se sentou, com as pernas penduradas sobre a água esverdeada que corria mais abaixo. Tirou do bolso do casaco os cigarros e o isqueiro que tinha comprado com o último dinheiro que ganhou de aniversário, já que, agora, a sua mesada havia sido cortada. Acendeu um cigarro, deu uma profunda tragada e se pôs a reviver o glorioso encontro com Gaia Bawden com o máximo de detalhes que conseguiu: cintura estreita e quadris curvilíneos; pele clara aparecendo entre couro e camiseta; boca grande, de lábios carnudos; "Ah, oi". Foi a primeira vez que a viu sem o uniforme da escola. Onde estaria indo assim, sozinha, com aquela bolsa de couro? O que teria para fazer em Pagford numa manhã de sábado? Talvez fosse pegar o ônibus para Yarvil. O que será que Gaia aprontava quando ele não podia vê-la? Que mistérios femininos a absorviam?

Andrew se perguntou então pela enésima vez se era possível que carne e ossos dispostos daquele jeito abrigassem uma personalidade banal. Nunca tinha pensado nisso antes: a ideia de um corpo e uma alma como entidades separadas jamais tinha lhe passado pela cabeça até ele dar com os olhos em Gaia. Mesmo quando tentava imaginar como seriam os seus seios e como seria passar a mão neles — a partir do que pudera perceber através de uma blusa de uniforme ligeiramente translúcida, quando tudo que via era um sutiã branco —, o garoto não podia acreditar que a atração que ela exercia sobre ele fosse exclusivamente física. Gaia tinha um jeito de andar que mexia com ele tanto quanto música, a coisa que o tocava mais que tudo no mundo. Com toda a certeza, o espírito que animava aquele corpo incomparável só podia ser também algo fora do comum. Por que a natureza faria um frasco como aquele se não fosse para lhe dar um conteúdo ainda mais precioso?

Andrew sabia como era uma mulher nua, pois os pais de Bola não controlavam o computador que ficava no quarto do filho. Juntos, os dois já tinham navegado por todos os sites pornô gratuitos que conseguiram encontrar: vulvas depiladas, lábios rosados bem afastados para mostrar aberturas escuras e profundas, bundas arreganhadas revelando o buraquinho do ânus, bocas pintadíssimas, sêmen escorrendo. A sua excitação era sempre escorada pela certeza assustadora de que só daria para saber que a sra. Wall estava se aproximando quando ela chegasse naquela parte da escada que rangia. Às vezes, encontravam umas coisas tão esquisitas que caíam na gargalhada, muito embora o garoto não soubesse dizer exatamente se aquilo o deixava mais excitado ou mais enojado (chicotes e selas, arreios, cordas, mangueiras. Viram até, e, dessa vez, nem Bola conseguiu rir, uns apetrechos metálicos fotografados bem de perto, agulhas espetadas na carne macia, rostos de mulheres apavoradas, gritando).

Bola e ele tinham se tornado especialistas em peitos siliconados, aquelas coisas enormes, firmes e bem redondas.

— Plástica — dizia um deles, com ar impassível, diante do monitor, com a porta do quarto trancada para barrar a entrada dos pais de Bola. Na tela, a loura de braços erguidos estava sentada a cavalo num homem peludo, com os seios de mamilos escuros saltando do peito estreito como duas bolas de boliche. Debaixo de cada um deles, umas linhas finas e rosadas mostravam o lugar onde o silicone havia sido implantado. Olhando para aqueles seios, dava quase para saber como seriam ao toque da mão: firmes, como se houvesse uma bola de futebol por baixo da pele. Andrew não podia imaginar nada mais erótico que seios naturais: macios, levemente porosos, talvez um tanto maleáveis, e os mamilos (essa era a sua expectativa) contrastando nitidamente com o resto.

E, à noite, todas aquelas imagens se misturavam às possibilidades oferecidas pelas garotas reais, garotas humanas, e o pouco que dava para perceber por baixo da roupa quando se conseguia chegar perto o bastante. Niamh era a menos bonita das gêmeas Fairbrother, mas foi quem se mostrou mais disponível naquele auditório abafado durante a tal festa de Natal. Meio escondidos pela velha cortina do palco, os dois ficaram se agarrando, e Andrew conseguiu enfiar a língua na boca da garota. As suas mãos chegaram até a tira do sutiã e só não foram adiante porque ela ficou o tempo todo tentando impedi-lo de fazer o que pretendia. O que mais o estimulou foi saber que, em algum lugar ali por perto, no escuro, Bola estava indo mais longe. E, agora, o seu cérebro pulsava e transbordava com a imagem de Gaia. Ela não era só a garota mais sexy que jamais tinha visto, mas também provocava nele um outro desejo inteiramente inexplicável. Certas modulações num acorde, certos ritmos o faziam estremecer bem lá no fundo, e alguma coisa em Gaia Bawden provocava a mesma sensação.

Acendeu um cigarro no outro e jogou a guimba na água. Ouviu então o ruído tão conhecido de passos arrastados. Debruçou-se e viu Bola, ainda com o terno do enterro, colado ao paredão de pedra, agarrando-se aqui e ali para percorrer a estreita faixa de terra que levava à gruta onde Andrew estava.

— Oi, Bola.

— Oi, Arf.

O garoto encolheu as pernas para que o amigo pudesse entrar no Pombal.

— Puta que pariu! — exclamou Bola, assim que passou pela fresta na rocha. Estava parecendo até uma aranha esquisita, com aquelas pernas e aqueles braços compridos, e ainda mais magro no terno preto.

Andrew lhe deu um cigarro. Bola sempre acendia os cigarros como se estivesse ventando muito, com uma das mãos em concha para proteger a chama e o rosto ligeiramente franzido. Deu uma tragada, soltou um anel de fumaça para fora da pequena gruta e afrouxou a gravata cinza-escuro que trazia no pescoço. Parecia mais velho e até mesmo menos bobo com aquele terno cheio de terra nos joelhos e nos punhos, marcas do trajeto até o esconderijo.

— Quem visse ia achar que eles tinham um caso *mesmo* — disse o garoto, depois de dar mais uma profunda tragada no cigarro.

— Pombinho estava muito arrasado, é?

— Arrasado é pouco! Ele estava tendo uma crise histérica. Soluçava feito sei lá o quê. Pior que a porra da viúva.

Andrew riu. Bola soltou mais um anel de fumaça e ficou mexendo numa das orelhas enormes.

— Caí fora mais cedo. Ainda nem tinham enterrado ele.

Continuaram a fumar em silêncio, olhando para o rio lamacento. Nesse meio-tempo, Andrew ficou pensando nas palavras do amigo, "Caí fora mais cedo": quanta autonomia Bola parecia ter, em comparação com ele mesmo... Simon e a sua fúria formavam uma barreira entre Andrew e uma boa dose de liberdade. Lá em Hilltop House, acontecia de alguém ficar de castigo só porque estava em determinado lugar em determinada ocasião. Uma vez, a imaginação do garoto foi atraída por um estranho tópico da aula de filosofia e religião em que se discutiram os deuses primitivos, com toda a sua ira e violência arbitrárias, e as tentativas das civilizações daqueles tempos no sentido de aplacá-las. Andrew pensou então na natureza da justiça tal como ele a conhecia: o pai como um deus pagão, e a mãe como a alta sacerdotisa do culto, tentando interpretar e interceder, geralmente em vão, mas, mesmo assim, e apesar de todas as evidências, insistindo em afirmar que havia uma magnanimidade e uma sensatez por trás das atitudes da sua deidade.

Bola apoiou a cabeça na parede de pedra do Pombal e ficou soprando uns anéis de fumaça para o teto. Estava pensando no que queria dizer a Andrew. Passou todo o serviço fúnebre, enquanto o pai soluçava com o rosto enfiado no lenço, ensaiando mentalmente um jeito de começar. Estava tão empolgado com a perspectiva de contar que mal conseguia se conter, mas tinha decidido que não ia falar assim de repente. Para ele, contar era quase tão importante quanto fazer. Não queria que Andrew achasse que ele tinha vindo até ali só para lhe dizer aquilo.

— Sabe como era o Fairbrother lá no Conselho? — perguntou Andrew.

— Sei — respondeu Bola, adorando que o amigo tivesse puxado conversa.

— Docinho de Coco está dizendo que vai se candidatar!

— Vai mesmo? — exclamou Bola, franzindo as sobrancelhas. — Que diabo deu nele?

— Ele acha que Fairbrother estava levando propina de um fornecedor qualquer — respondeu Andrew, que tinha ouvido uma conversa entre os pais na cozinha naquela mesma manhã. E aquilo explicava tudo. — Está querendo entrar na jogada também.

— Mas não era Barry Fairbrother — disse Bola, rindo e batendo a cinza do cigarro no chão. — E não aconteceu no Conselho Distrital. Foi um cara chamado sei lá o quê Frierly, lá em Yarvil. Ele era do Conselho de Administração da Winterdown. Pombinho teve um ataque. Os jornalistas começaram a ligar pedindo que ele falasse sobre o assunto e todas essas coisas. O tal do Frierly se ferrou. Docinho de Coco não lê a *Gazeta*?

Andrew ficou olhando fixo para o amigo.

— É a cara dele!

Apagou o cigarro no chão de terra, envergonhado com a burrice do pai. Mais uma vez ele tinha entendido tudo errado. Desprezava a comunidade local, não dava a mínima para as questões do vilarejo e tinha o maior orgulho do isolamento em que viviam naquela casinha vagabunda lá no alto da colina. De repente, ouve uma coisa qualquer que não tem nada a ver e, por conta disso, decide expor a família inteira ao ridículo.

— Safado esse tal de Docinho de Coco, hein? — disse Bola.

Era assim que Ruth chamava o marido. Uma vez, quando ficou para lanchar na casa deles, Bola ouviu a mãe do amigo usar esse apelido e, desde então, nunca mais se referiu a Simon de outra forma.

— Se é... — respondeu Andrew, pensando se conseguiria dissuadir o pai de se candidatar contando-lhe que ele estava pensando no homem errado e no Conselho errado.

— Que coincidência... Pombinho também vai se candidatar — prosseguiu Bola, soltando a fumaça pelo nariz e olhando a parede da gruta além da cabeça de Andrew. — Será que os eleitores vão votar no babaca um — acrescentou — ou no babaca dois?

Andrew riu. Poucas coisas lhe pareciam mais engraçadas que ouvir o próprio pai ser chamado de babaca por Bola.

— Agora, saca só isso aqui — prosseguiu o garoto, deixando o cigarro preso entre os lábios e dando uns tapinhas nos bolsos da calça, embora soubesse perfeitamente que o envelope estava no bolso interno do paletó.

— Pronto! — exclamou, pegando o tal envelope e abrindo-o para que o amigo visse o que ele continha: umas bolinhas marrons do tamanho de pimenta em grãos misturadas com folhas e raminhos secos. — É o que chamam de sensimilla.

— O que é isso?

— Partes da planta que é nossa velha conhecida: a maconha — respondeu Bola —, especialmente preparada para o seu prazer de fumar.

— E qual é a diferença entre esse troço aí e a maconha normal? — perguntou Andrew, que já tinha dividido alguns baseados com o amigo ali mesmo no Pombal.

— Só um fumo diferente, né? — replicou Bola, apagando o cigarro. Tirou do bolso uma caixinha de Rizla, pegou três daquelas folhas de papel fininhas e começou a enrolá-las.

— Arranjou isso com Kirby? — indagou Andrew, remexendo no envelope e cheirando o seu conteúdo.

Todo mundo sabia que Skye Kirby era avião. Estava um ano acima deles na escola. O seu avô era um velho hippie que tinha sido detido várias vezes por manter a sua própria plantação.

— Foi. Sabe de uma coisa? — disse Bola, abrindo uns cigarros e despejando o tabaco nas folhinhas de papel. — Lá em Fields tem um cara chamado Obbo. Ele consegue qualquer coisa. Até a porra da heroína, se a gente quiser.

— Mas a gente não quer, né? — indagou Andrew, observando o rosto do amigo.

— Claro que não — respondeu o outro, pegando o envelope e pondo a sensimilla em cima do tabaco. Enrolou tudo junto, lambeu a borda do papel para colá-la, enfiou o filtro numa das extremidades e torceu a outra para formar um bico. — Perfeito! — exclamou, todo contente.

Tinha planejado contar a novidade depois de apresentar a sensimilla, como uma espécie de preliminar. Estendeu a mão pedindo o isqueiro, pôs a ponta com o filtro na boca e acendeu o baseado. Deu então uma tragada profunda, contemplativa, soprou um jato azulado de fumaça e repetiu a operação.

— Hmmm — murmurou. Prendendo a fumaça nos pulmões e imitando Pombinho, que tinha ganhado de presente da mulher no Natal um curso de vinhos, disse: — Herbáceo. Retrogosto persistente. Notas sutis de... Cacete!

Sentiu a cabeça rodar, embora estivesse sentado.

— Experimenta só isso, cara! — exclamou, soltando a fumaça e rindo.

Andrew se debruçou sobre o amigo, rindo também, não só pela expectativa, mas principalmente por causa do sorriso beatífico que via no rosto de Bola e que não combinava absolutamente com a sua cara emburrada habitual.

Deu uma tragada e sentiu o poder da droga se irradiar, a partir dos seus pulmões, relaxando-o, deixando-o mais solto. Uma segunda tragada, e Andrew achou que parecia até que a sua mente havia sido sacudida como uma colcha e, depois, voltava a se assentar sem dobras, tudo ficando macio, simples, fácil e gostoso.

— Cacete — disse, então, fazendo eco a Bola e sorrindo ao ouvir o som da própria voz. Devolveu o baseado ao amigo, que o esperava com os dedos a postos e ficou saboreando aquela sensação de bem-estar.

— E então? Tá a fim de ouvir uma coisa interessante? — perguntou Bola, sem conseguir conter o riso.

— Pode falar.

— Trepei com ela ontem à noite.

Andrew quase perguntou "Com quem?", mas o seu cérebro atordoado acabou se lembrando: Krystal Weedon, é claro. Quem mais poderia ser?

— Onde? — perguntou bestamente. Não era isso que estava querendo saber.

Com o terno do enterro, Bola se deitou de costas, com os pés voltados para o rio. Sem dizer uma palavra, Andrew se deitou ao seu lado, no sentido contrário. Era o que faziam em criança, quando ficavam para dormir na casa um do outro. O garoto ficou só olhando para o teto de pedra, onde a fumaça azulada tinha ficado retida, rodopiando bem devagar, e esperou para ouvir a história toda.

— Eu disse para Pombinho e Tessa que tinha ido para a sua casa. Portanto... — principiou Bola. Passou o baseado para o amigo, juntou as mãos compridas sobre o peito e ficou se ouvindo contar. — Aí, peguei o ônibus e fui para Fields. A gente se encontrou na porta do Oddbins.

— Perto do Tesco? — indagou Andrew, que não sabia por que estava fazendo aquelas perguntas idiotas.

— Isso! — respondeu Bola. — Fomos para o parquinho. Tem umas árvores num dos cantos, atrás dos banheiros públicos. É legal e bem escondido. Já estava escurecendo.

Bola se remexeu, e Andrew lhe passou de novo o baseado.

— Meter lá dentro é mais difícil do que eu imaginava — disse o garoto. Andrew estava fascinado, com vontade de rir, mas também com medo de perder qualquer detalhe que o amigo pudesse lhe fornecer. — Ela tava mais molhada enquanto eu só tava enfiando os dedos.

Uma risada subiu pelo peito de Andrew como um arroto, mas morreu ali mesmo.

— Tem que fazer muita força para conseguir entrar direito. É mais apertado do que eu imaginava.

Andrew viu um jato de fumaça subindo do lugar onde devia estar a cabeça do amigo.

— Gozei em dez segundos. É bom paca quando a gente tá lá dentro...

Andrew conteve uma gargalhada, afinal, podia ter mais coisa...

— Usei camisinha. Deve ser melhor sem.

Devolveu o baseado à mão de Andrew. O garoto deu uma tragada, pensativo. Mais difícil de entrar do que ele imaginava, e acabou em dez segundos. Não parece muito tempo. Mesmo assim, o que ele não daria para fazer isso também? Imaginou Gaia Bawden deitada de barriga para cima, todinha para ele, e, sem querer, soltou um ligeiro grunhido que Bola pareceu não ouvir. Perdido numa onda de imagens eróticas, fumando o baseado, Andrew ficou deitado naquele pedacinho de chão que o seu corpo havia esquentado, de pau duro, ouvindo o barulhinho da água a poucos metros da sua cabeça.

— Que que conta na vida, Arf? — perguntou Bola, depois de um longo silêncio sonhador.

Com a cabeça nadando de um jeito gostoso, Andrew respondeu:

— Sexo.

— É isso aí — disse o outro, encantado. — Foder. É isso que importa. *Propo... Propogar* a espécie. Abaixo as camisinhas. Crescer e multiplicar.

— Isso mesmo — replicou Andrew, rindo.

— E morrer — acrescentou Bola. Ele tinha ficado impressionado com a realidade daquele caixão e com a pouca quantidade de material que separava todos os abutres em alerta do efetivo cadáver. Não lamentava mesmo ter saído antes que o tal caixão desaparecesse no chão. — Não tem outro jeito, né? Morrer.

— É — disse Andrew, pensando em guerras e acidentes de automóvel, e em morrer sob as luzes da velocidade e da glória.

— É — repetiu Bola. — Foder e morrer. É isso aí, né? Foder e morrer. É a vida!

— Tentar foder e tentar não morrer.

— Ou tentar morrer — replicou Bola. — Para algumas pessoas é assim. Correndo riscos.

— Verdade. Correndo riscos.

Houve um novo silêncio. O esconderijo estava frio e enevoado.

— E música — disse Andrew, baixinho, olhando a fumaça azulada que flutuava na rocha escura.

— É — concordou Bola, com uma voz distante. — E música.

E o rio continuou correndo além do Pombal.

Parte Dois

Comentário fundamentado

7.33 Em questões de interesse público, um comentário fundamentado não é passível de ação judicial.

Charles Arnold-Baker
Administração dos Conselhos Locais
7ª edição

I

Choveu na sepultura de Barry Fairbrother. A tinta dos cartões ficou toda borrada. A cabeça robusta do girassol de Siobhan conseguiu desafiar as gotas persistentes, mas os lírios e as frésias de Mary sucumbiram e se desmancharam. O remo de crisântemos escureceu ao murchar. A chuva fez o rio encher, criou verdadeiros riachos nas sarjetas e transformou as estradas íngremes que levam a Pagford em pistas escorregadias e traiçoeiras. As janelas do ônibus escolar embaçaram totalmente. As floreiras pendentes lá da praça ficaram encharcadas. E Samantha Mollison, com os limpadores de para-brisa funcionando a todo vapor, bateu com o carro quando voltava do trabalho na cidade, mas foi um acidente de pequenas proporções.

Um exemplar da *Gazeta de Yarvil e Adjacências* ficou entalado na porta da casa da sra. Catherine Weedon, na Hope Street, por três dias e acabou encharcado e ilegível. Finalmente, a assistente social Kay Bawden conseguiu tirá-lo da fenda para correspondência, espiou pela portinhola enferrujada e viu uma senhora idosa caída no chão ao pé da escada. Um guarda ajudou a arrombar a porta, e a sra. Weedon foi levada de ambulância para o Hospital South West.

E não parava de chover, o que obrigou o pintor que havia sido contratado para refazer o letreiro da antiga sapataria — com a chaleira de cobre que daria nome ao café — a adiar o trabalho. A chuva caiu por dias e noites a fio. A praça ficou repleta de gente encurvada usando capas, e os guarda-chuvas se esbarravam nas calçadas estreitas.

Howard Mollison achava aquele tamborilar na janela escura bem relaxante. Sentado no escritório que fora um dia o quarto da filha Patricia, leu o e-mail que acabava de receber do jornal local. Eles tinham decidido publicar o artigo em que o conselheiro Fairbrother defendia que Fields continuasse pertencendo a Pagford. No entanto, em nome da imparcialidade, gostariam que outro conselheiro defendesse o ponto de vista contrário no número seguinte.

Viu, Fairbrother? O tiro saiu pela culatra, pensou Howard, satisfeito da vida. *Você estava crente que ia conseguir fazer as coisas do seu jeito...*

Fechou a mensagem e se voltou para a pequena pilha de papel que estava ao seu lado. Eram cartas que começavam a chegar, pedindo a realização de uma eleição para o preenchimento da vaga de Barry. A legislação determinava que eram necessárias nove dessas solicitações para justificar o voto popular, e ele tinha recebido dez. Voltou a lê-las enquanto as vozes da sua mulher e da sua sócia se erguiam e baixavam lá na cozinha, desfiando os detalhes do escândalo da queda da velha sra. Weedon, só descoberta bem mais tarde.

— ...não troca de médico assim sem motivo, não é mesmo? Aos brados, Karen disse...

— ...dizendo que tinham lhe dado remédio errado, é, eu sei — interrompeu Shirley, que achava que detinha o monopólio em termos de especulação médica, já que trabalhava como voluntária no hospital. — Vão fazer exames lá no South West, espero eu.

— Se eu fosse a dra. Jawanda, estaria preocupadíssima.

— Ela deve ter esperanças que os Weedon sejam ignorantes demais para pensar em processo, mas isso não vai ser problema se o South West descobrir que houve mesmo erro na medicação.

— Ela vai perder o registro — disse Maureen, deliciada.

— Com certeza — retrucou Shirley. — E não duvido nada que muita gente ache que não era sem tempo. *Que ela já vai tarde*.

Metodicamente, Howard separou as cartas em pilhas. Os formulários da candidatura de Miles, devidamente preenchidos, ficaram de um lado. As outras comunicações eram de colegas conselheiros. Ali, não havia nada que pudesse surpreender: assim que Parminder lhe enviou um e-mail dizendo que conhecia alguém interessado em se candidatar para a vaga de Barry, imaginou que aqueles seis se aliariam à médica, pedindo a realização de eleições. Além da própria Aluga-Ouvido, estavam os outros integrantes do que Howard chamava A Facção Rebelde, cujo líder desaparecera recentemente. Nesta pilha, ele pôs os formulários preenchidos por Colin Wall, o candidato escolhido por esse grupo.

Numa terceira pilha, ele pôs mais quatro cartas que, como as anteriores, eram algo que se podia esperar, pois Howard os conhecia bem: os reclamões profissionais de Pagford, gente eternamente insatisfeita e desconfiada, todos eles prolíficos correspondentes da *Gazeta de Yarvil* e

Adjacências. Cada uma dessas pessoas tinha lá o seu interesse obsessivo por alguma questão esotérica e se julgava "independente" em termos de opinião. Provavelmente, seriam os primeiros a acusá-lo de "nepotismo" se Miles fosse indicado, mas, por outro lado, incluíam-se nesse grupo alguns dos mais ferrenhos anti-Fields do vilarejo.

Pegou então as duas últimas cartas, uma em cada mão, e se pôs a avaliá-las. Uma delas era de uma mulher que ele jamais tinha visto e que dizia (Howard nunca se fiava em nada) trabalhar na Clínica de Reabilitação Bellchapel (mas nada na carta indicava se a mulher era casada ou não, e isso fazia com que ele tendesse a acreditar nela). Depois de alguma hesitação, Howard pôs a carta junto com a candidatura de Pombinho Wall.

A última, que não trazia assinatura e havia sido escrita no computador, pedia a realização de eleições em termos nada moderados. Parecia ter sido feita às pressas, sem maiores cuidados, e estava repleta de erros de digitação, como no trecho que exaltava as virtudes de Barry Fairbrother e citava especificamente Miles como a pessoa menos indicada para ocupar "o *sue* lugar". Será que o seu filho teria algum cliente insatisfeito que pudesse vir a lhes criar problemas?, perguntou-se Howard. Não custava nada estar preparado para eventualidades como essa... No entanto, o presidente do Conselho não acreditava que essa carta, por ser anônima, fosse considerada voto válido para a realização de uma eleição, e, por isso, ela foi parar na pequena fragmentadora de papéis que Shirley tinha lhe dado de presente no Natal.

II

Edward Collins & Cia., o escritório de advocacia de Pagford, ocupava o andar de cima de uma casa de tijolos que tinha uma ótica no térreo. Edward Collins já havia falecido, e a firma contava agora com dois advogados: Gavin Hughes, o sócio assalariado cujo escritório tinha uma janela, e Miles Mollison, o sócio proprietário cujo escritório tinha duas janelas. Ambos dividiam a mesma secretária, uma moça de vinte e oito anos, solteira, meio sem graça, mas com boa aparência. Shona ria demais com as piadas de Miles e tratava Gavin com uma condescendência que chegava a ser quase ofensiva.

Na sexta-feira depois do funeral de Barry Fairbrother, Miles bateu à porta da sala de Gavin à uma da tarde e entrou sem esperar resposta. Encontrou o sócio observando o céu cinzento através da vidraça molhada pela chuva.

— Vou dar uma saidinha para almoçar — disse Miles. — Se Lucy Bevan chegar antes de mim, diga-lhe que estou de volta às duas, pode ser? Shona saiu.

— Claro. Digo, sim — respondeu Gavin.

— Está tudo bem?

— Mary telefonou. Parece que tem um probleminha com o seguro de vida de Barry. Ela me pediu para ajudar a resolver.

— Ah, sei. Mas você pode ver isso sozinho, não pode? De qualquer jeito, às duas horas estou aqui.

Miles enfiou o sobretudo, desceu correndo a escada e, a passos rápidos, pegou a ruazinha varrida pela chuva, que ia dar na praça do vilarejo. Uma brecha momentânea na camada de nuvens deixou que o sol fosse bater no reluzente memorial e nas floreiras penduradas. Ele se sentiu tomado por um orgulho atávico ao atravessar a praça rumo à Mollison & Lowe, aquela instituição local, aquela lojinha tão refinada... Um orgulho que a familiaridade jamais desgastara, pelo contrário, só vinha tornando ainda mais forte e mais profundo.

A sineta tocou quando Miles empurrou a porta. Na loja, havia um certo movimento por causa da hora do almoço: uma fila de oito pessoas esperava diante do balcão, e Howard, nos seus trajes mercantis, com as moscas de pescaria reluzindo no chapéu Sherlock Holmes, falava sem parar.

— ...e duzentos e cinquenta gramas de azeitonas pretas para *você*, Rosemary. É só por hoje? É só para Rosemary... Seriam oito libras e sessenta e dois pence, mas, para você, querida, vou fazer por oito, em honra da nossa longa e frutífera associação...

Risinhos e agradecimentos. O barulho da gaveta da caixa registradora se abrindo e se fechando.

— E aí está o meu advogado. Veio me inspecionar... — disse ele, com a sua voz de trovão, piscando e rindo para Miles do seu lugar atrás do balcão. — Se quiser me esperar lá nos fundos da loja, doutor, vou tentar não dizer à sra. Howson nada que possa me incriminar...

Miles sorriu para aquelas senhoras de meia-idade que o olhavam encantadas. Alto, com o cabelo cacheado que começava a ficar grisalho, grandes olhos azuis e a barriga disfarçada pelo sobretudo, ele era um acréscimo bastante atraente aos biscoitos caseiros e aos queijos da região. Com cuidado, atravessou a loja, passando entre as mesinhas que continham pilhas de guloseimas, e se deteve na abertura entre a delicatéssen e a velha sapataria. Pela primeira vez, o arco estava sem a proteção da cortina de plástico. Maureen (Miles reconheceu a sua letra) tinha posto um cartaz numa bandeja de sanduíches bem no meio da passagem. *Não entre. Em breve: o café Copper Kettle*. O rapaz deu uma espiada para aquele espaço vazio que, em breve, abrigaria o melhor e mais novo café de Pagford. Tudo ali tinha sido revestido e pintado, e o assoalho escuro acabava de ser envernizado.

Contornou o canto do balcão quase esbarrando em Maureen, que estava usando o cortador de frios, o que a fez soltar uma risada brusca e vulgar, e passou pela porta que levava à salinha dos fundos. Havia ali uma mesa de fórmica, sobre a qual se via o *Daily Mail* de Maureen, dobrado, os casacos dos dois sócios pendurados num cabideiro e a porta do banheiro, de onde vinha um cheiro artificial de lavanda. Miles pendurou o sobretudo e puxou uma velha cadeira para junto da mesa.

Um ou dois minutos depois, Howard apareceu trazendo duas travessas cheias de produtos da delicatéssen.

— Quer dizer que já está decidido que o nome vai ser "Copper Kettle"? — indagou Miles.

— Bom, Mo gosta desse nome — respondeu Howard, pondo uma das travessas diante do filho.

Saiu novamente, voltou trazendo duas garrafas de cerveja e fechou a porta com o pé, deixando a salinha sem janelas mergulhada numa penumbra só amenizada pela luz fraca do lustre. Howard se sentou com um grunhido profundo. Tinha adotado um tom de conspiração quando telefonou lá pelo meio da manhã, e deixou o filho esperando ainda mais alguns minutos enquanto tirava a tampa de uma das garrafas.

— Wall já mandou seus formulários — disse ele, enfim, passando a cerveja a Miles.

— Ah, é?

— Vou estabelecer um prazo. Duas semanas, a contar de hoje, para os candidatos se apresentarem.

— Bem razoável.

— Pelo que diz a sua mãe, o tal do Price continua interessado. Já perguntou a Sam se ela sabe quem é o sujeito?

— Não — respondeu Miles.

Howard coçou uma das pregas da barriga que tinha ficado bem perto dos seus joelhos quando ele se sentou na cadeira que rangia.

— Está tudo bem com vocês dois?

Como sempre, Miles ficou espantado com a intuição quase paranormal do pai.

— Não muito.

Não teria confessado isso para a mãe, pois vivia tentando não fomentar a constante guerra fria entre ela e Samantha, uma guerra em que ele próprio era, a um só tempo, refém e troféu.

— Ela não gosta da ideia de eu me candidatar — disse ele, cauteloso. Howard ergueu as fartas sobrancelhas, com a papada balançando ao movimento da mastigação. — Não posso imaginar que diabo deu nela. Anda numa daquelas fases anti-Pagford.

Howard engoliu sem pressa. Limpou a boca com um guardanapo e arrotou.

— Vai mudar de opinião assim que você tiver sido eleito — retrucou ele. — Tem todo o lado social. Muita atividade para as esposas. Recepções na Sweetlove House... Ela vai fazer parte do grupo — acrescentou, tomando mais um gole de cerveja e coçando a barriga novamente.

— Não faço ideia de quem é esse tal de Price — disse Miles, voltando ao assunto principal. — Mas tenho uma vaga lembrança que tinha um filho dele na mesma turma de Lexie lá na St. Thomas.

— Mas ele nasceu em Fields: aí é que está! — observou Howard. — Alguém nascido em Fields que pode trabalhar a nosso favor. Os votos dos pró-Fields podem ser divididos entre ele e Wall.

— Verdade — replicou Miles. — Faz sentido...

Isso não tinha lhe passado pela cabeça. Ficava encantado com o jeito como a mente do pai funcionava.

— A sua mãe já ligou para a mulher dele e deu as instruções para ela baixar os formulários do site. Talvez seja bom ela telefonar de novo hoje à noite, avisando que o prazo é de duas semanas, tentando pressioná-lo.

— Então, são três candidatos? — indagou Miles. — Com Colin Wall.

— Não ouvi falar de ninguém mais. É possível que apareça mais alguém depois que os detalhes forem divulgados pelo site. Mas estou confiante nas nossas possibilidades. Estou mesmo. Aubrey ligou — acrescentou ele. Havia sempre um toque adicional de pompa na voz de Howard quando ele se referia a Aubrey Fawley pelo nome de batismo. — Não preciso nem dizer que ele apoia a sua candidatura. Volta hoje à noite. Está na cidade.

Em geral, quando um pagfordiano dizia "na cidade", estava se referindo a Yarvil. Howard e Shirley, porém, usavam a expressão, imitando Aubrey Fawley, para dizer "em Londres".

— Disse algo sobre nos encontrarmos para conversar. Talvez amanhã. Pode até nos convidar para ir à sua casa. Sam vai gostar da ideia.

Miles tinha acabado de morder um bom pedaço do pão irlandês com patê de fígado, mas mostrou que concordava com um enfático aceno de cabeça. Gostava da ideia de ser apoiado por Aubrey Fawley. Por mais que Samantha debochasse do fascínio dos seus pais pelo casal, já tinha percebido que, nas raras ocasiões em que a sua mulher esteve com um ou com outro dos Fawley, o seu jeito de falar se alterava sutilmente e ela assumia uma atitude mais recatada.

— Ah, tem mais uma coisa — disse Howard, mais uma vez coçando a barriga. — Hoje de manhã, recebi um e-mail da *Gazeta de Yarvil e Adjacências*, pedindo a minha opinião sobre Fields. Como presidente do Conselho Distrital.

— Não brinca! Pensei que Fairbrother tivesse conseguido nos passar a perna...

— O tiro saiu pela culatra, não é mesmo? — exclamou Howard, satisfeitíssimo. — Vão publicar o artigo dele e querem que alguém defenda a visão contrária na semana seguinte. Querem ter a outra versão da história. Você bem que poderia me ajudar, com o fraseado dos advogados e coisas do gênero.

— Claro — replicou Miles. — Podíamos falar daquela maldita clínica de reabilitação. Isso seria fundamental.

— Isso mesmo... Ótima ideia... Excelente.

De tão entusiasmado, Howard engoliu um bocado grande demais, e Miles teve de lhe dar uns tapas nas costas até ele desengasgar. Finalmente, enxugando com o guardanapo os olhos, que lacrimejavam, e ainda sem fôlego, ele disse:

— Aubrey está recomendando que o município, por sua vez, corte as verbas da clínica, e, quanto a mim, vou alegar que o contrato de locação já está expirando. Não faria mal nenhum defender essa questão na mídia. Quanto tempo e quanto dinheiro já foram destinados a esse maldito lugar, e a gente não vê nenhum retorno! Tenho todos os números — acrescentou ele, dando um arroto sonoro. — O mais completo absurdo! Desculpe...

III

Naquela noite, em casa, Gavin preparou o jantar para Kay, abrindo latas e esmagando alho com um sentimento de injustiça.

Depois de uma briga, é preciso dizer certas coisas para selar as pazes: essas são as regras, como todos sabem. Do carro, no trajeto de volta do enterro de Barry, Gavin ligou para Kay e disse que gostaria que ela tivesse ido com ele, que o dia tinha sido terrível e que seria bom vê-la à noite. Achou que admitir isso, com toda a humildade, equivalia mais ou menos ao preço que precisava pagar por uma noite com uma companhia que não exigisse demais dele.

Kay, porém, lhe deu a impressão de estar encarando os fatos mais como um adiantamento da renegociação de um contrato. *Você sentiu a minha falta. Desejou que eu estivesse ao seu lado quando ficou chateado. Lamentou não termos ido juntos ao enterro. Bom, então, vamos tratar de não repetir esse erro.* Daquele momento em diante, passou a haver uma certa condescendência na forma como ela o tratava, uma certa pressa, uma sensação de expectativa renovada.

Estava preparando um espaguete à bolonhesa. Recusou-se, deliberadamente, a comprar uma sobremesa ou já deixar a mesa posta: estava fazendo de tudo para lhe mostrar que não tinha caprichado muito... Aparentemente, Kay não deu pela coisa; parecia até interpretar essa atitude sem cerimônia como sendo um elogio. Sentou-se à pequena mesa, conversando com ele ao som da chuva que batia na claraboia, passando os olhos pelos utensílios da cozinha. Só tinha estado ali umas poucas vezes.

— Deve ter sido Lisa que escolheu esse amarelo, não foi?

Pronto! Lá estava ela fazendo aquilo de novo: rompendo tabus, como se eles tivessem acabado de atingir um nível mais profundo de intimidade. Gavin preferia não falar de Lisa, se não fosse absolutamente indispensável, e, a essa altura, Kay já devia ter aprendido isso. Jogou um pouco de orégano na carne picada que estava na frigideira e disse:

— Não. Foi o antigo proprietário. Ainda não deu para trocar nada.

— Ah, sei — disse a moça, tomando uns golinhos de vinho. — É bonitinho. Só um pouco sem graça.

Aquele palpite deixou Gavin irritado, já que, na sua opinião, tudo ali dentro do Smithy era superior a qualquer aspecto do número dez da Hope Street. Ficou olhando a massa na água fervente, de costas para ela.

— Ah, sabe de uma coisa? — principiou Kay. — Encontrei Samantha Mollison hoje à tarde.

Gavin se virou de imediato. De onde Kay conhecia Samantha Mollison?

— Lá na praça, bem na porta da delicatéssen. Eu estava indo comprar isso aqui — prosseguiu ela, batendo com a unha na garrafa de vinho ao seu lado. — Ela me perguntou se eu era *a namorada de Gavin*.

Disse aquilo com um ar meio divertido, mas, no fundo, ficou animada com as palavras de Samantha. Foi um alívio achar que era assim que Gavin se referia a ela falando com os amigos.

— E o que você respondeu?

— Respondi... que era.

O seu rosto estava agora tristonho. Gavin não pretendia fazer aquela pergunta num tom assim tão agressivo... Teria dado tudo para que Kay e Samantha nunca se encontrassem.

— Bom, mas pouco importa — acrescentou a moça, com uma ponta de mágoa na voz. — O que conta é que ela nos convidou para jantar na sexta-feira que vem. Daqui a uma semana.

— Ah, droga! — exclamou Gavin, irritadíssimo.

Boa parte da animação de Kay já havia se dissipado.

— Qual é o problema?

— Nada. Não é... nada — respondeu ele, cutucando o espaguete que fervia. — Para ser sincero, é que eu já passo o dia inteiro com Miles!

Era exatamente o que ele mais temia: que ela desse um jeito de ir se chegando e eles acabassem se tornando Gavin-e-Kay, com um círculo de amigos, pois, assim, ia ficar cada vez mais difícil eliminá-la da sua vida. Como foi deixar isso acontecer? Por que permitiu que ela viesse morar ali? A fúria que sentia contra si mesmo não tardou a se transformar em raiva contra Kay. Será que não dava para perceber que ele não estava tão a fim dela assim? Por que ela não caía fora por conta própria em vez de obrigá-lo a fazer o papel do canalha? Escorreu o espaguete na pia, xingando baixinho, e respingou água fervendo na roupa.

— Então é melhor você ligar para Miles e Samantha e dizer que não dá — disse Kay.

A voz dela tinha agora um tom duro. Seguindo o seu hábito tão profundamente arraigado, Gavin tratou de impedir a eclosão de um conflito que parecia iminente e deixar que o futuro se resolvesse por si só.

— Não, não — exclamou, secando a camisa com um pano de prato. — Vamos, sim. Tudo bem. Vamos jantar lá.

Mas com a sua evidente falta de entusiasmo tentou deixar bem claro algo que poderia vir a usar mais tarde: *Você sabia que eu não estava a fim de vir. Não gostei, não. Não pretendo repetir a dose.*

Passaram uns bons minutos comendo em silêncio. Gavin estava com medo que acontecesse outra briga e Kay o forçasse a discutir de novo as questões que até então haviam ficado implícitas. Começou a procurar alguma coisa para dizer e resolveu então falar da história de Mary Fairbrother com a companhia de seguros.

— Eles estão sendo uns grandessíssimos filhos da puta — disse. — Barry tinha feito um seguro alto, mas os advogados da companhia estão buscando um jeito de não pagar. Estão tentando alegar que ele sonegou informações.

— Como assim?

— Bom, um tio de Barry também morreu de aneurisma. Mary jura que Barry disse isso ao agente quando assinou a apólice, mas não existe nenhuma menção a esse fato na ficha dele. Vai ver que o sujeito não se deu conta que isso pode ser um problema genético. Não sei se Barry efetivamente...

A sua voz falhou. Horrorizado e constrangido, Gavin baixou o rosto vermelho e ficou olhando o próprio prato. Estava com um nó na garganta e não conseguia se livrar dele. Os pés da cadeira de Kay arrastaram no chão. O rapaz teve esperanças de que ela fosse ao banheiro, mas, de repente, sentiu os braços dela nos seus ombros, puxando-o para junto de si. Sem pensar, ele também passou um dos braços pelos ombros da moça.

Era tão bom ser abraçado... Se ao menos aquela relação pudesse se manifestar apenas por gestos de conforto simples e sem palavras... Por que os humanos tinham de aprender a falar?

Um pouco de catarro do seu nariz pingou nas costas da blusa de Kay.

— Desculpe — disse ele, com voz rouca, limpando aquilo com o guardanapo.

Afastou-se dela e assoou o nariz. Kay puxou a cadeira para o lado dele e pôs uma das mãos no seu braço. Gavin gostava muito mais dela assim, calada, e com o rosto brando e preocupado como agora.

— Não consigo... Ele era um bom sujeito — disse então. — Barry. Ele era um bom sujeito.

— Verdade. É o que todos dizem — observou Kay.

Gavin nunca deixou que ela conhecesse o famoso Barry Fairbrother, mas Kay estava intrigada com aquela cena de emoção do rapaz e com a pessoa que a provocara.

— Ele era divertido? — perguntou, porque podia imaginar Gavin fascinado por um sujeito engraçado; alguém que estivesse sempre à frente das farras, que enchesse a cara nos bares.

— Acho que era. Bem, não exatamente. Normal. Gostava de rir... Mas era simplesmente... um cara tão *bacana*... Gostava de gente, sabe?

Kay ficou esperando, mas Gavin não parecia capaz de lhe dar mais esclarecimentos sobre as qualidades de Barry.

— E os meninos... e Mary... Coitadinha... Meu Deus, você não pode imaginar...

Kay continuou a lhe dar uns tapinhas no braço, mas a sua solidariedade tinha se reduzido um pouco. *Não posso imaginar*, pensou ela, *o que significava ficar só? Não posso imaginar como é difícil ter que aguentar sozinha a responsabilidade de sustentar uma família? E de mim, Gavin não tinha pena?*

— Eles eram felizes, de verdade — acrescentou ele, com a voz embargada. — Ela está um caco.

Sem dizer nada, Kay lhe acariciou o braço, pensando que ela própria nunca tinha podido se dar ao luxo de ficar um caco.

— Estou bem — disse Gavin, limpando o nariz no guardanapo e pegando novamente o garfo. E, com um gesto quase imperceptível, indicou que ela já podia tirar a mão do seu braço.

IV

O tal convite para jantar foi motivado por um misto de desejo de vingança e tédio. Samantha via aquilo como uma retaliação contra Miles, que, agora, vivia às voltas com uns esquemas sobre os quais não lhe pedia opinião, mas para os quais contava com a sua colaboração. Queria ver como ele ia reagir quando ficasse sabendo que ela tinha combinado alguma coisa sem consultá-lo. E, de quebra, também ia passar a perna em Maureen e Shirley, aquelas velhas bisbilhoteiras que viviam tão fascinadas com a vida privada de Gavin, mas não sabiam praticamente nada sobre a relação entre ele e a namorada de Londres. Ainda por cima, ia ter mais uma oportunidade de dar umas alfinetadas em Gavin, sempre tão covarde e indeciso com relação à própria vida amorosa: podia tocar no assunto casamento na frente de Kay ou dizer como era bom ver Gavin finalmente assumir um compromisso.

No entanto, os seus planos para criar situações embaraçosas para os outros acabaram lhe dando menos prazer do que ela esperava. Quando contou a Miles, no sábado de manhã, o convite que tinha feito, ele reagiu com um entusiasmo que a deixou desconfiada.

— Ah, ótimo! Faz séculos que Gavin não vem aqui. E vai ser uma ótima oportunidade para você conhecer Kay.

— Como assim?

— Ora, você sempre se deu bem com Lisa, não é verdade?

— Miles! Eu odiava Lisa...

— Bom, então... quem sabe você não gosta mais de Kay?

Samantha olhou para o marido, perguntando-se de onde teria saído tamanho bom humor. Lexie e Libby, que tinham vindo passar o fim de semana em casa e não podiam sair por causa da chuva, estavam vendo um DVD musical na sala de estar. Lá da cozinha, onde o casal estava conversando, dava para ouvir o som pesado de uma guitarra em altos brados.

— Olhe — disse Miles, brandindo o celular —, Aubrey quer ter uma conversa comigo sobre o Conselho. Acabei de ligar para papai. Os Fawley convidaram todos nós para jantar hoje à noite na Sweetlove...

— Não, obrigada — replicou Samantha, interrompendo a fala do marido. De repente, estava tomada por uma fúria que não conseguia explicar nem para si mesma. E saiu do aposento.

Passaram o dia inteiro discutindo em voz baixa pela casa toda, tentando não estragar o fim de semana das filhas. Samantha se recusava a mudar de ideia ou a expor os seus motivos. Miles, com medo de se enfurecer, ficava alternando frieza e atitudes conciliatórias.

— Não acha que vai pegar muito mal se você não for? — perguntou ele, às dez para as oito, parado na porta da sala de estar, já pronto para sair, de terno e gravata.

— Não tenho nada a ver com isso, Miles — disse Samantha. — O candidato é você.

Gostava de vê-lo assim aflito. Sabia que o marido estava morrendo de medo de se atrasar, mas, ao mesmo tempo, ainda tinha esperanças de convencê-la a ir com ele.

— Sabe muito bem que eles estão contando com o casal.

— Estão mesmo? Ninguém me convidou.

— Ah, pelo amor de Deus, Samantha! Você sabe que eles... que eles acharam que não precisavam nem dizer que o convite era para os dois.

— Pois então acharam errado! Não estou com vontade de ir. É melhor você ir andando... Não vai querer deixar papai e mamãe esperando...

E ele saiu. Samantha ouviu o carro dando marcha a ré na entrada da garagem. Foi então até a cozinha, abriu uma garrafa de vinho, pegou uma taça e voltou para a sala. Ficou imaginando Howard, Shirley e Miles jantando juntos na Sweetlove House. Com certeza aquele ia ser o primeiro orgasmo de Shirley em muitos anos...

Mas os seus pensamentos estavam sempre se desviando de forma irresistível para o que o contador tinha lhe dito durante a semana. Os lucros vinham caindo, por mais que ela dissesse o contrário ao sogro. O contador chegou mesmo a sugerir que Samantha fechasse a loja e ficasse apenas com as vendas on-line. Só que isso seria admitir o seu fracasso, coisa que ela não estava preparada para fazer, por um motivo bem específico: Shirley adoraria ver a loja fechando. A sogra tentou puxar o seu tapete desde o começo. *Desculpe, Sam, mas não tem nada a ver com o meu gosto... Um pouquinho extravagante demais...* Mas Samantha adorava a sua lojinha vermelha e preta lá em Yarvil; adorava sair de Pagford diariamente, conversar com os clientes, fofocar com Carly, a vendedora. O mundo ia ficar menor sem a loja que ela mantinha há quatorze anos: ia se resumir a Pagford.

(Pagford! Droga de vilarejo! Samantha nunca quis morar ali. Ela e Miles haviam planejado viver um ano fora antes de começarem a trabalhar, fazendo uma viagem de volta ao mundo. Já tinham até traçado o itinerário e tirado os vistos. O seu sonho era andar descalça, de mãos dadas com o namorado, pelas imensas praias australianas. Mas foi então que descobriu que estava grávida.

Uma semana depois de se formar, pegou o resultado do teste de gravidez e, no dia seguinte, veio ver Miles em Ambleside. Em oito dias, estariam embarcando para Cingapura.

Samantha não quis lhe dar a notícia ali naquela casa, pois tinha medo de que os pais dele pudessem ouvir. Shirley parecia estar por trás de cada porta que ela abria naquele chalé.

Esperou então até que os dois estivessem sentados num cantinho mais escuro do Black Canon. Lembrava ainda das mandíbulas cerradas de Miles quando ela lhe contou. De alguma forma que não conseguia definir, ele pareceu envelhecer assim que ouviu aquelas palavras.

Passou alguns segundos num silêncio de pedra e, depois, disse:

— Tudo bem. Vamos nos casar.

Contou-lhe então que já tinha comprado um anel de noivado, pois pretendia pedi-la em casamento em algum lugar bem especial, talvez no topo da Pedra Ayers. E, de fato, assim que voltaram para o chalé, ele foi buscar a caixinha na mochila onde já a tinha guardado. Era um pequeno diamante solitário de uma joalheria de Yarvil. Miles o comprou com parte do dinheiro que a avó lhe deixou quando morreu. Sentada na beira da cama do namorado, Samantha chorou, chorou, chorou... Os dois se casaram três meses depois.)

Sozinha com a sua garrafa de vinho, resolveu ligar a televisão. Na tela, apareceu o DVD que Lexie e Libby estavam vendo antes: a imagem congelada de quatro rapazes que mal pareciam ter saído da adolescência e usando umas camisetas bem justas cantando para ela. Apertou então a tecla "Play". Quando a música terminou, entrou a cena de uma entrevista. Samantha esvaziou o copo, vendo os garotos da banda fazerem brincadeiras uns com os outros e, depois, ficando mais sérios quando o assunto passou a ser o amor que tinham pelos fãs. Ela achou que saberia que eram americanos mesmo que a TV estivesse sem som. Tinham uns dentes tão perfeitos...

Já era tarde. Samantha deu pausa no DVD, subiu, mandou as filhas pararem de jogar PlayStation e irem para cama. Voltou então para a sala, onde havia ficado a garrafa já esvaziada em três quartos do seu conteúdo. Não acendeu as luzes. Apertou de novo a tecla "Play" e continuou bebendo. Quando o DVD terminou, ela voltou ao início e viu a parte que havia perdido.

Um dos rapazes parecia nitidamente mais maduro que os outros três. Tinha ombros largos, bíceps bem definidos sob a camiseta, um pescoço forte e um queixo quadrado. Samantha ficou olhando, vendo-o rebolar, com os olhos voltados para a câmera e uma expressão séria, meio vaga, no rosto bonito que era todo planos, ângulos e sobrancelhas escuras com uma curvatura acentuada.

Pensou no sexo com Miles. A última vez tinha sido três semanas atrás. A performance do marido era tão previsível quanto uma saudação maçônica. Uma das suas frases favoritas era: "Em time que está ganhando não se mexe."

Samantha despejou o resto do vinho na taça e se imaginou fazendo amor com o rapaz da tela. Ultimamente, os seus seios ficavam mais bonitos com sutiã: quando se deitava, eles se espalhavam por todo lado, e ela se sentia flácida, horrorosa. Imaginou-se imprensada numa parede, com uma das pernas erguidas, o vestido levantado até a cintura e aquele rapaz moreno e lindo, com a calça jeans baixada até os joelhos, entrando e saindo de dentro dela...

Com um aperto na boca do estômago que parecia até felicidade, ouviu o carro entrando no quintal e a luz dos faróis percorrendo a sala escura.

Na pressa de sintonizar o noticiário, Samantha se atrapalhou toda com os controles e demorou muito mais que o normal. Enfiou a garrafa vazia debaixo do sofá e agarrou o copo onde havia apenas um restinho de vinho, como se quisesse se apoiar nele. A porta da frente se abriu e se fechou. Miles entrou na sala às suas costas.

— Por que está sentada assim no escuro?

Acendeu uma das luzes, e Samantha olhou para ele. Continuava tão impecável quanto no momento em que saiu de casa, a não ser por umas marquinhas da chuva nos ombros do paletó.

— E aí? Como foi o jantar?

— Foi ótimo — respondeu ele. — Todos sentiram a sua falta. Aubrey e Julia lamentaram que você não tenha podido ir.

— Ah, claro... Aposto que a sua mãe chorou de tão desapontada.

Miles sentou numa poltrona perto da esposa e ficou olhando para ela. Samantha afastou o cabelo que lhe caía sobre os olhos.

— O que está acontecendo, Sam?

— Bom, se você não sabe, Miles...

Mas ela própria não tinha tanta certeza, ou, pelo menos, não sabia como condensar toda aquela vaga sensação de estar sendo injustiçada numa acusação coerente.

— Não entendo por que a minha candidatura ao Conselho Distrital...

— Ah, pelo amor de Deus, Miles! — gritou ela, e chegou a se assustar ao perceber como a própria voz podia sair alta.

— Vamos, me explique, por favor... — prosseguiu ele. — Que diferença isso faz para você?

Ela o encarou, lutando para articular o que queria dizer para a mente jurídica tão pedante do marido, uma mente que parecia usar uma pinça para catar palavras em meio a um estoque reduzido de opções e que, em geral, acabava não conseguindo captar o plano mais amplo. O que dizer que ele pudesse entender? Que achava aquelas conversas intermináveis de Howard e Shirley sobre o Conselho a coisa mais insuportável do mundo? Que, se ele já era tão chato contando sempre as mesmas velhas histórias sobre os anos dourados do clube de rúgbi e se autoelogiando com relação ao trabalho, imagine quando começasse a pontificar sobre Fields!

— É que eu estava achando — disse Samantha, sentada naquela sala de estar quase às escuras — que nós tínhamos outros planos.

— Que planos? — indagou Miles. — Não sei do que você está falando...

— Tínhamos combinado que — replicou ela, articulando as palavras com todo o cuidado por sobre a borda do copo que tremia —, quando as meninas saíssem da escola, íamos viajar. Prometemos que faríamos isso, lembra?

A princípio, a raiva e a tristeza meio vagas que vinham consumindo Samantha desde que Miles declarara que pretendia se candidatar ao Conselho não a fizeram lamentar os planos de passar um ano viajando que tiveram de abandonar. Agora, porém, tinha a impressão de que esse era o verdadeiro problema, ou, pelo menos, era o que mais poderia expressar aquele misto de desejo e de hostilidade que havia dentro dela.

Miles parecia inteiramente atônito.

— Do que você está falando?

— Quando fiquei grávida da Lexie — respondeu ela, sempre em voz alta —, não pudemos viajar, e a infeliz da sua mãe fez a gente se casar às pressas. O seu pai arranjou emprego para você com Edward Collins e você só disse: "Nós concordamos. Vamos deixar isso para quando as meninas crescerem. Aí, então, vamos viajar e fazer tudo que não pudemos fazer naquela época."

Miles ficou abanando a cabeça, bem devagar.

— Não me lembro de nada disso — observou ele. — De onde diabos você tirou toda essa história?

— Nós estávamos lá no Black Canon, Miles. Eu lhe contei que estava grávida e você disse... Pelo amor de Deus, Miles... Eu contei que estava grávida e você prometeu, você *prometeu*...

— Está querendo umas férias? — perguntou ele. — É isso? Quer sair de férias?

— Não, Miles, não quero férias porra nenhuma! Quero... Não se lembra? Dissemos que deixaríamos os nossos planos para mais tarde. Que passaríamos um ano viajando depois que as meninas crescessem.

— Tudo bem — retrucou Miles. Ele parecia irritado, decidido a se livrar dela. — Tudo bem. Quando Libby fizer dezoito anos, ou seja, daqui a quatro anos, voltamos a falar desse assunto. Não vejo por que eu assumir o cargo de conselheiro mudaria alguma coisa nessa história.

— Bom, sem contar com o maldito *tédio* de ficar ouvindo você e seus pais reclamando de Fields pelo resto da nossa vida natural...

— Nossa vida *natural*? — indagou ele, em tom de deboche. — O contrário disso seria vida o quê?

— Ah, não enche! — exclamou Samantha. — Deixe de ser tão metido, Miles! Você pode até impressionar a sua mãe...

— Olhe, francamente, continuo a não ver problema...

— O *problema* — interrompeu ela, aos berros — é que estamos falando do nosso *futuro*, Miles. *Nosso*. E não quero voltar a falar disso daqui a quatro anos, porra! Quero falar disso *agora*!

— Acho que você devia comer alguma coisa — disse Miles, levantando-se da poltrona. — Já bebeu bastante...

— Vai se foder!

— Desculpe, mas, se é para começar com xingamentos...

Virou-se, então, e saiu da sala. Só a muito custo Samantha conseguiu se conter para não atirar a taça nele.

Se Miles entrasse para o Conselho, nunca mais sairia dele. Jamais renunciaria ao cargo, à oportunidade de ser um figurão de Pagford, como Howard. Mais uma vez, ele assumia um compromisso com o vilarejo, renovando os votos feitos à sua cidade natal, e rumava para um futuro muito diferente do que havia prometido à jovem de quem acabava de ficar noivo e que chorava, desesperada, sentada na sua cama.

Quando foi a última vez que falaram dessa história de viajar pelo mundo? Samantha não sabia ao certo. Talvez muitos anos atrás. Hoje à noite, porém, Samantha decidiu que pelo menos ela não tinha mudado de ideia. Isso mesmo. Passou a vida inteira esperando que, um dia, os dois fizessem as malas e embarcassem em busca do calor e da liberdade, a meio mundo de distância de Pagford, de Shirley, da Mollison & Lowe, da chuva, da mesmice e da mesquinharia. Talvez há anos não pensasse nas areias brancas da Austrália e de Cingapura desejando estar lá, mas preferia mil vezes estar lá, mesmo com as coxas grossas e as estrias, a estar ali, aprisionada em Pagford, obrigada a ficar só olhando enquanto Miles ia pouco a pouco se transformando em Howard.

Deixou-se cair de novo no sofá, apanhou os controles e sintonizou outra vez o DVD de Libby. A banda, agora em preto e branco, passeava bem devagarinho por uma praia deserta, cantando. A camisa aberta do rapaz de ombros largos esvoaçava ao vento. Uma ligeira penugem descia do seu umbigo para desaparecer por baixo do jeans.

V

Alison Jenkins, a jornalista da *Gazeta de Yarvil e Adjacências*, tinha enfim conseguido descobrir qual das tantas residências em nome da família Weedon em Yarvil abrigava Krystal. Não foi nada fácil. No tal endereço, não havia ninguém inscrito na justiça eleitoral e nenhum registro de telefone fixo. Alison resolveu ir pessoalmente à Foley Road num domingo, mas a garota tinha saído, e Terri, desconfiada e hostil, se recusou a lhe dizer quando a filha estaria de volta e nem sequer quis confirmar se ela morava ali.

Krystal chegou cerca de vinte minutos depois que a jornalista foi embora, e ela e a mãe tiveram mais uma daquelas brigas.

— Por que não disse pra ela esperar? Ela vai me entrevistar sobre Fields e essa história toda!

— Entrevistar *você*? Qual é! A troco de quê?

A discussão foi esquentando, e Krystal saiu novamente. Foi para a casa de Nikki levando o celular de Terri no bolso da calça de moletom. Vira e mexe fazia isso. Muitas das brigas entre as duas começavam porque a mãe pedia o telefone de volta e a garota fingia que não fazia ideia de onde ele estava. Ela tinha uma vaga esperança de que a jornalista pudesse ter aquele número e viesse a ligar.

Estava num café lotado e barulhento do shopping, contando a história da jornalista a Nikki e a Leanne, quando o celular tocou.

— Alô? Você é a tal da jornalista?

— ...fala? ...erri?

— Aqui é Krystal. Quem tá falando?

— ...sua... outra... irmã.

— Quem? — berrou a garota. Tapando o outro ouvido, saiu andando por entre as mesas lotadas, procurando um lugar mais tranquilo.

— É Danielle — disse a mulher, agora claramente, do outro lado da linha. — Irmã da sua mãe.

— Ah, sei — replicou Krystal, decepcionada.

Sua vaca esnobe, pensou a garota assim que ouviu aquele nome. Nem sabia se já tinha visto a tia alguma vez.

— É sobre a sua bisa.

— Quem?

— Vó Cath — disse Danielle, impaciente. Krystal chegou à varanda interna que dava para o vão central do shopping. O sinal era bem melhor ali.

— Que que tem ela? — perguntou a garota. Parecia que o seu estômago estava se revirando, como uma garotinha dando cambalhotas sobre um parapeito exatamente igual ao que tinha agora à sua frente. Uns dez metros abaixo, um monte de gente passava de um lado para o outro, carregando sacolas plásticas, empurrando carrinhos de bebê ou arrastando crianças pela mão.

— Ela está no South West. Faz uma semana que está internada. Teve um AVC.

— Ela tá no hospital há uma semana? — perguntou Krystal, com o estômago ainda se revirando. — Ninguém avisou pra gente.

— Bom, ela não está falando direito, mas já disse o seu nome duas vezes.

— O meu? — perguntou ela, agarrando o celular com mais força.

— É. Acho que ela quer te ver. É grave, viu? Estão dizendo que ela não deve sair dessa.

— Qual enfermaria? — perguntou Krystal. A sua cabeça estava rodando.

— Doze. Terapia semi-intensiva. O horário de visitas é de meio-dia às quatro, e de seis às oito, ok?

— É...

— Tenho que ir agora. Achei melhor avisar porque você pode querer passar lá. Tchau.

E desligou. Krystal tirou o celular do ouvido, mas ficou olhando para a tela. Com o polegar, apertou várias vezes uma tecla, até que surgiu a palavra "Privado". A tia tinha ocultado o número.

Ela voltou então para junto das amigas. As duas logo perceberam que havia algo errado.

— Vai ver ela — disse Nikki, olhando a hora no celular. — Dá pra chegar às duas. Pega o ônibus.

— Tá — replicou Krystal, apática.

Pensou em ir buscar a mãe e levá-la, juntamente com Robbie, para ver a avó Cath, mas, depois da briga feia que tiveram um ano atrás, as duas nunca mais haviam se visto. Tinha certeza de que ia ter muito trabalho para convencer Terri a ir ao hospital e não sabia se a avó Cath ficaria feliz ao vê-la.

É grave, viu? Estão dizendo que ela não deve sair dessa.

— Tem dinheiro? — perguntou Leanne, enfiando a mão nos bolsos, enquanto as três iam andando até o ponto do ônibus.

— Tenho, sim — respondeu Krystal, verificando se era verdade. — Daqui até o hospital é só uma libra, né?

Deu tempo de fumar um cigarro até o vinte e sete aparecer. Nikki e Leanne ficaram paradas, acenando, como se ela estivesse indo para algum lugar bem legal. No último instante, Krystal ficou com medo e quis gritar: "Venham comigo!" Mas o ônibus arrancou, e as duas garotas já estavam indo embora, fofocando.

O estofado do banco, velho e fedido, chegava a ser pegajoso. O ônibus seguiu pela zona comercial e dobrou à direita, pegando a avenida principal, onde ficavam as lojas mais famosas.

O medo se remexia na barriga de Krystal como um feto. A garota sabia que a avó Cath estava ficando mais velha e mais frágil, mas, às vezes, tinha uma vaga esperança de que ela se recuperasse, que voltasse à antiga forma que parecia ter durado tanto: o cabelo novamente preto, a coluna outra vez ereta e a memória tão afiada quanto a sua língua ferina. Nunca pensou na morte da avó Cath, alguém que sempre associou às ideias de força e invulnerabilidade. Se tivesse lhe ocorrido refletir sobre a deformação do tronco da bisavó e as inúmeras rugas que recortavam o seu rosto, decerto as veria como nobres cicatrizes adquiridas durante a sua bem-sucedida luta pela sobrevivência. Krystal não conhecia ninguém que tivesse morrido tão velho assim.

(A morte chegava cedo para aqueles que cercavam a sua mãe, muitas vezes até mesmo antes que os seus rostos e corpos ficassem abatidos e acabados. O cadáver que Krystal encontrou no banheiro quando tinha seis anos era de um belo rapaz, branco e bonito como uma estátua, ou pelo menos era essa a lembrança que tinha dele. Às vezes, porém, achava essas lembranças confusas e chegava a duvidar que as coisas tivessem acontecido assim mesmo. Era difícil saber em que acreditar. Quando era criança, ouviu tantas coisas que, mais tarde, os adultos acabavam negando ou contradizendo... Podia jurar que Terri tinha dito: "Era o seu pai." Anos depois, porém, ela disse: "Deixa de ser boba. Seu pai não morreu. Ele tá lá em Bristol." Krystal teve então que voltar atrás e recuperar a ideia de que o cara que todos chamavam de Grinfa é que era o seu pai.

O tempo todo, porém, existia a avó Cath por trás do que quer que fosse. Se Krystal escapou de ir parar num daqueles lares provisórios foi porque a bisavó sempre esteve ali em Pagford, pronta para recebê-la com uma rede de proteção bem forte, apesar de não muito confortável. Apareceu por lá, furiosa, xingando tanto Terri quanto a assistente social, e levou para casa a bisneta igualmente furiosa.

Krystal não sabia se adorava ou odiava aquela casinha da Hope Street, caindo aos pedaços e cheirando a água sanitária. Tinha-se a impressão de estar aprisionado ali dentro. Por outro lado, havia segurança, a mais completa segurança. A avó Cath só deixava que pessoas da sua confiança cruzassem a soleira da porta. Num canto da banheira, dentro de um pote de vidro, tinha uns daqueles sais de banho bem antigos.)

E se tivesse outras pessoas com a avó Cath quando chegasse ao hospital? Krystal não conhecia metade da própria família, e a ideia de encontrar estranhos ligados a ela por laços de sangue lhe parecia assustadora. Terri tinha vários meios-irmãos, nascidos dos inúmeros relacionamentos amorosos do pai e que ela nunca tinha visto. Mas a avó Cath tentava manter contato com todos eles, insistindo em não perder de vista a grande família desconectada que os seus filhos haviam produzido. Ao longo dos anos, aconteceu de uns parentes que Krystal não conhecia aparecerem na casa da bisavó quando ela estava lá. Achava que aquela gente a olhava com desconfiança e fazia comentários a seu respeito, falando em voz baixa. Fingia então não perceber nada e ficava só esperando todo mundo ir embora para ela ter a avó Cath só para si novamente. A ideia que mais a desagradava era saber que existiam outras crianças na vida da bisavó.

(— Quem são *esses* aí? — perguntou ela, enciumada, quando tinha nove anos, apontando para o aparador, onde havia um porta-retratos com a foto de dois meninos com uniforme da Paxton High.

— São dois dos meus bisnetos — disse a avó Cath. — Dan e Ricky. Seus primos.

Krystal não queria aqueles primos e não queria que eles ficassem ali no aparador da bisavó.

— E quem é *aquela*? — perguntou, apontando para uma garotinha de cachinhos louros.

— É a filha do meu Michael, Rhiannon, com cinco anos. Era linda, né? Mas ela foi embora e casou com um desses africanos — respondeu a velha.

Nunca teve nenhuma foto de Robbie naquele aparador.

Você nem sabe quem é o pai, né, sua puta? Tô lavando as minhas mãos, Terri. Pra mim chega, Terri. Já chega: agora você vai se virar sozinha.)

O ônibus ia atravessando a cidade, passando pelas lojas que abriam domingo à tarde. Quando ela era pequena, Terri a levava ao centro de Yarvil quase todo fim de semana. Mas a mãe a obrigava a ir de carrinho, mesmo depois que a menina já não precisava daquilo, porque era muito mais fácil esconder coisas roubadas ali dentro, enfiando-as sob as pernas da criança, cobrindo-as com as sacolas enfurnadas no cesto debaixo do assento. Às vezes, Terri ia fazer os seus furtos em companhia da irmã com quem falava, Cheryl, que era casada com Shane Tully. Ambas moravam em Fields, a quatro quarteirões uma da outra, e as coisas pegavam fogo quando as duas brigavam, aos palavrões, o que acontecia com frequência. Krystal nunca sabia se devia estar ou não falando com os primos Tully, e também não se dava o trabalho de tentar descobrir, mas falava com Dane sempre que cruzava com ele. Tinham transado uma vez, depois de dividirem uma garrafa de sidra lá no parquinho do bairro, quando tinham quatorze anos. Mas nem um nem outro jamais voltou a tocar nesse assunto. A garota não sabia ao certo se era legal ou não transar com um primo. Uma coisa que Nikki tinha dito a fez achar que talvez não fosse...

O ônibus chegou à rua onde fica a entrada principal do South West e parou a uns quinze metros de um imenso prédio retangular de paredes cinza e janelas envidraçadas. Havia ali alguns canteiros gramados, umas poucas árvores não muito altas e uma floresta de placas e letreiros.

Krystal desceu do ônibus atrás de duas senhoras idosas e ficou parada ali, com as mãos nos bolsos da calça, olhando ao seu redor. Já tinha esquecido em que tipo de enfermaria Danielle havia lhe dito que a bisavó estava. Só se lembrava do número doze. Dirigiu-se então à placa mais próxima, como quem não quer nada, apertando os olhos para enxergar. Tudo que viu foram linhas e linhas de umas indicações impenetráveis, com palavras quase tão compridas quanto o seu braço, e milhares de setas apontando para a esquerda ou para a direita, tinha até algumas na diagonal. Krystal não lia lá muito bem. Diante de uma grande quantidade de palavras, ela se sentia intimidada e ficava irritada. Depois de lançar várias olhadas disfarçadas para aquelas setas, chegou à conclusão que não havia ali número algum e, então, seguiu as duas senhoras idosas que iam entrando pela porta dupla de vidro do prédio principal.

O saguão de entrada estava lotado e era mais confuso que aquelas placas lá de fora. Tinha uma loja bem movimentada separada por vidraças que iam do teto ao chão; várias fileiras de cadeiras de plástico que pareciam cheias de gente comendo sanduíches; num canto, um café também lotado e, bem no meio do saguão, uma espécie de balcão hexagonal onde umas mulheres respondiam a perguntas e verificavam coisas na tela do computador. Krystal foi até lá, sempre com as mãos nos bolsos.

— Onde é a enfermaria doze? — perguntou a uma das mulheres, num tom meio grosseiro.

— Terceiro andar — respondeu a mulher, no mesmo tom.

Krystal não quis perguntar mais nada por puro orgulho, então deu as costas e saiu andando até avistar os elevadores na outra ponta do saguão. Entrou num deles que ia subir.

Levou quase quinze minutos para encontrar a enfermaria. Por que aquela gente não botava números e setas nas placas, em vez daquelas palavras enormes idiotas? Mas, quando ela estava andando por um corredor pintado de verde-claro, com os tênis rangendo no piso de linóleo, alguém a chamou pelo nome.

— Krystal?

Era sua tia Cheryl, uma mulher grandalhona de saia jeans e um paletó branco bem justo, com o cabelo amarelo-canário de raízes escuras. Tinha os braços grossos cobertos de tatuagens até os nós dos dedos e usava várias argolas que mais pareciam de prender cortinas em ambas as orelhas. E trazia na mão uma latinha de Coca.

— Ela nem quis saber, né? — perguntou Cheryl, parada com as pernas bem separadas, parecendo até uma sentinela.

— Quem?

— Terri. Ela não quis vir?

— Ela ainda não sabe. Fiquei sabendo agora. Danielle ligou e me disse.

Cheryl abriu a Coca e tomou uns goles. Os seus olhinhos miúdos, perdidos num rosto largo e achatado que parecia até um salaminho de tantas manchas, encaravam a sobrinha por cima da borda da latinha.

— Disse pra Danielle te ligar quando aconteceu. Ela ficou três dias caída na porra daquela casa e ninguém viu! Ela tá num estado... Puta que pariu!

Krystal nem perguntou por que a própria Cheryl não percorreu aquela distância de nada até a Foley Road para dar a notícia a Terri. Era evidente que as duas estavam novamente sem se falar. Não conseguiam se entender mesmo.

— Cadê ela? — perguntou Krystal.

Cheryl saiu andando na frente com as rasteirinhas batendo no chão.

— Ah — disse ela, no meio do caminho —, uma jornalista me ligou perguntando por você.

— Ligou?

— E deixou um telefone.

A garota queria perguntar mais coisas, mas tinham acabado de entrar numa enfermaria absolutamente silenciosa, e, de repente, ela ficou assustada. Não gostava daquele cheiro.

A avó Cath estava praticamente irreconhecível. Um dos lados do seu rosto estava todo retorcido, como se os músculos houvessem sido repuxados com um arame. A boca também estava torta para um lado, e até mesmo o olho dela parecia caído. Tinham prendido mil tubos nela e enfiado uma agulha no seu braço. Ali deitada, a deformidade do seu peito ficava muito mais visível. O lençol fazia uns altos e baixos em lugares estranhos, parecendo uma cabeça grotesca plantada num pescoço esquálido e saindo de um barril.

Quando Krystal sentou ao seu lado, a avó Cath não fez movimento algum. Ficou simplesmente olhando fixo. Uma das suas mãozinhas estremeceu ligeiramente.

— Ela não tá falando, mas repetiu o seu nome duas vezes ontem à noite — disse Cheryl, com um olhar tristonho que aparecia por trás da latinha.

O peito de Krystal estava apertado. Não sabia se a avó Cath ia sentir dor se ela segurasse na sua mão. Chegou então os dedos a uns poucos centímetros da bisavó, mas os deixou pousados na cama.

— Rhiannon teve aqui — disse Cheryl. — John e Sue também. Sue tá tentando localizar Anne-Marie.

Krystal se animou ao ouvir aquilo.

— Onde é que ela tá? — perguntou.

— Em algum lugar lá pras bandas de Frenchay. Sabe que ela teve bebê?

— É, alguém me disse — respondeu Krystal. — É menino ou menina?

— Não sei — respondeu Cheryl, tomando um gole de Coca.

Alguém lá da escola tinha lhe dito: *Ei, Krystal, a sua irmã vai ter bebê!* Ficou empolgada com a notícia. Ia ser titia, mesmo que nunca viesse a ver a criança. Passou a vida inteira adorando a ideia de ter uma irmã. Quando ela nasceu, Anne-Marie já tinha sido levada embora, transportada para uma outra dimensão, como uma personagem de contos de fadas, tão linda e misteriosa quanto o rapaz morto no banheiro da sua mãe.

Os lábios da avó Cath se moveram.

— Que é? — indagou Krystal, inclinando-se sobre a bisavó, meio assustada, meio animada.

— Quer alguma coisa, vó? — perguntou Cheryl, e falou tão alto que as visitas que sussurravam junto aos outros leitos se viraram para olhar.

Tudo que Krystal podia ouvir era um chiado ruidoso, mas, aparentemente, a avó Cath estava mesmo tentando articular uma palavra. Cheryl também se debruçou sobre a cama, apoiando-se com uma das mãos na barra metálica da cabeceira.

— Mmm... Hã... — murmurou a enferma.

— Quê? — perguntaram as duas ao mesmo tempo.

Os olhos da avó Cath se moveram alguns milímetros, uns olhos cheios de secreção, embaçados, que fitavam o rosto jovem de Krystal. De boca aberta, debruçada sobre a bisavó, a garota tinha um ar intrigado, ansioso, assustado.

— *...mando...* — disse aquela voz alquebrada.

— Ela não sabe o que diz — gritou Cheryl, virando a cabeça para trás e dirigindo-se ao tímido casal que visitava a paciente do leito ao lado. — Três dias caída na merda daquele chão... Não é de espantar, né?

Mas as lágrimas haviam turvado os olhos de Krystal. A enfermaria, com aquelas janelas altas, se desfez em luz branca e sombras. A garota teve a impressão de ver um raio de sol luminoso batendo na água verde-escura, estilhaçando-se em faíscas reluzentes a cada movimento de subida e descida dos remos.

— Pode deixar — sussurrou ela. — Vou continuar remando, vó Cath.

Só que não era verdade, porque o sr. Fairbrother tinha morrido.

VI

— Que diabo foi isso na sua cara? Caiu da bicicleta de novo? — perguntou Bola.

— Não — respondeu Andrew. — Foi Docinho de Coco que me deu porrada. Tava tentando explicar àquele babaca que ele tinha entendido tudo errado naquela história do Fairbrother.

Os dois estavam no galpão do quintal, enchendo os cestos que ficavam de ambos os lados da lareira na sala de estar. Simon lhe deu com uma acha na cabeça, e o garoto caiu com a cara cheia de espinhas em cima da pilha de lenha.

Acha que sabe mais que eu, seu merdinha espinhento? Se ficar sabendo que você disse uma palavra sobre o que acontece nessa casa...

Eu não...

Eu esfolo você vivo, tá entendendo? Como sabe que Fairbrother não estava metido na tramoia, hein? E que só o outro vigarista foi burro o bastante para se deixar apanhar?

Depois disso, fosse por orgulho ou numa atitude de desafio, ou ainda porque as suas fantasias de dinheiro fácil tivessem chegado a ponto de superar os fatos concretos, Simon enviou os formulários de candidatura. A humilhação, que ia atingir a família toda, era líquida e certa.

Sabotagem. Andrew ficou ruminando aquela palavra. Queria derrubar o pai das alturas a que os seus sonhos de ganhar dinheiro fácil o tinham erguido e, se possível (porque preferia a glória sem a morte), queria fazer isso de um jeito que Simon nunca viesse a descobrir quem havia armado para pôr por terra as suas ambições.

Não disse isso a ninguém, nem mesmo a Bola. Contava praticamente tudo ao amigo, e as raras exceções eram questões mais amplas, aquelas que ocupavam quase todo o seu espaço interior. Uma coisa era sentar no quarto de Bola, com o maior tesão, e ficar olhando garotas transando com garotas na internet. Outra coisa bem diferente era confessar que vinha procurando obsessivamente um jeito de puxar conversa com Gaia Bawden. Também era fácil sentar lá no Pombal e chamar o pai de babaca, mas ele nunca contaria que os ataques de fúria de Simon deixavam as suas mãos geladas e o seu estômago embrulhado.

Chegou, porém, uma hora em que as coisas mudaram. Tudo começou com um simples desejo de nicotina e beleza. A chuva tinha enfim parado, e um pálido sol de primavera brilhava nos vidros sujos do ônibus escolar que ia sacolejando pelas ruas estreitas de Pagford. Lá do fundo, onde estava sentado, não conseguia ver Gaia, que tinha ficado mais na frente, perto de Sukhvinder e das órfãs Fairbrother, que acabavam de voltar às aulas. Praticamente não tinha visto Gaia o dia todo, e já imaginava uma noite chata em que o seu único consolo seriam aquelas velhas fotos do Facebook.

Quando o ônibus foi se aproximando da Hope Street, Andrew lembrou que nem o pai, nem a mãe estariam em casa para dar falta dele. No bolso, trazia três cigarros que Bola tinha lhe dado, e Gaia já estava de pé, segurando firme na barra do encosto do banco, pronta para saltar, mas ainda conversando com Sukhvinder Jawanda.

Por que não? *Por que não?*

Levantou também, pendurou a mochila no ombro e, quando o ônibus parou, saiu em disparada pelo corredor e desceu atrás das duas garotas.

— Até mais tarde — exclamou, ao passar pelo irmão, que parecia espantadíssimo.

Desceu na calçada ensolarada, e o ônibus foi embora. Acendeu um cigarro, observando Gaia e Sukhvinder por cima das mãos em concha. As duas não estavam indo para a casa de Gaia, na Hope Street. Seguiam em direção à praça. Fumando e franzindo ligeiramente a testa, numa imitação inconsciente da pessoa mais descolada que conhecia — Bola —, Andrew foi andando atrás delas, deliciando-se com a visão do cabelo acobreado de Gaia, que ia balançando nos seus ombros, e com o movimento da saia dela acompanhando o ritmo dos quadris.

Ao chegarem perto da praça, as garotas reduziram o passo, dirigindo-se para a Mollison & Lowe, a loja mais atraente do lugar, com o letreiro azul e dourado e quatro floreiras penduradas na fachada. Andrew hesitou. As duas pararam para ler um pequeno cartaz colado na vidraça do novo café e, depois, entraram na delicatéssen.

O rapaz então deu uma volta na praça, passou pelo Black Canon e pelo Hotel George, e parou para ver o tal cartaz também. Era um anúncio escrito à mão, pedindo alguém para trabalhar nos fins de semana.

Morrendo de vergonha da acne, que andava particularmente inflamada na ocasião, apagou o cigarro com cuidado, enfiou o resto no bolso e entrou na loja.

As garotas estavam paradas junto de uma mesinha cheia de pacotes de biscoitos integrais, observando o sujeito imenso com aquele chapéu Sherlock Holmes que, por trás do balcão, conversava com um senhor mais idoso. Gaia se virou quando a sineta tilintou.

— Oi — disse Andrew, sentindo a boca seca.

— Oi — respondeu ela.

Ofuscado pela própria ousadia, o garoto se aproximou e esbarrou com a mochila no mostruário onde ficavam os guias turísticos de Pagford e exemplares de um livro de receitas tradicionais da região. Mais que depressa, Andrew segurou o mostruário, evitando que ele caísse, e tirou a mochila do ombro.

— Veio ver o emprego? — perguntou Gaia baixinho, com aquele incrível sotaque londrino.

— Vim — respondeu ele. — Você também?

Ela fez que sim com a cabeça.

— Ponha lá na página de sugestões, Eddie — dizia Howard, com aquela voz de trovão. — Poste no site, e vou incluir a questão na pauta. Conselho Distrital de Pagford, uma palavra só, ponto co, ponto uk, barra, página de sugestões. Ou então clique no link. Conselho... — repetiu ele, desta vez mais devagar, e o cliente pegou papel e caneta para anotar com mão trêmula: "Conselho..."

Nesse instante, Howard avistou os adolescentes esperando ali ao lado daqueles biscoitos tão gostosos. Os três usavam o uniforme sem graça da

Winterdown, que permitia tanto desleixo e tantas variações que nem parecia um uniforme. (Que diferença quanto à St. Anne, que exigia o blazer e a saia escocesa!) Apesar de tudo, a garota branca era deslumbrante, um verdadeiro diamante lapidado que se destacava ainda mais junto da filha feiosa dos Jawanda, cujo nome ele não sabia, e daquele rapazinho de cabelo desbotado e com a cara cheia de espinhas.

O tal freguês saiu da loja, fazendo a sineta tilintar.

— O que vão querer? — perguntou Howard, sem tirar os olhos de Gaia.

— Bom... É sobre o emprego — disse ela, dando alguns passos à frente e apontando para o pequeno cartaz pregado na vidraça.

— Ah, claro — exclamou Howard, com um sorriso radiante. O garçom que haviam contratado para o fim de semana o deixou na mão poucos dias antes, trocando o café por Yarvil e o trabalho num supermercado. — Claro, claro. Está querendo ser garçonete? Pagamos o salário mínimo para trabalhar de nove às cinco e meia aos sábados, e de meio-dia às cinco e meia aos domingos. Estamos inaugurando daqui a duas semanas. E nós mesmos nos encarregamos do treinamento. Quantos anos você tem, querida?

Aquela garota era perfeita, *perfeita*, exatamente o que ele havia imaginado: bonita de rosto e de corpo. Podia até vê-la com um vestido preto justo e um avental branco debruado de renda. Ia lhe ensinar a operar a caixa registradora e lhe mostrar onde ficava o estoque. Ia se divertir com aquela garota e talvez até lhe desse uma gratificação extra nos dias em que entrasse mais dinheiro.

Howard veio se esgueirando de trás do balcão e, ignorando Sukhvinder e Andrew, pegou Gaia pelo braço e a levou até o arco que dividia as duas lojas. Ainda não havia mesas e cadeiras, mas o balcão já tinha sido instalado, e, na parede atrás dele, um mural de azulejos, em preto e creme, mostrava a praça em outros tempos. Mulheres de anquinhas e homens de cartola circulavam por todo lado; uma sege Brougham estava estacionada diante de uma loja onde se lia o nome Mollison & Lowe e, ao lado dela, o pequeno café Copper Kettle. O artista havia improvisado uma daquelas bombas de água bem antigas para substituir o memorial aos mortos da guerra.

Andrew e Sukhvinder ficaram para trás, sentindo-se desajeitados e vagamente irritados por estarem ali sozinhos.

— Sim? Desejam alguma coisa?

Uma mulher bem encurvada com um cabelo todo armado de um preto retinto surgiu lá dos fundos da loja. Andrew e Sukhvinder murmuraram que estavam esperando, e, então, Howard e Gaia apareceram no arco divisório. Ao ver Maureen, ele soltou o braço da garota, que tinha ficado segurando o tempo todo enquanto lhe explicava quais eram as funções de uma garçonete.

— Acho que consegui alguém para nos ajudar no café, Mo — disse ele.

— Ah, é? — exclamou a mulher, voltando os olhos ávidos para Gaia. — Você tem experiência?

Howard porém a interrompeu, contando a Gaia tudo sobre a delicatéssen e dizendo-lhe que gostava muito de pensar na loja como um pedacinho de Pagford, um pedacinho da paisagem local.

— Já são trinta e cinco anos — disse ele, desdenhando solenemente do seu próprio mural. — A mocinha aqui é nova na cidade, Mo — acrescentou.

— E vocês também estão querendo emprego? — perguntou Maureen, dirigindo-se aos outros dois.

Sukhvinder abanou a cabeça. Andrew fez um movimento um tanto ambíguo com os ombros, mas Gaia, olhando para a amiga, disse:

— Ande. Você disse que até que poderia ser.

Howard observou a garota, que decerto não ficaria muito bem num vestido preto justo com avental de babados, mas a sua mente fértil e maleável atirava para todo lado. Um elogio ao seu pai, um certo controle sobre a sua mãe, um favorzinho inesperado... Muita coisa além da pura estética talvez devesse ser levada em conta nesse caso.

— Bom, se as coisas correrem como estamos esperando, é provável que precisemos de duas pessoas — disse ele, coçando a papada e com os olhos pregados em Sukhvinder, que tinha enrubescido de um jeito nada atraente.

— Eu não... — principiou a garota, mas Gaia insistiu.

— Vamos. A gente vai trabalhar junto.

Sukhvinder estava toda vermelha, e os seus olhos se encheram de lágrimas.

— Eu...

— Ah, vamos... — sussurrou Gaia.

— Eu... Está bem.

— Vamos fazer um período de experiência, srta. Jawanda — disse Howard.

Apavorada, a garota mal conseguia respirar. O que a sua mãe ia dizer?

— E você deve estar querendo ser o nosso quebra-galho — acrescentou ele com aquele seu vozeirão, agora dirigindo-se a Andrew.

Quebra-galho?

— Precisamos de força bruta, meu amigo — prosseguiu Howard. Andrew só ficou olhando, piscando os olhos, inteiramente desconcertado. Tudo que tinha lido foram as letras maiores no tal cartaz. — Tem que levar caixotes para o estoque, trazer caixas de leite lá do porão e transportar os sacos de lixo para os fundos. É trabalho braçal mesmo. Acha que pode dar conta?

— Claro — respondeu o garoto. Ia estar ali quando Gaia também estivesse? Isso era tudo que importava.

— Vamos precisar de você bem cedo. Provavelmente às oito. Digamos, de oito às três, para vermos como funciona. Vamos fazer um período de experiência de duas semanas.

— Por mim, está ótimo.

— Como se chama?

Quando ouviu a resposta do garoto, Howard ergueu as sobrancelhas.

— O seu pai se chama Simon? Simon Price?

— Isso mesmo.

Andrew ficou aflito: normalmente, ninguém sabia quem era o seu pai.

Howard mandou que as duas garotas voltassem no domingo à tarde, quando teria condições de lhes dar o treinamento necessário. Pelo visto, gostaria que Gaia continuasse ali conversando, mas, nesse momento, chegou um freguês, e os adolescentes aproveitaram para ir embora.

Andrew não conseguia pensar em nada que pudesse dizer quando se viram do outro lado da porta que tilintava. Antes, porém, que pudesse dominar os próprios pensamentos, Gaia disse um "tchau" sem maiores cerimônias e saiu andando com Sukhvinder. O garoto acendeu o segundo cigarro dos três que Bola tinha lhe dado (não era hora de acender uma guimba), o que lhe deu uma desculpa para ficar parado, vendo a garota se afastar na escuridão, que ia ficando mais acentuada.

— Por que chamam esse garoto de Amendoim? — perguntou Gaia, assim que se viu a uma distância considerável.

— Porque ele tem alergia — respondeu Sukhvinder, que estava apavorada com a perspectiva de ter de contar para a mãe o que havia feito. E ela mal reconheceu a própria voz. — Lá na St. Thomas, ele quase morreu quando alguém lhe deu um amendoim escondido num marshmallow.

— Ah, tá — exclamou Gaia. — Achei que era porque ele tinha um pau bem pequenininho.

E riu. Com algum esforço, Sukhvinder fez o mesmo, como se ouvisse piadinhas sobre pênis o tempo todo.

Andrew as viu olhar para trás rindo e teve certeza de que estavam falando dele. Não era assim tão conhecedor das garotas, mas sabia que aquele risinho bem poderia ser um sinal de esperança. Rindo sozinho, saiu andando, com a mochila no ombro e o cigarro na mão. Atravessou a praça, em direção à Church Row, para encarar, a partir dali, uns quarenta minutos de subida íngreme até sair da cidade e chegar a Hilltop House.

À luz do crepúsculo, as cercas vivas do caminho estavam de uma palidez fantasmagórica com as suas florezinhas brancas. De ambos os lados, os abrunheiros estavam floridos, e as celidônias bordejavam toda a rua com as suas folhinhas miúdas, luzidias, em forma de coração. O cheiro das flores, o profundo prazer do cigarro e a promessa de passar os fins de semana com Gaia, tudo aquilo se misturava, criando uma gloriosa sinfonia de felicidade e beleza que acompanhou a respiração ofegante do garoto colina acima. Da próxima vez que o pai lhe dissesse "já arranjou emprego, hein, Cara de Pizza?", responderia "já". Ia ser colega de trabalho de Gaia Bawden todo fim de semana.

E, como se não bastasse, tinha finalmente descoberto um jeito de dar uma facada anônima bem no meio das costas do pai.

VII

Depois que passou o primeiro impulso de desprezo, Samantha lamentou amargamente ter convidado Gavin e Kay para jantar. Passou toda a manhã da sexta-feira fazendo gozações com a sua vendedora sobre a noite assustadora que ia ter, mas o seu humor despencou assim que deixou Carly encarregada de cuidar da "Super Super Sutiãs" (nome que fez Howard rir tanto, da primeira vez que o ouviu, que ele chegou a ter uma crise de asma, e que fazia Shirley fechar a cara sempre que ele era pronunciado na sua frente). Voltando para Pagford antes da hora do rush, para ter tempo de ir comprar os ingredientes e começar a preparar a comida, Samantha tentou se animar imaginando perguntas bem embaraçosas que poderia fazer a Gavin. Talvez devesse se perguntar, em voz alta, por que Kay não tinha ido morar com ele: essa seria ótima!

Indo a pé para casa, carregando em cada mão uma sacola da Mollison & Lowe bem cheia, encontrou Mary Fairbrother no caixa eletrônico da agência do banco em que Barry trabalhava.

— Oi, Mary... Como vai?

Ela estava magra e pálida, com umas olheiras acentuadas. A conversa que tiveram foi estranha, forçada. Não se falavam desde aquela viagem de ambulância, tendo apenas trocado umas poucas palavras de condolências no funeral.

— Andei pensando em dar um pulinho na sua casa — disse a viúva. — Vocês foram tão gentis... E eu queria agradecer a Miles...

— Imagine — replicou Samantha, bastante sem jeito.

— Ah, mas eu gostaria...

— Então, venha quando quiser...

Depois que Mary se afastou, Samantha teve o terrível pressentimento: talvez ela tivesse ficado com a impressão de que aquela noite seria o momento ideal para aparecer.

Assim que chegou em casa, largou as bolsas de compras no vestíbulo e ligou para o escritório de Miles para lhe contar o que tinha feito. Ele, porém, demonstrou um descaso irritante com relação à perspectiva de ter uma viúva recente incorporada aos dois casais para um jantar.

— Na verdade, não vejo problema algum — disse ele. — Vai ser bom para Mary sair um pouco.

— Mas eu não disse que Gavin e Kay estavam vindo...

— Mary gosta de Gavin — retrucou Miles. — Não precisa se preocupar com isso.

Samantha achou que o marido estava sendo deliberadamente obtuso, com certeza como forma de retaliação por ela ter se recusado a ir jantar na Sweetlove House. Quando desligou o telefone, ficou pensando se deveria ligar para Mary, dizendo-lhe que não viesse aquela noite, mas ficou com medo de parecer grosseira e decidiu apostar na esperança de que a outra afinal não se sentisse à vontade para vir até ali.

Irritada, foi para a sala de estar, pôs o DVD da tal banda da filha num volume bem alto para poder ouvi-lo lá da cozinha, apanhou as sacolas e se preparou para começar a fazer um cozido e a sobremesa que sempre lhe servia de quebra-galho: a chamada torta de lama do Mississippi. Adoraria ter comprado uma torta bem grande na Mollison & Lowe, pois, assim, teria menos trabalho, mas Shirley teria ficado sabendo imediatamente e logo começaria com aquela velha história de criticar a nora por usar e abusar das comidas prontas e dos congelados.

A essa altura, Samantha já conhecia o DVD da banda de cor e salteado, e podia visualizar as imagens correspondentes à música que soava aos brados na cozinha. Várias vezes, durante a semana, quando Miles estava lá em cima, no escritório, ou no telefone com o pai, ela tinha visto tudo aquilo novamente. Quando ouviu os primeiros acordes da música em que o rapaz musculoso aparecia caminhando pela praia, com a camisa aberta balançando ao vento, correu para espiar, de avental e tudo, lambendo distraída os dedos sujos de chocolate.

Tinha planejado tomar um bom banho enquanto Miles botava a mesa, esquecendo que ele ia chegar mais tarde porque tinha de ir antes até Yarvil para buscar as garotas na St. Anne. Quando Samantha se deu conta de que o marido ainda não havia voltado e que as filhas viriam com ele, teve de correr para preparar a sala de jantar e arranjar alguma coisa para Lexie e Libby comerem antes que os convidados chegassem. Às sete e meia, Miles encontrou a mulher com a mesma roupa que tinha ido trabalhar, suada, chateada e decidida a culpá-lo por uma ideia que havia sido dela mesma.

Libby, a caçula, de quatorze anos, foi direto para a sala de estar, sem cumprimentar a mãe, e tirou o DVD do aparelho.

— Nossa! Não fazia ideia de onde tinha deixado isso! — exclamou. — Por que a televisão está ligada? Você andou vendo *esse* DVD?

Às vezes, Samantha achava que a filha tinha alguma coisa de Shirley.

— Eu estava vendo o jornal, Libby. Não tenho tempo para DVDs. Pode vir, a sua pizza está pronta. Vamos ter convidados para o jantar.

— Pizza congelada *de novo*?

— Miles! Tenho que ir me arrumar. Será que pode amassar as batatas para mim? Miles?

Mas ele já havia desaparecido no andar de cima. Samantha, então, teve de cuidar sozinha das batatas, enquanto as filhas comiam na bancada que ficava no meio da cozinha. Libby tinha posto a caixa do DVD apoiada no copo de Pepsi Diet e ficou olhando para ela, encantada.

— Mikey é *tão gostoso* — disse ela, num tom de desejo tão intenso que Samantha tomou um susto. Mas o rapaz musculoso se chamava Jake, e ela ficou feliz ao descobrir que as duas não gostavam do mesmo sujeito.

Em voz alta e em tom confiante, Lexie falava sem parar sobre o colégio: uma verdadeira metralhadora de informações sobre garotas que Samantha não conhecia e cujas bobagens, brigas e mudanças de grupinhos ela não tinha a menor condição de acompanhar.

— Bom, tenho que ir me arrumar. Limpem tudo quando terminarem, ok?

Baixou o fogo sob a panela do cozido e subiu a escada correndo. Miles estava no quarto, abotoando a camisa, observando-se no espelho do guarda-roupa. Tudo ali cheirava a sabonete e loção pós-barba.

— Tudo sob controle, hein?

— Claro. Obrigada. Que bom que deu tempo de você tomar banho — disse ela, irritada, pegando a blusa e a saia longa favoritas e batendo a porta do armário.

— Você podia tomar banho também.

— Eles vão chegar daqui a dez minutos. Não vai dar tempo de secar o cabelo e me maquiar — replicou ela, sacudindo as pernas para tirar os sapatos. Um deles foi bater no aquecedor fazendo um barulhão. — Quando terminar de se embonecar, será que pode descer e escolher as bebidas?

Depois que Miles saiu do quarto, Samantha tentou desembaraçar o cabelo espesso e retocar a maquiagem. Estava horrível. Só quando já tinha acabado de se vestir, percebeu que não estava usando o sutiã adequado para aquela blusa justinha. Saiu procurando-o freneticamente para enfim se lembrar de que o sutiã ideal estava secando lá na lavanderia. Tratou de ir buscá-lo, mas, assim que saiu do quarto, ouviu a campainha tocando. Com um palavrão, voltou correndo. Do quarto de Libby vinha o som da banda daquele rapaz.

Os convidados chegaram às oito em ponto, porque Gavin ficou com medo do que Samantha pudesse dizer caso se atrasassem. Imaginou que ela pudesse sugerir que os dois tinham perdido a noção da hora por estarem trepando ou tendo uma briga. A mulher de Miles parecia achar que uma das vantagens do casamento era autorizar as pessoas a dar palpites ou se intrometer na vida amorosa dos solteiros. Parecia achar também que a sua falta de cerimônia e o seu jeito grosseiro de falar, principalmente quando bebia, eram uma demonstração de humor cáustico.

— Olá, olá, olá! — exclamou Miles, afastando-se para que o casal pudesse passar. — Vamos entrando, vamos entrando. Sejam bem-vindos à Mansão Mollison!

Deu dois beijos no rosto de Kay e pegou os bombons que ela estava trazendo.

— Para nós? Obrigado. Até que enfim tenho o prazer de conhecê-la. Já era mais que tempo de Gav deixar de manter você tão escondida...

Pegou também o vinho que o rapaz trazia e lhe deu uns tapinhas nas costas, coisa que o deixou bem irritado.

— Mas entrem. Sam vai descer num minuto. O que querem beber?

A primeira impressão de Kay foi que Miles assumia um tom de excessiva intimidade e era um pouco simpático demais, no entanto a moça estava decidida a não fazer qualquer avaliação a esse respeito. É importante que os casais convivam com os amigos um do outro e que consigam se dar bem com eles. Aquela noite representava um avanço significativo na sua tentativa de penetrar mais fundo na vida de Gavin, de ter acesso a setores dos quais vinha sendo mantida afastada. Kay queria demonstrar que ficava à vontade na casa grande e um tanto exibida dos Mollison e que, portanto, ele não precisava mais excluí-la. Sorriu então para Miles, disse que tomaria um vinho tinto e elogiou a sala espaçosa com o seu assoalho de tábuas corridas, o seu sofá superacolchoado e os quadros nas paredes.

— Já faz... humm... quase quatorze anos que moramos aqui — disse Miles, às voltas com o saca-rolhas. — Você está morando na Hope Street, não é? Aquelas casas são umas graças. Tem umas excelentes oportunidades de investimento por lá.

Samantha apareceu, com um sorriso não muito acolhedor. Kay, que só a tinha visto usando um sobretudo, reparou na blusa laranja apertadíssima sob a qual se via nitidamente cada detalhe do sutiã de renda. O rosto dela era ainda mais escuro que o seu colo bem vincado. A maquiagem dos olhos, carregada, não a favorecia em nada. E, na opinião da moça, aquelas argolas douradas nas orelhas e os tamancos de salto alto também dourados eram vulgares. Samantha lhe deu a impressão de ser uma daquelas mulheres que saem para noitadas com amigas, acham shows de *striptease* divertidíssimos e, nas festas, meio bêbadas, ficam flertando com o acompanhante de quem estiver por lá.

— Oi, gente! — disse ela. Deu dois beijos em Gavin e sorriu para Kay. — Ah, já estão bebendo. Ótimo! Também vou querer um vinho tinto, Miles.

Foi se sentar, não sem antes avaliar a aparência da outra mulher: Kay tinha seios pequenos e quadris largos, e, com toda a certeza, tinha escolhido aquela calça preta para minimizar o tamanho da bunda. Era melhor que estivesse de salto alto, pensou Samantha, já que tinha pernas curtas. O rosto dela era bem atraente, com a pele morena, os grandes olhos escuros e uma boca generosa, mas aquele cabelo curtinho de menino e os sapatos sem salto nenhum eram indícios definitivos de certas crenças inabaláveis. Gavin tinha repetido a dose. Mais uma vez, escolheu uma mulher desprovida de humor e dominadora que tornaria a vida dele um inferno...

— Então... — disse Samantha, em tom animado e erguendo a taça. — Gavin-e-Kay!

Satisfeita da vida, viu um sorriso encabulado no rosto de Gavin. Antes, porém, de poder intimidá-lo ainda mais e extrair de ambos alguma informação privada para exibir diante de Shirley e de Maureen, a campainha tocou outra vez.

Era Mary, parecendo mais frágil e angulosa, especialmente ao lado de Miles, que a acompanhou até a sala. A camiseta que ela usava pendia dos ossos saltados dos seus ombros.

— Ah! — exclamou ela, parando assustada na soleira da porta. — Não sabia que tinham...

— Gavin e Kay acabaram de chegar — disse Samantha, de forma um tanto brusca. — Entre, Mary, por favor... Beba alguma coisa...

— Mary, esta é Kay — disse Miles. — Kay, esta é Mary Fairbrother.

— Ah... — balbuciou Kay, atônita. Estava achando que seriam só os quatro para jantar. — Claro. Como vai?

Gavin, que podia jurar que Mary não tinha intenção de participar de um jantar e estava prestes a dar meia-volta e ir embora, deu uns tapinhas no sofá ao seu lado. A viúva de Barry se sentou com um sorrisinho apagado. O rapaz estava encantado em vê-la ali. Ela seria o seu para-raios. Até mesmo Samantha seria capaz de perceber que aquelas conversas picantes que eram a sua marca registrada não seriam nada convenientes diante de uma mulher que estava de luto. Além do mais, a tão constrangedora simetria dos dois casais havia sido rompida.

— Como é que você está? — perguntou ele, baixinho. — Na verdade, estava pensando em telefonar... Tenho mais algumas notícias sobre a história do seguro...

— Tem alguma coisa para mastigar, Sam? — perguntou Miles.

Samantha saiu da sala, olhando para o marido com um ar emburrado. Assim que abriu a porta da cozinha, sentiu o cheiro de carne esturricada.

— Merda, merda, merda...

Tinha esquecido por completo o cozido, e o caldo tinha secado. Agora, só havia uns pedaços de carne e de legumes esturricados, míseros sobreviventes da catástrofe, no fundo escurecido da panela. Derramou ali dentro vinho e caldo, raspando com uma colher o que havia ficado grudado nas paredes da panela, mexendo vigorosamente, suando por causa do calor. Lá da sala, veio a gargalhada estridente de Miles. Samantha pôs para escorrer os brócolis excessivamente cozidos, esvaziou a própria taça, abriu um pacote de salgadinhos sabor *tortilla*, um pote de *homus* e despejou os dois numas tigelas.

Quando voltou para a sala de estar, Mary e Gavin ainda estavam conversando em voz baixa no sofá, enquanto Miles mostrava a Kay um quadro que era uma foto aérea de Pagford e lhe dava uma aula de história do vilarejo. Samantha pôs as tigelas na mesinha de centro, serviu-se de mais uma taça de vinho e foi sentar numa poltrona, sem fazer qualquer esforço para se incluir em nenhuma das duas conversas. A presença de Mary era terrivelmente desconfortável. A aura de sofrimento que a cercava era tão pesada que ela poderia perfeitamente ter chegado ali arrastando atrás de si uma mortalha. Mas com certeza não ia ficar para jantar.

Gavin estava decidido a fazê-la ficar. Conversando com ela sobre os mais recentes acontecimentos da batalha que travavam com a companhia de seguros, sentia-se muito mais relaxado e no controle da situação do que geralmente acontecia quando estava na presença de Miles e de Samantha. Ninguém o estava diminuindo ou tentando lhe dar ordens, e, por algum tempo, Miles o estava eximindo de toda e qualquer responsabilidade quanto a Kay.

— ...e bem aqui, nesse lugar que não dá para ver... — dizia Miles, apontando um ponto dois centímetros além da moldura do quadro —, fica a Sweetlove House, a residência dos Fawley. É uma mansão estilo Rainha Ana, com mansardas, cantoneiras de pedra... É magnífica. Você devia ir visitar. A casa é aberta ao público aos domingos, durante o verão. Os Fawley são uma importante família da região.

"Cantoneiras de pedra?" "Importante família da região?" Céus, Miles, como você é babaca!

Samantha se levantou da poltrona onde estava sentada e voltou para a cozinha. Embora o cozido estivesse com caldo, o que prevalecia era o gosto de queimado. Os brócolis estavam moles e sem gosto; o purê de batatas, frio e seco. Ela resolveu então desistir. Despejou tudo em travessas e praticamente as atirou na mesa redonda da sala de jantar.

— O jantar está servido! — gritou para os que estavam no outro aposento.

— Ah, tenho que ir — exclamou Mary, levantando-se de um salto. — Não tinha a intenção de...

— Não, não, não — disse Gavin, num tom que Kay jamais ouvira antes: delicado e cativante. — Vai ser bom para você comer um pouco. Não tem problema deixar os meninos sozinhos por uma hora.

Miles reforçou a proposta de Gavin, e Mary, insegura, olhou para Samantha, que foi obrigada a fazer coro aos dois e a voltar à sala de jantar para botar mais um lugar à mesa.

Convidou Mary a sentar entre Gavin e Miles, porque deixá-la ao lado de outra mulher parecia acentuar ainda mais a ausência do marido. Kay e Miles falavam agora sobre assistência social.

— Não invejo você — disse ele, pondo uma concha bem-servida do cozido no prato da moça. E Samantha viu umas crostinhas pretas de queimado se espalharem junto com o molho na louça branca. — É um trabalho danado! Dificílimo!

— Bom, nunca temos verba suficiente — replicou Kay —, mas pode ser um trabalho muito gratificante, principalmente quando a gente vê que está conseguindo mudar alguma coisa.

E pensou nos Weedon. Na véspera, lá na clínica, o exame de urina de Terri tinha dado negativo para a heroína, e Robbie tinha ido à escola a semana inteira. Aquela lembrança a animou, servindo para contrabalançar a ligeira irritação que sentia ao ver que Gavin continuava a dar atenção exclusivamente a Mary, sem fazer nada para facilitar a sua conversa com os amigos dele.

— Você tem uma filha, não é, Kay?

— Tenho, sim. Gaia. Está com dezesseis anos.

— A mesma idade de Lexie. Seria bom que elas se conhecessem — disse Miles.

— Você é divorciada? — indagou Samantha, delicadamente.

— Não — respondeu Kay. — Não éramos casados. Namoramos na universidade e nos separamos logo depois que Gaia nasceu.

— Ah, sei. Nós também éramos recém-formados — observou Samantha.

A moça ficou sem saber se a sua anfitriã estava querendo marcar uma diferença entre ela própria, que tinha casado com aquele sujeito exibido que era pai das suas filhas, e Kay, que tinha sido abandonada... Não que Samantha pudesse adivinhar que foi Brendan que a deixou...

— Na verdade, Gaia acabou de arranjar um emprego de fim de semana com o seu pai — disse ela, dirigindo-se a Miles. — No novo café.

Miles ficou encantado. Adorava a ideia de que ele e Howard fossem uma parte tão importante da trama daquele vilarejo que, de um jeito ou de outro, todos ali tivessem conexão com eles, fosse como amigos, clientes, fregueses ou empregados. Gavin, que mastigava e mastigava um pedaço de carne borrachenta que se recusava a ceder aos seus dentes, sentiu um novo aperto na boca do estômago. Para ele, era novidade essa história de Gaia ir trabalhar com o pai de Miles. Nem lhe passou pela cabeça que Kay tinha, na filha, mais uma arma poderosa para se fixar em Pagford. Quando não estava tão perto assim das suas entradas e saídas batendo as portas, dos seus olhares enfurecidos e dos seus apartes mordazes, ele tendia a esquecer que Gaia existia. Que a garota não era simplesmente um detalhe do desconfortável pano de fundo de lençóis com cheiro de guardado, comida ruim e rancores venenosos contra o qual a sua relação com Kay ia se arrastando.

— Gaia está gostando de Pagford? — indagou Samantha.

— Bom, isso aqui é um pouco parado demais em comparação com Hackney — replicou Kay. — Mas ela está se adaptando direitinho.

Tomou um bom gole de vinho para lavar a boca depois de ter pregado uma mentira tão gigantesca. Ainda agora mesmo, antes de sair, ela e a filha tinham brigado mais uma vez.

(— Aconteceu alguma coisa? — perguntou ao ver a garota sentada à mesa da cozinha, debruçada sobre o notebook, com um robe por cima das roupas comuns. Na tela, quatro ou cinco caixas de diálogo estavam abertas ao mesmo tempo. Kay sabia que Gaia estava conversando com os amigos que havia deixado lá em Hackney, amigos que, em sua maioria, estavam juntos desde os tempos da escola primária.

— Gaia?

A falta de resposta era algo novo e terrível. Kay já estava acostumada às explosões de raiva contra ela mesma e, especialmente, contra Gavin.

— Estou falando com você, Gaia!

— Eu sei. Não sou surda.

— Então, tenha a gentileza de me responder.

As letras pretas iam surgindo no espaço branco da tela e também umas carinhas engraçadas, piscando o olho ou dando pulinhos.

— Será que você pode me responder, Gaia?

— Quê? Que foi?

— Estou tentando saber como foi o seu dia.

— Uma merda. Ontem também. E amanhã vai ser a mesma coisa.

— A que horas você chegou?

— Na de sempre.

Às vezes, mesmo depois de todos esses anos, Gaia não escondia que ficava chateada por ter de abrir a porta com a própria chave, por não ter Kay ali à sua espera como as mães dos livros de histórias.

— Quer me contar por que o seu dia foi uma merda?

— Porque você me arrastou pra morar nesse fim de mundo.

Kay estava decidida a não gritar. Ultimamente, as duas vinham brigando aos berros, e ela tinha certeza de que a rua inteira podia ouvi-las.

— Sabe que vou sair com Gavin hoje à noite?

Gaia murmurou alguma coisa que ela não conseguiu distinguir.

— O quê?

— Eu disse que achava que ele não gostava de sair com você.

— O que quer dizer com isso?

Mas Gaia não respondeu. Limitou-se a digitar uma resposta numa das várias conversas que se desenrolavam na tela do computador. Kay hesitou: queria pressionar a filha, mas tinha medo do que pudesse ouvir.

— Estou de volta lá pela meia-noite, acho.

Gaia não disse nada. Kay foi esperar Gavin no saguão de entrada.)

— Ela fez amizade com uma garota que mora na sua rua — disse Kay. — Como é mesmo que ela se chama? Narinder, acho...

— Sukhvinder — disseram o marido e a mulher ao mesmo tempo.

— É uma ótima garota — observou Mary.

— Conhece o pai dela? — indagou Samantha.

— Não — respondeu Kay.

— Ele é cirurgião cardiovascular — prosseguiu a anfitriã, que já estava na quarta taça de vinho. — Absolutamente, incrivelmente lindo!

— Ah! — exclamou a moça.

— Como um astro de Bollywood.

Samantha percebeu que ninguém tinha se dado o trabalho de dizer que o jantar estava gostoso, o que teria sido uma questão de educação, mesmo que tudo estivesse horrível. Já que não tinha condições de atormentar Gavin, poderia ao menos dar umas alfinetadas em Miles...

— Eu lhe garanto que Vikram é o único aspecto positivo de se morar nesse fim de mundo — prosseguiu ela. — É a sensualidade em pessoa.

— E a mulher dele é a clínica geral da cidade — atalhou Miles. — E também membro do Conselho Distrital. Você é contratada pelo Conselho Municipal de Yarvil, não é, Kay?

— Isso mesmo — respondeu ela. — Mas passo a maior parte do tempo em Fields. Tecnicamente, o bairro faz parte do distrito de Pagford, não faz?

Ah, Fields não!, pensou Samantha. *Pelo amor de Deus, não mencione o maldito Fields...*

— É — replicou Miles, com um sorriso sugestivo. — Fields faz parte de Pagford, *tecnicamente*. Como você disse, tecnicamente. Esse é um assunto espinhoso, Kay.

— Ah, é? Por quê? — indagou a moça, na esperança de fazer com que a conversa se generalizasse, pois Gavin continuava falando em voz mais baixa com a viúva.

— Bom, tudo começou lá nos anos 1950 — principiou Miles, que parecia estar embarcando num discurso bem-ensaiado. — Yarvil queria expandir o conjunto habitacional de Cantermill e, em vez de construir nos terrenos a oeste, onde hoje fica aquele entroncamento...

— Gavin? Mary? Vocês querem mais vinho? — indagou Samantha, tentando suplantar a voz do marido.

— ...Eles foram um tanto ambíguos... Quando compraram as terras, ninguém esclareceu ao certo o que pretendiam fazer com elas e, depois, quando começaram as obras, ultrapassaram os limites do distrito de Pagford.

— Por que você não mencionou o velho Aubrey Fawley, Miles? — perguntou Samantha, que tinha finalmente atingido aquele delicioso ponto de embriaguez em que a língua ficava maldosa e o medo das consequências desaparecia. Estava louca para provocar e irritar, procurando apenas se divertir ao máximo. — A verdade é que o velho Aubrey Fawley, que vinha a ser o proprietário daquelas adoráveis cantoneiras de pedra, ou seja lá o que Miles tenha lhe dito, fechou um negócio às escondidas...

— Você está sendo injusta, Sam — interrompeu Miles. Mais uma vez, porém, ela continuou falando e abafou a voz do marido.

— ...Vendeu as terras onde hoje fica o bairro de Fields e embolsou, não sei exatamente, mas deve ter sido coisa de uns duzentos e cinquenta mil, por aí...

— Não diga bobagens, Sam! Na década de 1950?

— Depois, quando ele percebeu que todo mundo estava com ódio dele, fingiu que não podia imaginar que aquilo fosse trazer tanto transtorno. Um idiota da alta sociedade. E bêbado... — acrescentou Samantha.

— Nada disso é verdade, garanto — disse Miles em tom decidido. — Para conseguir entender todo o alcance do problema, Kay, é preciso conhecer um pouco da história local.

Com o queixo apoiado na mão, Samantha fingiu que o cotovelo escorregava da mesa de tanto tédio. Embora não achasse aquela mulher nada agradável, Kay riu, e Gavin e Mary interromperam a sua conversa em voz baixa.

— Estamos falando sobre Fields — disse a moça, de um jeito que pretendia lembrar a Gavin que ela estava lá e que o seu papel era lhe dar algum apoio moral.

De imediato, Miles, Samantha e Gavin se deram conta de que aquele era o assunto mais inconveniente possível para se tratar na frente de Mary, já que sempre fora o pomo da discórdia entre Barry e Howard.

— Aparentemente, este é um tema um tanto delicado em termos locais — acrescentou a moça, tentando forçar o namorado a dar a sua opinião, a participar da conversa.

— Hã, hã — replicou ele e, voltando-se novamente para Mary, perguntou: — E então, como anda Declan no futebol?

Kay sentiu uma pontada de ódio. Tudo bem que Mary estivesse de luto, mas a solicitude de Gavin parecia fora de propósito. Tinha imaginado que aquela noite seria bem diferente: um jantar a quatro durante o qual o rapaz teria de perceber que eles eram efetivamente um casal. No entanto, ao ver aquela cena, ninguém poderia imaginar que eles fossem mais que simples conhecidos. Ainda por cima, a comida estava horrível. Kay cruzou os talheres, deixando no prato mais da metade do que lhe tinha sido servido — detalhe que Samantha não deixou de notar — e, mais uma vez, se dirigiu a Miles.

— Você cresceu aqui em Pagford?

— Bom, tenho que admitir que sim — respondeu ele, com um sorriso complacente. — Nasci no velho Hospital Kelland, lá no fim da rua. Ele foi fechado nos anos 1980.

— Você...? — principiou ela, mas Samantha nem esperou pelo fim da frase.

— De jeito nenhum! Vim parar aqui por acidente.

— Desculpe, mas não perguntei o que você faz, Samantha.

— Tenho uma lo...

— Ela vende sutiãs de tamanhos especiais — interrompeu Miles.

Samantha se levantou bruscamente para ir buscar outra garrafa de vinho. Quando voltou para a mesa, Miles estava contando a Kay um episódio engraçado, sem dúvida com a intenção de demonstrar que todo mundo conhecia todo mundo em Pagford: a noite em que ele foi parado por um guarda e acabou descobrindo que era um amigo do tempo da escola primária. A descrição detalhada da camaradagem entre ele próprio e Steve Edwards era algo que Samantha conhecia de cor e salteado. Ao dar a volta na mesa para encher todas as taças, percebeu a expressão austera de Kay. Era óbvio que ela não achava graça nenhuma nessas histórias de gente que dirigia embriagada.

— ...E lá estava Steve, segurando o bafômetro, e eu, me preparando para soprar, quando, do nada, os dois caímos na gargalhada. O outro policial não estava entendendo nada e ficou com uma cara assim — disse Miles, imitando o sujeito, que abanava a cabeça de um lado para o outro, absolutamente atônito. — Steve se dobrava de tanto rir, quase mijando, porque ele e eu nos lembramos da última vez que ele ficou segurando uma coisa para eu soprar. Tinha sido uns dezenove, vinte anos atrás...

— Era uma boneca inflável — disse Samantha, sem sequer sorrir, voltando a se sentar ao lado do marido. — Miles e Steve puseram a tal boneca na cama dos pais de um amigo deles, Ian, que estava fazendo dezoito anos e dando uma festa. Bom, mas Miles acabou recebendo uma multa considerável e perdeu três pontos na carteira, porque era a segunda vez que ele era parado por excesso de velocidade. Ou seja, é uma história engraçadíssima...

O sorriso no rosto de Miles ficou congelado como um balão vazio esquecido num fim de festa. Um ventinho gélido soprou naquela sala, que, por alguns minutos, ficou em silêncio. Embora tenha achado o seu anfitrião o suprassumo da chatice, Kay tomou o seu partido. Afinal, ele era a única pessoa ali na mesa que parecia minimamente interessada em facilitar a sua primeira participação na vida social de Pagford.

— Tenho que admitir que Fields não é nada fácil — disse ela, voltando ao assunto que, aparentemente, deixava Miles mais à vontade e ainda sem desconfiar que aquele era um tema delicado com Mary ali por perto. — Trabalhei em bairros de periferia. Não esperava encontrar tanta miséria na zona rural, mas aquilo lá não é muito diferente de Londres. Só existe menos mistura étnica, é claro.

— Ah, é claro! Também temos a nossa cota de viciados e vagabundos — observou Miles. — Acho que não dá mais, Sam — acrescentou então, empurrando o prato onde ainda havia uma boa quantidade de comida.

Samantha começou a tirar a mesa, e Mary se levantou para ajudar.

— Não, Mary. Pode deixar. Fique tranquila — disse a dona da casa. Para aumentar ainda a irritação de Kay, Gavin também se levantou, insistindo, com um ar todo cavalheiro, que Mary voltasse a se sentar. Mas a viúva não cedeu.

— Estava ótimo, Sam — disse ela, enquanto as duas jogavam a comida quase toda na lata de lixo.

— Não estava, não. Estava horrível — retrucou Samantha, que começava a perceber o quanto estava bêbada agora que tinha ficado de pé. — O que achou de Kay?

— Não sei... — respondeu Mary. — Não é o que eu estava imaginando.

— Pois ela é exatamente o que eu estava imaginando — replicou a anfitriã, apanhando uns pratos para a sobremesa. — Se quer saber, é uma segunda Lisa.

— Ah, não diga isso! — exclamou Mary. — Ele merece coisa melhor dessa vez...

Isso era novidade para Samantha... Na sua opinião, a covardia de Gavin merecia punição constante.

As duas voltaram para a sala de jantar, onde Miles e Kay conversavam animadamente, ao passo que Gavin estava só sentado ali, calado.

— ...empurrar a responsabilidade para cima deles, o que me parece uma atitude bem autocentrada e egoísta...

— Ora, acho interessante ouvir você usar a palavra “responsabilidade" — observou Miles —, porque acredito que este é o verdadeiro xis do problema, sabe? A questão é saber onde exatamente estabelecer o limite.

— Aparentemente, deixando Fields de fora — disse Kay rindo, e o seu riso nada tinha de condescendente. — Vocês querem traçar uma linha bem nítida entre a classe média proprietária e a classe...

— Muitos dos habitantes de Pagford são da classe trabalhadora, Kay. E esta é a diferença entre nós: aqui, a maioria *trabalha*. Sabe quantos dos moradores de Fields vivem de alocações do governo? Você falou de responsabilidade. E a responsabilidade pessoal, onde é que fica? Há anos que recebemos moradores de Fields na nossa escola: crianças que não têm na família uma única pessoa que trabalhe. A ideia de ganhar a vida é coisa que eles desconhecem. São gerações e gerações de gente que não trabalha, e nós é que temos que sustentá-los...

— E, para você, a solução é empurrar o problema para Yarvil — interrompeu Kay —, e não enfrentar qualquer das questões que estão por trás...

— Torta de lama do Mississippi? — perguntou Samantha.

Gavin e Mary aceitaram uma fatia cada, e agradeceram. Kay, o que só fez deixar a dona da casa furiosa, limitou-se a estender o prato, como se ela fosse uma garçonete, e continuou inteiramente voltada para Miles.

— ...segundo consta, há quem esteja se articulando para fechar a clínica de reabilitação, por exemplo, que é absolutamente indispensável...

— Ora, se você está se referindo à Bellchapel — disse Miles, abanando a cabeça e dando um sorriso de desdém —, espero que esteja a par dos resultados que ela vem apresentando, Kay. É patético. Sinceramente, patético. Hoje mesmo, pela manhã, andei observando os números, e, para ser franco, quanto mais cedo ela fechar...

— Esses números correspondem a...?

— Os resultados positivos, Kay, como acabei de dizer: a quantidade de gente que parou efetivamente de usar drogas, os que ficaram limpos...

— Ah, me desculpe, mas essa é uma perspectiva muito ingênua. Se pretende avaliar resultados simplesmente...

— Mas de que outro jeito poderíamos avaliar o sucesso de uma clínica de reabilitação, meu Deus? — perguntou Miles, incrédulo. — Pelo que sei, tudo que a Bellchapel faz é sair distribuindo metadona, coisa que metade dos seus pacientes continua usando junto com a heroína.

— A questão das drogas como um todo é muitíssimo complicada — replicou Kay. — E é ingênuo e simplista encarar o problema somente em termos de usuários e não...

Miles, porém, ficou abanando a cabeça e sorrindo. Kay, que estava até gostando do duelo verbal com aquele advogado convencido, ficou subitamente irritada.

— Bom, posso lhe dar um exemplo concreto do que a Bellchapel vem fazendo. É uma família com quem estou trabalhando: mãe, filha adolescente e filho pequeno. Se a mãe não estivesse tomando metadona, estaria pelas ruas tentando ganhar dinheiro para sustentar o vício. Não há dúvida que os filhos vão estar muito...

— Vão estar muito melhor longe dessa mãe, pelo que estou vendo! — exclamou Miles.

— E para onde exatamente você propõe que eles sejam levados?

— Uma casa de família decente seria um bom começo.

— Sabe quantas casas substitutas existem, em comparação com a quantidade de crianças que precisariam delas? — perguntou Kay.

— A melhor solução seria encaminhar essas crianças para adoção assim que elas nascem...

— Ah, perfeito! Vou entrar na minha máquina do tempo... — retrucou a moça.

— Conhecemos um casal que está tentando desesperadamente adotar um filho — interrompeu Samantha, vindo inesperadamente respaldar as opiniões do marido. Nunca ia perdoar a grosseria daquele prato estendido... Kay era mandona e truculenta, exatamente como Lisa, que monopolizava todas as reuniões a que compareciam com as suas opiniões políticas e o seu trabalho como advogada de família, desprezando a própria Samantha por ser dona de uma loja de sutiãs. — Adam e Janice — disse ela, à guisa de parênteses, dirigindo-se ao marido, que assentiu com um aceno de cabeça. — E não estão conseguindo um bebê de jeito nenhum, não é mesmo?

— Exatamente. Um *bebê* — replicou Kay, revirando os olhos. — É o que todos querem. E Robbie já tem quase quatro anos. Não sabe usar o vaso sanitário, está abaixo da expectativa de desenvolvimento para a sua idade e poderia jurar que já presenciou cenas de sexo. Será que os seus amigos gostariam de adotar um menino *assim*?

— Mas, se ele tivesse sido tirado da mãe na hora em que nasceu...

— Ela não estava usando drogas quando teve o menino, e vinha demonstrando progressos consideráveis — disse Kay. — Amava a criança, queria ficar com ela e, na época, dava conta de cuidar dela. Já tinha criado Krystal, com alguma ajuda da família...

— Krystal! — exclamou Samantha. — Ah, meu Deus! Estamos falando dos *Weedon*?

Kay ficou horrorizada por ter citado nomes. Em Londres, isso não tinha a menor importância, mas, pelo visto, ali em Pagford todo mundo se conhecia mesmo.

— Eu não devia...

Miles e Samantha, porém, estavam rindo, e Mary parecia tensa. Kay, que não tinha tocado na torta e comera muito pouco durante o jantar, percebeu que tinha bebido demais. Por puro nervoso, ficou bebericando o tempo todo e, agora, havia sido absolutamente indiscreta. No entanto, era tarde demais para desfazer o que havia sido feito, e a raiva acabou suplantando qualquer outra consideração.

— Krystal Weedon não recomenda absolutamente a capacidade materna dessa mulher — observou Miles.

— Ela está tentando loucamente manter a família unida — disse Kay. — Adora o irmãozinho. Morre de medo que ele seja levado...

— Eu não confiaria nela nem para tomar conta de um ovo cozinhando — retrucou Miles, e Samantha riu novamente. — É claro que o amor pelo irmão é um ponto a seu favor, mas ele não é um brinquedinho fofo...

— Ah, eu sei — interrompeu Kay, lembrando-se do bumbum sujo e assado do menino. — Mesmo assim, é amado.

— Krystal agrediu a nossa filha Lexie — disse Samantha —, portanto conhecemos um lado dessa garota que, com toda a certeza, não é o que ela mostra para você.

— Veja bem — interveio Miles —, nós todos sabemos que a vida dessa garota não é nada fácil. Ninguém aqui está negando isso. O problema todo é a mãe viciada.

— Na verdade, ela vem seguindo direitinho o programa da Bellchapel.

— Mas, com o seu *histórico* — insistiu Miles —, não é preciso ter *bola de cristal* para imaginar que ela vai ter uma recaída, não é verdade?

— Se formos aplicar essa regra a todas as situações possíveis, você não deveria ter carteira de motorista. Afinal, com o seu *histórico*, você está fadado a beber e sair dirigindo novamente.

Por alguns instantes, Miles ficou sem reação, mas Samantha disse, friamente:

— Acho que uma coisa não tem nada a ver com a outra.

— Acha? — indagou Kay. — É exatamente o mesmo princípio.

— Bom, se quer saber a minha opinião, muitas vezes o problema são os princípios — observou Miles. — Em geral, basta ter um pouco de bom senso.

— É, é assim que as pessoas costumam chamar os próprios preconceitos — retrucou a moça.

— Segundo Nietzsche — disse uma voz diferente, em tom áspero, e todos ali na sala se assustaram —, a filosofia é a biografia do filósofo.

Uma Samantha em miniatura estava parada na porta que dava para o corredor: uma garota de uns dezesseis anos, seios grandes, usando um jeans apertado e uma camiseta. Estava comendo umas uvas e parecia bem satisfeita com a sua intervenção.

— Minha gente, essa é Lexie — disse Miles, todo orgulhoso. — Obrigado pela contribuição, gênio.

— De nada — respondeu a garota, num tom espevitado, e desapareceu na escada.

Um pesado silêncio se instalou sobre a mesa. Sem saber exatamente por quê, Samantha, Miles e Kay olharam para Mary, que parecia estar a ponto de chorar.

— Café? — disse Samantha, se levantando meio trôpega. Mary foi para o banheiro.

— Vamos sentar lá na outra sala — propôs Miles, sentindo que o clima estava um tanto carregado, mas certo de que poderia, com algumas brincadeiras e com o seu jeito bonachão, reintroduzir uma atmosfera amistosa entre os seus convidados. — Tragam os seus copos.

Os argumentos de Kay haviam abalado as suas convicções tanto quanto um rochedo seria abalado por uma brisa ligeira, e Miles não experimentava nenhum sentimento negativo pela moça. Na verdade, tinha pena dela. De todos ali, era o menos alterado pelo ininterrupto encher dos copos, mas, ao chegar à sala de estar, percebeu que a sua bexiga estava no limite.

— Ponha uma música aí, Gav. Vou buscar aqueles bombons.

Mas Gavin não fez nenhum movimento em direção à coleção de CDs empilhados nas estantes estreitas de acrílico. Parecia estar esperando por alguma reação de Kay. E, de fato, assim que Miles saiu da sala, ela disse:

— Ora, ora... Muitíssimo obrigada, Gav. Você ficou sempre ao meu lado.

O rapaz tinha bebido ainda mais que ela durante o jantar, numa comemoração particular por não ter sido oferecido em sacrifício aos ataques belicosos de Samantha. Olhou então direto para Kay, cheio de uma coragem nascida, não apenas do vinho, mas de ter passado uma hora sendo tratado por Mary como uma pessoa importante, inteligente e com quem se pode contar.

— Pelo visto, você se saiu muito bem sozinha — disse ele.

Na verdade, o pouco que se permitiu ouvir da discussão entre Kay e Miles tinha lhe dado uma tremenda sensação de *déjà vu*. Se Mary não estivesse ali para distraí-lo, talvez tivesse se sentido voltando àquela célebre noite, na mesmíssima sala de jantar, quando Lisa disse a Miles que ele era o modelo perfeito de tudo que havia de errado na sociedade. Miles caiu na risada. Lisa ficou furiosa e foi embora sem esperar pelo café. Não muito tempo depois, ela admitiu que estava dormindo com um advogado da firma em que trabalhava e sugeriu que Gavin fizesse o exame para ver se estava com clamídia.

— Não conheço ninguém aqui — prosseguiu Kay —, e você não fez absolutamente nada para facilitar as coisas para mim, não é?

— O que queria que eu fizesse? — indagou Gavin, que se sentia perfeitamente tranquilo, protegido pela perspectiva da volta iminente dos Mollison e de Mary, e pelas generosas doses de Chianti que havia consumido. — Não quero saber de discussões sobre Fields. Não estou nem aí para essa história toda. Além do mais — acrescentou ele —, é um assunto delicado para ser tratado diante de Mary. Barry vinha se batendo, no Conselho, para que Fields continuasse a fazer parte de Pagford.

— Mas, nesse caso, você não poderia ter me avisado? Me dado um toque?

Ele riu, exatamente como Miles tinha feito. Antes, porém, que ela pudesse replicar, os outros voltaram para a sala, parecendo até os Reis Magos carregando os seus presentes: Samantha trazia uma bandeja com as xícaras; atrás dela, vinha Mary com o bule e, depois, Miles com os bombons de Kay. Ao ver a fita dourada reluzindo sobre a caixa, a moça se lembrou do otimismo que sentia em relação àquela noite quando foi comprar os chocolates. Desviou o rosto, tentando disfarçar a raiva, pois estava morrendo de vontade de gritar com Gavin e sentindo uma súbita e espantosa necessidade de chorar.

— Foi uma noite muito agradável — disse Mary, numa voz meio rouca que sugeria que também ela estivera chorando —, mas não vou ficar para o café. Não quero chegar tarde em casa. Declan anda meio... meio inseguro atualmente. Muito obrigada, Sam, Miles... Foi muito bom... sair um pouquinho.

— Vou levá-la até... — principiou Miles, mas a voz de Gavin suplantou a sua.

— Fique, Miles. Pode deixar que eu acompanho Mary. Vou levá-la até em casa. São só cinco minutos. Lá no alto da rua é muito escuro.

Kay mal conseguia respirar. Todo o seu ser estava concentrado em detestar a complacência de Miles, a fragilidade e a vulgaridade de Samantha, o abatimento de Mary, mas, principalmente, o próprio Gavin.

— Ah, claro — ouviu a própria voz dizendo, já que todos pareciam aguardar a sua permissão. — Claro! Vá levar Mary em casa, Gav.

A porta da frente se fechou, e Gavin se foi. Miles estava lhe servindo uma xícara de café. Kay ficou olhando o líquido escuro caindo e, de repente, teve a dolorosa consciência do quanto havia arriscado mudando toda a sua vida por causa daquele homem que estava indo embora com outra mulher.

VIII

Pela janela do escritório, Colin Wall viu Gavin e Mary passando. Reconheceu imediatamente a silhueta de Mary, mas teve de forçar a vista para identificar o sujeito magricela que ia ao seu lado, antes que os dois chegassem ao trecho iluminado pela luz do poste. Debruçado para a frente, erguendo o corpo da cadeira, ficou olhando boquiaberto até que eles desapareceram na escuridão.

Não podia estar mais chocado! Para ele, Mary estava vivendo numa espécie de reclusão, recebendo, no santuário que era a sua casa, apenas mulheres, entre as quais Tessa, que continuava a visitá-la praticamente todo dia. Nunca havia lhe passado pela cabeça que Mary tivesse qualquer atividade social noturna, muito menos com um homem solteiro. Colin se sentiu pessoalmente traído, como se Mary, em algum plano espiritual, estivesse lhe botando um par de chifres.

Será que ela tinha permitido que Gavin visse o corpo de Barry? Será que o advogado passava as noites sentado na poltrona favorita de Barry, junto da lareira? Será que Gavin e Mary...? Será possível que eles...? Afinal, essas coisas acontecem o tempo todo. Quem sabe... Quem sabe já desde antes da morte de Barry...

Colin ficava sempre assustado diante do estado esfarrapado da moral alheia. Tentava se proteger contra o choque obrigando-se a imaginar o pior: preferia conjurar cenas terríveis de depravação e traição a esperar que a verdade se abrisse como um fruto maduro destruindo as suas inocentes ilusões. Para ele, a vida era uma longa batalha contra a dor e a decepção, e todos, exceto a sua própria mulher, eram inimigos até prova em contrário.

Chegou a pensar em descer correndo e contar a Tessa o que tinha acabado de ver. Quem sabe ela não poderia lhe dar alguma explicação inócua para aquele passeio noturno de Mary e tranquilizá-lo, convencendo-o de que a viúva do seu melhor amigo era, e sempre tinha sido, fiel ao marido. Mas resistiu àquele impulso porque estava com raiva da mulher.

Por que ela fazia questão de demonstrar tamanha falta de interesse pela sua candidatura ao Conselho? Será que não notava como a ansiedade vinha tomando conta dele de um jeito cada vez mais forte desde que ele tinha mandado o formulário preenchido? Embora Colin pudesse imaginar que ia se sentir assim, a dor não era menor por ser previsível, exatamente como o fato de ser atropelado por um trem não seria menos devastador para alguém que tivesse visto a composição se aproximando pelos trilhos. Ele simplesmente sofria duas vezes: com a expectativa e com a concretização.

As suas novas fantasias apavorantes giravam em torno dos Mollison e das formas que eles provavelmente escolheriam para atacá-lo. Contra-argumentações, justificativas e explicações estavam o tempo todo circulando pela sua cabeça. Já se via acuado, lutando para salvar a própria reputação. A pontinha de paranoia que sempre se mostrava quando Colin precisava enfrentar o mundo estava ficando cada vez mais acentuada. Nesse meio-tempo, Tessa fingia que nem sabia o que estava acontecendo e não fazia absolutamente nada para tentar aliviar aquela pressão terrível, esmagadora.

Sabia perfeitamente que ela era contra aquela candidatura. Talvez também estivesse apavorada com a perspectiva de Howard Mollison escancarar as entranhas do passado de ambos e espalhar os seus terríveis segredos para que todos os abutres de Pagford pudessem se regalar.

Colin já tinha dado alguns telefonemas para pessoas que sempre haviam apoiado Barry. Para sua surpresa e contentamento, ninguém questionou as suas credenciais ou lhe perguntou como pretendia enfrentar essa ou aquela questão. Sem exceção, todos expressaram o seu profundo pesar pela perda de Barry e a sua profunda antipatia por Howard Mollison, ou "aquele canalha metido a besta", como disse um dos eleitores mais grosseiros. "Tá tentando nos empurrar o filho dele. Vai ver ficou rindo à toa quando soube que Barry tinha morrido." Colin, que tinha feito uma lista de argumentos pró-Fields, não precisou olhar para aquele papel nem uma única vez. Pelo visto, as suas maiores qualidades como candidato eram ser amigo de Barry e não se chamar Mollison.

O seu rosto em miniatura, em preto e branco, sorria para ele lá da tela do computador. Passou boa parte da noite sentado ali, tentando redigir o seu panfleto de propaganda, e tinha decidido usar a mesma foto que aparecia no site da Winterdown: só o rosto, com um ligeiro sorriso um tanto anódino e a testa alta e reluzente. Aquele retrato tinha, a seu favor, o fato de já haver sido submetido à apreciação pública sem provocar qualquer estrago ou deboche, o que era uma recomendação considerável. Mas, debaixo da foto, onde deveriam ficar as informações pessoais, havia apenas uma ou duas frases ainda incipientes. Durante as últimas duas horas, Colin só fez escrever e deletar. A certa altura, conseguiu redigir um parágrafo inteiro, mas logo o destruiu, apagando letra por letra, batendo freneticamente com o indicador na tecla com a setinha.

Incapaz de suportar a indecisão e o isolamento, levantou-se de um salto e foi lá para baixo. Tessa estava deitada no sofá da sala, aparentemente cochilando, com a televisão ligada.

— E aí? — perguntou ela, sonolenta, entreabrindo os olhos.

— Mary acabou de passar por aqui. Estava subindo a rua com Gavin Hughes.

— Ah — disse Tessa. — Ela disse alguma coisa sobre passar na casa de Miles e Samantha. Vai ver que Gavin estava lá e foi levá-la em casa.

Colin ficou horrorizado. Mary indo visitar Miles, o homem que estava tentando ocupar o lugar do marido dela? Que se opunha invariavelmente a tudo pelo que Barry sempre lutou?

— Mas que diabos ela foi fazer na casa dos Mollison?

— Você sabe que eles foram com ela até o hospital — respondeu Tessa, sentando no sofá, soltando um leve gemido e esticando as pernas curtas.

— Mary ainda não tinha procurado por eles. Queria agradecer. Já terminou o panfleto?

— Quase. Tessa... Entre as informações... Quer dizer, no espaço destinado às informações pessoais... Ponho os cargos que ocupei antes? Ou deixo só a Winterdown? O que você acha?

— Não acho que seja necessário. Basta dizer onde você trabalha agora. Mas por que não pergunta a Minda? Ela... — disse Tessa, bocejando. — Ela já fez isso.

— Verdade — replicou Colin. E ficou parado ali, esperando, mas a sua mulher não se ofereceu para ajudar nem sequer para ler o que ele tinha escrito até então. — É. Boa ideia — disse Colin, desta vez falando um pouco mais alto. — Vou pedir a Minda para dar uma olhada nisso.

Tessa fez um grunhido, massageando os tornozelos, e ele saiu da sala, cheio de orgulho ferido. Ela não fazia ideia do estado em que ele se encontrava, dormindo pouquíssimo e com o estômago se roendo por dentro.

Na verdade, ela estava só fingindo que dormia. Os passos de Mary e Gavin a tinham acordado uns dez minutos atrás.

Tessa mal conhecia Gavin. Ele era quinze anos mais moço que ela e o marido, mas o principal empecilho para uma proximidade maior sempre fora o fato de Colin tender a ter ciúme das outras amizades de Barry.

— Ele está sendo fantástico com a história do seguro — disse-lhe Mary quando se falaram por telefone mais cedo. — Tem ligado para a companhia diariamente, pelo que vejo, e vive me dizendo para não me preocupar com os seus honorários. Ah, meu Deus, Tessa! Se eles não pagarem a...

— Gavin vai resolver isso tudo para você — replicou Tessa. — Tenho certeza que vai.

Seria tão bom convidar Mary para jantar, pensou ela, deitada ali no sofá, toda doída e com sede. Seria uma oportunidade para a amiga arejar um pouco a cabeça, mas também para se assegurar de que ela estava comendo direito. Mas havia uma barreira insuperável: Mary achava Colin um sujeito difícil de aguentar. Esse fato constrangedor e até pouco tempo oculto começou a vir à tona na noite em que Barry morreu, como os destroços de um naufrágio revelados pela vazante da maré. Não podia ter ficado mais evidente que Mary queria ter ao seu lado apenas Tessa: ela recuava diante de qualquer proposta para que Colin ajudasse com alguma coisa e evitava falar com ele ao telefone por mais de alguns instantes. Tinham se encontrado tantas vezes, só os quatro, durante anos, e a antipatia de Mary jamais transpareceu, provavelmente abafada pelo bom humor de Barry.

Tessa tinha que lidar com a nova situação usando todo o tato possível. Conseguiu convencer o marido de que Mary ficava mais feliz na companhia de outras mulheres. O funeral havia sido o seu único fracasso, porque Colin assaltou a viúva de surpresa na saída da igreja e ficou tentando explicar, numa fala entrecortada de soluços, que ia se candidatar à vaga de Barry no Conselho para levar adiante o trabalho do amigo, para assegurar a sua vitória póstuma. Tessa percebeu a expressão chocada e ofendida de Mary e tirou o marido de perto dela.

De lá para cá, Colin manifestou, por uma ou duas vezes, a intenção de ir mostrar a Mary todo o seu material de campanha e lhe perguntar se Barry teria aprovado. Chegou até a dizer que iria pedir alguns conselhos sobre a forma como Barry teria conduzido o processo de sair em busca de eleitores. Tessa acabou lhe dizendo, com toda a firmeza, que ele não tinha nada que ficar importunando Mary com essas histórias de Conselho. Colin ficou indignado com a atitude da mulher, mas, aos olhos dela, era melhor ele ficar zangado com ela do que trazer mais sofrimento para Mary ou obrigá-la a uma recusa categórica, como tinha acontecido no caso do velório.

— Ora, ora! Os Mollison! — exclamou Colin, entrando novamente na sala com uma xícara de chá nas mãos. Nem perguntou à mulher se ela queria uma também. Em geral, ele era bem egoísta nessas pequenas coisas: vivia tão ocupado com as próprias preocupações que nem se dava conta disso. — Com tantos conhecidos por aí, ela foi escolher logo a casa deles para ir jantar! Essa gente que é contra tudo que Barry sempre defendeu!

— Você está sendo um pouco melodramático, Col — disse Tessa. — E, de todo modo, Mary nunca teve tanto interesse quanto Barry em Fields.

Mas Colin só podia compreender o amor como lealdade irrestrita, tolerância ilimitada. Mary tinha caído no seu conceito, e de forma irreparável.

IX

— Onde é que o senhor vai? — perguntou Simon, plantado bem no meio do minúsculo corredor.

A porta da frente estava aberta, e, às suas costas, a varanda envidraçada, repleta de sapatos e casacos, chegava a ofuscar com o brilho do sol da manhã de sábado. Toda aquela luz transformava Simon em mera silhueta. A sua sombra ia subindo a escada, parando exatamente no degrau onde Andrew estava.

— Pra cidade, com Bola.

— Já terminou o dever?

— Já.

Era mentira, mas Simon não ia se dar o trabalho de conferir.

— Ruth? *Ruth*!

A mulher apareceu na porta da cozinha, de avental, com o rosto afogueado e as mãos cobertas de farinha.

— O que foi?

— Estamos precisando de alguma coisa lá da cidade?

— O quê? Não. Acho que não.

— Vai com a minha bicicleta, não é? — perguntou Simon, dirigindo-se ao filho.

— Vou. Eu ia...

— Deixar ela na casa de Bola?

— Isso.

— A que horas queremos ele de volta? — indagou Simon, voltando-se novamente para a mulher.

— Ah, sei lá, Si — respondeu Ruth, impaciente. O máximo de irritação que ela se permitia com relação ao marido era quando ele, embora basicamente de bom humor, resolvia ditar regras só de brincadeira. Era comum o garoto ir à cidade com o amigo sob a condição vagamente implícita de voltar para casa antes do anoitecer.

— Às cinco, então — disse Simon, de forma arbitrária. — Se chegar depois disso, vai ficar de castigo.

— Ok — respondeu Andrew.

Estava com a mão direita no bolso do casaco, apertando com toda a força um pedacinho de papel, tomando o maior cuidado com ele, como se fosse uma granada pulsante. Passou a semana inteira atormentado pelo medo de perder aquele papelzinho, onde estava escrita uma linha num código meticulosamente copiado e várias frases riscadas, mil vezes feitas e refeitas. Por precaução, levava o tal papel onde quer que fosse e dormia com ele dentro da fronha do travesseiro.

Simon praticamente não se mexeu, e Andrew precisou se esgueirar entre o pai e a parede para chegar à varanda, sempre segurando firme o pedacinho de papel. Estava morrendo de medo de que o pai resolvesse ver o que ele tinha nos bolsos, à cata de cigarros, é claro.

— Então, tchau.

Simon não respondeu. Andrew foi até a garagem, onde tirou o bilhete do bolso, desdobrou o papel e releu o que havia ali. Sabia que não estava sendo nada sensato, que a simples proximidade do pai não poderia ter alterado nada ali, mas, mesmo assim, quis se certificar. Satisfeito por ver que estava tudo bem, dobrou novamente o papelzinho, voltou a enfiá-lo bem no fundo do bolso e pressionou o colchete para fechá-lo. Saiu da garagem e desceu a rampa do quintal empurrando a bicicleta. Sabia que Simon estava espiando pela porta envidraçada da varanda, com toda a certeza na esperança de vê-lo cair ou fazer um estrago qualquer na bicicleta.

Pagford estava lá embaixo, ligeiramente enevoada ao sol frio de primavera, e o ar estava fresco, quase cortante. Andrew sentiu o ponto em que os olhos de Simon deixaram de vê-lo: foi como se houvessem tirado um peso das suas costas.

Desceu a toda a colina, rumo ao vilarejo, sem tocar nos freios, e, depois, virou na Church Row. Mais ou menos na metade da rua, reduziu a velocidade e entrou na alameda da casa do amigo pedalando de um jeito comedido, tomando cuidado para não esbarrar no carro de Pombinho.

— Oi, Andy — disse Tessa, abrindo a porta da frente.

— Olá, sra. Wall.

Andrew havia aceitado, como uma convenção, que os pais de Bola eram ridículos: Tessa era gordinha e sem graça, com um corte de cabelo bem estranho e sem a mínima noção de como se vestir, ao passo que Pombinho era tão estressado que chegava a ser cômico. Mesmo assim, desconfiava seriamente que, se fosse filho dos Wall, ficaria tentado a gostar deles. Aqueles dois eram tão civilizados, tão bem-educados. Na casa deles, nunca se tinha a sensação de que o chão podia se abrir a qualquer momento e mergulhar tudo no caos.

Bola estava sentado no último degrau da escada, calçando os tênis. Dava para ver nitidamente a ponta de um pacotinho de tabaco aparecendo no bolso da frente do seu casaco.

— Oi, Arf!

— Oi, Bola!

— Quer deixar a bicicleta do sr. Price na garagem, Andy?

— Quero, sim. Obrigado, sra. Wall.

(Era sempre assim que ela se referia a Simon, pensou o garoto. Sabia que Tessa detestava o seu pai, e essa era uma das coisas que o levavam a desconsiderar aquelas roupas horrorosas que ela usava e aquela franja malcortada que tanto a enfeava.

A sua antipatia datava daquela ocasião assustadora — e inesquecível —, anos e anos atrás, quando Bola, que tinha então seis anos, veio passar a tarde de sábado em Hilltop House pela primeira vez. Equilibrando-se precariamente em cima de uma caixa na garagem, para tentar pegar umas velhas raquetes de *badminton*, os dois meninos derrubaram sem querer tudo que estava numa prateleira meio bamba.

Andrew se lembrou da lata de creosoto caindo, batendo no teto do carro e abrindo. Lembrou-se também do terror que tomou conta dele e da sua incapacidade de explicar ao amigo, que ria às gargalhadas, o que esperava por eles.

Simon ouviu o barulho e correu para a garagem. Avançou para os meninos com a mandíbula projetada para a frente, fazendo aquele grunhido baixinho, animalesco, antes de começar a berrar ameaças de terríveis castigos físicos, com os punhos cerrados a poucos centímetros daquelas carinhas que o encaravam, olhando para cima.

Bola fez xixi na calça. Um fio de urina veio escorrendo pelas suas pernas até cair no chão da garagem. Ruth, que tinha ouvido a gritaria lá da cozinha, veio correndo, tentando intervir:

— Não, Si... Si, não... Foi sem querer. — O menino estava pálido e tremia. Quis voltar para casa. Queria a sua mãe.

Quando Tessa chegou, Bola correu para ela aos prantos, com o short encharcado. Foi a única vez na vida que Andrew viu o pai recuar, sem saber o que fazer. Sabe-se lá como, Tessa deixou claro que estava furiosa sem gritar, sem ameaçar, sem bater. Preencheu um cheque e o enfiou na mão de Simon, enquanto Ruth ficou repetindo *Não, não. Não precisa. Não precisa.* Simon a acompanhou até o carro, tentando fazer a coisa toda parecer uma brincadeira, mas Tessa o olhou com o maior desprezo, pôs o filho, que ainda chorava, no banco do carona e bateu a porta do motorista na cara sorridente do dono da casa. Andrew entendeu tudo pela expressão dos pais: Tessa estava levando ladeira abaixo, para o vilarejo, algo que normalmente ficava escondido naquela casa do alto da colina.)

Naquela época, Bola tentava cativar Simon. Sempre que vinha a Hilltop House, se desdobrava para fazer o outro rir. Em troca, Simon achava ótimo receber o menino em casa, adorava as piadas mais grosseiras que ele contava e se divertia com o relato das suas travessuras. No entanto, quando estava sozinho com Andrew, Bola concordava em gênero, número e grau que Simon era um babaca de primeira...

— Garanto que ela é sapatão — disse Bola, quando os dois estavam passando em frente à antiga casa paroquial, aquele casarão quase encoberto pela sombra do pinheiro-da-escócia e com hera pelas paredes.

— A sua mãe? — indagou Andrew, que, perdido nos próprios pensamentos, mal tinha ouvido o que o amigo dissera.

— Qual é! — gritou o garoto, e Andrew percebeu que ele estava genuinamente indignado. — Porra, cara! Sukhvinder Jawanda.

— Ah, tá...

Andrew riu, e, um minutinho depois, Bola começou a rir também.

O ônibus para Yarvil estava lotado. Os dois garotos tiveram que sentar juntos, em vez de ocupar dois bancos cada, como gostavam de fazer. Quando passaram pela Hope Street, Andrew ficou olhando, mas a rua estava deserta. Não tinha visto Gaia na escola desde aquela tarde em que ambos arranjaram emprego no Copper Kettle. O café ia ser inaugurado no próximo fim de semana, e ele sentia umas ondas de euforia sempre que se lembrava disso.

— Docinho de Coco já está em plena campanha eleitoral? — perguntou Bola, ocupado em enrolar um cigarro. Uma das suas pernas compridas estava no meio do corredor e, em vez de pedirem licença, as pessoas passavam quase pulando por cima dela. — Pombinho já começou a fazer merda, e olha que, até agora, só está preparando uns panfletos.

— É, ele tem trabalhado nisso — respondeu Andrew, e aguentou firme uma onda de pânico na boca do estômago.

Pensou nos pais sentados à mesa da cozinha, como vinham fazendo todas as noites, desde a semana passada. Pensou na caixa de panfletos idiotas que Simon tinha imprimido na gráfica, na lista de tópicos que Ruth tinha ajudado a levantar e que ele usava toda noite, telefonando para todos os seus conhecidos naquela região eleitoral. Dava a impressão de fazer tudo aquilo com um imenso esforço. Em casa, estava sempre na maior tensão, despejando mais que nunca a sua agressividade nos filhos. Parecia até que estava tendo de carregar um fardo que os filhos haviam se recusado a transportar. O único tema de conversa na hora das refeições era a eleição, pois o casal ficava especulando sobre as forças que teriam se unido contra Simon. Consideravam quase uma ofensa pessoal o fato de haver outros candidatos concorrendo à vaga deixada por Barry Fairbrother. Pelo visto, presumiam que Colin Wall e Miles Mollison passavam a maior parte do tempo confabulando, de olho em Hilltop House, não pensando em outra coisa a não ser em derrotar o homem que morava lá.

Mais uma vez, Andrew meteu a mão no bolso para ver se o papel continuava ali dentro. Não tinha contado ao amigo o que pretendia fazer. Tinha medo de que ele pudesse espalhar para todo mundo e não sabia muito bem como convencê-lo da absoluta necessidade de guardar segredo, como lembrar a Bola que o maníaco que fazia criancinhas mijarem na calça continuava vivo, muito bem de saúde, e morando com ele, na mesma casa.

— Pombinho não está muito preocupado com Docinho de Coco — disse o garoto. — Ele acha que o grande adversário é mesmo Miles Mollison.

— Sei — replicou Andrew. Tinha ouvido os pais falando a esse respeito. Ambos pareciam achar que Shirley os tinha traído, que ela devia ter proibido o filho de desafiar Simon.

— Sabe, para Pombinho, essa porra toda é uma verdadeira cruzada — prosseguiu Bola, rolando um cigarro entre o polegar e o indicador. — Ele está erguendo a bandeira do companheiro morto. Salve Barry Fairbrother!

Com um fósforo, começou a enfiar o tabaco pela ponta do rolinho de papel.

— A mulher de Miles Mollison tem uns peitos gigantescos — disse ele.

Uma senhora idosa que estava no banco da frente se virou para olhar o garoto. Andrew começou a rir novamente.

— Cada peitão do cacete — disse Bola bem alto, encarando aquele rosto enrugado e contraído. — Uns peitões suculentos, tamanho extragrande...

Toda vermelha, a mulher virou o rosto bem devagar e voltou a olhar para a frente. Andrew mal conseguia respirar.

Os dois saltaram do ônibus bem no centro de Yarvil, perto da avenida periférica e do principal calçadão do comércio local, e, fumando os cigarros que Bola havia enrolado, saíram andando em meio às pessoas que faziam compras. Andrew não tinha um tostão. O salário de Howard Mollison ia ser muito bem-vindo.

De longe, o letreiro de um alaranjado luminoso do cyber café atraiu o olhar de Andrew, como se o convidasse a entrar. O garoto não conseguia mais se concentrar no que Bola estava dizendo. *Vai fazer isso mesmo?*, era a pergunta que não lhe saía da cabeça. *Tem certeza?*

Ainda não sabia. Os seus pés continuavam a se mover, e o letreiro estava ficando cada vez maior, tentando atraí-lo, seduzi-lo.

Se ficar sabendo que você disse uma palavra sobre o que acontece nessa casa, eu esfolo você vivo.

Mas a alternativa era a humilhação de ver o pai exibir para o mundo inteiro o que ele realmente era e também o preço que a família teria de pagar quando, depois de semanas de besteiras e expectativas, ele fosse derrotado, o que certamente ia acontecer. Então, viriam a raiva e o despeito, e a determinação de fazer todos os demais pagarem pelas suas próprias decisões lunáticas. Ainda na véspera, à noite, Ruth tinha dito, toda animada: "Os meninos podem ir colar os seus cartazes lá em Pagford." Com o rabo do olho, Andrew tinha visto o horror estampado no rosto de Paul e percebeu que o irmão tentava olhar para ele disfarçadamente.

— Vou entrar aqui — murmurou Andrew, virando à direita.

Compraram tíquetes com senhas e sentaram diante de computadores diferentes, separados por duas outras baias ocupadas. O sujeito de meia-idade que estava à direita de Andrew fedia e ficava o tempo todo fungando.

Andrew entrou na internet e digitou o nome do site: conselho... distrital... de... pagford... ponto... co... ponto... uk...

A página inicial ostentava o emblema do Conselho, em azul e branco, e uma foto de Pagford tirada de algum lugar bem perto de Hilltop House, com a silhueta da abadia de Pargetter recortada contra o céu. O site, como Andrew já sabia, porque tinha entrado nele pelo computador da escola, tinha uma aparência de coisa antiga e amadorística. O garoto não ousou fazer isso do seu próprio notebook. O seu pai podia ser completamente ignorante em termos de internet, mas Andrew achava que era bem possível que ele arranjasse alguém lá do trabalho para ajudá-lo a investigar depois que a coisa já tivesse estourado...

Mesmo naquele lugar anônimo e movimentado, não havia como evitar que a data aparecesse na postagem, nem como fingir que não tinha ido a Yarvil naquele dia. Simon, porém, nunca entrou num cyber café na vida e talvez nem soubesse da existência deles.

Andrew sentiu o coração apertado, um aperto que chegou a doer. Mais que depressa, procurou a área de mensagens, que, pelo visto, não era muito frequentada. Havia alguns tópicos intitulados: coleta de lixo — esclarecimento e área de abrangência das escolas de Crampton e Little Manning. E, mais ou menos a cada dez entradas, havia uma postagem do administrador do site, incluindo trechos da ata da última reunião do Conselho. Bem no fim da página, surgiu o título: Falecimento do cons. Barry Fairbrother. Esse tópico tinha sido visitado cento e cinquenta e duas vezes e recebido quarenta e três respostas. Depois, na segunda página de mensagens, encontrou o que estava procurando: um post do falecido.

Uns dois meses atrás, a turma de informática de Andrew tinha sido acompanhada por um jovem professor substituto que ficou tentando parecer um sujeito descolado para cativar os alunos. Ele não deveria ter mencionado as injeções SQL de jeito nenhum, e Andrew tinha certeza de que não havia sido o único a sair dali direto para procurá-las no próprio computador. Tirou do bolso o papelzinho onde tinha anotado o código que procurou nos tempos vagos na escola e acessou a página de login do site do Conselho. Ele estava apostando todas as fichas numa suposição: como aquele site havia sido criado há muito tempo e por um amador, não devia ter qualquer proteção contra os procedimentos clássicos mais simples de invasão.

Com todo o cuidado, usando apenas o indicador, Andrew introduziu ali aquela linha mágica de caracteres.

Leu e releu tudo atentamente, verificando se cada vírgula estava onde deveria estar, e, por um segundo, ficou hesitando, com a respiração ofegante. Finalmente, pressionou a tecla "Enter".

Andrew chegou a perder o fôlego, feliz como uma criança, e precisou se conter para não gritar ou sair dando socos no ar. Tinha conseguido penetrar naquele sitezinho vagabundo na primeira tentativa. Ali, na tela à sua frente, estavam os dados de Barry Fairbrother: o seu nome, a sua senha, o seu perfil completo.

Desamassou então o papelzinho que tinha guardado no seu travesseiro por uma semana e começou a trabalhar. Digitar o parágrafo seguinte, com todas aquelas coisas riscadas e refeitas, ia ser uma tarefa bem mais complicada.

Andou tentando encontrar um estilo que fosse o mais impessoal e impenetrável possível, um estilo que tivesse aquele tom impassível dos jornalistas dos grandes jornais.

> Simon Price, candidato ao cargo de conselheiro distrital, pretende defender como plataforma o corte dos gastos excessivos da instituição. O sr. Price conhece por certo muito bem os processos de redução de custos e poderia beneficiar o Conselho fornecendo os nomes dos seus contatos tão úteis. Em casa, ele faz economia adquirindo mercadorias roubadas — o exemplo mais recente foi um computador de mesa — e é a pessoa a ser procurada na Gráfica Harcourt-Walsh por quem estiver interessado em mandar fazer algum trabalho a preço reduzido, pagando em dinheiro vivo, depois que o gerente-geral já tiver ido embora.

Andrew leu e releu aquele texto de ponta a ponta. Mentalmente, já o tinha repassado mil vezes. Podia fazer inúmeras acusações contra Simon, mas não existia um tribunal em que ele pudesse apresentar queixa formal contra o pai, em que ele pudesse apresentar como prova as lembranças que tinha do terror físico e da constante humilhação. Tudo que tinha eram as diversas infrações à lei de que ouvia Simon se vangloriar e, entre elas, escolheu dois exemplos específicos — o computador roubado e os trabalhos feitos às escondidas na gráfica, depois do expediente —, porque ambos estavam diretamente ligados ao lugar em que o pai trabalhava. Lá na gráfica, tinha gente que sabia que Simon fazia essas coisas e que poderia perfeitamente ter contado isso a qualquer pessoa: amigos ou família.

O seu estômago estava se revirando, exatamente como acontecia quando Simon perdia inteiramente o controle e partia para cima de quem estivesse à sua frente. Ver a própria traição em preto e branco na tela do computador era algo assustador.

— Que diabos você tá fazendo, pô? — perguntou Bola baixinho, falando bem perto do seu ouvido.

O tal velhote fedorento tinha ido embora. Bola tinha vindo para a baia ao seu lado e estava lendo o que ele tinha escrito.

— Puta que pariu! — exclamou o garoto.

Andrew sentiu a boca seca. A sua mão jazia esquecida sobre o mouse.

— Como entrou aí? — sussurrou Bola.

— Usando a injeção SQL — respondeu Andrew. — Tá tudo na internet. Todas essas porras de segurança.

Bola parecia encantado. E profundamente impressionado. Andrew ficou meio satisfeito, meio apavorado ao ver a reação do amigo.

— Você tem que...

— Deixa eu fazer um pro Pombinho!

— De jeito nenhum!

Andrew puxou o mouse, deixando-o fora do alcance de Bola. Aquele ato feio de deslealdade filial tinha nascido do caldo primordial de raiva, frustração e medo que transbordava dentro dele desde que se entendia por gente. Mas só via um jeito de convencer o amigo a guardar segredo.

— Isso aqui não é brincadeira!

Releu a mensagem pela terceira vez e lhe deu um título. Podia sentir a empolgação de Bola ali ao seu lado, como se estivessem vendo mais uma daquelas sessões de filmes pornô. De repente, a vontade de impressionar ainda mais tomou conta de Andrew.

— Olha só — disse ele, e trocou o nome de usuário de Barry para O_Fantasma_de_Barry_Fairbrother.

Bola caiu na gargalhada. Os dedos de Andrew se mexeram sobre o mouse. O cursor correu para o lado. Jamais saberia se teria levado aquilo tudo adiante se o amigo não estivesse espiando. Com um único clique, um novo título apareceu no alto da área de mensagens do site do Conselho Distrital de Pagford: Por que Simon Price não deve ser eleito para o Conselho Distrital de Pagford.

Já lá fora, na calçada, um olhou para o outro, quase sem fôlego de tanto rir, ligeiramente abalados pelo que acabara de acontecer. Andrew pediu então os fósforos de Bola emprestados, pôs fogo no pedacinho de papel onde tinha rascunhado a tal mensagem e ficou vendo-o se desintegrar em frágeis flocos negros, que foram caindo no chão sujo para desaparecer sob os pés dos passantes.

X

Andrew saiu de Yarvil às três e meia, para ter certeza de estar de volta a Hilltop House antes das cinco. Bola foi com ele até o ponto do ônibus e, depois, numa decisão aparentemente inesperada, disse que achava que ainda ia ficar um pouquinho por ali.

Na verdade, ele tinha combinado, sem dar muita certeza, no entanto, que encontraria Krystal no shopping. Voltou então para o centro do comércio pensando no que Andrew tinha feito lá no cyber café e tentando destrinchar as suas próprias reações.

Tinha de admitir que estava impressionado. Estava até com uma certa sensação de que tinham lhe roubado a cena. Andrew havia planejado aquilo tudo, sem contar para ninguém, e executado o plano com a maior eficiência. Tudo isso era admirável. Sentiu uma pontada de ciúme só de pensar que o amigo arquitetou tudo sem lhe dizer uma palavra, o que o fez achar que talvez devesse censurar Andrew por ter atacado o pai sob a capa do anonimato. Não havia, naquela atitude, algo de dissimulado, de excessivamente elaborado? Não teria sido mais autêntico ameaçar Simon cara a cara ou partir para a briga com ele?

É claro que Simon era um merda, mas, sem dúvida alguma, era um merda autêntico: fazia o que queria, quando queria, sem se submeter às restrições sociais ou à moral convencional. De repente lhe ocorreu que talvez devesse ficar do lado de Simon... Afinal, gostava tanto de fazer o pai de Andrew rir com piadas grosseiras e infames, em geral sobre gente que fazia as maiores burradas ou que se machucava em cenas tipo pastelão. Muitas vezes, Bola achou que preferia Simon, com as suas mudanças de humor, os seus acessos de fúria imprevisíveis, a Pombinho. Pelo menos o pai de Andrew era um adversário de peso, um antagonista sempre a postos...

Por outro lado, não tinha esquecido a lata de creosoto que caiu da prateleira, o rosto ensandecido e os punhos de Simon, o barulho assustador que ele ficou fazendo, o calor do xixi escorrendo pelas suas pernas, nem (talvez a lembrança mais vergonhosa) o desejo intenso, desesperado, de ver a mãe chegar e levá-lo dali, para um lugar seguro. Bola ainda não se sentia tão invulnerável a ponto de não compreender perfeitamente o desejo de revanche do amigo...

Com isso, o garoto voltou ao ponto de partida: Andrew tinha feito uma coisa ousada, engenhosa e potencialmente explosiva em termos de consequências. Mais uma vez, sentiu uma pontinha de tristeza por não ter sido ele a bolar aquele plano. Ultimamente, vinha tentando se livrar do hábito tão classe média de se fiar nas palavras, mas não era nada fácil deixar de lado um esporte em que ele era tão bom. Andando ali pelo piso encerado da entrada do shopping, pegou-se elaborando frases que acabariam com as pretensões tão presunçosas de Pombinho e deixariam o seu pai inteiramente nu diante de um público que debocharia dele...

Junto dos bancos que ficavam no meio do corredor, avistou Krystal com um grupinho de gente lá de Fields. Entre eles estavam Nikki, Leanne e Dane Tully. Bola nem hesitou ou sequer deu a mínima impressão de se preparar para aquele encontro. Simplesmente, continuou andando no mesmo ritmo, com as mãos nos bolsos, dirigindo-se para aquele monte de olhos críticos e curiosos que o mediam da cabeça aos tênis.

— Tudo bom, Gordo? — exclamou Leanne.

— Tudo — respondeu o garoto. Ela, então, cochichou alguma coisa com Nikki, que deu uma risadinha. Krystal começou a mascar o seu chiclete furiosamente. Ficou meio vermelha, jogou o cabelo para trás, fazendo dançar os brincos de argola, e puxou a calça de moletom para cima.

— Tudo bom? — perguntou Bola, dirigindo-se exclusivamente a ela.

— Tudo — respondeu a garota.

— Mamãe tá sabendo que você saiu, Bola? — indagou Nikki.

E, diante daquele silêncio ávido, ele replicou, com toda a calma.

— Tá, sim. Foi ela que me trouxe. Tá esperando lá no carro. Disse que eu podia dar uma rapidinha antes de voltar para lanchar em casa.

Todos caíram na gargalhada, exceto Krystal, que berrou:

— Vai se foder, seu filho da puta metido! — Mas, pelo jeito, tinha gostado do que ouviu.

— Tá fumando desses cigarros de enrolar? — resmungou Dane Tully, olhando para o bolso do casaco de Bola. O ferimento no seu lábio estava com uma casca bem preta.

— Tô.

— É desses que o meu tio fuma — prosseguiu Dane. — Tá acabando com a porra do pulmão dele — acrescentou, mexendo na casca do machucado.

— Onde é que vocês vão? — perguntou Leanne, olhando para Bola e para Krystal.

— Sei lá — disse a garota, sempre mascando chiclete e olhando para Bola de relance.

Ele, porém, deixou uma e outra sem resposta e se limitou a indicar a saída do shopping com um gesto meio brusco do polegar.

— Té mais — disse Krystal, bem alto, à turminha que estava com ela.

Já Bola, como quem não quer nada, meio que ergueu a mão num gesto de despedida e foi embora, com Krystal quase correndo ao seu lado. Ouviu mais risos enquanto se afastavam, mas nem ligou. Sabia que tinha se saído muito bem...

— Onde é que a gente vai? — perguntou a garota.

— Sei lá — respondeu ele. — Onde é que você vai geralmente?

Ela deu de ombros, sempre andando e mascando o seu chiclete. Saíram do shopping e foram andando pela rua principal. Estavam a alguma distância do parquinho onde tinham ido procurar alguma privacidade da outra vez.

— É verdade que a sua mãe trouxe você até aqui? — indagou Krystal.

— Claro que não, pô! Vim de ônibus, né?

A garota não ficou chateada com aquela resposta ríspida e continuou olhando as vitrines das lojas, onde o reflexo dos dois seguia lado a lado. Magricela e esquisitão, Bola era uma celebridade lá na escola. Até Dane achava ele engraçado.

— Ele só tá te usando, sua vaca burra — esbravejou Ashlee Mellor quando as duas se encontraram, três dias atrás, na esquina da Foley Road. — Porque você é uma puta, que nem a sua mãe!

Ashlee era uma das garotas que andava com Krystal até o dia em que as duas brigaram por causa de um garoto. Todo mundo sabia que ela não era muito boa da cabeça: era dada a uns acessos de raiva ou de choro, e, na Winterdown, passava metade do tempo nas aulas de reforço e a outra metade na orientação educacional, o que já bastaria para demonstrar que ela não era lá muito capaz de avaliar o alcance das coisas. Mas Ashlee não parou por aí: foi puxar briga com Krystal no seu território, ali onde a rival tinha as costas quentes e ela não conhecia praticamente ninguém. Nikki, Jemma e Leanne ajudaram a encurralar e imobilizar Ashlee, e Krystal bateu e esmurrou onde pôde, até as suas mãos ficarem cobertas do sangue da boca da outra.

E nem se preocupou com eventuais repercussões.

— Um bando de malucos e, ainda por cima, cagões — disse Krystal, referindo-se à garota e à sua família.

Mas as palavras de Ashlee tinham atingido em cheio uma das suas feridas abertas e doloridas. Por isso ficou tão contente quando Bola a procurou na escola no dia seguinte e, pela primeira vez, sugeriu que se encontrassem no fim de semana. Correu para contar a Nikki e a Leanne que ia sair com Bola Wall no sábado e adorou ver o ar de surpresa no rosto das amigas. E, ainda por cima, ele apareceu na hora que tinha anunciado (ou menos de meia hora depois), bem na frente do pessoal com quem ela andava, e os dois saíram juntos do shopping. Era como se estivessem mesmo namorando.

— O que andou fazendo? — perguntou Bola depois de uns bons cinquenta metros em silêncio, quando passavam de novo em frente ao cyber café. Sabia que tinha de manter algum tipo de comunicação com a garota, mesmo que estivesse pensando se conseguiriam encontrar algum lugarzinho mais discreto antes do tal parquinho, que ficava a meia hora de distância. Queria trepar com ela quando os dois estivessem chapados: estava curiosíssimo para saber como seria.

— Fui lá no hospital ver a minha vó mais cedo. Ela teve um AVC — respondeu Krystal.

Dessa vez, a avó Cath não tentou falar, mas a garota teve a impressão de que ela sabia que a bisneta estava ali. Como Krystal havia imaginado, Terri estava se recusando a ir ao hospital, e, então, ela foi sozinha e passou uma hora inteirinha sentada ao lado da cama, até que teve de ir embora para não chegar tarde ao shopping.

Bola tinha mil curiosidades sobre detalhes da vida de Krystal, mas apenas porque ela era uma porta para a vida real que existia em Fields. Coisas assim particulares como visitas a hospitais não lhe interessavam a mínima.

— E — acrescentou a garota, sem conseguir conter o orgulho — dei uma entrevista pro jornal.

— Quê? — exclamou Bola, perplexo. — Por quê?

— Pra falar de Fields — respondeu ela. — Contar como é crescer por lá.

(A jornalista tinha enfim conseguido localizar a sua casa e, quando Terri, muito a contragosto, acabou concordando, levou Krystal com ela para um café para conversarem. A mulher ficou o tempo todo perguntando se estudar na St. Thomas tinha sido bom para ela, se tinha modificado a sua vida de uma forma ou de outra. E pareceu meio impaciente e frustrada com as respostas que Krystal lhe deu.

— Como são as suas notas na escola? — indagou a jornalista, mas Krystal ficou na defensiva e tratou de se esquivar àquela pergunta.

— O sr. Fairbrother disse que acreditava que essa experiência tinha ampliado os seus horizontes.

Krystal não sabia o que dizer sobre essa história de horizontes. Quando pensava na St. Thomas, o que se lembrava era daquele maravilhoso pátio do recreio, com o grande castanheiro que, todo ano, despejava aqueles frutos enormes e lustrosos em cima dos alunos. Nunca tinha visto essas castanhas até entrar para a St. Thomas. Antes de mais nada, gostava de usar uniforme, de ficar igual a todo mundo. Ficou empolgadíssima quando viu o nome do bisavô no memorial aos mortos da guerra, bem no meio da praça: *Sd. Samuel Weedon*. Só um outro garoto também tinha o sobrenome gravado ali no memorial: era o filho de um fazendeiro, que, aos nove anos, já sabia dirigir um trator e que uma vez levou uma ovelha para a sala de aula, no dia de apresentar "Novidades". Krystal nunca se esqueceu da sensação do focinho da ovelha sob a sua mão. Quando contou essa história para a avó Cath, ela lhe disse que, no passado, a família deles também era de agricultores.

Adorava o rio, verde e exuberante, onde iam para as atividades de contato com a natureza. Mas o melhor de tudo eram os jogos e as aulas de educação física. Era sempre a primeira a ser chamada para formar os times em qualquer esporte e ficava encantada com as reclamações da outra equipe quando ela era escolhida. E, às vezes, se lembrava também dos professores especiais que teve, principalmente a srta. Jameson, uma mocinha de cabelo louro e comprido, que andava sempre na moda. Na sua cabeça, Anne-Marie era meio parecida com a srta. Jameson.

Tinha também uns fragmentos de informação que Krystal gravou na memória de forma bem detalhada. Vulcões: eram formados por deslocamentos de placas do solo. Tinham feito, na escola, umas miniaturas de vulcões, que depois foram enchidas com bicarbonato de sódio e detergente líquido e entraram em erupção em cima das bandejas de plástico. Krystal tinha adorado aquela atividade. Lembrava-se também dos vikings, com os seus barcos compridos e os capacetes com chifres, mas já tinha esquecido quando eles chegaram às ilhas britânicas e por que foram para lá.

Mas havia outras lembranças da St. Thomas, entre as quais os comentários sussurrados que garotinhas da sua turma faziam a seu respeito. E tinha batido em uma ou duas delas. Quando a Assistência Social permitiu que voltasse para a sua mãe, o seu uniforme ficou tão apertado, tão curto e tão nojento que começaram a mandar umas cartas lá da escola, o que provocou uma briga feia entre Terri e a avó Cath. As outras meninas não queriam se misturar com ela, a não ser nas equipes esportivas. Lembrava-se perfeitamente do dia em que Lexie Mollison ficou circulando pela sala de aula, entregando uns envelopinhos cor-de-rosa que continham um convite para uma festa, e passou direto por ela, com o nariz empinado — pelo menos, era assim que Krystal revia a cena.

Só um ou outro colega a convidaram. Será que Bola ou a mãe dele lembravam que ela tinha ido uma vez a uma festa de aniversário na casa deles? A turma inteira tinha recebido convite, e a avó Cath lhe comprou um vestido todo bonito. Era por isso que sabia que no imenso quintal dos fundos da casa de Bola tinha um laguinho e um balanço pendurado numa macieira. Eles tinham comido gelatina e participado de uma corrida de sacos. Tessa tirou Krystal da tal corrida porque, na sua ânsia desesperada para ganhar uma medalha de plástico, ela empurrou outras crianças que estavam na sua frente. Uma delas ficou com o nariz sangrando.

— Quer dizer que você gostava da St. Thomas? — perguntou a jornalista.

— Gostava — respondeu Krystal, mas sabia que não estava transmitindo a ideia que o sr. Fairbrother queria que ela transmitisse, e desejou que ele estivesse ali para ajudá-la. — É, gostava, sim.)

— E a troco de que eles queriam falar com você sobre Fields? — perguntou Bola.

— Foi ideia do sr. Fairbrother — disse Krystal.

Depois de mais alguns minutos de silêncio, o garoto voltou a falar.

— Você fuma?

— O quê? Tipo maconha? Já fumei, com Dane.

— Eu tenho aqui.

— Conseguiu com Skye Kirby, né? — perguntou a garota. Bola achou que tinha percebido um certo tom divertido na voz dela, porque Skye era a opção mais fácil e mais segura para os garotos de classe média. Se fosse isso mesmo, achava até legal aquele deboche, que era autêntico...

— Por quê? Você consegue com quem? — indagou ele, desta vez bastante interessado.

— Sei lá. Foi Dane que arranjou.

— Com Obbo? — sugeriu Bola.

— Aquele filho da puta de merda! — exclamou a garota.

— Qual o problema com ele?

Mas Krystal não tinha palavras para dizer o que havia de errado com Obbo e, mesmo que tivesse, não ia querer falar sobre aquela figura. Só o nome de Obbo já lhe dava arrepios. Às vezes, ele aparecia e se picava com Terri; outras vezes, os dois transavam e Krystal encontrava com ele na escada, fechando aquela braguilha imunda, sorrindo por detrás das lentes de fundo de garrafa. Vira e mexe, ele arranjava uns trabalhinhos para Terri, como esconder aqueles computadores, deixar uns estranhos dormirem na casa dela por uma noite ou fazer uns servicinhos cuja natureza a garota ignorava, mas que mantinham a sua mãe fora de casa por horas a fio.

Não muito tempo atrás, Krystal teve um pesadelo em que via a mãe esticada, esparramada e amarrada numa estrutura qualquer. O seu corpo era praticamente um imenso buraco aberto, como uma gigantesca galinha crua e depenada, e, no tal sonho, Obbo entrava e saía daquele interior cavernoso e fazia mil coisas ali dentro, enquanto a cabecinha de Terri se mostrava assustada e sombria. Krystal acordou enjoada, furiosa e morrendo de nojo.

— Ele é um filho da puta! — disse ela.

— É um sujeito alto, de cabeça raspada e umas tatuagens que sobem pelo pescoço? — perguntou Bola, que tinha matado aula pela segunda vez essa semana e passou uma hora sentado numa mureta, lá em Fields, só olhando. O careca tinha chamado a sua atenção, remexendo numas coisas na traseira de uma velha caminhonete branca.

— Não. Esse aí é Pikey Pritchard — respondeu Krystal. — Você deve ter visto ele lá na Tarpen Road.

— Qual é a dele?

— Não sei — disse a garota. — Pergunta pro Dane. Ele é amigo do irmão de Pikey.

Mas ela gostou de ver que ele estava mesmo interessado. Bola nunca tinha se mostrado tão disposto a conversar com ela antes.

— Pikey está na condicional.

— Que que ele fez?

— Atacou um sujeito com uma garrafa quebrada lá em Cross Keys.

— Por quê?

— E eu é que vou saber! Não tava lá pra ver... — exclamou Krystal.

Estava feliz da vida, o que sempre a deixava excessivamente confiante. Sem contar a preocupação com a avó Cath (que, afinal de contas, ainda estava viva e talvez ainda pudesse se safar), essas últimas semanas tinham sido bem legais. Terri estava de novo seguindo o programa da Bellchapel, e Krystal não deixava Robbie faltar à escola. O bumbum do menino já estava quase bom. Aparentemente, a nova assistente social também estava satisfeita, como a colega dela sempre ficava. Krystal também estava indo à escola todos os dias, embora tenha faltado às sessões de orientação com Tessa, tanto na segunda quanto na quarta. Mas não saberia dizer por quê. Às vezes a gente perde a prática...

Voltou a olhar para Bola com o rabo do olho. Nunca tinha lhe passado pela cabeça se interessar por ele, não até aquele dia na tal festa lá na escola. Todo mundo conhecia Bola. Algumas das suas piadas circulavam como coisas engraçadas que passavam na televisão. (Krystal sempre fingia que tinha televisão em casa. Via uma porção de coisas na casa das amigas e na da avó Cath e, por isso, vinha conseguindo manter a farsa. "É mesmo, foi uma merda!" "Eu sei, quase mijei na calça", dizia ela quando os outros falavam dos programas que tinham visto.)

Bola ficou imaginando como seria ser atacado com uma garrafa quebrada, com o vidro pontiagudo cortando a carne tenra do nosso rosto. Chegou a sentir a queimação e as pontadas do ar batendo na pele rasgada, e o calor úmido do sangue que jorrava. Sentiu até uma espécie de formigamento na pele ao redor da boca, como se ela já estivesse cicatrizando.

— Dane continua andando com uma faca? — perguntou ele.

— Como é que você sabe que ele tem uma faca? — replicou Krystal.

— Porque ele ameaçou Kevin Cooper com ela.

— Ah, tá — disse Krystal. — Cooper é um babaca, né?

— Se é — concordou o garoto.

— Dane só anda com a faca por causa dos irmãos Riordon — acrescentou Krystal.

Bola adorava a tranquilidade com que ela dizia aquelas coisas, aceitando a necessidade de uma faca porque havia uma rixa e, portanto, a possibilidade de violência. Essa era a realidade crua da vida. Isso, sim, era o que realmente importava... Mais cedo, antes da chegada de Arf, Pombinho estava insistindo para que Tessa lhe dissesse se os seus panfletos de campanha ficariam melhores em papel amarelo ou em papel branco...

— Que tal entrar aqui? — sugeriu ele, depois de uns instantes.

À direita deles, havia um muro comprido de pedra, e os portões abertos deixavam ver mais pedras e vegetação.

— Tá bom — disse Krystal. Só tinha entrado no cemitério uma vez, com Nikki e Leanne. Sentaram num túmulo, abriram umas latas de refrigerante, não muito à vontade com o que estavam fazendo. Até que apareceu uma mulher e começou a xingá-las aos berros. Quando estavam saindo, Leanne atirou uma lata vazia na tal mulher.

Mas aquilo ali era aberto demais, pensou Bola enquanto os dois seguiam por uma ampla alameda de chão de concreto que ficava entre as sepulturas. Aquele gramado e aquelas pedras não escondiam absolutamente nada. De repente, o garoto avistou uns arbustos cerrados que formavam uma cerca, acompanhando o muro do outro lado. Pegou um caminho mais estreito que atravessava o cemitério, e Krystal o seguiu, com as mãos nos bolsos. Foram passando entre sepulturas retangulares cobertas de cascalho e lápides rachadas e ilegíveis. O cemitério era grande e bem-cuidado. Chegaram então ao ponto em que havia os túmulos mais novos, de mármore preto reluzente, com letras douradas e lugares onde se via que as pessoas tinham posto flores frescas para os mortos recentes.

Lyndsey Kyle
15 de setembro de 1960 — 26 de março de 2008
Descanse em paz, mamãe.

— É, acho que ali é um lugar legal — disse Bola, ao avistar o vão escuro entre os arbustos espinhosos com as suas flores amarelas e o muro do cemitério.

Agachados, os dois penetraram naquele cantinho sombrio e úmido e sentaram no chão, com as costas apoiadas no muro frio. As lápides sumiram entre os troncos da planta, mas não havia qualquer forma humana entre elas. Com habilidade de quem entende do assunto, Bola preparou o baseado, na esperança de que Krystal estivesse vendo e ficasse impressionada.

Ela, porém, estava olhando para além do dossel de folhas escuras e luzidias, pensando em Anne-Marie, que (foi a tia Cheryl quem lhe contou) tinha ido visitar a avó Cath na quinta-feira. Se ao menos ela houvesse matado aula e ido ao hospital na mesma hora, as duas teriam enfim se conhecido. Tantas vezes imaginou como seria o seu encontro com Anne-Marie, quando lhe diria "Sou sua irmã"... Nas suas fantasias, a outra ficava encantada. Depois disso, passavam a se ver com frequência, e a irmã acabaria sugerindo que Krystal fosse morar com ela. A Anne-Marie imaginária tinha uma casa como a da avó Cath, limpa e bem-arrumada, só que muito mais moderna. Ultimamente, nas cenas que criava, Krystal passou a incluir um bebezinho rosado, deitado num berço todo enfeitado.

— Pronto — disse Bola, estendendo o baseado para a garota. Ela deu uma tragada, prendeu a fumaça nos pulmões por alguns segundos, e a sua expressão foi se abrandando, tornando-se quase sonhadora, à medida que a maconha ia realizando a sua mágica.

— Você não tem irmãos, né? — perguntou ela.

— Não — respondeu o garoto, metendo a mão no bolso para ver se as camisinhas que tinha trazido estavam ali dentro.

Krystal lhe devolveu o cigarro, sentindo a cabeça rodar de um jeito gostoso. Bola deu uma tragada caprichada e soltou uns anéis de fumaça.

— Sou adotado — disse ele, alguns instantes depois.

— É mesmo? — indagou a garota, encarando-o com os olhos arregalados.

Com os sentidos assim amortecidos e aninhados, as confidências iam saindo com mais facilidade; tudo, aliás, ficava mais fácil.

— A minha irmã foi adotada — disse ela, encantada com aquela coincidência e feliz da vida por falar de Anne-Marie.

— É... Com certeza vim de uma família como a sua — observou Bola.

Mas Krystal não estava ouvindo; o que ela queria era falar.

— Tenho uma irmã mais velha e um irmão também, Liam, mas, quando eu nasci, os dois já tinham sido levados embora.

— Por quê? — perguntou o garoto, que, a essa altura, estava prestando mais atenção.

— Na época, a minha mãe tava com Ritchie Adams — disse Krystal. Deu uma tragada profunda no baseado e soltou a fumaça num jato fino e comprido. — Ele é pirado. De verdade. Tá em prisão perpétua porque matou um cara. Era superviolento com mamãe e os meninos. Aí John e Sue vieram e levaram os dois. A Assistência Social se meteu na história, e John e Sue acabaram ficando com eles.

Deu mais uma tragada no baseado, pensando naquele período da sua pré-história, um tempo imerso em sangue, fúria, escuridão. Tinha ouvido muitas coisas sobre Ritchie Adams, contadas principalmente pela sua tia

Cheryl. Ele tinha apagado cigarros nos braços de Anne-Marie, na época com um ano de idade, e dado tantos chutes na menininha que ela teve as costelas fraturadas. Tinha arrebentado o rosto de Terri: ainda hoje dava para ver que o osso da maçã do lado esquerdo era mais afundado que o do lado direito. O vício da moça se acentuou de forma catastrófica. Aparentemente, a decisão de levar embora as duas crianças negligenciadas e seviciadas não abalou a tia Cheryl.

— Tinha que ser assim — dizia ela.

John e Sue eram uns parentes afastados que não tinham filhos. Krystal nunca soube ao certo como e por que eles faziam parte da sua complicada árvore genealógica ou como realizaram aquilo que, nas palavras de Terri, tinha sido um verdadeiro rapto. Depois de muitas brigas judiciais, o casal foi autorizado a adotar as crianças. Terri, que ficou com Ritchie até ele ser preso, nunca voltou a ver Anne-Marie ou Liam, por motivos que a garota não entendia muito bem. Toda aquela história era coalhada de ódio, de coisas ditas que eram consideradas imperdoáveis, de ameaças, de ordens de restrição, e envolveu um monte de agentes do Serviço Social.

— E quem é o seu pai? — perguntou Bola.

— É o Grinfa — disse a garota, lutando para lembrar o verdadeiro nome do sujeito. — Barry... — murmurou ela, embora achasse que não era exatamente aquilo. — Barry Coates. Só uso o nome da minha mãe, Weedon.

A lembrança do rapaz morto por overdose caído lá no banheiro de Terri voltou à sua cabeça, flutuando naquela fumaça doce e pesada. Krystal devolveu então o cigarro a Bola e recostou a cabeça na parede de pedra, erguendo os olhos para uma nesga de céu entrecortada de folhas escuras.

Bola ficou pensando no tal Ritchie Adams, que havia matado um homem, e considerando a possibilidade de seu próprio pai biológico também estar numa prisão qualquer, um sujeito todo tatuado, como Pikey, atlético e musculoso. Mentalmente, comparou Pombinho com aquele homem autêntico, forte e duro. Sabia que havia sido afastado da mãe biológica quando ainda era um bebê, porque havia fotos de Tessa segurando-o no colo, uma coisinha frágil como um passarinho, com um gorro de lã branca na cabeça. Tinha nascido prematuro. Tessa havia lhe contado umas poucas coisas, embora ele mesmo jamais tivesse perguntado nada. Sabia, por exemplo, que a sua mãe de verdade era muito jovem quando ele nasceu. Talvez fosse alguém como Krystal, a garota que dava para qualquer um na escola...

A essa altura, já estava chapado. Pôs a mão na nuca de Krystal e a puxou para perto de si. Começou a beijá-la, enfiando bem a língua na sua boca. Com a outra mão, tateou, procurando os seios da garota. A sua cabeça estava confusa, as pernas e os braços, pesados. Até o seu tato parecia afetado. Com alguma dificuldade, pôs a mão por baixo da camiseta de Krystal, tentando enfiá-la dentro do sutiã. A boca da garota estava quente, com gosto de tabaco e de maconha, e os seus lábios estavam secos e rachados. A excitação de Bola estava ligeiramente entorpecida, como se ele estivesse recebendo todas as informações sensoriais através de uma manta invisível. Desta vez, levou muito mais tempo para tirar a roupa de Krystal e teve dificuldades com a camisinha, porque os seus dedos estavam rígidos e lentos. Lá pelas tantas, apoiou o cotovelo, com todo o peso do próprio corpo, na carne macia da axila da garota, que soltou um grito de dor.

Krystal estava mais seca que da outra vez, e Bola, decidido a levar adiante o que tinha vindo fazer ali, fez força para penetrar nela. O tempo parecia lento e pegajoso, mas ele podia ouvir a própria respiração acelerada, o que o deixou tenso, porque ficou imaginando uma pessoa qualquer, agachada naquele vão escuro junto deles, espiando e ofegando no seu ouvido. Krystal gemeu um pouco. Assim, com a cabeça para trás, o nariz dela ficava bem maior, parecendo até um focinho. O garoto levantou a camiseta dela para ver aqueles seios brancos e macios se sacudindo ligeiramente por baixo do sutiã aberto. Nem percebeu que ia gozar, e pareceu até que o seu grunhido de prazer tinha vindo do tal intruso.

Girou o corpo, saiu de cima de Krystal, tirou a camisinha e a jogou fora. Depois, fechou o zíper da calça, sentindo-se inquieto, olhando à sua volta para ver se estavam realmente sozinhos ali. A garota puxou a calça para cima com uma das mãos, baixou a camiseta com a outra e pôs os braços para trás tentando fechar o sutiã.

Enquanto estavam atrás daqueles arbustos, escureceu, e o céu ficou coberto de nuvens. Bola sentia um zumbido nos ouvidos; algo que parecia vir de longe. Estava com fome. O seu cérebro estava lerdo, mas, aparentemente, os seus ouvidos estavam hipersensíveis. Continuava sentindo aquele medo de estar sendo observado, talvez por cima do muro às suas costas. Quis ir embora.

— Vamos... — balbuciou então, e, sem esperar por Krystal, foi se arrastando até sair de trás dos arbustos e se levantou, limpando as roupas. A uns duzentos metros, avistou um casal idoso agachado junto de uma sepultura. Estava louco para se livrar daqueles olhos-fantasma que podiam, ou não, ter visto ele trepar com Krystal Weedon. Ao mesmo tempo, porém, a tarefa de localizar o ponto de ônibus certo e fazer o trajeto até Pagford lhe parecia insuportavelmente difícil. Adoraria ser simplesmente transportado, de imediato, para o seu quarto lá no sótão.

Krystal tinha vindo atrás dele, com um andar meio trôpego. Parou, ajeitando a camiseta e olhando fixo para o gramado aos seus pés.

— Puta que pariu! — murmurou ela.

— Que foi? — exclamou Bola. — Vem, vamos embora.

— É o sr. Fairbrother — disse a garota, sem sair do lugar.

— Quê?

Krystal estava apontando para o túmulo diante deles. Ainda não tinha uma lápide, mas viam-se flores frescas ao seu redor.

— Tá vendo? — perguntou ela, se agachando e mostrando os cartões grampeados às tiras de celofane. — É o sr. Fairbrother. — Reconhecia aquele nome com facilidade por causa das tantas cartas enviadas à sua casa, pedindo a permissão da sua mãe para ela embarcar no micro-ônibus. — "Pra Barry" — disse ela, esforçando-se para ler direito. — E esse aqui diz "Pro papai" — prosseguiu, praticamente soletrando — "de...".

Mas empacou diante dos nomes de Niamh e Siobhan.

— E daí? — disse Bola. Na verdade, porém, a novidade o deixou apavorado. Aquele caixão de fibra trançada estava bem ali, debaixo deles, e, lá dentro, o corpo pequeno e a cara animada do melhor amigo de Pombinho, o sujeito que vira tantas vezes na sua casa, ia apodrecendo na terra. O *Fantasma de Barry Fairbrother*... Ficou aflito. Parecia até algum tipo de castigo...

— Vamos! — exclamou, mas Krystal não se moveu. — O que foi?

— Eu remava pra ele, né? — replicou ela, irritada.

— Ah, claro...

Bola estava aflito como um cavalo nervoso, prestes a refugar.

Krystal continuava olhando o túmulo, abraçando o próprio corpo. Estava se sentindo vazia, triste e suja. Queria que não tivessem transado naquele lugar, tão perto do sr. Fairbrother. Sentiu frio. À diferença de Bola, ela não estava de casaco.

— Vamos — repetiu o garoto mais uma vez.

Ela o seguiu até a saída do cemitério, e nenhum dos dois disse nada. Krystal estava pensando no sr. Fairbrother. Ele sempre a chamava de

"Krys", coisa que ninguém mais fazia. E ela gostava de ser "Krys". O sr. Fairbrother era divertido. Krystal estava com vontade de chorar.

Bola ia pensando se conseguiria arranjar um jeito engraçado de contar aquela história para Andrew: dizer que tinha ficado chapado; que tinha trepado com Krystal; que, de repente, baixou uma paranoia e ele ficou achando que tinha alguém vendo eles transarem. E, depois, quando saíram de trás da moita, viram que estavam bem pertinho do túmulo de Barry Fairbrother. Mas não conseguia achar graça nenhuma naquilo. Pelo menos, ainda não...

Parte Três

Duplicidade

7.25 Uma resolução não deve tratar sobre mais de um assunto (...). Negligenciar essa regra geralmente compromete a clareza das discussões e pode levar a uma ação comprometida (...).

Charles Arnold-Baker
Administração dos Conselhos Locais
7ª edição

I

— ...saiu daqui correndo, fazendo um escândalo, dizendo que ela era uma vaca paquistanesa, e agora o jornal ligou, querendo uma declaração, porque ela...

Parminder ouviu a voz da recepcionista, pouco mais alta que um sussurro, quando passou pela porta entreaberta da sala dos funcionários. Com um movimento rápido e certeiro, a médica escancarou a porta e viu a recepcionista e a auxiliar de enfermagem sentadas, bem próximas uma da outra.

As duas se viraram de um salto.

— Dra. Jawan...

— Você se lembra do acordo de confidencialidade que assinou quando começou a trabalhar aqui, não lembra, Karen?

A recepcionista estava apavorada.

— Lembro... Eu... Eu não estava... Laura já... Eu vim aqui só para dar esse recado. Ligaram da *Gazeta de Yarvil e Adjacências*. A sra. Weedon morreu, e uma das suas netas está dizendo...

— E isso aí é para mim? — perguntou Parminder com frieza, apontando para o prontuário de um paciente na mão de Karen.

— Ah, é sim — disse Karen, perturbada. — Ele queria ver o dr. Crawford, mas...

— É melhor você voltar para o seu lugar.

Parminder pegou o prontuário, saiu da sala, furiosa, e voltou para a recepção. Ali, deu uma olhada nos pacientes e percebeu que não sabia quem devia chamar. Olhou para a pasta que estava segurando.

— Sr. ... Sr. Mollison.

Howard se levantou, sorrindo, e se aproximou dela, com aquele jeito de andar adernando o corpo para um lado e para o outro que ela conhecia tão bem. A aversão veio como bílis à garganta de Parminder. Ela se virou, foi voltando para o consultório, e Howard a seguiu.

— Tudo certinho com Parminder? — perguntou ele, enquanto fechava a porta e se acomodava na cadeira dos pacientes sem ter sido convidado a fazer isso.

Aquele era o seu jeito habitual de cumprimentar as pessoas, mas hoje parecia gozação.

— Qual é o problema? — perguntou ela bruscamente.

— Uma irritaçãozinha — disse ele. — Bem aqui. Preciso de um creme ou algo parecido.

Ele tirou a camisa de dentro da calça e a puxou um pouco para cima. Parminder viu uma área de pele muito vermelha, bem perto daquela prega que a barriga dele fazia, caindo em cima das coxas.

— Você precisa tirar a camisa — disse ela.

— Só está coçando aqui.

— Preciso examinar a região toda.

Ele suspirou e ficou de pé. E, enquanto desabotoava a camisa, perguntou:

— Você recebeu a pauta da reunião, que enviei hoje de manhã?

— Não, não abri meus e-mails hoje.

Era mentira. Parminder tinha visto a pauta e ficou furiosa, mas não era hora de falar disso. Detestava que ele trouxesse assuntos do Conselho para o consultório. Via aquilo como uma maneira de lhe lembrar que havia um lugar onde ela estava subordinada a ele, mesmo que ali, naquela sala, pudesse mandar ele tirar a roupa.

— Você pode, por favor... Tenho que olhar embaixo...

Ele suspendeu a enorme massa de carne. A parte de cima da calça apareceu e, depois dela, o cós. Com os braços cheios da própria gordura, ele sorriu para a médica. Ela chegou a cadeira mais perto e ficou com a cabeça na altura do cinto dele.

Uma ferida feia e escamosa tinha se alastrado na dobra escondida da barriga de Howard: era de um vermelho vivo, como uma queimadura, e ia de um lado a outro do abdômen, parecendo um imenso sorriso infeccionado. Parminder sentiu um cheiro de carne apodrecida chegar às suas narinas.

— Intertrigo — disse ela — e neurodermatite circunscrita nesse ponto aqui, onde você coçou. Tudo bem, pode pôr a camisa de novo.

Ele deixou a barriga cair e pegou a camisa, sem se abalar.

— Você vai ver que incluí na pauta da reunião o prédio da Bellchapel. Isso tem despertado um certo interesse da imprensa atualmente.

A médica estava digitando alguma coisa no computador e não respondeu.

— A *Gazeta de Yarvil e Adjacências* — prosseguiu Howard. — Estou fazendo um artigo para eles. Os dois lados da questão — acrescentou, abotoando a camisa.

Parminder tentava não escutar o que ele dizia, mas o nome do jornal fez o aperto que sentia na boca do estômago piorar.

— Quando foi a última vez que você mediu a pressão, Howard? Não estou vendo nenhum registro nos últimos seis meses.

— Está tudo bem. Estou tomando remédio.

— Vamos dar uma olhada mesmo assim. Já que está aqui...

Ele suspirou de novo e lentamente arregaçou a manga da camisa.

— Vão publicar o artigo de Barry antes do meu — disse. — Você sabia que ele tinha enviado um artigo para o jornal? Sobre Fields?

— Sabia — respondeu ela, mesmo achando que seria melhor não dizer nada.

— Você não teria uma cópia desse artigo, teria? Assim não corro o risco de dizer no meu algo que ele já tenha dito.

As mãos da médica tremiam segurando a braçadeira do aparelho de pressão, que não cabia no braço de Howard. Retirou-a e se levantou para pegar uma maior.

— Não — respondeu, de costas para ele. — Nunca vi esse texto.

Howard ficou olhando a bombinha ser acionada e observou os ponteiros no marcador com o sorriso indulgente de um homem que assiste a um ritual pagão.

— Está muito alta — disse ela, quando o ponteiro marcou dezessete por dez.

— Estou tomando um remédio para isso — insistiu ele, coçando o lugar onde a braçadeira tinha estado e puxando a manga para baixo. — O dr. Crawford acha que está tudo bem.

Ela deu uma olhada na lista de medicamentos aberta na tela do computador.

— Você está tomando alodipina e bendroflumetiazida para a pressão, certo? E sinvastatina para o coração... Mas nenhum betabloqueador...

— Por causa da minha asma — disse Howard, alisando a manga da camisa.

— ...Certo... E aspirina. — Ela se virou para olhar para ele. — Howard, todos os seus problemas de saúde se resumem a um só: a gordura. Já foi a um nutricionista?

— Tenho uma delicatéssen há trinta e cinco anos — disse ele, sempre sorrindo. — Não preciso que ninguém me ensine nada sobre comida.

— Algumas poucas mudanças no seu estilo de vida fariam uma diferença enorme. Se você conseguisse perder...

Com uma piscadela rápida, ele declarou com tranquilidade:

— Vamos facilitar as coisas. Preciso apenas de um creme para a coceira.

Descontando a raiva no teclado, Parminder prescreveu, ferozmente, cremes antifúngicos com corticoides, imprimiu a receita e a entregou a Howard sem dizer mais nenhuma palavra.

— Muitíssimo obrigado — disse ele, enquanto se levantava. — E tenha um ótimo dia.

II

— Que que *você* quer?

Com o corpo todo encolhido, Terri Weedon parecia ainda menor ali no vão da porta. Ela pôs as mãos ossudas, como garras, nos quadris, tentando parecer mais imponente, barrando a entrada da casa. Eram oito da manhã. Krystal tinha acabado de sair com Robbie.

— Falar com você — disse a irmã. Grandalhona e com aquele jeitão masculino, usando um colete branco e calça de moletom, Cheryl deu uma tragada no cigarro, vislumbrou Terri através da fumaça e acrescentou: — Vó Cath morreu.

— Quê?...

— Vó Cath morreu — repetiu mais alto. — Você não tá nem aí, né?

Terri tinha ouvido da primeira vez. A notícia a atingiu em cheio, e ela só perguntou para ouvir aquilo de novo e entender direito.

— Você tá chapada? — perguntou Cheryl, encarando aquele rosto vazio e tenso.

— Não tô, nada. Vai se foder.

Era verdade. Terri não tinha usado nada de manhã, nem nas últimas três semanas. Mas não tinha do que se orgulhar. Não havia nenhum calendário com os dias riscados pendurado na cozinha. Uma vez, ficou sem usar nada por muito mais tempo, meses até. Obbo estava fora há quinze dias, o que tornou tudo mais fácil. Mas as suas coisas ainda estavam na velha lata de biscoitos, e a fissura queimava seu corpo frágil como um fogo eterno.

— Morreu ontem. A filha da puta da Danielle só resolveu avisar agora de manhã — disse Cheryl. — Eu ia ao hospital hoje pra ver ela de novo. Danielle tá de olho na casa da vó Cath. Aquela vaca interesseira.

Já fazia muito tempo que Terri não ia à pequena casa geminada da Hope Street, mas quando Cheryl disse aquilo, pôde ver, nitidamente, as quinquilharias no aparador e as cortinas rendadas. Imaginou Danielle lá, surrupiando coisas, fuçando nos armários.

— O velório é na terça, às nove, depois ela vai ser cremada.

— Tá certo — respondeu Terri.

— Temos direito a essa casa tanto quanto ela — disse Cheryl. — Vou dizer que a gente quer a nossa parte, tá?

— Tá bom.

Ficou ali olhando e só entrou quando o cabelo amarelo e as tatuagens da irmã desapareceram na esquina.

A avó Cath estava morta. Fazia tempo que as duas não se falavam. *Tô lavando as minhas mãos. Pra mim chega, Terri. Já chega.* No entanto, nunca tinha deixado de ver Krystal, que era a queridinha dela. Foi até vê-la competir naqueles barcos estúpidos. E foi o nome de Krystal que ela disse no leito de morte, não o de Terri.

Tudo bem então, sua vaca velha. Tô nem aí. Agora já era.

Com um aperto no peito e o corpo tremendo, Terri andou pela cozinha fedida à procura de um cigarro, mas o que queria mesmo era a colher, o isqueiro e a agulha.

Era tarde demais para dizer à velha o que ela deveria ter dito. Tarde demais para ser de novo Terri-Baby. *Meninas grandes não choram... Meninas grandes não choram...* Muitos anos se passaram até que percebesse que a canção que a avó Cath cantava para ela, com aquela voz rouca de fumante, era na verdade "Sherry Baby".

As mãos de Terri vasculharam o lixo como vermes, procurando por maços de cigarro, rasgando-os, encontrando-os todos vazios. Krystal deve ter fumado o último; ela era uma vaca interesseira, igual a Danielle, mexendo nas coisas da avó Cath, tentando esconder dos outros que ela tinha morrido.

Havia uma guimba boiando num prato engordurado. Terri a secou na camiseta e foi acendê-la na boca do fogão. Mentalmente, ouviu a própria voz quando tinha onze anos.

Quero que você seja a minha mamãe.

Não queria lembrar. Ficou encostada ali na pia, fumando, tentando pensar em outra coisa; por exemplo, na disputa que iria acontecer entre as suas irmãs mais velhas. Ninguém mexia com o casal Cheryl e Shane: eles estavam sempre prontos para a briga. Recentemente Shane jogou uns trapos em chamas na caixa de correio da casa de um filho da puta qualquer. Foi por isso que tinha sido preso dessa última vez, e ainda estaria na cadeia se a casa não estivesse vazia na ocasião. Mas Danielle tinha armas que Cheryl não tinha: dinheiro e a sua própria casa, com telefone fixo. Conhecia pessoas nas repartições e sabia como falar com elas. Era do tipo que tinha sempre uma carta na manga.

Ainda assim, Terri duvidava que Danielle fosse ficar com a casa, mesmo com as suas armas secretas. Não eram só elas três. A avó Cath teve muitos netos e bisnetos. Depois que Terri foi levada para uma instituição, o seu pai ainda teve mais filhos. Nove ao todo, pelos cálculos de Cheryl, de cinco mães diferentes. Terri não conhecia os seus meios-irmãos, mas Krystal lhe contou que a avó Cath tinha contato com eles.

— Sério? — retrucou ela então. — Tomara que roubem tudo dela, aquela vaca velha e estúpida...

Então, ela conhecia o resto da família, mas eles não eram exatamente anjos, pelo que Terri tinha ouvido falar. Mas foi só com ela, que um dia já havia sido Terri-Baby, que a avó Cath cortou relações para sempre.

Quando você está limpo, lembranças e pensamentos diabólicos começam a brotar da escuridão dentro de você. Parece até que a sua cabeça está cheia de moscas pretas zumbindo sem parar e pousando por toda a parte.

Quero que você seja a minha mamãe.

A roupa que Terri estava usando hoje deixava o seu braço, o seu pescoço e os seus ombros cheios de cicatrizes totalmente expostos, exibindo a pele retorcida em dobras e sulcos, que mais parecia um sorvete derretido. Quando tinha onze anos, ficou internada seis semanas na unidade de queimados do Hospital Geral South West.

(— Como isso aconteceu, meu bem? — perguntou a mãe da criança que estava na cama ao lado.

O pai tinha jogado uma frigideira de óleo fervendo em cima dela. E sua camiseta da Human League pegou fogo.

— Foi um acidente — murmurou Terri. Era o que dizia para todo mundo, inclusive para a assistente social e as enfermeiras. Sabia que, no momento em que entregasse o pai, teria escolhido ser queimada viva.

A mãe foi embora logo depois que ela fez onze anos, deixando as três filhas para trás. Alguns dias depois, Danielle e Cheryl se mudaram para a casa dos namorados. Terri foi a única que ficou, tentando fazer batata frita para o pai e se agarrando à esperança de que a mãe iria voltar. Mesmo passando pela agonia e o terror daqueles primeiros dias e noites no hospital, ficou contente de que aquilo houvesse acontecido, porque tinha certeza de que a mãe ia ficar sabendo e voltaria para buscá-la. O coração da menina disparava toda vez que ela ouvia uma movimentação na porta da enfermaria.

Mas, durante as seis longas semanas de dor e solidão, a única pessoa que apareceu para visitá-la foi a avó Cath. Naquelas tardes e noites tranquilas, a avó Cath vinha se sentar ao lado da neta, lembrando-lhe que devia dizer obrigada às enfermeiras, sempre rígida e de cara amarrada, que deixava escapar às vezes uma ternura inesperada.

A avó Cath comprou para ela uma boneca barata de plástico, com uma capa de chuva preta brilhante, mas quando a menina tirou a roupa da boneca não havia nada por baixo.

— Ela não tem calcinha, vó.

E a avó Cath deu uma risada. Ela nunca dava risadas.

Quero que você seja a minha mamãe.

Ela queria que a avó a levasse para casa. Pediu isso, e ela concordou. Às vezes Terri pensava naquelas seis semanas no hospital como a época mais feliz da sua vida, mesmo com a dor. Era tudo tão seguro, as pessoas eram boas e tomavam conta dela. Achou que iria para casa com a avó Cath, a casa com aquelas cortinas rendadas tão bonitas... Achou que não voltaria mais para o pai, não voltaria mais para aquele lugar em que a porta do quarto se abria com violência no meio da noite, fazendo balançar o pôster de David Essex que Cheryl tinha deixado para trás. Achou que não voltaria mais para o pai e sua mão invasora se aproximando da cama, de onde ela implorava para que ele não...)

A Terri adulta jogou o filtro da guimba do cigarro no chão da cozinha e saiu pela porta da frente. Estava precisando de algo mais forte que nicotina. Passou pelo caminho do jardim e depois, já na rua, seguiu na mesma direção de Cheryl. Viu, de relance, dois vizinhos conversando na calçada, observando-a passar. *Querem uma foto minha, porra? Aí podem levar pra casa.* Terri sabia que era motivo permanente de fofocas, sabia o que diziam a seu respeito, às vezes chegavam a gritar isso na sua cara. A vaca arrogante da casa ao lado ia sempre reclamar no Conselho sobre o estado do quintal de Terri. *Vão se foder, vão se foder, vão se foder...*

Continuava caminhando, tentando escapar das lembranças.

Você nem sabe quem é o pai, né, sua puta? Tô lavando as minhas mãos, Terri. Pra mim chega, Terri.

Essa foi a última vez que as duas se falaram. A avó Cath a chamou do que todo mundo a chamava, e Terri respondeu na mesma moeda.

Vai se foder, então, sua vaca velha e desgraçada, vai se foder.

Ela nunca disse "Você me decepcionou, vó Cath". Nunca disse "Por que não ficou comigo?". Nunca disse "Amo você mais do que qualquer outra pessoa, vó Cath".

Ainda bem que Obbo já devia estar voltando. Era para ter chegado hoje; hoje ou amanhã. Ela tinha que conseguir pelo menos um pouco. Tinha que conseguir.

— Tudo bem, Terri?

— Viu Obbo por aí? — perguntou ela ao garoto que bebia e fumava, encostado no muro, do lado de fora da loja de bebidas. As cicatrizes nas suas costas estavam queimando novamente.

Ele fez que não com a cabeça, mascando chiclete e olhando para ela, de alto a baixo, com um sorrisinho malicioso. Terri saiu dali às pressas. Pensava na assistente social, em Krystal, em Robbie, e esses pensamentos a perturbavam: mais moscas zumbindo. Eram todos como os vizinhos que olhavam para ela, julgando tudo. Não entendiam a terrível urgência da sua necessidade.

(A avó Cath a pegou no hospital e a instalou num dos quartos da sua casa. Era o quarto mais limpo e mais bonito em que Terri já havia dormido. Nas três noites que passou ali, ela se sentava na cama depois que a avó Cath lhe dava um beijo de boa-noite e brincava com os enfeites no parapeito da janela. Havia um vaso com um buquê de flores de vidro que tilintavam, um peso de papel cor-de-rosa com uma concha dentro e, o favorito de Terri, um cavalo de cerâmica empinado, que sorria de um jeito bobo.

— Gosto de cavalos — disse para a avó Cath.

Uns dias antes de sua mãe ir embora, Terri foi com a escola numa exposição de produtos agrícolas. A turma inteira foi ver um cavalo enorme, preto, de patas peludas. Ela tinha sido a única corajosa o bastante para tocar nele. O cheiro a deixou fascinada. Abraçou as patas do animal, que mais pareciam umas colunas terminando num teto maciço e branco, e sentiu a sua carne viva por baixo do pelo. A professora ficou lhe dizendo "Cuidado, Terri, cuidado", mas o homem velho que cuidava do cavalo sorriu para ela, afirmando que não havia perigo algum, que Samson não machucaria uma garota tão boazinha como ela.

O cavalo de cerâmica era de outra cor: amarelo, com a crina e a cauda pretas.

— Pode ficar com ele — disse a avó Cath, e Terri conheceu a verdadeira felicidade.

Mas, no quarto dia, logo de manhã, o seu pai chegou.

— Você vai pra casa comigo — disse ele, com um olhar que a aterrorizou. — Não tem nada que ficar com a porra dessa vaca velha dedo-duro. Não mesmo. Você vai comigo, sua putinha.

A avó Cath estava tão assustada quanto Terri.

— Mikey, não... — gritava ela. Alguns dos vizinhos espiavam pela janela. A avó Cath segurava um dos braços de Terri, e o pai puxava o outro.

— Você vem comigo!

Ele deu um soco no rosto da avó Cath e arrastou Terri para o carro. Quando chegou em casa, espancou a menina, sem saber onde estava batendo e chutando.)

— Viu Obbo por aí? — gritou Terri para a vizinha dele, a uns cinquenta metros de distância. — Ele já chegou?

— Sei lá — respondeu a mulher, virando as costas.

(Quando Michael não estava batendo em Terri, fazia outras coisas com ela, as coisas de que ela não podia falar. A avó Cath não voltou mais. Terri fugiu aos treze anos, mas não foi para a casa da avó, porque não queria que o pai a encontrasse. De qualquer forma, eles a pegaram e a puseram numa instituição.)

Terri esmurrou a porta de Obbo e ficou esperando. Tentou de novo, mas não tinha ninguém em casa. Então, deixou-se cair sentada no degrau da porta, tremendo, e começou a chorar.

Duas garotas da Winterdown que estavam matando aula ficaram olhando quando passaram por ela.

— É a mãe de Krystal Weedon — disse uma delas bem alto.

— A piranha? — perguntou a outra, o mais alto que pôde.

Aos prantos, Terri não teve forças para revidar.

As garotas foram embora, rindo.

— Sua puta! — xingou uma delas lá do fim da rua.

III

Gavin podia ter chamado Mary para discutirem sobre a recente troca de correspondência com a companhia de seguros no seu escritório, mas, em vez disso, preferiu ir até a casa dela. Deixou o fim da tarde livre caso ela o convidasse para ficar mais um pouco e comer alguma coisa. Mary era uma cozinheira fantástica.

O impulso instintivo de ficar longe do luto pungente de Mary tinha se dissipado com o contato mais regular que estavam tendo. Sempre gostou de Mary, mas no convívio social ela era ofuscada pelo marido. Não parecia se incomodar com esse papel de coadjuvante; pelo contrário, sempre dava a impressão de adorar a função de embelezar o cenário, rindo alegremente das piadas de Barry, feliz da vida pelo simples fato de estar com ele.

Gavin duvidava que Kay pudesse de alguma forma ser feliz desempenhando um papel secundário. Subia a Church Row, arranhando as marchas, pensando que ela ficaria ofendidíssima se lhe pedisse que modificasse seu comportamento ou mudasse de opinião só para satisfazer o seu companheiro, para deixá-lo feliz ou melhorar a sua autoestima.

Ele achava que nunca tinha sido tão infeliz num relacionamento como agora. Mesmo nos momentos finais do caso com Lisa, havia tréguas temporárias, risadas, lembranças repentinas dos bons tempos. A situação com Kay parecia mais uma guerra. Às vezes chegava a esquecer que devia haver alguma afeição entre eles e ficava se perguntando se ela ao menos gostava dele.

Na manhã seguinte ao jantar de Miles e Samantha, tiveram a pior briga de todas por telefone. Kay chegou a desligar na cara dele. Por vinte e quatro horas inteiras, Gavin achou que aquele relacionamento tinha chegado ao fim e, apesar de ser exatamente isso o que queria, sentiu mais medo do que alívio. Em suas fantasias, Kay simplesmente ia embora de volta para Londres, mas a verdade é que agora ela estava presa a Pagford por causa do emprego e porque sua filha estudava na Winterdown. Imaginou que se esbarrariam o tempo todo naquele vilarejo minúsculo. Talvez ela até já estivesse envenenando a todos contra ele. Podia vê-la repetindo para Samantha ou para aquela velha enxerida da delicatéssen, que certa vez lhe deu carne de ganso, algumas das coisas que tinha lhe dito por telefone.

Tirei minha filha da escola, afastei ela dos amigos, deixei meu emprego e me mudei para cá só por sua causa, e você me trata como se eu fosse uma puta que você não tem que pagar!

As pessoas iam dizer que ele tinha agido muito mal. E talvez *tivesse* agido mal mesmo. Certamente houve um momento crucial em que deveria ter voltado atrás, só que ele não percebeu.

Gavin passou a semana inteira obcecado com a ideia de como seria ser visto como um canalha. Nunca tinha estado nessa situação antes. Quando Lisa o deixou, todos foram bons e solidários com ele, especialmente os Fairbrother. Culpa e pavor o atormentaram até que, na noite de domingo, ele entregou os pontos e pediu desculpas a Kay. Agora estava de volta aonde não queria estar, e a odiava por isso.

Depois de estacionar o carro na entrada da casa dos Fairbrother, como fizera tantas e tantas vezes quando Barry estava vivo, dirigiu-se à porta da frente e notou que alguém tinha cortado a grama desde a última vez que esteve ali. Mary abriu a porta quase no mesmo instante em que ele tocou a campainha.

— Oi, como... O que houve, Mary?

O rosto dela estava todo molhado, e os olhos brilhavam como diamantes por causa das lágrimas. Ela engoliu em seco uma ou duas vezes, sacudiu a cabeça e, de repente, sem saber como nem por quê, Gavin se viu abraçando-a ali, na porta de entrada.

— Aconteceu alguma coisa, Mary?

Sentiu ela fazer que sim com a cabeça. Extremamente consciente da posição delicada em que se encontravam, ali bem na porta da frente, com a rua toda por trás deles, Gavin resolveu levá-la para dentro de casa. Ela era pequena e frágil nos seus braços; as mãos se agarravam nele, o rosto pressionava o seu peito. Ele largou a pasta da forma mais delicada possível, mas, com o barulho que ela fez ao bater no chão, Mary se afastou dele, ofegante, cobrindo a boca com a mão.

— Me desculpe... Me desculpe... Ah, *meu Deus*, Gav...

— O que aconteceu?

A voz dele soou diferente: forte, enérgica, controladora, parecia até o jeito como Miles falava às vezes durante uma crise no trabalho.

— Alguém... Eu não... Alguém pôs...

Ela o levou até o escritório, atulhado, malcuidado, mas aconchegante, com os velhos troféus de remo de Barry nas prateleiras e uma fotografia grande e emoldurada pendurada na parede, em que se viam oito garotas dando socos no ar, com medalhas penduradas no pescoço. Mary apontou para a tela do computador, tremendo. Sem tirar o casaco, Gavin se sentou e ficou olhando para a área de mensagens no site do Conselho Distrital de Pagford.

— Eu es-estava na delicatéssen hoje de manhã, e Maureen Lowe me disse que muitas pessoas tinham deixado mensagens de condolências no site... Então eu ia po-postar uma mensagem de a-agradecimento. E... Olhe...

Ele leu enquanto ela falava. Por que Simon Price não deve ser eleito para o Conselho Distrital de Pagford, postado pelo Fantasma de Barry Fairbrother.

— Meu Deus! — exclamou Gavin, indignado.

Mary começou a chorar novamente. Gavin queria envolvê-la nos seus braços, mas ficou com medo de fazer isso, especialmente ali, naquela sala pequena e acolhedora, repleta da presença de Barry. Ele a pegou pelo braço e a levou até a cozinha.

— Você precisa de um drinque — afirmou ele, com aquela voz forte e controladora, tão diferente da habitual. — Nada de café. Onde ficam as bebidas mesmo?

Antes que ela pudesse responder, ele se lembrou de que tinha visto Barry pegar as garrafas no armário várias vezes. Então, preparou um gim-tônica, a única bebida que ela tomava antes do jantar, pelo que sabia.

— Gav, são quatro da tarde.

— E daí? — retrucou ele, com aquela nova voz. — Beba tudo.

Uma risada nervosa interrompeu os soluços de Mary, que pegou o copo e começou a bebericar o gim-tônica. Ele apanhou um pedaço de papel-toalha para enxugar o rosto e os olhos dela.

— Você é tão gentil, Gav. Não quer nada? Café ou... cerveja? — perguntou Mary com outra risadinha, agora mais fraca.

Ele pegou uma garrafa na geladeira, tirou o casaco e se sentou em frente a ela na bancada que ficava no meio da cozinha. Depois de um tempo, quando já tinha bebido quase todo o gim, Mary ficou calma e serena outra vez, exatamente como ele sempre pensava nela.

— Quem você acha que fez isso? — indagou ela.

— Algum desgraçado — respondeu Gavin.

— Todos eles agora estão brigando pela cadeira vaga no Conselho. Discutindo sobre Fields, como sempre. E ele ainda está lá, dando a sua opinião a respeito de tudo. O Fantasma de Barry Fairbrother. Quem sabe não é ele mesmo que está postando mensagens no site?

Gavin não sabia ao certo se aquilo era uma brincadeira, então esboçou um meio sorriso, que podia rapidamente ser apagado do rosto, se fosse necessário.

— Sabe, gosto de pensar que, onde quer que esteja, ele está preocupado conosco, comigo e com as crianças. Mas duvido. Aposto que está mais preocupado com Krystal Weedon. Sabe o que provavelmente ele me diria se estivesse aqui?

Ela tomou o último gole da bebida. Gavin achava que não tinha posto muito gim na mistura, mas as bochechas dela já estavam vermelhas.

— Não — disse, com cautela.

— Diria que eu tenho com quem contar — prosseguiu Mary. Para o espanto de Gavin, havia raiva naquela voz que ele sempre acreditou ser apenas gentil. — É, ele diria: "Você tem a sua família, os seus amigos e as crianças para confortá-la, mas Krystal" — a voz de Mary foi ficando mais alta —, "Krystal não tem ninguém para tomar conta dela". Você sabe o que ele fez no nosso aniversário de casamento?

— Não — respondeu Gavin outra vez.

— Ficou escrevendo um artigo para o jornal da cidade a respeito de Krystal. De Krystal e de Fields. Esse maldito Fields. Tomara que eu nunca mais precise ouvir falar desse lugar. Já não era sem tempo. Quero outro gim. Ainda não bebi o bastante.

Surpreso, Gavin pegou o copo dela e foi até o armário das bebidas novamente. Sempre achou que o casamento de Barry e Mary era literalmente perfeito. Nunca tinha lhe ocorrido que Mary pudesse não aprovar completamente todas as aventuras e cruzadas em que o sempre ocupado Barry se envolvia.

— Treino de remo no fim da tarde, competições nos finais de semana — disse ela, mais alto que o tilintar do gelo que Gavin colocava no seu copo —, e na maioria das noites ele ficava na frente do computador, tentando conseguir apoio para ajudar Fields, e, levantando assuntos para a pauta das reuniões do Conselho. E todo mundo sempre dizia: "Barry não é maravilhoso?! É incrível como ele consegue fazer tudo isso, estar sempre pronto para ajudar, sempre tão envolvido com a comunidade..." — Ela tomou um bom gole do gim-tônica recém-preparado. — É, maravilhoso. Absolutamente maravilhoso. Até que isso o matou. No nosso aniversário de casamento, ele passou o dia inteiro correndo contra o prazo de entrega do artigo. E eles ainda nem o publicaram.

Gavin não conseguia tirar os olhos dela. A raiva e o álcool trouxeram cor àquele rosto novamente. Ela estava sentada bem ereta, e não encurvada e abatida como nos últimos tempos.

— Foi isso que o matou — disse ela com toda a clareza, e sua voz ecoou pela cozinha. — Ele deu tudo para todo mundo. Menos para mim.

Desde o enterro de Barry, Gavin vinha nutrindo um sentimento de profunda insatisfação consigo mesmo, pensando no pequeno vazio que deixaria na comunidade caso morresse. Olhando para Mary, ficou pensando se não seria melhor deixar um vazio enorme no coração de uma pessoa só. Será que Barry não tinha percebido como Mary se sentia? Será que não havia se dado conta de que era um homem de sorte?

A porta da frente se abriu com estardalhaço. Eram as crianças chegando em casa. Dava para ouvir as suas vozes e os seus passos, o som dos tênis no chão e das mochilas jogadas.

— Oi, Gav — disse Fergus, um rapaz de dezoito anos, que beijou a testa de Mary. — Você está *bebendo*, mãe?

— É culpa minha — interviu Gavin. — Pode brigar comigo.

Os filhos dos Fairbrother eram adoráveis. Gavin gostava do modo como falavam com a mãe e a abraçavam, como conversam entre si e com ele. Eram francos, educados, engraçados. Pensou em Gaia e na sua fala agressiva, nos seus silêncios que mais pareciam vidro afiado, no seu jeito raivoso quando falava com ele.

— Ainda nem falamos do seguro, Gav — lembrou Mary, e as crianças entraram na cozinha procurando algo para comer e beber.

— Não tem problema — respondeu Gavin, sem pensar, mas logo se corrigiu. — Vamos para a sala de estar ou...?

— Vamos.

Ela cambaleou um pouco ao se levantar da cadeira alta da bancada da cozinha, e mais uma vez ele segurou o seu braço.

— Você vai ficar para o jantar, Gav? — perguntou Fergus.

— Fique, se quiser — disse Mary.

Uma onda de calor o inundou.

— Adoraria — respondeu ele. — Obrigado.

IV

— Muito triste — disse Howard Mollison, de pé, diante da lareira, balançando ligeiramente o corpo. — Muito triste, de fato.

Maureen tinha acabado de lhes dar a notícia da morte de Catherine Weedon. Sua amiga Karen, a recepcionista daquela noite, lhe contou tudo, inclusive a acusação da neta de Cath Weedon. Parecia satisfeita em dizer isso, franzindo o rosto numa expressão de reprovação. Samantha, que estava de mau humor, achou que ela tinha ficado com cara de tacho. Miles soltava interjeições de surpresa e pena, e Shirley olhava para o teto, fingindo não estar interessada naquilo. Odiava quando Maureen era o centro das atenções, trazendo novidades que ela deveria ser a primeira a saber.

— Minha mãe conhecia a família antigamente — disse Howard a Samantha, que já sabia disso. — Eram vizinhas na Hope Street. Cath até que era bastante decente lá do jeito dela, sabe? A casa estava sempre muito limpa, e ela trabalhou até os sessenta anos. Era uma batalhadora, a Cath Weedon, não importa que o resto da família não seja lá grande coisa...

Howard se deliciava elogiando quem merecia ser elogiado.

— O marido perdeu o emprego quando fecharam a fábrica de aço. Um beberrão. É, as coisas não foram fáceis para Cath.

Samantha nem conseguia fingir interesse por aquele assunto. Felizmente Maureen o interrompeu.

— E a *Gazeta* está atrás da dra. Jawanda — disse ela, com aquela voz rouca. — Imaginem como ela deve estar se sentindo agora que os jornais estão sabendo de tudo. A família está botando a boca no trombone, e com razão. Afinal, três dias caída naquela casa, sozinha... Você a conhece, Howard? Qual delas é Danielle Fowler?

Shirley, de avental, levantou-se e saiu da sala. Samantha tomou mais um gole de vinho, sorrindo.

— Deixe-me ver, deixe-me ver... — revelou Howard. Ele se orgulhava de conhecer quase todo mundo em Pagford, mas a última geração dos Weedon pertencia a Yarvil. — Não pode ser filha. Cath teve quatro meninos. Deve ser neta.

— E ela quer abrir um inquérito — disse Maureen. — Bem, isso ia acabar assim mesmo. Eram favas contadas. Estou surpresa de que tenha demorado tanto. A dra. Jawanda não deu um antibiótico para o filho dos Hubbards, e ele acabou tendo que ser hospitalizado por causa da asma. Você sabe se ela fez a residência na Índia ou...?

Shirley, que estava na cozinha mexendo o molho da carne, ficou irritada, como sempre ficava, por Maureen estar monopolizando a conversa. Bem, pelo menos era assim que explicava o que estava acontecendo. Determinada a não voltar para a sala até que Maureen tivesse acabado, foi para o escritório checar se alguém tinha enviado mensagens de pêsames para serem apresentadas na próxima reunião do Conselho Distrital. Como secretária, já estava organizando a pauta.

— Howard!... Miles!... Venham ver isso aqui!

A voz de Shirley perdeu a sua suavidade habitual de flauta e soou estridente.

Howard saiu da sala de estar, adernando o corpo para um lado e para o outro, e foi seguido por Miles, que ainda estava com o terno usado o dia inteiro no trabalho. Os olhos de Maureen, caídos, avermelhados, com cílios espessos de tanto rímel, se fixaram no vão da porta da sala vazia como os de um cão de caça. Sua vontade de saber o que Shirley tinha encontrado ou visto era quase palpável. Os dedos de Maureen, garras de articulações grossas, cobertas por uma pele translúcida com manchas de leopardo, ficavam deslizando de um lado para o outro o crucifixo e a aliança pendurados na correntinha em volta do seu pescoço. Os sulcos profundos que iam do canto da boca até o queixo de Maureen sempre faziam Samantha se lembrar de um boneco de ventríloquo.

Por que você está sempre aqui?, perguntou Samantha à velha bem alto, mentalmente. *Já não me bastava a solidão de ter que viver debaixo das asas de Howard e Shirley?*

E o nojo cresceu como vômito dentro de Samantha. Queria segurar aquela sala atulhada e superaquecida nas mãos e esmagá-la até que a porcelana chinesa, a lareira e as fotos de Miles em porta-retratos dourados se estilhaçassem. E Maureen, cheia de rugas e toda maquiada, ficaria presa no meio dos escombros, berrando. Depois, pegaria tudo aquilo e jogaria bem longe, na direção do pôr do sol, como uma arremessadora celestial. A sala destruída com a bruxa velha lá dentro planaria pelos céus na sua imaginação e cairia no oceano ilimitado, deixando Samantha sozinha na quietude sem fim do universo.

Foi uma tarde terrível. Ela teve mais uma conversa assustadora com o contador e não se lembrava direito de como tinha voltado de Yarvil. Gostaria de ter desabafado um pouco com Miles, mas o marido, depois de pôr a pasta no chão e tirar a gravata ainda no corredor de entrada, disse:

— Você ainda não começou a jantar, começou?

Inspirou ostensivamente e depois respondeu a própria pergunta.

— Não, ainda não. Ótimo, porque papai e mamãe nos convidaram para jantar. — E antes que ela pudesse dizer alguma coisa, ele acrescentou bruscamente: — Não tem nada a ver com o Conselho. É apenas para discutirmos os preparativos para o aniversário de sessenta e cinco anos do papai.

A raiva era quase um alívio, encobrindo a ansiedade e o medo. Samantha seguiu Miles até o carro, acalentando a sensação de que ele não ligava para ela. Quando enfim ele perguntou, já na esquina do Evertree Crescent, "Como foi o seu dia?", ela respondeu: "Absolutamente fantástico."

— Está querendo saber o que aconteceu? — indagou Maureen, quebrando o silêncio na sala de estar.

Samantha deu de ombros. Shirley sempre reunia os homens à sua volta e deixava as mulheres no limbo. Samantha não daria à sogra a satisfação de demonstrar interesse.

O assoalho sob o tapete do corredor rangeu com os passos de elefante de Howard. Maureen estava de boca aberta de tanta ansiedade.

— Ora, ora, ora — exclamou Howard, com o seu vozeirão, se arrastando de volta para a sala.

— Eu estava dando uma olhada no site do Conselho para ver as justificativas de não comparecimento — disse Shirley, vindo atrás dele ligeiramente sem fôlego. — Para a próxima reunião...

— Alguém postou acusações contra Simon Price — anunciou Miles a Samantha, passando à frente dos pais desta vez.

— Que tipo de acusações? — perguntou ela.

— Que ele anda envolvido em receptação de mercadoria roubada — respondeu Howard, agora já no centro das atenções — e passa a perna nos chefes, lá na gráfica.

Samantha ficou contente de não esboçar nenhuma reação. Não tinha a menor ideia de quem era esse tal de Simon Price.

— Postaram com um pseudônimo — continuou Howard. — Um pseudônimo que não é lá de muito bom gosto.

— É algo grosseiro? — perguntou Samantha. — Do tipo "A pica grande e grossa" ou algo do gênero?

A risada de Howard ecoou pela sala. Maureen gritou horrorizada, de um jeito bem afetado, mas Miles fechou a cara, e Shirley olhou para ela furiosa.

— Não, não chega a *tanto*, Sammy — disse Howard. — Colocaram "O Fantasma de Barry Fairbrother".

— Ah... — fez Samantha, com o sorriso desaparecendo aos poucos. Não gostou nada disso. Afinal, estava na ambulância quando enfiaram agulhas e tubos no corpo já quase sem vida de Barry. Viu ele morrer com aquela máscara, viu Mary segurando a sua mão, e ouviu os lamentos e o choro dela.

— Ah, não, isso não é nada delicado — disse Maureen, saboreando cada palavra com a sua voz de sapo-boi. — Isso é bem desagradável. Pôr palavras na boca de um morto. Usar nomes em vão. Isso não está certo.

— Não está, não — concordou Howard. Perdido em pensamentos, caminhou pela sala, pegou a garrafa de vinho, andou na direção de Samantha e encheu-lhe o copo vazio. — Mas parece que alguém por aí não liga para o bom gosto. Só está interessado em tirar Simon Price da disputa.

— Você está pensando o que eu estou pensando, papai? — perguntou Miles. — Não era melhor terem me atacado?

— E como você sabe que não atacaram, Miles?

— O que você está querendo dizer? — retrucou ele, prontamente.

— Quero dizer — prosseguiu Howard, feliz em ser o centro de todas as atenções — que recebi uma carta anônima duas semanas atrás. Nada muito específico. Apenas dizia que você não era o mais indicado para ocupar o lugar de Fairbrother. Não ficaria surpreso de saber que essa carta tem a mesma origem do post. Fairbrother aparece nas duas, você viu?

Samantha deu um gole mais entusiasmado no vinho, que escorreu pelos cantos da sua boca até o queixo, exatamente onde, com o tempo, surgiriam os seus próprios sulcos de boneco de ventríloquo. Ela enxugou o rosto com a manga.

— Onde está essa carta? — perguntou Miles, lutando para não parecer abalado.

— Joguei fora. Era anônima. Não valia.

— Não queríamos chatear você, querido — disse Shirley, dando uns tapinhas no braço do filho.

— De todo modo, eles não devem ter nada contra você — assegurou Howard —, ou teriam usado, como fizeram com Simon Price.

— A esposa de Simon é uma moça adorável — disse Shirley, lamentando sinceramente. — Não consigo acreditar que Ruth soubesse que o marido estava metido em falcatruas. Ela é uma amiga lá do hospital — explicou para Maureen. — Enfermeira terceirizada.

— Não seria a primeira esposa a não se dar conta do que acontece bem debaixo do seu nariz — retrucou Maureen, exibindo conhecimento de causa e sabedoria de vida.

— É uma vergonha terem usado o nome de Barry Fairbrother — retomou Shirley, fingindo não ter escutado o que Maureen disse. — Nem pensaram na viúva, na família... O que importa são as suas pretensões. E sacrificariam tudo por elas.

— Isso mostra bem o que vamos enfrentar — disse Howard, e coçou a parte debaixo da barriga, pensando. — Estrategicamente isso é inteligente. Vi desde o início que Price ia dividir os votos pró-Fields. Aluga-Ouvido não é boba nem nada. Ela também se deu conta disso e quis deixá-lo de fora.

— Mas pode não ter nada a ver com Parminder e a eleição — retrucou Samantha. — Isso pode ter vindo de outra pessoa que não conhecemos, alguém que tenha raiva de Simon Price.

— Ah, Sam — disse Shirley, com uma risadinha cristalina, abanando a cabeça. — Dá para ver que você é novata na política.

Ah, vai se foder, Shirley.

— Então por que eles iam usar o nome de Barry Fairbrother? — perguntou Miles, dirigindo-se à esposa num tom irritado.

— Bem, postaram no site, não é? É a cadeira dele que está vaga.

— E quem vai navegar no site do Conselho atrás desse tipo de informação? Não — disse ele, com ar grave —, é alguém lá de dentro.

Alguém de dentro... Uma vez Libby disse a Samantha que podia haver milhares de microrganismos numa só gota de água de um lago. Eram todos completamente ridículos, pensou Samantha, sentados ali, na frente dos pratos comemorativos de Shirley, como se estivessem no gabinete do primeiro-ministro, como se um disse me disse no site do Conselho Distrital fosse um complô organizado, como se aquilo tudo realmente tivesse alguma importância.

Deliberadamente e de forma desafiadora, Samantha desviou a atenção de todos eles. Fixou o olhar na janela e no céu ainda claro do anoitecer, e pensou em Jake, o rapaz musculoso da banda favorita de Libby. Hoje, na hora do almoço, Samantha tinha ido comprar sanduíches e acabou levando também uma revista de música que trazia uma entrevista de Jake e seus colegas de banda. Havia muitas fotos.

— É para Libby — disse à sua ajudante na loja.

— Uau, olha só isso. Ah, eu não ia expulsar ele da minha cama, não... — comenta Carly, apontando para Jake. O rapaz estava sem camisa e com a cabeça jogada para trás, deixando à mostra o pescoço largo e forte. — Pena que ele só tem vinte e um anos. Não sou papa-anjo.

Carly tinha vinte e seis. Samantha não se importava com a diferença de idade entre Jake e ela. Comeu o sanduíche, leu a entrevista e olhou atentamente todas as fotos. Jake com as mãos numa barra sobre a cabeça, os bíceps saltados por debaixo da manga de uma camiseta preta; Jake com uma camisa branca aberta, deixando à mostra os músculos esculpidos do seu abdômen, acima do cós folgado da calça jeans.

Samantha bebeu o vinho de Howard e ficou olhando para o céu num ponto bem acima da cerca viva de alfena na qual havia uma delicada tonalidade cor-de-rosa. Exatamente o mesmo tom de seus mamilos antes de escurecerem e aumentarem de tamanho com a gravidez e a amamentação. Ficou se imaginando aos dezenove anos, com Jake aos vinte e um, e aquela silhueta esguia novamente, as curvas precisas nos lugares certos, e uma barriga forte e lisa, que cabia confortavelmente no seu short branco tamanho P. Lembrou direitinho como era se sentar no colo de um rapaz com aquele short. O calor e a aspereza do brim exposto ao sol em contato com as suas coxas nuas, as mãos fortes do rapaz segurando a sua cintura fina. Imaginou também a respiração de Jake no seu pescoço. Ela se viraria para olhar dentro dos seus olhos azuis, chegando bem perto daquelas maçãs do rosto tão salientes e da boca firme e bem-desenhada.

— ...lá no salão da igreja, vamos servir o bufê do Bucknoles — disse Howard. — Convidamos todo mundo, Aubrey e Julia... Todo mundo. Se tivermos sorte, será uma dupla comemoração: você no Conselho, e eu um ano mais jovem.

Samantha estava ligeiramente embriagada e excitada. Quando iriam comer? Percebeu que Shirley tinha saído da sala, e esperava que fosse para começar a pôr a mesa.

O telefone tocou bem ao seu lado, e ela deu um pulo. Antes que qualquer um deles pudesse se mexer, Shirley voltou correndo. Tinha uma luva térmica florida numa das mãos e, com a outra, pegou o telefone.

— Dois, dois, cinco, nove? — cantarolou, com uma inflexão aguda. — Ah... Olá, Ruth, querida!

Howard, Miles e Maureen ficaram paralisados e atentos. Shirley se virou e lançou um olhar intenso para o marido, como se os seus olhos pudessem transmitir a voz de Ruth direto para dentro da cabeça dele.

— Claro — disse Shirley. — Claro...

Samantha, que estava bem perto do telefone, podia ouvir a voz da outra mulher, mas não conseguia entender o que ela dizia.

— É mesmo?...

Maureen estava de boca aberta de novo, como se fosse um filhote de pássaro arcaico ou, quem sabe, um pterodáctilo, faminto por novidades regurgitadas.

— Claro, querida, sei... Não... Não tem o menor problema... Não, não, vou explicar a Howard. Não, problema nenhum.

Os olhos pequenos e castanho-claros de Shirley não se desviaram dos de Howard, azuis, grandes e esbugalhados.

— Ruth, querida — disse Shirley —, não quero preocupar você, mas já entrou no site do Conselho hoje?... Bem... é algo meio chato, mas acho que você tem que saber... Alguém postou uma coisa desagradável sobre Simon... Bem, é melhor você mesma ler, eu prefiro não... Certo, querida. Certo. Nos vemos na quarta. Claro. Tchau, tchau.

E desligou o telefone.

— Ela não sabia de nada — declarou Miles.

Shirley confirmou com a cabeça.

— Por que ela ligou?

— O filho — disse Shirley. — Seu novo ajudante. Ele tem alergia a amendoim.

— Muito conveniente numa delicatéssen — disse Howard.

— Queria saber se você pode deixar uma injeção de adrenalina para ele na geladeira, só por precaução — disse Shirley.

Maureen fungou.

— Essas crianças de hoje em dia são todas alérgicas.

A mão sem luva de Shirley continuava segurando o aparelho. Inconscientemente, esperava sentir os tremores de terra vindo de Hilltop House pela linha telefônica.

V

Ruth ficou de pé, sozinha na sala de estar iluminada apenas pelo abajur, ainda agarrando com força o telefone que acabara de devolver à base.

Hilltop House era pequena e compacta. E era sempre muito fácil dizer exatamente onde cada um dos quatro Price estava, porque a velha casa conduzia, com eficácia, vozes, passos e sons de portas se abrindo e fechando. Ruth sabia que o marido ainda estava no banho, porque podia ouvir o *boiler*, debaixo da escada, apitando e estalando. Tinha esperado Simon abrir a água do chuveiro para ligar para Shirley, pois achava que ele podia pensar que até um simples pedido de uma injeção de adrenalina para uma emergência era confraternizar com o inimigo.

O computador ficava num dos cantos da sala de estar, bem à vista de Simon, que queria ter certeza de que ninguém estava fazendo as contas aumentarem pelas suas costas. Ruth largou o telefone e correu para o teclado.

Levou bastante tempo até que o site do Conselho de Pagford entrasse por completo. Com a mão trêmula, Ruth ajeitou os óculos de leitura na ponta do nariz e passou os olhos pela página, até que encontrou a área de mensagens. O nome do seu marido estava lá, em destaque, naquela frase assustadora: Por que Simon Price não deve ser eleito para o Conselho Distrital de Pagford.

Clicou duas vezes em cima do título, fazendo aparecer o parágrafo inteiro, e começou a ler. Tudo à sua volta parecia girar e balançar.

— Meu Deus — sussurrou.

O *boiler* tinha parado de estalar. Simon devia estar vestindo o pijama deixado sobre o aquecedor. Antes, ele já tinha fechado as cortinas da sala de estar, ligado o abajur e acendido a lareira. Assim poderia descer e se esticar no sofá para assistir ao telejornal.

Ruth sabia que teria que contar a ele. Não fazer isso, deixar que ele descobrisse por si só, simplesmente não era uma opção. Não conseguiria guardar aquilo só para si. Estava aterrorizada e se sentia culpada, embora não soubesse por quê.

Ela o ouviu descer as escadas e depois aparecer na porta da sala com o pijama azul de flanela.

— Si — sussurrou.

— O que foi? — perguntou ele, imediatamente irritado. Pela voz dela, sabia que alguma coisa tinha acontecido e que aquele seu programa magnífico, que combinava sofá, lareira e notícias, estava prestes a ser cancelado.

Ruth apontou para a tela do computador, e com a outra mão tapou a boca de um jeito bobo, como se fosse uma menininha. Seu pavor o contaminou. Ele correu para o computador e olhou para a tela, já com as sobrancelhas franzidas. Simon não era exatamente um bom leitor. Lia palavra por palavra, linha por linha, com muita dificuldade e atenção.

Quando terminou, ficou mudo por um tempo, repassando mentalmente quem seriam os possíveis dedos-duros. Pensou no operador de empilhadeira que mascava chicletes e a quem tinha deixado para trás lá em Fields, quando foram pegar o novo computador. Pensou em Jim e Tommy, que faziam serviços sem nota por baixo dos panos, junto com ele. Alguém do trabalho deve ter falado. Ódio e medo se misturaram dentro dele gerando uma reação explosiva.

Correu até o pé da escada e gritou:

— Vocês dois! Desçam aqui AGORA!

Ruth continuava tapando a boca com a mão. Simon sentiu uma vontade sádica de dar um tapa naquela mão e dizer a ela que se controlasse, afinal de contas, era ele que estava na merda.

Andrew entrou na sala primeiro, e Paul veio logo atrás. Andrew viu as insígnias do Conselho Distrital de Pagford na tela do computador e a mãe, tapando a boca com a mão. Andando pelo tapete velho, com os pés descalços, teve a sensação de estar caindo vertiginosamente num elevador quebrado.

— Alguém andou falando sobre coisas que comentei aqui dentro de casa — disse Simon, encarando os filhos.

Paul tinha trazido com ele o livro de exercícios de química, e o segurava com as duas mãos, aberto na frente do peito. Andrew olhava fixo para o pai, tentando fazer uma cara de confusão e curiosidade.

— Quem foi que contou que ficamos com um computador roubado? — perguntou Simon.

— Eu não fui — disse Andrew.

Paul olhou para o pai, com os olhos arregalados, sem entender, tentando processar a pergunta. Andrew queria que o irmão falasse. Por que tinha que ser tão lento?

— E? — grunhiu Simon.

— Eu acho que não...

— Você *acha* que não? Você *acha* que não contou a ninguém?

— É, eu acho que não contei a nin...

— Ah, isso é interessante — retrucou Simon, andando de um lado para o outro na frente de Paul. — Muito interessante.

Com um tapa, fez o livro de exercícios de Paul sair voando de suas mãos.

— Tente se lembrar, seu merda — exclamou ele. — Tente se lembrar, porra! Você contou a alguém que ficamos com um computador roubado?

— Roubado, não — respondeu Paul. — Não contei a ninguém... Acho que não contei a ninguém nem que tínhamos um computador novo.

— Sei — disse Simon. — Então essa informação se espalhou como num passe de mágica, foi isso?

Ele apontava para a tela do computador.

— *Alguém* falou, porra! — gritou ele. — Está na porra da *internet*! E vou ter muita sorte se eu... não... perder... meu... emprego!

A cada uma dessas cinco palavras, ele dava um soco na cabeça de Paul. O garoto se encolhia e olhava para o chão. Um líquido escuro escorria da sua narina esquerda. Ele tinha sangramentos nasais várias vezes na semana.

— E *você*? — berrou Simon para a mulher, que ainda estava paralisada ao lado do computador, com os olhos esbugalhados por trás dos óculos, a mão grudada na boca como uma mordaça. — O que *você* andou fofocando por aí, porra?!

Ruth conseguiu falar.

— Nada, Si — sussurrou ela. — Quero dizer, a única pessoa para quem eu contei que tínhamos um computador novo foi a Shirley, e ela nunca...

Sua burra! Que porra de mulher burra! Por que você tinha que contar isso pra ele?

— Você fez o quê? — perguntou Simon, baixinho.

— Contei para a Shirley — disse Ruth, choramingando. — Mas não disse que era roubado, Si. Só disse que você tinha trazido um computador para casa...

— Só isso?! Foi só essa merda que você disse a ela?! — rosnou Simon, e em seguida começou a gritar. — O babaca do filho dela está concorrendo à eleição. É claro que ela vai querer ter algo contra mim, porra!

— Mas foi ela que me contou sobre a mensagem no site ainda agora, ela não teria...

Ele avançou na direção de Ruth e lhe deu um tapa na cara, como queria ter feito desde que viu aquela sua expressão abobalhada e assustada. Os óculos dela voaram pelo ar e se espatifaram na estante. Ele a acertou outra vez, com um soco que a fez desabar sobre a mesa do computador que ela tinha comprado, toda orgulhosa, com seu primeiro salário no Hospital Geral South West.

Andrew tinha feito uma promessa a si mesmo. Parecia se mover em câmera lenta, e tudo à sua volta era frio, pegajoso e levemente irreal.

— Não bata nela — disse ele, colocando-se entre os pais. — Não...

Com o lábio cortado pelos próprios dentes, sob o impacto do soco de Simon, ele caiu para trás, por cima da mãe, que estava sobre o teclado. Simon lhe deu outro soco, acertando o braço do filho, que protegia o rosto. Andrew tentava se levantar e sair de cima da mãe. Simon estava completamente louco, batendo neles onde quer que pudesse atingi-los.

— Não me diga o que fazer, porra, não me diga o que fazer, seu merdinha covarde, seu zero à esquerda cheio de espinhas...

Andrew caiu de joelhos, deixando o caminho livre, e Simon lhe deu um chute nas costelas. O garoto ouviu o irmão dizer de maneira patética "Para com isso!". O pai levantou a perna para chutar novamente as costelas de Andrew, mas ele se esquivou. O pé de Simon acertou em cheio os tijolos da lareira e, de repente, de forma inacreditável, era ele que estava urrando de dor.

Meio cambaleando, Andrew tentou se levantar. Simon segurava com força os dedos do pé, dando uns pulos e praguejando com uma voz esganiçada. Ruth tinha desabado na cadeira giratória, soluçando, com o rosto entre as mãos. Andrew ficou de pé, sentindo na boca o gosto do próprio sangue.

— Qualquer um poderia ter falado sobre o computador — disse ele, ofegante, preparado para mais violência. Sentia-se com mais coragem agora que tinha começado, agora que a briga estava acontecendo de verdade. A espera o deixava nervoso, vendo a mandíbula do pai se projetar para a frente e ouvindo o desejo de violência crescer na sua voz. — Você disse que um dos seguranças tinha ficado ferido. Qualquer um poderia ter falado. Não fomos nós...

— Não me... Seu merdinha... Quebrei a porra do dedo — arquejou Simon, caindo sentado numa poltrona, ainda segurando o pé. Parecia estar esperando alguma compaixão.

Andrew se imaginou pegando uma arma e atirando na cara do pai, vendo suas feições explodirem e os seus miolos se espalharem pela sala.

— E Paulinha ficou menstruada outra vez, porra! — gritou Simon, olhando para Paul, que tentava estancar o sangue que lhe escorria do nariz e pingava por entre os seus dedos. — Saia de cima do tapete! Saia de cima da porra do tapete, sua bichinha.

Paul saiu correndo da sala. Andrew apertou a gola da camiseta na boca, que latejava.

— E a parte sobre os serviços sem nota? — perguntou Ruth, soluçando, com o rosto vermelho por causa do soco e as lágrimas escorrendo, uma a uma, pelo queixo. Andrew odiava vê-la assim, humilhada e patética; mas meio que a odiava também por fazer isso consigo mesma, quando qualquer idiota teria percebido... — Falaram de serviços sem nota. Shirley não sabia de nada disso, como ela poderia saber? Alguém na gráfica deve ter contado. Eu disse, Si, eu disse que você não devia aceitar esse tipo de trabalho, sempre fiquei preocupadíssima com...

— Cale a boca, sua vaca chorona. Na hora de gastar o dinheiro você não ligava — berrou Simon, projetando mais uma vez a mandíbula.

Andrew quis gritar com a mãe para que ela ficasse quieta: ela ficava falando e falando, quando qualquer idiota via que o melhor a fazer era ficar quieto, e ficava quieta quando teria sido melhor gritar a plenos pulmões. Será que não ia aprender nunca, nunca ia perceber o que podia acontecer?

Todos ficaram em silêncio por um minuto. Ruth esfregava os olhos com o dorso das mãos e fungava sem parar. Simon apertava o dedo quebrado com força, os dentes trincados, respirando alto. Andrew lambia o sangue do lábio, que ardia e estava começando a inchar.

— Isso vai me custar a porra do emprego — disse Simon, olhando pela sala, com olhos arregalados, como se houvesse alguém ali que ele tivesse se esquecido de esmurrar. — Já andam mesmo falando em corte de pessoal na merda daquela gráfica. Vai ser o fim. Vai ser... — Deu um tapa no abajur que estava na beira da mesa, mas ele não quebrou, apenas rolou pelo chão. Simon o pegou, puxou com toda a força o fio da tomada, arrancando-o da parede, levantou o abajur acima da cabeça e o atirou em Andrew, que conseguiu se esquivar novamente.

— Quem foi que falou, porra? — gritou Simon, quando o abajur atingiu a parede e se partiu ao meio. — Alguém falou, cacete!

— Foi algum desgraçado da gráfica — gritou Andrew, com o lábio inchado e latejando, parecendo um gomo de tangerina. — Você acha que fomos nós... Não acha que a essa altura já aprendemos a ficar de boca fechada?

Era como tentar decifrar um animal selvagem. Podia ver o movimento dos músculos na mandíbula do pai, mas também podia sentir que Simon estava pensando no que ele tinha dito.

— Quando foi que colocaram isso aí? — rosnou para Ruth. — Olha aí! Qual é a data?

Ainda soluçando, ela olhou para o computador, quase encostando o nariz na tela, já que os seus óculos estavam quebrados.

— Dia 15 — sussurrou.

— 15... Domingo — disse Simon. — Foi domingo, não foi?

Nem Andrew nem Ruth confirmaram. O garoto não podia acreditar na sua sorte, nem tampouco podia acreditar que ela iria durar.

— Domingo — repetiu Simon. — Então qualquer um poderia ter... A porra desse *dedo*... — gritou, enquanto se levantava e, mancando de um jeito exagerado, foi se aproximando de Ruth. — Saia daí!

Ela pulou da cadeira e ficou observando-o ler de novo o parágrafo. Estava bufando como um animal, querendo desentupir as vias respiratórias. Andrew pensou que talvez pudesse estrangular o pai enquanto ele estava sentado ali, mas não havia nenhum fio à mão.

— Alguém conseguiu tudo isso lá na gráfica — disse Simon, como se tivesse chegado a essa conclusão sozinho, sem escutar a mulher e o filho levantarem a hipótese para ele. Pôs as mãos no teclado e se voltou para Andrew. — Como é que eu me livro disso?

— O quê?

— Você não tem a porra da aula de informática? Como é que eu apago isso aqui?

— Não dá... você não pode — disse Andrew. — Só o administrador do site pode fazer isso.

— Então, você vai ser o administrador — retrucou Simon, ficando de pé e mandando Andrew se sentar na cadeira giratória.

— Mas não posso ser o administrador — respondeu Andrew, com medo de que o pai estivesse se preparando para um segundo acesso de violência. — Tem que ter o nome do usuário e a senha.

— Você não serve para porra nenhuma, não é mesmo?

Quando passou por ele, sempre mancando, Simon deu um empurrão em Andrew, bem no meio do peito, jogando-o contra a lareira.

— Me passa o telefone aqui! — berrou Simon para a mulher, sentando na poltrona de novo.

Ruth foi pegar o aparelho, que estava a poucos centímetros de Simon, para entregá-lo ao marido. Ele o arrancou das suas mãos e começou a apertar as teclas com toda a força.

Andrew e Ruth ficaram esperando em silêncio Simon fazer as ligações, primeiro para Jim, depois para Tommy, os homens com quem tinha feito os tais trabalhos depois do expediente lá na gráfica. A fúria de Simon e a desconfiança de seus próprios cúmplices foram canalizadas pelo telefone em frases curtas e grossas, cheias de palavrões.

Paul não voltou mais para a sala. Talvez porque ainda estivesse tentando estancar o sangramento do nariz, ou, o que era mais provável, por estar apavorado. Andrew pensou que o irmão não estava sendo muito inteligente. O mais seguro era só deixar a sala quando o pai permitisse.

Assim que terminou as ligações, Simon estendeu o telefone para Ruth sem dizer nada. Ela o pegou e correu para devolvê-lo ao seu lugar.

Com o dedo quebrado latejando, Simon ficou sentado ali, pensando, suando com o calor da lareira, inundado de uma fúria impotente. A violência com que tratou a mulher e filho não o abalava; não perdeu um minuto sequer pensando nisso. Uma coisa terrível tinha lhe acontecido, e era natural que explodisse com as pessoas mais próximas. A vida era assim mesmo. De todo modo, Ruth, aquela vaca estúpida, admitiu que tinha contado para Shirley.

Simon estava construindo sua própria cadeia dos fatos, tentando imaginar como as coisas tinham acontecido. Um filho da puta qualquer (e suspeitava do operador da empilhadeira que mascava chicletes e tinha ficado indignado quando ele o deixou plantado em Fields) falou sobre ele com os Mollison (de algum modo meio incoerente, a confissão de Ruth de que tinha comentado sobre o computador com Shirley fazia essa hipótese parecer mais plausível), e eles (os Mollison, o *establishment*, o gorducho e a desagradável, que não deixavam ninguém ameaçar o seu poder) colocaram aquela mensagem no site (Shirley, aquela vaca velha, controlava o site, o que confirmava essa teoria).

— Foi a filha da puta da sua amiga — disse Simon à mulher, que ainda estava com o rosto molhado e os lábios trêmulos. — A filha da puta da Shirley. Foi ela que fez isso. Jogou meu nome na lama para me tirar do caminho do filho dela. É, foi ela, sim.

— Mas, Si...

Cala a boca, cala a boca, sua estúpida, pensou Andrew.

— Você continua do lado dela, não é? — rosnou Simon, fazendo menção de se levantar novamente.

— Não! — gritou Ruth. Ele afundou de volta na poltrona, aliviado por poupar o pé machucado.

A direção da Harcourt-Walsh não ficaria nada feliz em saber daqueles servicinhos que eles faziam depois do expediente, pensou Simon. Ele é que não ficaria ali esperando para ver a maldita polícia chegar e começar a fuçar no computador. De repente, sentiu que precisava fazer alguma coisa com urgência.

— Você — disse ele, apontando para Andrew. — Desligue o computador. Tudo, os cabos inclusive. E venha comigo.

VI

Coisas negadas, coisas não ditas, coisas escondidas e disfarçadas.

O lamacento rio Orr engoliu os destroços do computador roubado, atirado da velha ponte de pedra à meia-noite. Simon foi para o trabalho mancando por causa do dedo quebrado e disse a todo mundo que tinha escorregado na porta de casa. Ruth fez compressa de gelo nos hematomas e tratou de disfarçá-los de um jeito ou de outro, com um resto de base. Uma casca se formou no lábio de Andrew, como tinha acontecido com Dane Tully, e Paul teve outro sangramento nasal no ônibus da escola e, ao chegar lá, teve que ir direto para a enfermaria.

Shirley Mollison, que tinha ido fazer compras em Yarvil, só atendeu às repetidas ligações de Ruth no fim da tarde, quando os garotos já haviam chegado da escola. Da escada, Andrew ouviu a mãe falando lá na sala de estar. Sabia que Ruth estava tentando resolver as coisas antes que Simon voltasse para casa, porque ele seria capaz de tomar o telefone da mão dela só para xingar a sua amiga aos berros.

— ...tudo um monte de mentiras absurdas — dizia enfaticamente —, mas ficaríamos agradecidos se você retirasse essa mensagem do site, Shirley.

Ao ouvir isso, Andrew fez uma careta, e o corte no lábio ainda inchado ameaçou abrir novamente. Odiava ouvir a mãe pedindo um favor àquela mulher. Naquele momento ficou chateado, de uma maneira irracional, porque o post ainda estava no ar. Mas depois se lembrou de que tinha escrito aquilo, o que acabou desencadeando tudo: os machucados no rosto da mãe, o seu próprio lábio cortado e a atmosfera de terror que impregnava a casa com a expectativa da volta de Simon.

— Claro que entendo que você tem um monte de coisas... — dizia Ruth, de uma forma desprezivelmente covarde —, mas você pode imaginar como Simon seria prejudicado se as pessoas acreditassem...

Era assim mesmo que Ruth falava com Simon, pensou Andrew, nas raras ocasiões em que se sentia obrigada a desafiá-lo: de forma subserviente, hesitante, sempre pedindo desculpas. Por que não exigia de uma vez que aquela mulher tirasse o post do ar? Por que era sempre tão covarde? Por que se humilhava tanto? *Por que não largava seu pai?*

Sempre achou que Ruth era diferente, boa, sem máculas. Quando criança, percebia os pais como duas criaturas completamente antagônicas entre si: um era mau e assustador; a outra, boa e generosa. Mas, à medida que foi crescendo, tinha se voltado duramente contra a cegueira solícita de Ruth, a sua defesa constante do pai, a sua inabalável lealdade a um falso ídolo.

Quando a ouviu desligar o telefone, Andrew desceu a escada fazendo bastante barulho, e a encontrou saindo da sala de estar.

— Estava ligando para a mulher do site?

— Estava — respondeu Ruth, com uma voz cansada. — Ela vai tirar de lá aquelas coisas sobre o papai, e então, se Deus quiser, essa história vai acabar.

Andrew sabia que a mãe era inteligente e muito mais habilidosa em relação à casa do que o desastrado do pai. Ela era capaz de se sustentar sozinha.

— Se ela é sua amiga, por que não tirou o post do site imediatamente? — perguntou ele, seguindo a mãe até a cozinha. Pela primeira vez na vida, a pena que sentia de Ruth se misturava a um sentimento de frustração que aumentava a sua raiva.

— Ela está muito ocupada — disse Ruth.

Um dos seus olhos estava vermelho por causa do soco que Simon lhe dera.

— Você disse que ela pode ter problemas por deixar coisas difamatórias no site, já que é ela quem controla o que aparece lá? Aprendemos isso na aula de infor...

— Eu já disse, Andrew, ela vai tirar — retrucou Ruth, zangada.

Não tinha medo de mostrar aos filhos a raiva que sentia. Seria porque eles não batiam nela, ou por algum outro motivo? Andrew sabia que o rosto da mãe devia estar doendo tanto quanto a sua boca.

— E aí, quem você acha que escreveu essas coisas sobre o papai? — perguntou o menino, aflito.

Ela se virou para ele, furiosa.

— Não sei — respondeu ela —, mas, seja quem for, fez uma coisa desprezível, covarde. *Todo mundo* tem algo a esconder. O que aconteceria se o papai colocasse na internet algumas coisas que *ele* sabe sobre outras pessoas? Só que ele não faria isso.

— Seria contra os princípios dele, não é? — disse Andrew.

— Você não conhece o seu pai tão bem quanto pensa que conhece — gritou Ruth, com lágrimas nos olhos. — Saia daqui... Vá já fazer o dever de casa... Ou o que você quiser... mas saia daqui.

Andrew voltou para o quarto com fome, porque tinha descido para pegar alguma coisa para comer na cozinha. E ficou um bom tempo deitado na cama pensando. Será que aquele post tinha sido um erro terrível? Será que só quando Simon machucasse para valer alguém da família a sua mãe perceberia que ele não tinha nenhum princípio?

Nesse meio-tempo, no escritório de casa, a mais de um quilômetro de distância de Hilltop House, Shirley Mollison estava tentando lembrar como é que se deleta um post da área de mensagens do site. Posts eram tão raros por ali que ela normalmente os deixava no ar por mais de três anos. Finalmente encontrou, no armário pesado no canto da sala, um guia simplificado que tinha feito para si mesma de como administrar o site, e então conseguiu, depois de várias tentativas frustradas, remover as acusações contra Simon. Fez isso apenas porque Ruth, de quem gostava, tinha lhe pedido. Não se sentia nem um pouco responsável pelo que havia acontecido.

No entanto, o fato de ter deletado o post não o removeria da consciência daqueles que estavam profundamente interessados na disputa cada vez mais próxima pela cadeira de Barry. Parminder Jawanda copiou a tal mensagem no seu computador. Vira e mexe voltava a abri-la, submetendo cada frase a uma investigação pormenorizada, como se fosse uma legista examinando fibras num cadáver, procurando vestígios do DNA literário de Howard Mollison. Ele provavelmente fizera tudo o que podia para disfarçar seu tom característico, mas a médica estava certa de ter reconhecido seu pedantismo em trechos como "O sr. Price conhece por certo muito bem os processos de redução de custos" e em "poderia beneficiar o Conselho fornecendo os nomes dos seus contatos tão úteis".

— Você não conhece Simon Price, Minda — disse Tessa Wall. Ela e Colin estavam jantando com os Jawanda na cozinha da antiga casa paroquial, e Parminder falou sobre o post praticamente desde a hora em que eles cruzaram a soleira da porta. — É um homem muito desagradável, e muita gente não gosta dele. Mas, para ser sincera, não acredito que tenha sido Howard Mollison. Não consigo vê-lo fazendo algo tão óbvio.

— Não se iluda, Tessa — disse Parminder. — Howard fará qualquer coisa para garantir que Miles seja eleito. Você vai ver. Agora ele vai pra cima do Colin.

Colin segurou o garfo com tanta força que Tessa viu os nós dos seus dedos ficarem brancos, e desejou que Parminder pensasse mais antes de falar. Ela, mais do que ninguém, sabia como Colin era. Chegou até a lhe receitar Prozac.

Vikram estava sentado na outra ponta da mesa, em silêncio. Seu belo rosto exibiu, de forma espontânea, um sorriso levemente irônico. Tessa se sentia intimidada diante do cirurgião, como sempre acontecia na presença de um homem bonito. Embora Parminder fosse uma das suas melhores amigas, Tessa praticamente não conhecia Vikram, que trabalhava muitas horas por dia e, ao contrário da mulher, quase não se envolvia nos assuntos de Pagford.

— Eu falei sobre a pauta, não falei? — perguntou Parminder. — A da próxima reunião? Ele está propondo uma moção sobre Fields, a ser encaminhada por nós ao comitê de Yarvil responsável pela revisão dos limites, *e* uma resolução para despejar a clínica de reabilitação. Está tentando correr com tudo isso, enquanto a cadeira de Barry está vaga.

Ela ficava levantando para ir buscar coisas, abrindo mais portas de armários do que o necessário, completamente distraída. Por duas vezes esqueceu o que tinha ido pegar e se sentou de novo, com as mãos vazias. Aonde quer que ela fosse, Vikram a observava, com aqueles seus olhos de cílios espessos.

— Liguei para Howard ontem à noite — prosseguiu Parminder — e disse a ele que, antes de votar questões importantes, devíamos esperar até que estivéssemos com o número total de conselheiros. Ele riu e disse que não podíamos esperar. E que Yarvil quer saber a nossa opinião a respeito da revisão dos limites em curso. Mas ele está é com medo de Colin se eleger para a vaga de Barry, porque aí não vai ser tão fácil nos impor tudo isso. Mandei um e-mail para todo mundo que acho que vai votar conosco, para ver se não podem pressioná-lo a adiar a votação para a outra reunião... "O Fantasma de Barry Fairbrother" — acrescentou Parminder, ofegante. — *Desgraçado*. Ele não vai usar a morte de Barry para derrotá-lo. Não se eu puder impedir.

Tessa pensou ter visto Vikram crispar os lábios. A velha Pagford, liderada por Howard Mollison, geralmente perdoava Vikram pelos crimes que não podia perdoar à sua esposa: a tonalidade mais escura da pele, a inteligência e a riqueza (tudo o que, para Shirley Mollison, cheirava a soberba). Isso era extremamente injusto, pensou Tessa. Parminder trabalhava muito em todos os setores da vida de Pagford: festas escolares ou beneficentes, a clínica local e o Conselho Distrital, e sua recompensa era a aversão implacável da velha guarda. Vikram, que raramente participava de qualquer uma dessas atividades, era bajulado, incensado, e todos se referiam a ele demonstrando grande aprovação.

— Mollison é um megalomaníaco — disse Parminder nervosa, empurrando a comida no prato. — Um tirano megalomaníaco.

Vikram largou o garfo e a faca, e se recostou na cadeira.

— Então, por que ele está satisfeito com a presidência do Conselho Distrital? — perguntou Vikram. — Por que não tenta o Conselho Municipal?

— Porque para ele Pagford é o centro do universo — respondeu Parminder. — Você não percebe: ele não deixaria de ser presidente do Conselho Distrital de Pagford nem para ser o primeiro-ministro. De todo modo, ele não *precisa* estar no Conselho em Yarvil; já tem Aubrey Fawley lá para impor a pauta. Tudo visando à revisão dos limites. Estão trabalhando juntos.

Parminder sentia a ausência de Barry como um fantasma à mesa. Ele teria explicado tudo a Vikram, fazendo-o dar boas risadas durante a explicação. Barry imitava perfeitamente a maneira de falar de Howard, o seu jeito de andar, com aqueles passos curtos, adernando o corpo de um lado para o outro, e as suas repentinas interrupções gastrointestinais.

— Vivo dizendo que ela está ficando muito estressada — comentou Vikram com Tessa, que ficou horrorizada ao perceber que tinha corado levemente quando aqueles olhos escuros pousaram nela. — Você ficou sabendo daquela acusação absurda a respeito da senhora com enfisema?

— Ficou. Tessa ficou sabendo. Todo mundo ficou sabendo. Temos mesmo que discutir isso na mesa do jantar? — cortou Parminder, e, levantando-se de um salto, começou a retirar os pratos.

Tessa tentou ajudá-la, mas Parminder lhe disse, de um jeito meio atravessado, para ficar onde estava. Vikram deu a Tessa um sorrisinho solidário, fazendo com que ela sentisse um aperto na boca do estômago. Ela não conseguia se impedir de lembrar, enquanto Parminder tirava a mesa com estardalhaço, que os dois fizeram um casamento arranjado.

(— A família só faz as apresentações — disse Parminder, no início da amizade delas, meio na defensiva e chateada com a cara que Tessa tinha feito. — Ninguém *obriga* ninguém a se casar, sabe?!

No entanto, já tinha falado, em outras ocasiões, da enorme pressão que a sua mãe fazia para que ela arranjasse logo um marido.

— Todos os pais siques querem que os seus filhos se casem. É uma verdadeira obsessão — comentou Parminder, com amargura.)

Colin não se lamentou quando viu o seu prato ser levado embora. A náusea que agitava o seu estômago estava muito pior do que quando ele e Tessa chegaram. Sentia-se tão distante dos seus três companheiros de jantar, como se estivesse encapsulado por uma espessa redoma de vidro. Era uma sensação com a qual estava bem familiarizado, a de se movimentar dentro de um globo gigante de preocupação, encerrado ali dentro, vendo os seus terrores passando e obscurecendo o mundo lá fora.

Tessa não o ajudava em nada: estava sendo deliberadamente indiferente e nada solidária em relação à sua campanha para ocupar a vaga de Barry. Colin queria consultar Parminder a respeito dos panfletinhos que fizera para anunciar a sua candidatura, essa era a principal razão de terem ido jantar ali. Tessa, no entanto, não queria se envolver e se esquivava a qualquer conversa sobre o medo que aos poucos vinha tomando conta dele. Estava lhe negando uma válvula de escape.

Tentando ser tão frio quanto ela, fingindo que não estava, afinal, sucumbindo à pressão que ele próprio se impusera, Colin não havia lhe dito nada sobre o telefonema que recebera na escola naquele dia. A jornalista da *Gazeta de Yarvil e Adjacências* queria falar sobre Krystal Weedon.

Será que tinha tocado nela?

Colin disse à tal jornalista que a escola não podia, de forma alguma, se pronunciar sobre um aluno e que ela deveria entrar em contato com os pais da menina.

— Já falei com Krystal — disse a voz do outro lado do telefone. —Queria apenas ter o seu...

Mas ele desligou o telefone, e o terror embaçou tudo à sua volta.

Por que queriam falar sobre Krystal? Por que tinham ligado para ele? Tinha feito alguma coisa? Será que tinha tocado nela? Será que ela tinha dado queixa?

O psicólogo havia lhe dito para não tentar confirmar ou contradizer o conteúdo desse tipo de pensamento. Tinha apenas que reconhecer a existência dele e seguir em frente, como se tudo fosse absolutamente normal, mas isso era como tentar não coçar uma coceira insuportável. A revelação pública dos segredos sujos de Simon Price no site do Conselho o deixou muito abalado: o pavor da exposição, que dominou boa parte da sua vida, agora tinha um rosto, os seus traços eram os de um velho querubim, com um cérebro demoníaco fervilhando sob cachos grisalhos cobertos por um chapéu Sherlock Holmes e por trás de olhos esbugalhados e inquisidores. Ficou se lembrando das histórias que Barry contava sobre o inacreditável cérebro de estrategista do dono da delicatéssen e sobre a intricada rede de alianças que ligava os dezesseis membros do Conselho Distrital de Pagford.

Colin tinha imaginado várias vezes como poderia descobrir se tudo já estava acabado: um artigo cauteloso no jornal; rostos virados quando entrasse na Mollison & Lowe; um chamado da diretora à sua sala para uma conversa particular. Visualizou a sua queda milhares de vezes: a sua vergonha exposta e pendurada no seu pescoço, como um sino de leproso. Não daria mais para esconder nada, nunca mais. Seria demitido. E provavelmente acabaria na prisão.

— Colin — chamou Tessa baixinho. Vikram estava lhe oferecendo vinho.

Ela sabia muito bem o que estava se passando dentro daquela cabeça; não o que ele estava pensando exatamente, mas o tema da ansiedade do marido tinha sido constante durante anos. Sabia que Colin não podia controlar isso; essa era a matéria de que era feito. Anos antes, Tessa leu as palavras de W.B. Yeats e soube que eram uma verdade: "Uma piedade além de todo o dizer está escondida no coração do amor." Sorriu ao ler o poema e virou a página, consciente de que amava Colin e de que uma imensa parte desse amor era compaixão.

Às vezes, no entanto, a sua paciência se esgotava. Às vezes *ela* também queria um pouco de atenção e encorajamento. Quando lhe contou que tinha recebido o diagnóstico final de portadora de diabetes tipo 2, ele irrompeu num ataque de pânico previsível, mas bastou convencê-lo de que não estava correndo risco iminente de morrer para ele depressa esquecer o assunto e voltar a mergulhar completamente nos seus planos eleitorais.

(Naquele dia, no café da manhã, ela verificou pela primeira vez a quantidade de açúcar no sangue com o glicosímetro. Depois pegou a seringa já com a insulina e a espetou na própria barriga. Doeu bem mais do que quando a habilidosa Parminder tinha feito isso.

Bola pegou a tigela de cereal e virou a cadeira, afastando-se dela, derramando leite na mesa, na manga da camisa do uniforme da escola e no chão da cozinha. Irritado, Colin deu um grito quando Bola cuspiu o que tinha na boca de volta na tigela e perguntou à mãe:

— Você tem que fazer isso aqui na mesa?

— Não seja grosseiro e pare de emporcalhar tudo — gritou Colin. — Sente-se direito. Limpe essa bagunça! Veja lá como você fala com a sua mãe. Peça desculpas!

Tessa puxou a agulha da barriga tão depressa que saiu um pouco de sangue.

— Desculpe por ter vontade de vomitar quando você está tomando um pico no café da manhã, Tess — disse Bola, que estava debaixo da mesa, limpando o chão com um pedaço de papel-toalha.

— Sua mãe não está "tomando um pico", ela está aplicando uma injeção! — vociferou Colin. — E não a chame de "Tess"!

— Sei que você não gosta de agulhas, Stu — contemporizou Tessa, com os olhos cheios de lágrimas. Tinha se machucado e, além disso, estava abalada e muito zangada com os dois, sentimentos que ainda estavam bem presentes naquela noite.)

Por que será que Parminder não dava valor à atenção que recebia de Vikram? Colin nem notava quando *ela* estava estressada. *Talvez haja algo de bom nessa história de casamento arranjado...*, pensou Tessa com raiva. *Minha mãe certamente não teria escolhido Colin para mim...*

Para a sobremesa, Parminder espalhou pela mesa umas tigelas com salada de frutas. Tessa ficou imaginando, um pouco indignada, o que ela ofereceria a um convidado que não fosse diabético, e se consolou pensando na barra de chocolate que a esperava na geladeira de casa.

Parminder, que havia falado cinco vezes mais do que qualquer um deles durante o jantar, começou a reclamar da filha, Sukhvinder. Já tinha contado a Tessa, pelo telefone, sobre a traição da menina, e agora ia voltar ao assunto ali na mesa.

— Garçonete de Howard Mollison. Eu não... Eu *realmente* não sei o que ela tem na cabeça. Mas Vikram...

— Eles não têm nada na cabeça, Minda — afirmou Colin, quebrando o seu silêncio. — Adolescentes são assim mesmo. Não ligam para nada. São todos iguais.

— Colin, que bobagem — cortou Tessa. — Eles não são todos iguais. Ficaríamos felizes se Stu arranjasse um emprego qualquer nos fins de semana. Não que seja uma possibilidade, longe disso.

— ...mas Vikram não se importa — retomou Parminder, ignorando a interrupção. — Ele não vê nada de errado nisso, não é?

Vikram respondeu com tranquilidade:

— É uma experiência de trabalho. Provavelmente ela não vai para a universidade. E não há vergonha nenhuma nisso. Não é mesmo para todo mundo. Acho que Ris vai se casar cedo e ser feliz.

— *Garçonete...*

— Bem, nem todo mundo tem vocação para os estudos acadêmicos, tem?

— Não, ela certamente não tem vocação para os estudos acadêmicos — disse Parminder, quase tremendo de tanta raiva e tensão. — As notas dela são pavorosas... Não tem nenhuma aspiração, nenhuma ambição... *Garçonete*... "Vamos encarar os fatos, mãe, eu não vou pra universidade"... Não, você certamente *não* vai, não com esse comportamento... De *Howard Mollison*... Ah, ele deve estar adorando isso... Minha filha indo lá com o chapéu na mão pedir um emprego. O que ela estava... O *que* ela estava pensando?

— Você não gostaria que Stu arranjasse um emprego com alguém como Mollison — disse Colin para a mulher.

— Não me importaria — rebateu Tessa. — Ficaria feliz da vida se ele mostrasse algum interesse por qualquer tipo de trabalho honesto. Pelo que sei, ele só se interessa por jogos de computador e...

Colin não sabia que Stuart fumava. Ela interrompeu a frase no meio, e o marido acrescentou:

— Na verdade isso seria bem o tipo de coisa que Stuart faria. Se meter com alguém de quem não gostamos só para nos atingir. Ele adoraria fazer isso.

— Pelo amor de Deus, Colin, Sukhvinder não está tentando *atingir* Minda — exclamou Tessa.

— Então você acha que não estou sendo razoável? — perguntou Parminder, indignada.

— Não, não é isso — disse Tessa, sem acreditar na rapidez com que tinham sido envolvidos naquela confusão familiar. — Estou apenas dizendo que não existem muitos lugares para um adolescente trabalhar em Pagford, ou existem?

— E por que ela precisa trabalhar? — perguntou Parminder, erguendo as mãos, num gesto de profunda exasperação. — O dinheiro que lhe damos não basta?

— É diferente quando ganhamos com o nosso próprio trabalho, você sabe disso — respondeu.

Da sua cadeira, Tessa via uma parede coberta de fotografias dos filhos dos Jawanda. Já tinha se sentado ali antes e contou quantas vezes cada um deles aparecia nas fotos: Jaswant, dezoito; Rajpal, dezenove; e Sukhvinder, nove. Só uma única fotografia registrava um acontecimento específico na vida da filha mais nova: a equipe de remo da Winterdown, no dia em que elas derrotaram a da St. Anne. Barry deu a todos os pais uma cópia ampliada dessa foto. Nela Sukhvinder e Krystal Weedon estavam no meio de um grupo de oito meninas, com os braços passados nos ombros umas das outras, sorrindo, radiantes, e pulando, o que fez a imagem ficar um pouco fora de foco.

Barry teria ajudado Parminder a ver as coisas do jeito certo, pensou ela. Ele tinha sido uma ponte entre mãe e filha, e ambas o adoravam.

Aquela não era a primeira vez que Tessa ficava se perguntando que diferença fazia ela não ter dado à luz o seu filho. Seria mais fácil aceitá-lo como um indivíduo completamente independente se ele fosse feito da sua carne e do seu sangue? O seu sangue ruim, cheio de glicose...

Bola recentemente tinha parado de chamá-la de "mãe". Ela teve que fingir que não ligava, porque Colin ficava possesso com aquilo, mas toda vez que Bola dizia "Tessa" era como se enfiassem uma agulha no seu coração.

Os quatro terminaram de comer a sobremesa em silêncio.

VII

Lá no alto, na pequena casa branca acima do resto do vilarejo, Simon Price se angustiava e ficava remoendo sempre as mesmas ideias. Os dias se passaram. O post com aquela acusação tinha sumido da área de mensagens, mas ele continuava paralisado. Retirar a sua candidatura poderia parecer admissão de culpa. A polícia não bateu à sua porta para investigar sobre o computador, e ele agora meio que lamentava tê-lo jogado da velha ponte. Por outro lado, não sabia ao certo se o homem por trás do balcão da oficina no sopé da colina tinha mesmo feito aquela cara feia, quando Simon pegou o seu cartão de crédito. Houve muitos boatos no trabalho sobre demissões, e ele ainda estava com medo de que o conteúdo daquele post chegasse aos ouvidos dos seus chefes, e que eles preferissem economizar as indenizações demitindo, por justa causa, a ele, Jim e Tommy.

Andrew só observava e esperava, perdendo as esperanças a cada dia. Tinha tentado mostrar ao mundo quem era o seu pai, e o mundo, pelo visto, apenas deu de ombros. O garoto achava que alguém da gráfica ou do Conselho iria se levantar e dizer a Simon um sonoro "não": ele não devia entrar na disputa, não servia para o cargo, não estava dentro dos padrões exigidos e não devia desgraçar a si mesmo e a sua família. Mas nada aconteceu. Simon apenas parou de falar do Conselho e de dar telefonemas na esperança de angariar votos. E os folhetos que ele imprimiu depois do expediente ficaram intocados dentro de uma caixa na varanda.

Então, sem nenhum aviso ou alarde, veio a vitória. Na sexta à noite, ao descer as escadas às escuras para buscar alguma coisa para comer, Andrew ouviu Simon falando ao telefone da sala de estar num tom formal, e parou para escutar.

— ...retirando minha candidatura — dizia ele. — Claro. Bem, minhas circunstâncias pessoais mudaram, é uma questão pessoal. Claro. Claro. É, está certo. Ok. Obrigado.

Andrew ouviu o pai desligar o telefone.

— Bem, tudo acabado — comunicou ele à mulher. — Estou fora, esses merdas conseguiram o que queriam.

Andrew ouviu a mãe dar uma resposta abafada e de incentivo, e antes que o garoto tivesse tempo de sair dali, Simon apareceu no corredor, inspirou fundo e gritou a primeira sílaba do seu nome. Mas logo percebeu que o filho estava bem ali, na sua frente.

— O que está fazendo aí?

Metade do rosto de Simon estava na sombra; a outra metade, iluminada apenas pela luz que vinha da sala de estar.

— Estou com sede — mentiu Andrew, pois sabia que o pai não gostava que eles pegassem comida.

— Você começa a trabalhar com Mollison neste fim de semana, não é?

— É.

— Certo, então preste atenção. Quero que descubra tudo o que puder sobre esse desgraçado, entendeu? Toda a sujeira que puder desencavar. E sobre o filho dele também, se ouvir alguma coisa.

— Tá bom — disse Andrew.

— E vou colocar tudo na merda daquele site — prosseguiu Simon, voltando para a sala de estar. — Vou ser a porra do "Fantasma de Barry Fairbrother".

Enquanto tentava pegar alguma coisa para comer, tomando o maior cuidado para que ninguém desse falta de nada, tirando uma fatia aqui, um punhado ali, um refrão ecoava pela cabeça de Andrew: *Peguei você, seu filho da puta. Peguei você.*

Fez exatamente o que havia se proposto a fazer: Simon não tinha a menor ideia de quem tinha feito as suas ambições virarem pó. O idiota estava inclusive pedindo a ajuda de Andrew para se vingar. Uma reviravolta e tanto, já que quando contou aos pais que tinha conseguido um emprego na delicatéssen, Simon ficou furioso.

— Seu babaquinha estúpido. E a porra da alergia?

— Achei que era só tentar não comer amendoim — disse Andrew.

— Não banque o espertinho comigo, seu Cara de Pizza. E se você comer sem querer, como aconteceu na St. Thomas? Acha que queremos passar por aquela porcaria toda de novo?

Mas Ruth tinha apoiado o filho, alegando que ele já era grande o bastante para se cuidar, para prestar atenção. Quando Simon saiu da sala, ela veio com aquela conversa de que ele só estava preocupado com o filho.

— A única preocupação dele é ter que me levar pro hospital na hora daquela droga de programa de esportes que ele gosta de ver.

Andrew voltou para o quarto, sentou na cama, enfiando a comida na boca com uma das mãos e mandando mensagens de texto para Bola com a outra.

Achou que estava tudo resolvido, terminado, feito. Até então, nunca tinha precisado observar as primeiras bolhas minúsculas que surgem durante o processo de fermentação e que contêm, dentro de si, uma inevitável transformação alquímica.

VIII

Mudar-se para Pagford foi uma das piores coisas que aconteceram a Gaia Bawden. Exceto pelas visitas ocasionais que fizera ao pai em Reading, Londres era tudo o que ela conhecia. Gaia ficou tão surpresa na primeira vez que ouviu Kay dizer que queria se mudar para um minúsculo vilarejo da região do West Country, que só algumas semanas antes de isso acontecer levou a ameaça a sério. Pensou que aquilo era mais uma das ideias malucas da mãe, como a história das duas galinhas que comprou para o minúsculo quintal dos fundos da casa que tinham em Hackney (uma raposa matou as galinhas na semana seguinte), ou quando inventou de fazer geleia, logo ela, que praticamente nunca cozinhava, e acabou estragando metade das panelas da casa e ficando com a mão cheia de marcas de queimadura.

Gaia teve que abandonar os amigos que tinha desde o tempo da escola primária, a casa em que vivia desde os oito anos, os fins de semana em

Londres, que estavam se tornando cada vez mais interessantes com todo o tipo de diversão que a cidade oferecia. De uma hora para outra, Gaia tinha sido arrastada, apesar das súplicas, ameaças e protestos, para uma vida que jamais sonhara existir. Ruas de paralelepípedos, nenhuma loja aberta depois das seis, uma vida comunitária que girava em torno da igreja, um lugar onde quase sempre se podia ouvir o canto dos pássaros e... nada mais: Gaia se sentia como se tivesse atravessado um portal para um lugar perdido no tempo.

Ela e Kay sempre foram muito ligadas uma à outra (já que o seu pai nunca tinha morado com elas e que os dois relacionamentos que a mãe teve depois disso nunca chegaram a ser coisa muito séria). Tinham algumas brigas, se consolavam nos momentos de tristeza e, com o passar dos anos, pareciam mais amigas que mãe e filha. Agora, no entanto, Gaia não via nada além de uma inimiga do outro lado da mesa da cozinha. O seu único desejo era voltar para Londres de qualquer maneira e, como vingança, deixar Kay bem infeliz. Não conseguia decidir qual seria a melhor punição: ser reprovada em todos os exames finais, ou passar e tentar convencer o pai a deixá-la morar com ele, enquanto cursava o último ano da escola em Londres. Nesse meio-tempo, teria que viver nesse território alienígena, onde a sua aparência e o seu sotaque, que um dia haviam sido passaporte imediato para os mais seletos círculos sociais, se tornaram moeda estrangeira.

Gaia não tinha nenhum interesse em se tornar uma daquelas estudantes populares da Winterdown: achava aquelas garotas constrangedoras, com aquele sotaque do interior e as suas ideias patéticas sobre o que era diversão. A sua ligação deliberada com Sukhvinder Jawanda era, em parte, uma maneira de mostrar aos adolescentes populares que ela ria da cara deles, e também porque sentia uma afinidade natural naquele momento por todos os que estavam à margem.

O fato de Sukhvinder ter aceitado ser garçonete junto com ela fez a amizade das duas se fortalecer. Nos dois tempos de aula de biologia genética que se seguiram, Gaia perdeu a cerimônia como nunca tinha feito antes, e Sukhvinder pôde enfim perceber, ao menos em parte, a misteriosa razão que levou essa recém-chegada bonita e descolada a se tornar sua amiga. Ajustando o foco do microscópio que dividiam, Gaia murmurou:

— Isso aqui é de uma *brancura* do cacete, né?

Sukhvinder se ouviu dizendo "É", antes mesmo de ter parado para pensar na pergunta. Gaia ainda estava falando, mas Sukhvinder só a ouvia parcialmente. "Uma brancura do cacete." É, achava que era isso mesmo.

Na St. Thomas, como era a única criança de pele escura na sala de aula, teve que se levantar e falar sobre a religião sique. Obediente, ficou de pé na frente da turma e contou a história do Guru Nanak, o fundador da religião, que desapareceu num rio e todos acreditaram que ele tivesse se afogado. Três dias depois, porém, ele ressurgiu das águas e anunciou: "Não há hindus, não há muçulmanos."

As outras crianças debocharam da ideia de alguém sobreviver debaixo da água por três dias. Sukhvinder não teve coragem de dizer que Jesus morreu e depois voltou à vida. Ela abreviou a história do Guru Nanak, desesperada para voltar para o seu lugar. Só tinha entrado num *gurdwara* umas poucas vezes na vida. Não havia nenhum desses templos sique em Pagford, e o único que havia em Yarvil era minúsculo e dominado, segundo os seus pais, pelos *chamars*, que eram de uma casta diferente da deles. Sukhvinder nem ao menos entendia por que isso era tão importante, já que o Guru Nanak condenava explicitamente a distinção de castas. Era tudo muito confuso, e ela continuou a adorar ovos de Páscoa e a enfeitar árvores de Natal, e achava os livros que contavam a vida dos gurus e os dogmas dos Khalsa, que Parminder obrigava os filhos a ler, extremamente difíceis.

As visitas à família de sua mãe em Birmingham, naquelas ruas onde praticamente todo mundo tinha a pele escura e as lojas eram cheias de sáris e especiarias indianas, sempre a faziam se sentir estranha e deslocada. Seus primos falavam tanto punjabi quanto inglês, e levavam uma vida urbana e sofisticada. As suas primas eram atraentes e estavam sempre na moda. Riam dos seus erres longos do interior e da sua total falta de senso estético, e Sukhvinder odiava que rissem dela. Quando Bola Wall ainda não tinha começado com aquele seu regime diário de tortura, quando na escola eles ainda não tinham sido divididos por níveis, obrigando-a a ter contato diário com Dane Tully, sempre gostou de voltar para Pagford. Naquela época, ali era o seu refúgio.

Enquanto estavam manuseando as lâminas, mantendo a cabeça baixa para não chamar a atenção da sra. Knight, Gaia começou a lhe contar mil coisas sobre a sua vida na Escola Gravener, em Hackney. As palavras iam brotando numa profusão, revelando um certo nervosismo. Descreveu os amigos que deixou para trás. Um deles, Harpreet, tinha o mesmo nome do primo mais velho de Sukhvinder. Falou sobre Sherelle, que era negra e a garota mais inteligente do seu grupo, e sobre Jen, cujo irmão tinha sido seu primeiro namorado.

Embora estivesse interessadíssima em tudo o que Gaia estava lhe contando, Sukhvinder não podia impedir que os seus pensamentos se dispersassem. Ficou imaginando uma escola em que seu olho tivesse que lutar para destacar os componentes individuais de um caleidoscópio composto dos mais diversos tons de pele, indo do branco mingau de sempre ao marrom-avermelhado. Aqui na Winterdown, o cabelo preto-azulado das crianças asiáticas se destacava com facilidade naquela paisagem monótona. Num lugar como Gravener, tipos como Bola Wall e Dane Tully deviam ser a minoria.

Sukhvinder fez uma pergunta tímida:

— Por que você veio para cá?

— Porque minha mãe queria ficar perto do babaca do namorado dela — murmurou Gaia. — Gavin Hughes, sabe quem é?

Sukhvinder fez que não com a cabeça.

— Com certeza você já deve ter ouvido eles trepando — disse Gaia. — A rua inteira ouve quando eles estão trepando. Deixe as suas janelas abertas uma noite dessas.

Sukhvinder tentava não parecer chocada, mas a ideia de ouvir os seus pais, os seus pais casados, fazendo sexo já era bem ruim. A própria Gaia estava vermelha; não por causa do constrangimento, pensou Sukhvinder, mas da raiva.

— Ele vai dar um chute nela. Ela só está se enganando. Ele fica louco para sair de perto dela depois que eles trepam.

Sukhvinder nunca falaria da mãe dessa maneira, nem as gêmeas Fairbrother (que ainda eram, teoricamente, as suas melhores amigas). Niamh e Siobhan estavam dividindo um microscópio ali perto. Desde que tinham perdido o pai, pareciam ter se aproximado ainda mais, sempre escolhendo a companhia uma da outra e se afastando de Sukhvinder.

Andrew Price ficava olhando para Gaia quase o tempo todo por uma brecha no meio dos rostos brancos em volta delas. Sukhvinder, que havia notado, pensou que Gaia não tivesse visto, mas estava enganada. Gaia simplesmente não fazia a menor questão de olhar para ele também ou de se ajeitar, porque estava acostumada com essa história de garotos olhando para ela. Isso acontecia desde os seus doze anos. Quando ela tinha que mudar de sala, por exemplo, no intervalo das aulas, dois garotos do penúltimo ano ficavam circulando pelo corredor. Isso acontecia com tanta frequência que não podia ser simples coincidência. E os dois eram bem mais bonitos que Andrew. No entanto, nenhum deles se comparava ao garoto com quem Gaia tinha perdido a virgindade pouco antes de vir para Pagford.

Gaia mal podia suportar a ideia de que Marco de Luca ainda estava vivo em algum lugar do universo e separado dela por cento e cinquenta quilômetros de uma distância inútil e dolorosa.

— Ele tem dezoito anos — disse ela. — É meio italiano e joga futebol muito bem. Está tentando fazer um teste para o time juvenil do Arsenal.

Gaia fez sexo com Marco quatro vezes antes de ir embora de Hackney e, em todas elas, roubou camisinhas da mesa de cabeceira de Kay. Meio que queria que a mãe soubesse até onde estava indo para deixar a sua marca na memória de Marco, já que estava sendo obrigada a se separar dele.

Sukhvinder escutava fascinada, mas sem admitir que já tinha visto Marco na página do Facebook da sua nova amiga. Não havia nenhum garoto como ele em toda a Winterdown: ele se parecia com Johnny Depp.

Gaia se debruçou sobre a bancada, brincando meio distraída com o microscópio, e lá do outro lado da sala Andrew Price continuava a observá-la, tomando cuidado para que Bola não percebesse.

— Talvez ele seja fiel. Sherelle vai dar uma festa no sábado à noite e convidou ele. Ela me jurou que não vai deixar Marco ficar com ninguém. Merda, eu queria...

Ficou olhando para a bancada com aqueles seus olhos, com manchinhas esverdeadas, completamente enevoados, e Sukhvinder a observava humildemente, encantada com a sua aparência, perdida em admiração pela sua vida. Ter um outro mundo ao qual você está perfeitamente integrada, onde você tem um namorado que é jogador de futebol e um grupo de amigas devotadas e descoladas, lhe parecia uma situação admirável e invejável, mesmo que você tenha sido arrancada de lá à força.

Foram bater perna na rua na hora do almoço, algo que Sukhvinder quase nunca fazia. Ela e as gêmeas Fairbrother geralmente comiam na cantina da escola.

Enquanto faziam hora na calçada do lado de fora da loja de conveniência onde tinham comprado sanduíches, ouviram um grito estridente.

— A filha da puta da sua mãe matou minha vó!

Perplexos, todos os alunos da Winterdown que estavam aglomerados ali ficaram procurando de onde tinha vindo aquele grito. Sukhvinder fazia a mesma coisa, tão confusa como os demais. Então, de repente, viu Krystal Weedon do outro lado da rua, apontando para ela um dedo curto e grosso, como uma arma. Estava com quatro garotas, uma do lado da outra na beira da calçada, esperando para atravessar.

— A filha da puta da sua mãe matou minha vó. Pode esperar, ela vai ter o que merece, e você também.

Sukhvinder sentiu o estômago revirar. Todo mundo olhava para ela. Duas meninas mais novas saíram dali correndo. Sukhvinder percebeu que as pessoas que estavam passando paravam e ficavam olhando interessadas. Krystal e a sua gangue estavam indóceis, pulando na ponta dos pés, esperando uma brecha para poder atravessar.

— Do que ela está falando? — perguntou Gaia, mas Sukhvinder estava com a boca tão seca que não conseguia responder. Não adiantava correr. Não ia conseguir mesmo. Leanne Carter era a garota mais rápida do ano delas. O mundo estava parado. Só os carros pareciam se movimentar, lhe dando uns últimos segundos de segurança.

Então, Jaswant apareceu, acompanhada de vários garotos do último ano.

— Tudo bem, Ris? — perguntou ela. — Aconteceu alguma coisa?

Jaswant não tinha ouvido Krystal gritar. Ela passou ali com os amigos por pura sorte. Do outro lado da rua, Krystal e as outras garotas cochichavam.

— Nada — disse Sukhvinder, meio tonta de alívio com a trégua temporária. Não podia dizer a Jazz o que estava acontecendo na frente dos garotos. Dois deles tinham mais de um metro e oitenta. E estavam todos olhando para Gaia.

Jazz e os amigos se dirigiram para a porta da loja, e Sukhvinder, lançando um olhar aflito para Gaia, foi atrás deles. Pela vidraça, as duas viram Krystal e as outras garotas indo embora, olhando para trás de vez em quando.

— O que foi isso? — perguntou Gaia.

— A bisavó dela, que era paciente da minha mãe, morreu — respondeu Sukhvinder. Estava com tanta vontade de chorar que os músculos da sua garganta chegavam a doer.

— Vaca idiota — exclamou Gaia.

O choro que Sukhvinder tinha conseguido segurar até agora não era só por causa do medo. Ela gostava muito de Krystal e sabia que a menina também gostava dela. Todas aquelas tardes no canal, as viagens de micro-ônibus... Ela conhecia cada pedacinho das costas e dos ombros de Krystal mais do que qualquer parte do seu próprio corpo.

Elas voltaram para a escola com Jaswant e os seus amigos. O garoto mais bonito começou a conversar com Gaia. E, quando passaram pelos portões, ele já estava implicando com ela por causa do sotaque londrino. Sukhvinder não estava vendo Krystal em lugar nenhum, mas avistou Bola a uma certa distância, andando com aquelas suas passadas largas ao lado de Andrew Price. Teria reconhecido aquela silhueta e aquele jeito de andar em qualquer lugar, da mesma maneira que algo instintivo nos faz perceber uma aranha atravessando o chão mal-iluminado na nossa direção.

A náusea se espalhava em ondas dentro dela à medida que se aproximavam do prédio da escola. De agora em diante seriam os dois: Bola e Krystal. Todo mundo sabia que eles estavam saindo. Na cabeça de Sukhvinder, uma imagem bem nítida se formou: ela caída no chão, sangrando, Krystal e as garotas chutando o seu corpo, e Bola Wall assistindo a tudo e dando boas risadas.

— Preciso ir ao banheiro — disse a Gaia. — Encontro você lá em cima.

Ela entrou correndo no primeiro banheiro feminino que viu, trancou-se em uma das cabines e se sentou no vaso, em cima da tampa fechada. Queria morrer... Ou desaparecer para sempre... Mas a superfície sólida das coisas se recusava a se dissolver ao seu redor, e o seu corpo, aquele odioso corpo hermafrodita, continuava, de um jeito obstinado e boçal, a viver...

Ouviu o sinal que indicava o início das aulas da tarde e, de um salto, saiu do banheiro correndo. Filas de estudantes se formavam ao longo do corredor. Ela deu as costas para todos e foi saindo do prédio.

Outros alunos matavam aula. Krystal fazia isso sempre, e Bola Wall também. Se ela pudesse ao menos ficar longe dali esta tarde, talvez conseguisse pensar em algum jeito de se proteger antes de ter que voltar. Ou podia atravessar na frente de um carro. Imaginou o carro atingindo o seu corpo violentamente, e os seus ossos se partindo em mil pedaços. Em quanto tempo morreria, se fosse atropelada no meio da rua? Continuava preferindo morrer afogada, a água fria e limpa pondo-a para dormir para sempre: um sono sem sonhos...

— Sukhvinder? *Sukhvinder*!

Sentiu o estômago revirar mais uma vez. Tessa Wall estava correndo pelo estacionamento, indo na sua direção. Por um momento, teve uma ideia maluca: sair correndo, mas a inutilidade desse ato a conteve, e ela ficou parada, esperando Tessa alcançá-la, com ódio daquela sua cara sem graça e estúpida e do seu filho diabólico.

— Sukhvinder, o que está fazendo? Aonde você está indo?

A menina não conseguia nem ao menos pensar numa mentira. Já sem esperanças, ela deu de ombros e se rendeu.

Tessa não tinha compromisso até as três horas. Devia levar Sukhvinder à secretaria para relatar a sua tentativa de fuga, mas, em vez disso, subiu com ela para a sua sala, com aquele panô do Nepal e o pôster da Fundação de Amparo à Criança e ao Adolescente. Sukhvinder nunca tinha estado lá antes.

Tessa falava, fazia pequenas pausas encorajadoras, falava mais um pouco, e Sukhvinder ficou sentada ali, com as mãos suadas, olhando fixamente para os próprios sapatos. Tessa conhecia a sua mãe... Com certeza ia contar a Parminder que ela tinha tentado matar aula... Se ao menos conseguisse explicar por quê. Será que Tessa intercederia por ela? Poderia fazer isso? Não com o seu filho. Todo mundo sabia que ela não conseguia controlar Bola. Mas e Krystal? Krystal vinha muito à sala de orientação...

Será que ia apanhar se contasse? De toda forma, ia apanhar se não contasse. Krystal estava pronta para pôr toda a sua gangue atrás dela...

— ...alguma coisa com você, Sukhvinder?

A menina fez que sim com a cabeça. E Tessa a encorajou mais uma vez a falar:

— Pode me contar o que foi?

Então Sukhvinder contou.

Ao escutá-la, tinha certeza de ter visto, na contração instantânea das sobrancelhas de Tessa, algo além da solidariedade. Talvez ela estivesse pensando na reação de Parminder ao saber o que estavam gritando pela rua sobre o tratamento que ela tinha dado à sra. Catherine Weedon. Sukhvinder havia pensado nisso também quando estava lá no banheiro, querendo morrer. Ou talvez a expressão de desagrado no rosto de Tessa fosse apenas relutância em ter que enfrentar Krystal Weedon. Sem dúvida alguma, Krystal também era a sua favorita, como tinha sido do sr. Fairbrother.

Um senso de injustiça feroz e pungente irrompeu em meio a toda a sua tristeza, o seu medo, a sua aversão a si mesma. E varreu aquele emaranhado de preocupações e ameaças que a aprisionava diariamente. Pensou em Krystal e nas suas colegas, esperando para fazê-la pagar por tudo. Pensou em Bola, sussurrando palavras perversas atrás dela em todas as aulas de matemática, e pensou na mensagem que tinha apagado da sua página no Facebook na noite anterior:

Lesbianismo (les.bi:a.nis.mo) sm. Homossexualismo feminino; safismo. [De lesbiano (= 'referente à ilha de Lesbos, Grécia') + -ismo.]

— Não sei como ela sabe — disse Sukhvinder, com o coração tão acelerado que chegava a ouvir a própria pulsação.

— Sabe...? — perguntou Tessa, ainda com uma expressão de preocupação.

— Que houve uma acusação contra a mamãe por causa da bisavó dela. Krystal e a mãe não falam com o resto da família. Talvez... — continuou Sukhvinder — Bola tenha contado.

— Bola? — repetiu Tessa, sem entender nada.

— É, porque eles estão saindo — disse Sukhvinder. — Ele e Krystal... Eles estão saindo juntos. É, então ele pode ter contado a ela.

Ver o último vestígio daquela calma profissional sumir do rosto de Tessa lhe deu uma satisfação amarga.

IX

Kay Bawden nunca mais quis pôr os pés na casa de Miles e Samantha. Não podia perdoá-los por terem testemunhado a demonstração de indiferença de Gavin, nem podia esquecer a risada condescendente de Miles, a sua atitude em relação à Bellchapel, ou o modo insultante com que ele e Samantha falaram de Krystal Weedon.

Apesar de Gavin ter pedido desculpas e dado algumas demonstrações meio mornas de afeição, Kay não parava de pensar nele sentado bem juntinho de Mary no sofá, ajudando-a com os pratos e levando-a para casa na escuridão. Quando Gavin lhe contou, uns dias depois, que tinha jantado na casa de Mary, Kay teve que controlar um acesso de raiva, porque na sua casa, na Hope Street, ele nunca comeu nada além de torradas.

Ela não podia fazer nenhum comentário negativo sobre A Viúva, de quem Gavin falava como se fosse a própria Virgem Maria, mas com os Mollison era diferente.

— Não gosto muito de Miles.

— Ele não é exatamente meu melhor amigo.

— Se quer saber, se ele for eleito vai ser uma catástrofe para a clínica de reabilitação.

— Duvido que faça alguma diferença.

A apatia de Gavin e aquela indiferença pelo sofrimento das pessoas sempre a deixavam furiosa.

— Não há ninguém lá que vá defender a Bellchapel?

— Acho que o Colin Wall — respondeu Gavin.

Então, às oito horas da noite de segunda, Kay se dirigiu para a casa dos Wall e tocou a campainha. Da porta, ela podia ver o Ford Fiesta vermelho de Samantha Mollison estacionado três casas adiante. Ver aquilo acrescentou um pouco mais de sabor ao seu desejo de comprar aquela briga.

Uma mulher sem graça, baixinha e gorducha, vestindo uma saia de batique, veio abrir a porta.

— Olá. Eu me chamo Kay Bawden e gostaria de falar com Colin Wall — disse ela.

Por um segundo, Tessa ficou simplesmente olhando para aquela jovem atraente, que ela nunca tinha visto antes, parada ali na sua porta. Uma ideia estranha passou pela sua cabeça: que Colin estava tendo um caso e que a sua amante tinha vindo contar tudo a ela.

— Ah... Claro... Entre. Eu sou Tessa.

Kay limpou os pés com cuidado no capacho e seguiu Tessa até a sala de estar, que era menor e com móveis mais velhos que a dos Mollison, mas também mais aconchegante. Viu um homem alto, que estava ficando careca e tinha uma testa grande, sentado numa poltrona com um notebook no colo e uma caneta na mão.

— Colin, essa é Kay Bawden — disse Tessa. — Ela quer falar com você.

Tessa viu a expressão de surpresa e desconfiança no rosto de Colin e imediatamente soube que ele não conhecia aquela mulher. *Imagina*, pensou ela, um pouco envergonhada, *o que você estava pensando?*

— Desculpe por aparecer assim, desse jeito, sem avisar — disse Kay, quando Colin se levantou para cumprimentá-la. — Queria ter ligado antes, mas vocês...

— É, não estamos na lista — interrompeu Colin, observando-a com aqueles olhos minúsculos por trás das lentes dos óculos. — Por favor, sente-se.

— Obrigada. É sobre a eleição — disse Kay. — A eleição para o Conselho Distrital. Você está concorrendo com Miles Mollison, não está?

— Estou, sim — confirmou Colin, nervoso. Sabia quem era aquela mulher: a repórter que queria falar sobre Krystal. Eles finalmente o tinham encontrado... Tessa não devia tê-la deixado entrar.

— Fiquei pensando se poderia ajudar de alguma forma — prosseguiu Kay. — Sou assistente social e trabalho principalmente em Fields. Posso lhe dar algumas informações e alguns números sobre a Clínica de Reabilitação Bellchapel, que Mollison parece bem interessado em fechar. Me disseram que você é a favor da clínica. E que gostaria de mantê-la aberta.

Uma descarga de alívio e prazer quase o fez desmaiar.

— Ah, sim, claro — disse Colin. — Gostaria de manter a clínica aberta, sim. Isso era o que o meu predecessor... Quero dizer, o antigo ocupante da cadeira... Barry Fairbrother... Ele certamente era contra o fechamento da clínica. E eu também sou.

— Bem, tive uma conversa com Miles Mollison, e ele deixou bem claro que acha que não vale a pena manter a clínica aberta. Francamente, acho que ele não sabe de nada nem tem a menor ideia das causas e do tratamento da dependência química, e da diferença que a Bellchapel está fazendo. Se o Conselho Distrital negar a renovação do contrato para a ocupação do prédio e o Conselho Municipal cortar a verba, vamos correr o risco de deixar algumas pessoas muito vulneráveis sem nenhum tipo de apoio.

— Claro, claro, é isso mesmo — disse Colin. — Eu concordo, claro.

Ele estava admirado e lisonjeado por essa mulher jovem e atraente ter saído de casa naquela noite para procurá-lo, se oferecendo como aliada.

— Gostaria de uma xícara de chá ou café, Kay? — perguntou Tessa.

— Ah, muito obrigada — respondeu Kay. — Aceito uma xícara de chá, Tessa. Sem açúcar, por favor.

Bola estava na cozinha, pegando comida na geladeira. Ele comia muito, o tempo todo, mas continuava esquelético, sem engordar nem um único quilo sequer. Apesar de manifestar abertamente a sua aversão às injeções de Tessa, ele parecia não estar ligando que elas estivessem ali, numa caixa branca de medicamentos, bem perto do queijo.

Tessa pegou a chaleira e voltou a pensar no assunto que a consumia desde que Sukhvinder deu a entender, um pouco mais cedo, que Bola e Krystal "estavam saindo". Não perguntou nada ao filho e também não contou nada a Colin.

Quanto mais pensava nisso, mais certeza tinha de que não podia ser verdade. Sabia que Bola se tinha em tão alta conta que nenhuma garota seria boa o bastante para ele, especialmente uma garota como Krystal. Ele com certeza não...

Se rebaixaria? É isso? É isso o que você acha?

— Quem está aí? — perguntou Bola, com a boca cheia de frango gelado, enquanto a mãe colocava a chaleira no fogo.

— Uma mulher que quer ajudar o papai a se eleger para o Conselho — respondeu Tessa, vasculhando o armário atrás de biscoitos.

— Por quê? Ela tá a fim dele?

— Deixe de ser bobo, Stu — disse Tessa, fazendo cara feia.

Ele tirou várias fatias de presunto de um pacote já aberto e foi enfiando todas elas, uma a uma, na boca já cheia, como se fosse um mágico empurrando lenços de seda dentro da mão fechada. Bola às vezes ficava quase dez minutos na frente da geladeira aberta, abrindo vasilhas e potes, pegando pedaços de comida e botando direto na boca. Colin reprovava essa mania, como reprovava quase todos os outros aspectos do comportamento do filho.

— Sério, por que ela quer ajudar? — perguntou ele, engolindo um pedaço de carne.

— Ela quer que a Clínica de Reabilitação Bellchapel continue aberta.

— É uma drogada?

— Não, não é uma drogada — respondeu Tessa, irritada, porque notou que Bola tinha acabado com os últimos três biscoitos de chocolate e deixado os pacotes vazios na prateleira. — Ela é assistente social e acha que a clínica está fazendo um bom trabalho. Papai quer mantê-la funcionando, mas Miles Mollison acha que não vale a pena.

— Não deve valer mesmo. Fields está cheio de cheiradores de cola e tomadores de pico.

Tessa sabia que se tivesse dito que Colin queria fechar a clínica, Bola teria argumentado imediatamente a favor da sua manutenção.

— Você devia ser advogado, Stu — disse ela, quando a tampa da chaleira começou a chacoalhar.

Ao voltar para a sala de estar com a bandeja, Tessa viu Kay mostrando a Colin um material impresso que ela tinha tirado de uma sacola grande.

— ...dois trabalhadores viciados, mantidos em parte graças ao Conselho e em parte graças à Associação de Combate ao Vício, uma instituição muito boa. E foi a assistente social na clínica, Nina, que me deu tudo isso... Ah, obrigada — disse Kay, sorrindo para Tessa, que pôs uma caneca de chá na mesinha ao seu lado.

Kay simpatizou de cara com os Wall, como nunca tinha acontecido com ninguém em Pagford. Tessa não a olhou de alto a baixo quando ela entrou na casa deles, não ficou procurando alguma imperfeição física nela, nem reparou no seu jeito de se vestir. O marido dela, embora nervoso, parecia decente e sério na sua determinação de impedir o abandono de Fields.

— Você é de Londres? — perguntou Tessa, percebendo o seu sotaque e mergulhando um biscoito no chá. Kay assentiu. — E o que a trouxe a Pagford?

— Um relacionamento — disse Kay, sem o menor prazer em afirmar isso, mesmo agora que tinha se reconciliado oficialmente com Gavin. — Não entendo muito bem qual a relação do Conselho Distrital com a clínica — retomou, voltando-se para Colin.

— Ah, o Conselho é dono do prédio — explicou ele. — É uma antiga igreja. E o contrato está terminando.

— Então essa seria uma maneira fácil de forçá-la a sair de lá.

— Exatamente. Quando foi que você falou com Miles Mollison? — perguntou Colin, querendo saber se Miles tinha falado dele, mas também com medo do que ele poderia ter dito.

— Jantamos juntos numa sexta, há uns quinze dias — explicou Kay. — Gavin e eu...

— Ah, você é a namorada de *Gavin* — interrompeu Tessa.

— Sou. E o assunto de Fields acabou vindo à tona...

— Ah, claro... — disse Tessa.

— ...Miles falou sobre a Bellchapel, e eu fiquei muito... muito *consternada* com a maneira como ele abordou todas aquelas questões. Eu lhe disse que estava trabalhando com uma família no momento — Kay se lembrou da indiscrição que tinha cometido mencionando os Weedon, e prosseguiu, tomando todo cuidado desta vez —, e que, se a mãe não recebesse a sua dose diária de metadona, muito provavelmente voltaria para as ruas.

— Me parece que você está falando de Terri Weedon — comentou Tessa, com uma sensação estranha.

— É... Estou. Estou falando dela, sim — admitiu Kay.

Tessa pegou outro biscoito.

— Sou a orientadora educacional de Krystal na escola. Essa deve ser a segunda vez que a mãe dela se trata na Bellchapel, não é?

— A terceira — respondeu Kay.

— Conhecemos Krystal desde que ela tinha cinco anos. Ela foi da turma do nosso filho na escola primária — disse Tessa. — A vida dela foi muito difícil mesmo.

— Muito — confirmou Kay. — E é impressionante que ela seja uma menina tão encantadora.

— Ah, concordo plenamente — acrescentou Colin, com entusiasmo.

Tessa ergueu as sobrancelhas, lembrando-se de que Colin tinha se recusado terminantemente a anular a detenção de Krystal depois do episódio do riso no ginásio. Ficou se perguntando, então, com um aperto na boca do estômago, o que Colin diria se Sukhvinder não estivesse mentindo ou enganada. Mas com certeza estava. Ela era um menina tímida, ingênua. Provavelmente pegou o bonde andando... Ouviu mal alguma conversa...

— A questão é que praticamente a única coisa que motiva Terri é o medo de perder os filhos — disse Kay. — Ela está no caminho certo no momento. A terapeuta que acompanha o seu caso na clínica me disse que ela está fazendo grandes progressos. Se a Bellchapel fechar, tudo vai por água abaixo novamente, e só Deus sabe o que vai acontecer com aquela família.

— Isso tudo é muito útil — disse Colin, balançando a cabeça de um jeito que afetava importância, e fazendo anotações num arquivo novo no notebook. — Muito útil mesmo. Você disse que tem dados estatísticos dos pacientes que conseguiram ficar "limpos"?

Kay folheou o material impresso à procura dessa informação. Tessa teve a impressão de que Colin queria monopolizar a atenção de Kay. Ele sempre foi suscetível a boa aparência e a solidariedade.

Tessa mordeu mais um biscoito, ainda pensando em Krystal. As últimas sessões de orientação não tinham sido muito satisfatórias. Krystal estava arredia, e hoje não foi diferente. Conseguiu fazê-la prometer que não iria mais perseguir ou atormentar Sukhvinder Jawanda, mas a reação da menina mostrava claramente que estava desapontada com Tessa e que não confiava mais nela. A culpa era, provavelmente, da detenção que Colin lhe impusera. Tessa achava que elas tinham construído uma ligação forte o suficiente para resistir a tudo isso, embora soubesse que não era como a ligação que Krystal tinha com Barry.

(Tessa estava justamente lá no dia em que Barry levou um aparelho de remo para a escola, procurando candidatas para a equipe que queria formar. Ela tinha sido mandada ao ginásio, porque a professora de educação física estava doente, e o único substituto que puderam encontrar num tempo tão curto era um homem.

As garotas do quarto ano, com os seus shorts e tops, começaram a dar risadinhas quando chegaram ao ginásio e souberam que a srta. Jarvis tinha faltado e encontraram, no lugar dela, dois estranhos. Tessa teve que repreender Krystal, Nikki e Leanne, que vieram para a frente e ficaram fazendo observações maliciosas sobre o professor substituto. Ele era um rapaz muito bonito que, infelizmente, corava com facilidade.

Barry, baixinho, de cabelo e barba castanho-avermelhados, vestia um agasalho de ginástica. Havia tirado a manhã de folga. Todo mundo achou aquela ideia muito estranha e nada realista: escolas como a Winterdown não tinham equipes de remo. Niamh e Siobhan pareciam estar se divertindo, embora também estivessem constrangidas com a presença do pai.

Barry explicou que estava lá para formar uma equipe. Tinha conseguido uma licença para usar a velha marina nas margens do canal de Yarvil. O remo era um esporte fabuloso e daria a elas e à escola a oportunidade de se destacar. Tessa se manteve bem perto de Krystal e das suas amigas, para vigiá-las. A pior parte das risadinhas já havia passado, mas ainda não estavam completamente sob controle.

Barry fez uma demonstração no aparelho de remo e perguntou se alguém gostaria de experimentá-lo. Ninguém se apresentou.

— Krystal Weedon — disse Barry, apontando para ela. — Vi você se pendurando naquelas barras lá do parque. Você tem muita força nos braços. Venha aqui experimentar.

Krystal ficou radiante de estar em evidência. Foi cambaleando de propósito até o aparelho e se sentou nele. Mesmo com Tessa encarando as duas com firmeza, Nikki e Leanne caíram na gargalhada, e o resto da turma se juntou a elas.

Barry mostrou a Krystal o que fazer. O professor substituto observava Barry pôr as mãos da menina no manete de madeira com uma certa apreensão profissional, mas não disse nada.

Ela fingiu que puxava o manete com muito esforço, fazendo uma cara engraçada para Nikki e Leanne, e todo mundo riu outra vez.

— Olhem para ela — disse Barry, sorrindo. — Leva o maior jeito para a coisa.

Seria mesmo verdade? Como não entendia nada de remo, Tessa não poderia avaliar.

— Endireite as costas — disse Barry a ela — ou vai se machucar. Isso mesmo. Puxe... Puxe... Vejam como ela sabe... Já fez isso antes?

Krystal, então, endireitou as costas e fez tudo certo. Parou de ficar olhando para Nikki e Leanne e pegou o ritmo.

— Excelente — elogiou Barry. — Olhem para isso... *Excelente*. É assim mesmo! É isso aí, garota. Agora de novo. De novo. E...

— Isso dói! — gritou Krystal.

— É claro que dói. Mas é assim que você vai ficar com os braços iguais aos da Jennifer Aniston — disse Barry.

Houve uma nova onda de risadas, mas, dessa vez, estavam rindo por causa dele. O que é que Barry tinha afinal? Sempre tão presente, tão natural, sem necessidade de agradar a quem quer que fosse.

Tessa sabia muito bem que adolescentes morriam de medo de parecer ridículos. Aqueles que não tinham esse medo, e Deus sabe que havia alguns poucos no mundo dos adultos, exerciam uma autoridade natural sobre os jovens. Essas pessoas deviam ser obrigadas a dar aulas.

— E descansar! — exclamou Barry, e Krystal desabou, com o rosto vermelho, esfregando os braços.

— Vai ter que abrir mão do seu cigarrinho, Krystal — provocou Barry, e, dessa vez, o riso foi geral. — Ok, quem mais gostaria de experimentar?

Krystal se juntou ao resto da turma; já não estava rindo. Observava cada uma das novas remadoras com ciúmes e depois olhava fixamente para o rosto barbado de Barry, tentando perceber o que ele estava achando delas. Quando Carmen Lewis se atrapalhou toda, Barry pediu:

— Mostre a elas como se faz, Krystal. — E o rosto da garota se iluminou quando voltou para o aparelho.

Mas no fim da apresentação, quando Barry pediu que as interessadas em se candidatar a uma vaga na equipe levantassem a mão, Krystal permaneceu de braços cruzados. Tessa viu que ela balançava a cabeça com desdém, ouvindo Nikki cochichar alguma coisa. Barry anotou os nomes das garotas interessadas e depois ergueu os olhos do papel.

— E *você*, Krystal Weedon — afirmou ele, apontando para a menina. — Você está na lista também. E não balance essa cabeça para mim. Vou ficar muito chateado se *você* não estiver lá. Você tem um talento natural, e não gosto de ver talentos naturais serem desperdiçados. Krys... tal — disse em voz alta, pondo o nome dela na lista — Wee... *don*.

Será que Krystal pensou sobre o seu talento natural enquanto tomava banho depois da aula? Será que carregou o dia inteiro, para baixo e para cima, aquela ideia, como se tivesse recebido um cartão inesperado de Dia dos Namorados? Tessa não saberia dizer. O mais surpreendente de tudo, porém, exceto talvez para Barry, foi que ela apareceu para fazer os testes.)

Colin concordava vigorosamente com a cabeça à medida que Kay lhe mostrava as taxas de reincidência na Bellchapel.

— Parminder tem que ver isso — disse ele. — Vou entregar uma cópia para ela. É, vai ser muito útil mesmo.

Sentindo-se ligeiramente enjoada, Tessa pegou um quarto biscoito.

X

Nas segundas-feiras, como Parminder sempre trabalhava até tarde e Vikram normalmente estava no hospital, os três filhos do casal botavam a mesa e preparavam o jantar para si mesmos. Às vezes discutiam por bobagens; em outras riam o tempo todo. Hoje, porém, estavam tão absortos nos seus próprios pensamentos que o trabalho foi feito com uma eficiência fora do comum e quase em silêncio absoluto.

Sukhvinder não contou ao irmão nem à irmã que havia tentado matar aula, nem que Krystal Weedon tinha ameaçado bater nela. Ultimamente o seu hábito de guardar segredos estava ainda mais forte. Tinha verdadeiro pavor de fazer confidências, porque temia que elas pudessem revelar o mundo de estranheza que vivia dentro dela, o mundo em que

Bola Wall parecia capaz de penetrar com uma facilidade assustadora. Ao mesmo tempo, sabia que os acontecimentos daquele dia não podiam ser escondidos indefinidamente. Tessa tinha lhe dito que pretendia ligar para Parminder.

— Tenho que ligar para a sua mãe, Sukhvinder, é o que sempre fazemos, mas vou explicar a ela por que você fez isso.

Sukhvinder quase sentiu um certo carinho por Tessa, mesmo ela sendo a mãe de Bola Wall. Com medo da reação da sua própria mãe, uma minúscula fagulha de esperança se acendeu dentro ela, imaginando que Tessa pudesse interceder a seu favor. Será que a compreensão do desespero de Sukhvinder poderia, enfim, provocar uma ruptura na desaprovação implacável da sua mãe, no seu desapontamento constante, no seu criticismo empedernido e sem fim?

Quando a porta da frente se abriu, ela ouviu a mãe falando punjabi.

— Ah, não, essa maldita fazenda outra vez — rosnou Jaswant, que tinha aguçado os ouvidos para escutar.

Os Jawanda possuíam um pedaço de terra no Punjab que pertenceu aos seus antepassados e que Parminder, a filha mais velha, herdou do pai, já que ele não havia tido filhos homens. Jaswant e Sukhvinder já tinham conversado algumas vezes sobre o lugar que essa fazenda ocupava na vida da família. Elas achavam curioso, mas também divertido, que alguns dos seus parentes mais velhos vivessem na expectativa de que a família inteira fosse voltar para lá um dia. O pai de Parminder mandou dinheiro para a fazenda durante toda a sua vida. Ela estava arrendada para uns primos em segundo grau, que pareciam sempre zangados e amargurados. A família da mãe discutia com frequência por causa da fazenda.

— Vovó ficou furiosa e já está brigando outra vez — traduziu Jaswant, à medida que a voz abafada da mãe penetrava pela porta.

Parminder ensinou à primogênita alguma coisa de punjabi, e Jazz aprendeu ainda mais com os primos. Já Sukhvinder, por causa da sua dislexia tão acentuada, não foi capaz de aprender duas línguas ao mesmo tempo, e a mãe então acabou desistindo.

— ...Harpreet continua querendo vendê-la para a construção da estrada...

Sukhvinder ouviu Parminder tirando os sapatos. Queria que a mãe não se aborrecesse com a fazenda, especialmente naquela noite, pois esse assunto nunca a deixava de bom humor. Quando Parminder empurrou a porta da cozinha, e o seu rosto parecia uma máscara de tanta tensão, Sukhvinder perdeu completamente a coragem.

Parminder acenou para Jaswant e Rajpal, depois apontou para Sukhvinder e, em seguida, para uma das cadeiras da cozinha, indicando que ela devia se sentar e esperar a ligação terminar.

Jaswant e Rajpal saíram da cozinha rapidamente e foram para os seus quartos. Obedecendo ao comando silencioso da mãe, Sukhvinder ficou ali esperando, pregada à cadeira, junto à parede dos retratos, na qual sua relativa inadequação era exibida para quem quisesse ver. A ligação durou uma eternidade, até que finalmente Parminder se despediu e desligou.

Quando a mãe se virou, Sukhvinder soube de imediato, antes mesmo que qualquer palavra fosse dita, que tinha sido um engano alimentar esperanças.

— Então — disse Parminder —, Tessa ligou para falar comigo lá no trabalho. Acho que você sabe do que se trata.

Sukhvinder assentiu. A sua boca parecia cheia de bolas de algodão.

A ira de Parminder estourou como ondas numa correnteza, que iam arrastando Sukhvinder, impedindo-a de pôr os pés no chão ou de se levantar.

— Por quê? *Por quê*? Você está imitando a garota de Londres outra vez?... Está tentando impressioná-la? Jazz e Raj nunca se comportaram desse jeito, nunca... Por que você faz isso? O que há de errado com você? Por acaso tem orgulho de ser preguiçosa e desleixada? Acha que é legal agir como uma delinquente? Como você acha que me senti quando Tessa me contou? Ela ligou para o meu trabalho... Nunca fiquei tão envergonhada... Você só me dá desgosto, está me ouvindo? Você não tem tudo de que precisa aqui? Não ajudamos você? *O que há de errado com você, Sukhvinder?*

Desesperada, tentando interromper a fúria da mãe, ela mencionou o nome de Krystal Weedon...

— Krystal Weedon! — gritou Parminder. — Aquela garota estúpida! Por que se importa com o que ela diz? Você disse a ela que tentei manter a droga da bisavó dela viva? Você disse isso a ela?

— Eu... não...

— Se vai ligar para o que os pares de Krystal Weedon dizem, então não há mais esperança para você. Talvez seja esse mesmo o seu mundo, não é, Sukhvinder? Você quer matar aula, trabalhar num café e desperdiçar todas as oportunidades de estudar que nós lhe damos? Acha que assim é mais fácil? Foi isso que você aprendeu com Krystal Weedon naquela equipe... a descer até o nível dela?

Sukhvinder pensou em Krystal e na sua gangue, impacientes para atravessar a rua, esperando por uma brecha no trânsito. O que podia fazer para que a sua mãe entendesse? Uma hora antes chegou a fantasiar timidamente sobre a possibilidade de, enfim, poder contar à mãe sobre Bola Wall...

— Saia da minha frente! Vou falar com o seu pai quando ele chegar em casa... Saia daqui!

Sukhvinder subiu as escadas. Jaswant a chamou da porta do seu quarto.

— O que foi essa gritaria toda?

Sukhvinder não respondeu. Foi direto para o próprio quarto, fechou a porta e se sentou na beira da cama.

O que há de errado com você, Sukhvinder?

Você só me dá desgosto.

Por acaso tem orgulho de ser preguiçosa e desleixada?

O que ela esperava? Ser abraçada calorosamente e confortada? Quando tinha sido abraçada e acolhida por Parminder? Havia mais conforto na lâmina afiada da gilete escondida no seu coelho de pelúcia; mas o desejo, que crescia e se tornava uma necessidade, de se cortar e de sangrar não podia ser satisfeito àquela hora, com a família acordada e o seu pai a caminho de casa.

O lago negro do desespero e da dor que existia em Sukhvinder e ansiava por libertação estava em chamas, como se tivessem despejado combustível nas suas águas e ateado fogo.

Vamos ver como ela se sente.

Ela se levantou, deu uns poucos passos até o outro lado do quarto e se jogou bruscamente na cadeira da escrivaninha, debruçando-se sobre o teclado do computador.

Sukhvinder havia ficado quase tão interessada quanto Andrew Price quando o idiota daquele professor substituto tentou impressioná-los, dizendo que sacava tudo de computador. Ao contrário de Andrew e de outros garotos, Sukhvinder não tinha bombardeado o professor com perguntas sobre *hackers*; simplesmente foi para casa em silêncio e encontrou tudo on-line. Quase todo site moderno estava protegido contra a injeção SQL padrão, mas quando Sukhvinder ouviu a sua mãe discutindo sobre o ataque anônimo ao site do Conselho Distrital, pensou que a segurança daquele site velho e precário devia ser mínima.

Sukhvinder sempre achou que digitar era melhor que escrever, e ler os códigos dos computadores, mais fácil do que uma longa sucessão de palavras. Não foi difícil encontrar um site que desse instruções precisas para a mais simples forma de injeção SQL. E então entrou no site do Conselho Distrital.

Levou apenas cinco minutos para *hackear* o site, e só porque da primeira vez ela transcreveu errado o código. Para o seu espanto, descobriu que quem quer que estivesse administrando o site não tinha removido o perfil do usuário de O_Fantasma_de_Barry_Fairbrother da base, apenas deletado o post. Seria brincadeira de criança, então, postar com o mesmo nome.

Sukhvinder levou muito mais tempo para escrever a mensagem do que para *hackear* o site. Tinha guardado aquela acusação secreta durante meses, desde a véspera do Ano-Novo, quando notou, surpresa, o rosto da mãe, às dez para a meia-noite, lá do canto da festa onde estava escondida. Digitou bem devagar. O corretor automático a ajudou com a ortografia.

Não teve medo de que Parminder fosse checar o histórico do seu computador. Sua mãe sabia tão pouco sobre ela e sobre o que acontecia naquele quarto que jamais suspeitaria da filha preguiçosa, burra e desleixada.

Sukhvinder apertou o botão do mouse como se fosse um gatilho.

XI

Na terça pela manhã, Krystal não levou Robbie para a escola. Em vez disso, o arrumou para o velório da avó Cath. Enquanto vestia o irmão com a calça menos surrada que ele tinha, que já estava uns bons cinco centímetros acima do seu tornozelo, tentava lhe explicar quem tinha sido a avó Cath, mas estava gastando saliva à toa. Robbie não se lembrava da avó Cath e nem sabia o que significava avó. Os únicos parentes que ele conhecia eram a mãe e a irmã. Apesar das insinuações e histórias que nunca eram exatamente as mesmas, Krystal sabia que Terri não tinha a menor ideia de quem era o pai dele.

Ouviu os passos da mãe na escada.

— Larga isso — disse para Robbie, que tinha pegado uma lata de cerveja vazia debaixo da poltrona preferida de Terri. — Vem.

E saiu puxando Robbie pela mão até o corredor. Terri ainda estava com a calça do pijama e a camiseta suja com que tinha dormido, e com os pés descalços.

— Ainda não se trocou? — perguntou Krystal.

— Não vou, não — disse Terri, empurrando os filhos para entrar na cozinha. — Mudei de ideia.

— Por quê?

— Não vou — respondeu Terri, acendendo um cigarro numa das bocas do fogão. — Não tenho que ir merda nenhuma.

Krystal ainda estava segurando a mão de Robbie, que a puxava e se balançava.

— Todo mundo vai — insistiu Krystal. — Cheryl e Shane e todo mundo.

— E daí? — retrucou Terri, agressiva.

Krystal tinha medo que a mãe pulasse fora no último minuto. O velório a deixaria cara a cara com Danielle, a irmã que fingia que ela não existia, sem falar em todos os outros parentes que os haviam abandonado. Anne-Marie provavelmente estaria lá. Krystal tinha se agarrado a essa esperança, como a uma tocha na escuridão, em todas as noites que chorou pela avó Cath e pelo sr. Fairbrother.

— Você tem que ir — disse Krystal.

— Tenho nada.

— É a vó Cath — insistiu Krystal bem alto.

— E daí? — retrucou Terri, novamente.

— Ela fez um monte de coisas pra gente — rebateu Krystal.

— Fez nada — cortou Terri.

— Fez, sim — afirmou a garota, com o rosto quente e a mão agarrando a de Robbie com força.

— Pra você, talvez — concordou Terri. — Não fez merda nenhuma pra mim. Se você quer ir se descabelar toda em cima da porra do caixão dela, pode ir. Eu vou ficar esperando aqui.

— Pra quê? — perguntou Krystal.

— É coisa minha.

A velha sombra já tão conhecida se instalou entre elas.

— Obbo tá vindo aí, né?

— É coisa minha — respondeu Terri, com uma dignidade patética.

— Vem pro velório — disse Krystal, mais alto.

— Vai você.

— Vê se não usa porra nenhuma — ordenou Krystal, ainda mais alto.

— Tá — disse Terri, mas se virou e ficou olhando pela vidraça suja da janela o caminho no meio da grama alta e cheia de lixo que chamavam de quintal dos fundos.

Robbie conseguiu se soltar e foi correndo para a sala de estar. Com as mãos enfiadas nos bolsos do moletom e levantando os ombros, Krystal decidia o que fazer. Tinha vontade de chorar só de pensar em não ir ao velório, mas o alívio de não ter que encarar aqueles olhos hostis, que encontrou algumas vezes na casa da avó, diminuía a sua tristeza. Estava zangada com Terri, mas, de alguma forma, entendia o lado dela. *Você nem sabe quem é o pai, né, sua puta?* Queria encontrar Anne-Marie, mas estava assustada.

— Tá certo, vou ficar também.

— Não precisa. Se você quer ir, vai. Não tô nem aí.

Mas como tinha certeza de que Obbo apareceria, Krystal ficou. Obbo esteve fora por mais de uma semana, por causa de algum propósito escuso. Krystal queria que ele tivesse morrido e nunca mais voltasse.

Para fazer alguma coisa, começou a arrumar a casa, fumando um dos cigarros enrolados à mão que Bola Wall tinha lhe dado. Não gostava desses cigarros, mas gostava de saber que era um presente dele. Estavam guardados naquela caixinha de joias de plástico, junto com o relógio de Tessa.

Achou que não veria Bola nunca mais depois que eles treparam no cemitério, porque ele não tinha falado nada quando acabaram e mal se despediu ao ir embora. Mas depois disso, já haviam se encontrado no parquinho. E pelo visto ele tinha gostado mais dessa vez do que da última: não estavam chapados, e ele não fez as coisas tão depressa. Ficaram deitados um ao lado do outro, na grama, debaixo dos arbustos, fumando, e quando ela falou da morte da avó Cath, ele lhe contou que a mãe de Sukhvinder Jawanda tinha dado à sua bisavó a medicação errada ou algo parecido; não sabia muito bem o que havia acontecido.

Krystal ficou horrorizada. Então a avó Cath não precisava ter morrido. Ainda podia estar na casinha toda arrumada da Hope Street, onde, se Krystal precisasse, encontraria o abrigo da cama confortável com lençóis limpos, da cozinha minúscula, repleta de comida e louça desparelhada, da televisãozinha no canto da sala de estar: *Eu não quero ver porcaria, Krystal, desliga isso aí.*

Krystal gostava de Sukhvinder, mas a mãe dela tinha matado a avó Cath. E não se deve fazer distinção entre os membros de uma tribo inimiga. Krystal declarou sua intenção de acabar com Sukhvinder, mas depois Tessa Wall entrou na história. Krystal não se lembrava dos detalhes do que Tessa lhe disse, mas parecia que Bola tinha entendido tudo errado, ou, pelo menos, não tinha entendido direito. Muito a contragosto, prometeu a Tessa não ir atrás de Sukhvinder, mas esse tipo de promessa só podia ser mesmo temporária no mundo em constante mudança de Krystal.

— Larga isso — gritou Krystal para Robbie, que estava tentando abrir a tampa da lata de biscoitos onde Terri guardava as suas coisas.

Arrancou a lata das mãos do menino e a pegou como se estivesse segurando uma criatura viva, algo que fosse lutar para continuar vivendo e cuja destruição pudesse ter consequências terríveis. Havia uma imagem toda arranhada na tampa: uma carruagem cheia de bagagens empilhadas no teto, sendo puxada, pelo meio da neve, por quatro cavalos castanhos, com um cocheiro de cartola segurando uma corneta. Enquanto Terri fumava sentada na cozinha, Krystal levou a lata lá para cima e a escondeu no seu quarto. Robbie a seguiu.

— Qué bincá no páque...

Às vezes ela o levava e o empurrava no balanço e no gira-gira.

— Hoje não, Robbie.

O menino chorou até ela gritar para ele calar a boca.

Mais tarde, quando estava escuro — depois que Krystal havia feito o macarrão instantâneo de Robbie e lhe dado um banho, e quando o velório já havia terminado há muito tempo —, Obbo bateu à porta da frente. Krystal o viu pela janela do quarto do irmão e tentou chegar lá embaixo primeiro, mas Terri já estava abrindo a porta.

— E aí, Ter? — disse ele, ainda na soleira da porta, antes de ser convidado a entrar. — Me disseram que você me procurou semana passada.

Embora a irmã tivesse lhe dito para ficar no quarto, Robbie a seguiu e desceu a escada. Dava para sentir o cheiro do seu cabelo recém-lavado com xampu misturado ao cheiro de cigarro e de suor azedo que exalava de Obbo e da sua velha jaqueta de couro. Obbo já tinha tomado umas e outras, e, quando sorriu maliciosamente para ela, Krystal pôde sentir também o bafo de cerveja.

— E aí, Obbo? — cumprimentou Terri, com aquele tom de voz conciliatório, acomodado, que Krystal não percebia em outras ocasiões, como que permitindo que aquele homem tivesse direitos naquela casa. — Onde você tava?

— Bristol — respondeu ele. — Tá tudo bem, Ter?

— Ela não quer nada — interrompeu Krystal.

Ele a observou, piscando por trás das lentes grossas dos óculos. Robbie estava agarrando a perna da irmã com tanta força que ela podia sentir as unhas dele enfiadas na sua pele.

— Que que é isso, Ter? — gritou Obbo. — É a sua mãe?

Terri riu. Krystal o encarou, com Robbie sempre agarrado à sua coxa. E foi para ele que Obbo voltou o olhar enevoado.

— E como tá o meu garoto?

— Ele não é o seu garoto porra nenhuma.

— Como é que você sabe? — perguntou Obbo calmamente, com um sorriso de deboche.

— Vai se foder. Ela não quer nada. Diz pra ele — gritava Krystal para a mãe. — Diz pra ele que você não quer nada.

Assustada e aprisionada entre aquelas duas vontades tão mais fortes do que a dela própria, Terri disse:

— Ele só veio ver...

— Não veio ver nada — interrompeu Krystal. — Não veio ver porra nenhuma. Diz pra ele. Ela não quer nada — rosnou a garota, feroz, voltando-se para aquela cara sorridente de Obbo. — Ela tá limpa um tempão.

— Verdade, Terri? — perguntou Obbo, ainda sorrindo.

— É, é verdade — respondeu Krystal, já que Terri ficou muda. — Ela ainda tá na Bellchapel.

— Não por muito tempo — retrucou Obbo.

— Vai se foder! — exclamou Krystal, indignada.

— Vão fechar ela — disse Obbo.

— Vão mesmo? — indagou Terri, repentinamente em pânico. — Eles não vão fazer isso, vão?

— Claro que vão — respondeu Obbo. — Tão fazendo uns cortes.

— Você não sabe de nada — disse Krystal. — É mentira — acrescentou, voltando-se para a mãe. — Eles não avisaram nada, avisaram?

— Cortes — insistiu Obbo, batendo nos bolsos cheios, à procura de cigarro.

— Tão reavaliando o nosso caso — lembrou Krystal. — Você não pode usar nada. Não pode usar!

— Que que é isso? — perguntou Obbo, brincando com o isqueiro, mas ninguém respondeu. Terri encarou a filha por não mais do que dois segundos. Baixou os olhos, relutante, e viu Robbie de pijama, ainda agarrado à perna da irmã.

— É, vou indo pra cama, Obbo — resmungou ela, sem olhar para ele. — A gente se vê outro dia.

— Soube que a sua vó morreu — disse ele. — Cheryl veio me contar.

A dor contorceu o rosto de Terri. Ela parecia tão velha quanto a avó Cath.

— É, eu vou pra cama. Vem, Robbie, vem comigo.

Robbie não quis se soltar de Krystal com Obbo ainda ali. Terri estendeu aquela mão ossuda, que mais parecia uma garra.

— É, vai, Robbie — insistiu Krystal com o menino. Dependendo do seu estado de espírito, Terri abraçava o filho como se ele fosse um ursinho de pelúcia; melhor Robbie que tomar pico. — Vai. Vai com a mamãe.

Algo na voz de Krystal tranquilizou o menino, que deixou que Terri o levasse lá para cima.

— Até mais — disse Krystal, sem olhar para Obbo, afastando-se dele bem depressa, indo na direção da cozinha. Tirou do bolso o último cigarro dado por Bola Wall e se debruçou sobre o fogão para acendê-lo. Ouviu a porta da frente se fechar e se sentiu vitoriosa. *Vai se foder.*

— Você ficou com uma bunda bem gostosa, Krystal.

Com o susto, ela deu um pulo tão grande que chegou a esbarrar nuns pratos que estavam empilhados ali do lado, e um deles se espatifou naquele chão imundo. Ele não tinha ido embora. Seguiu-a até a cozinha e agora estava olhando para o seu peito naquela camiseta apertada.

— Vai se foder, porra — gritou ela.

— Você já tá bem grandinha, hein?

— Vai se foder, filho da puta.

— Ouvi dizer que você dá isso tudo de graça — disse Obbo, se aproximando. — Pode ganhar mais grana do que a sua mãe.

— Seu filho da...

Obbo colocou uma das mãos no peito de Krystal. Ela usou toda a sua força para se livrar daquela mão, mas ele a segurou pelo pulso com a outra. O cigarro que ela segurava queimou o rosto de Obbo, e ele lhe deu dois socos no ouvido. Mais pratos se espatifaram no chão, e então, enquanto lutavam, ela escorregou e caiu, batendo com a parte de trás da cabeça. Ele montou em cima dela e começou a abaixar a sua calça.

— Não, porra... Seu filho da puta... Não!

Sentia os dedos dele na sua barriga e percebeu que ele estava abrindo o zíper da própria calça... Tentou gritar, mas Obbo lhe deu uns tapas na cara... O cheiro daquele homem ficou impregnado nas suas narinas quando ele rosnou no seu ouvido:

— Se gritar, vou cortar você.

Ele entrou nela. Estava doendo muito. Krystal ouvia os grunhidos dele e o seu próprio choro abafado. Estava até com vergonha do barulho que fazia, tão amedrontada e pequena debaixo dele.

Obbo gozou e saiu de cima dela. Mais que depressa, a garota puxou a calça para cima e ficou de pé, encarando-o. As lágrimas escorriam pelo seu rosto enquanto ele sorria com deboche.

— Eu vou contar pro sr. Fairbrother — se ouviu dizer, soluçando. Não sabia de onde tinha tirado aquilo. Era a coisa mais idiota que podia ter dito.

— Quem é esse merda? — perguntou Obbo, puxando o zíper e acendendo um cigarro, sem pressa, bloqueando a passagem. — Tá fodendo com ele também, tá, sua piranhinha?

Foi andando pelo corredor e saiu porta afora.

Krystal tremia como nunca antes na vida. Pensou que estivesse doente; podia sentir o cheiro dele em todo o seu corpo. A parte de trás da sua cabeça latejava. Havia uma dor dentro dela e aquela coisa úmida escorria para a sua calcinha. Foi para a sala de estar e ficou ali, de pé, tremendo, os braços envolvendo o próprio corpo. Então ficou com medo de que ele voltasse e correu até a porta da frente para trancá-la.

De volta à sala de estar, achou uma guimba de cigarro no cinzeiro e a acendeu. Desabou na poltrona de Terri, fumando, tremendo e soluçando. Ouviu passos na escada e deu um pulo. Terri entrou na sala, parecendo confusa e desconfiada.

— O que você tem?

Krystal gaguejou algumas palavras.

— Ele... Ele me fodeu.

— O quê? — perguntou Terri.

— Obbo... Ele...

— Ele não ia fazer isso.

Era a mesma negação instintiva com a qual Terri encarava tudo na vida: *ele não ia fazer isso, não, eu nunca, não, não usei.*

Krystal voou para cima dela e a empurrou. Magra como estava, Terri caiu para trás no meio do corredor, gritando e xingando. Krystal correu para a porta que tinha acabado de trancar, atrapalhando-se toda para abri-la novamente, e saiu correndo de casa.

Já tinha andado uns vinte metros na escuridão da rua, ainda soluçando, quando pensou que Obbo podia estar observando tudo, esperando por ela ali fora. Cortou caminho, correndo pelo jardim de um vizinho, e fez um trajeto sinuoso, pelos fundos, para chegar à casa de Nikki. Durante todo esse tempo, sentia a umidade se espalhando na sua calcinha e achou que ia vomitar.

Krystal sabia que aquilo tinha sido um estupro. Era o que tinha acontecido com a irmã mais velha de Leanne no estacionamento de uma boate em Bristol. Sabia que algumas garotas teriam ido à polícia, ela sabia. Mas você não convida a polícia a entrar na sua casa quando a sua mãe é Terri Weedon.

Eu vou contar pro sr. Fairbrother.

Ela soluçava cada vez mais forte. Poderia ter contado para o sr. Fairbrother. Ele conheceu a realidade da vida. Um dos seus irmãos tinha ido em cana. Ele lhe contou histórias da sua adolescência. Não, não tinha sido como a dela — ninguém era tão baixo quanto ela, sabia disso —, mas, sim, como a de Nikki e a de Leanne. Eles ficaram sem dinheiro, a sua mãe comprou uma casa financiada pelo Conselho, mas não conseguiu manter as prestações em dia. Eles tiveram que viver por um tempo num trailer emprestado por um tio.

O sr. Fairbrother tomava conta das coisas; ele resolvia as coisas. Foi à sua casa para conversar com Terri sobre o remo, porque tinha havido uma discussão, e ela estava se recusando a assinar os papéis para Krystal viajar com a equipe. E não ficou enojado ali, ou pelo menos não demonstrou ter ficado, o que dava na mesma. Terri, que não gostava de ninguém, não confiava em ninguém, chegou a dizer "Ele parece gente boa" e assinou.

Certa vez, o sr. Fairbrother lhe disse:

— Vai ser mais difícil para você do que para os outros, Krys. Foi mais difícil para mim também. Você pode fazer melhor. Não tem que seguir o mesmo caminho.

Ele estava falando de dar duro na escola e essas coisas, mas já era muito tarde para isso, e, de todo modo, ela achava tudo aquilo um monte de besteiras. Saber ler direito ia ajudar em que agora?

E como tá o meu garoto?

Ele não é o seu garoto porra nenhuma.

Como é que você sabe?

A irmã de Leanne tinha tomado a pílula do dia seguinte. Krystal perguntaria a Leanne sobre essa tal pílula e ia tratar de conseguir uma. Não podia ter um filho de Obbo. Só de pensar nisso ficou com vontade de vomitar outra vez.

Vou cair fora daqui.

Chegou a pensar em Kay, mas logo descartou essa ideia: quase tão ruim quanto ir à polícia era contar a uma assistente social que Obbo entrava e saía da sua casa, estuprando pessoas. Com certeza ela levaria Robbie embora se soubesse disso.

Uma voz clara e lúcida dentro da cabeça de Krystal estava falando com o sr. Fairbrother, o único adulto que dizia o que ela precisava ouvir, muito diferente da sra. Wall, tão bem-intencionada e tão cega, e da avó Cath, que se recusava a ouvir toda a verdade.

Vou tirar Robbie daqui. Como eu faço pra me mandar? Eu vou me mandar.

O seu único refúgio certo, a pequena casa na Hope Street, já estava sendo devorado por parentes disputando ninharias.

Quase correndo, dobrou uma esquina, onde havia um poste de luz, sempre olhando para trás para ver se Obbo, por acaso, a estava observando ou seguindo.

E, então, a resposta veio até ela, como se o sr. Fairbrother tivesse lhe mostrado o caminho.

Se ficasse grávida de Bola Wall, poderia ter a sua própria casa financiada pelo Conselho. E poderia levar Robbie para morar com ela e o bebê, se Terri voltasse a tomar pico. E Obbo jamais entraria na sua casa, jamais. Ia pôr cadeados, correntes e fechaduras na porta, e a sua casa seria limpa, sempre limpa, como a da avó Cath.

Krystal praticamente corria pela rua escura e ia parando de soluçar aos poucos.

Os Wall provavelmente lhe dariam dinheiro. Eles eram assim. Podia imaginar a cara sem graça e preocupada de Tessa, debruçando-se sobre um berço. Krystal teria o neto deles.

Perderia Bola ficando grávida; eles sempre vão embora quando você está esperando um filho. Era o que via acontecer quase sempre em Fields.

Mas, talvez, ele pudesse se interessar; ele era muito estranho. Não que isso importasse de alguma forma. O seu interesse por ele, tirando a parte de ser essencial para o plano dar certo, tinha se reduzido a quase nada. O que ela queria era o bebê: ele era o meio para um determinado fim. Gostava de bebês. Amou Robbie desde sempre. Queria manter os dois a salvo, e juntos. Seria uma espécie de avó Cath para a sua família, melhor, mais jovem e mais amorosa.

Anne-Marie poderia visitá-los, já que Krystal não estaria mais com Terri. Os seus filhos seriam primos. Uma imagem muito nítida de si mesma e de Anne-Marie se formou na cabeça da garota: estavam no portão da escola St. Thomas, em Pagford, acenando para duas garotinhas de vestidos azul-claros e meias curtas.

Como sempre, as luzes estavam acesas na casa de Nikki. Krystal começou a correr.

Parte Quatro

Lunáticos

5.11 Para a jurisprudência, os idiotas são considerados permanentemente incapacitados para o voto, mas as pessoas que sofrem de distúrbios mentais podem votar durante intervalos de lucidez.

Charles Arnold-Baker
Administração dos Conselhos Locais
7ª edição

I

Samantha Mollison comprou os três DVDs lançados pela banda favorita de Libby. Ela os mantinha escondidos na gaveta de meias-calças, ao lado do diafragma. E já tinha uma história pronta para o caso de Miles encontrá-los: eram um presente para a filha. Algumas vezes no trabalho, quando não havia praticamente movimento algum, ela procurava fotos de Jake na internet. Numa dessas buscas — Jake de terno, mas sem camisa; Jake de jeans e colete branco —, descobriu que a banda ia tocar em Wembley dali a duas semanas.

Tinha uma amiga da época da faculdade que morava em West Ealing. Poderia ficar na casa dela e vender a ideia para Libby como uma chance única, uma oportunidade de ficarem juntas. Com um entusiasmo genuíno, que já não sentia há muito tempo, Samantha conseguiu comprar dois ingressos para os melhores lugares do show. Quando chegou em casa naquela noite, estava radiante com aquele segredo delicioso, quase como se estivesse vindo de um encontro.

Miles já estava na cozinha, ainda com o terno do trabalho e com o telefone na mão. Viu quando ela entrou, e sua expressão estava estranha, difícil de decifrar.

— O que houve? — perguntou Samantha, ligeiramente na defensiva.

— Não consigo falar com o papai. A droga do telefone está ocupado. Colocaram um novo post.

Samantha pareceu não compreender direito, então ele lhe explicou com impaciência:

— O Fantasma de Barry Fairbrother! Outra mensagem! No site do Conselho.

— Ah — disse ela, desenrolando a echarpe do pescoço. — Entendi.

— É, acabei de encontrar com Betty Rossiter, chegando da rua. Ela sabia de tudo. Entrei na área de mensagens do site, mas não consegui ver. Mamãe já deve ter tirado do ar... Bem, espero que tenha feito isso mesmo. É ela quem vai estar na linha de fogo se Aluga-Ouvido procurar um advogado.

— Dessa vez foi sobre Parminder Jawanda? — indagou Samantha, com um tom propositadamente indiferente. Não perguntou o que dizia o post porque estava decidida a não parecer intrometida e fofoqueira como Shirley e Maureen, e também por achar que já sabia o que tinham escrito: que Parminder era a responsável pela morte da velha Cath Weedon. Depois de um ou dois minutos, acrescentou, mostrando-se vagamente interessada: — Por que disse que a sua mãe vai estar na linha de fogo?

— Ora, ela é a administradora do site, e portanto é responsável por divulgar conteúdo difamatório ou potencialmente difamatório. Não sei se ela e papai têm noção do quanto isso pode ser sério.

— Você pode defender a sua mãe, ela ia adorar.

Miles não ouviu o que ela disse. Apertou a tecla de rediscagem e franziu as sobrancelhas porque o celular do pai ainda estava ocupado.

— Isso está começando a ficar sério — disse ele.

— Você ficou bem feliz quando Simon Price foi atacado. Qual a diferença agora?

— Se isso é uma campanha contra os membros do Conselho ou contra quem está se candidatando...

Samantha se virou para esconder o sorriso. Então, a preocupação dele não era com Shirley.

— Mas por que alguém escreveria alguma coisa sobre você? — perguntou ela, toda inocente. — Você não tem nada a esconder.

Talvez você fosse bem mais interessante se tivesse.

— E aquela carta?

— Que carta?

— Deus do céu... Mamãe e papai disseram que receberam uma carta, uma carta anônima sobre mim. Diziam que eu não era adequado para ocupar o lugar de Barry Fairbrother.

Samantha abriu o congelador e ficou olhando para aquelas comidas pouco apetitosas ali dentro, consciente de que Miles não podia mais ver o seu rosto com a porta aberta.

— Você não está achando que alguém tem alguma coisa contra você, está? — perguntou ela.

— Não... Mas sou advogado, não sou? Deve ter gente por aí com raiva de mim. Não acho que essa coisa de carta anônima... Quero dizer, até agora o alvo tem sido apenas o outro lado, mas pode haver represálias... Não estou gostando nada do rumo que as coisas estão tomando.

— Bem, política é assim mesmo, Miles — disse Samantha, nitidamente se divertindo. — É um negócio sujo.

Miles foi bufando para a sala, mas ela nem ligou. Seus pensamentos estavam voltados novamente para aquele rosto esculpido, aquelas sobrancelhas bem-desenhadas, aqueles músculos abdominais rígidos e definidos. Agora já tinha aprendido a maioria das músicas. Estava pensando em comprar uma camiseta da banda para usar — e uma para Libby também. Jake dançaria a apenas alguns metros dela. Ia se divertir como não fazia há anos.

Nesse meio-tempo, Howard andava de um lado para o outro, na delicatéssen fechada, com o celular grudado no ouvido. As persianas estavam abaixadas, e as luzes, acesas, e do outro lado do salão, depois do vão formado pelo arco aberto na parede, Shirley e Maureen se ocupavam com os preparativos para a inauguração do café, que aconteceria em breve. As duas desempacotavam louças e copos, falando em voz baixa, mas animadas, e ouvindo Howard murmurar ao telefone monossilabicamente.

— Sim... Hum, hum... Claro...

— ...gritando comigo — disse Shirley. — Gritando *e* xingando: "Tire essa *maldita* mensagem imediatamente." E eu respondi: "Vou tirar, dra. Jawanda, mas agradeceria se não dissesse palavrões."

— Se ela tivesse falado comigo assim, eu teria deixado lá por mais algumas horas — disse Maureen.

Shirley sorriu. Foi exatamente o que ela tinha feito. Resolveu ir tomar uma xícara de chá, deixando o post anônimo sobre Parminder no site por mais uns quarenta e cinco minutos. Maureen e ela já tinham esmiuçado cada detalhe daquele post até deixarem à mostra todas as suas nuances. Havia muitas possibilidades para discussões posteriores, mas a fome imediata estava saciada. Shirley, no entanto, já pensava com voracidade no que iria acontecer, na reação de Parminder depois de ter o seu segredo revelado.

— Então não pode ter sido ela que colocou o post sobre Simon Price — observou Maureen.

— Não, obviamente não foi ela — concordou Shirley, enquanto enxugava a louça azul e branca que escolhera, deixando de lado a rosa, que era a preferida de Maureen. Às vezes, embora não diretamente envolvida nos negócios, Shirley gostava de lembrar a Maureen que ela ainda tinha uma influência imensa ali, uma vez que era a esposa de Howard.

— Claro... — dizia ele ao telefone. — Mas não seria melhor que...? Hã, hã...

— E quem você acha que fez isso? — perguntou Maureen.

— Sinceramente, não faço a menor ideia — respondeu Shirley com uma voz extremamente educada, como quem diz que não se rebaixa a esse tipo de informação ou suspeita.

— Alguém que conhece os Price e os Jawanda — concluiu Maureen.

— Obviamente — disse Shirley.

Finalmente Howard desligou.

— Aubrey concorda — disse para as duas, entrando no café com aquele seu andar característico. Estava com a edição do dia da *Gazeta de Yarvil e Adjacências* nas mãos. — Muito fraco. Realmente muito fraco.

As duas mulheres levaram uns segundos para lembrar que deviam parecer interessadas no artigo póstumo de Barry Fairbrother, publicado no jornal local. O Fantasma de Barry era tão mais interessante...

— Ah, é mesmo. Achei o artigo muito sem graça assim que o li — disse Shirley, se apressando em entrar no assunto.

— A entrevista com Krystal Weedon foi mais engraçada — debochou Maureen. — Tentando nos fazer acreditar que ela tem algum interesse por arte. Só se o que ela chama de arte for rabiscar as carteiras da escola.

Howard deu uma gargalhada. Como desculpa para virar as costas, Shirley pegou do balcão a injeção de adrenalina de Andrew Price que Ruth tinha deixado na delicatéssen naquela manhã, para o caso de uma emergência. Shirley havia procurado se informar sobre isso no seu site de medicina favorito, e se sentia completamente apta a explicar como a adrenalina agia no corpo. Como ninguém perguntou nada, ela pôs o pequeno tubo branco no armário e fechou a porta, fazendo tanto barulho quanto pôde para interromper algum outro dito espirituoso de Maureen.

O telefone tocou na mão imensa de Howard.

— Alô? Ah, Miles, sei... Já sabemos sobre o post. Mamãe o viu esta manhã — disse ele, rindo. — Já, já tirou... Não sei... Acho que foi postado ontem... Ah, eu não diria isso. Há anos que todo mundo sabia dessa história de Aluga-Ouvido.

Mas o bom humor de Howard foi murchando à medida que Miles falava. Depois de um tempo, ele disse:

— Sim, eu entendo... Claro. Não, não tinha pensado nisso por esse... Talvez seja melhor chamar alguém para dar uma olhada na segurança...

O som de um carro lá fora na praça, ao anoitecer, passou praticamente despercebido pelos três dentro da delicatéssen, mas o motorista viu a enorme sombra de Howard Mollison se mexendo por trás das persianas cor de creme. Gavin pisava fundo, ansioso para ver Mary. A voz dela estava desesperada no telefone.

— Quem está fazendo isso? Quem pode ser? Quem me odeia tanto assim?

— Ninguém, Mary — disse ele. — Quem poderia odiar você? Não saia daí. Estou indo o mais rápido que posso.

Ele estacionou do lado de fora da casa, bateu a porta do carro com força e correu pelo caminho da entrada. Ela abriu a porta da frente antes que ele batesse. Mais uma vez os seus olhos estavam inchados, cheios de lágrimas, e ela estava usando um robe de chenile que ia até o chão e fazia com que parecesse mais baixa. Não era nem um pouco sedutor; era, na verdade, a antítese perfeita do quimono vermelho de Kay, mas a sua simplicidade, o seu desalinho indicavam que eles haviam alcançado um outro nível de intimidade.

Os quatro filhos de Mary estavam na sala. Ela, então, com um gesto, o chamou para a cozinha.

— Eles sabem? — perguntou Gavin.

— Só Fergus. Alguém na escola contou a ele. E pedi que não comentasse nada com os outros. Sinceramente, Gavin... estou chegando ao meu limite... O rancor...

— Não é verdade — disse Gavin, e então a curiosidade suplantou o que havia de melhor dentro dele —, ou é?

— Não! — exclamou ela, ultrajada. — Quer dizer... Não sei... Não a conheço... Mas fazê-lo *falar* desse jeito... Pôr palavras na sua boca... Eles não *ligam* para o que isso significa para mim?

E caiu no choro novamente. Gavin sentiu que não devia abraçá-la enquanto estivesse vestindo aquele robe, e ficou feliz de não ter feito isso, pois Fergus entrou na cozinha logo em seguida.

— Oi, Gav.

O garoto parecia cansado, mais velho do que era, com os seus dezoito anos. Gavin o viu abraçar Mary, e ela recostou a cabeça no ombro do filho, esfregando os olhos na manga do robe, como uma criança.

— Não acho que seja a mesma pessoa — observou Fergus, sem fazer qualquer preâmbulo. — Dei uma lida na mensagem de novo. O estilo é completamente diferente.

Ele tinha salvado a tal mensagem no celular e começou a lê-la em voz alta:

— A conselheira dra. Parminder Jawanda, que se diz tão devotada a cuidar dos pobres e carentes da região, teve sempre um motivo secreto para as suas boas ações. Ela sempre foi...

— Fergus, não — disse Mary, deixando-se cair numa das cadeiras da mesa da cozinha. — Não aguento isso. Juro que não consigo. E ainda por cima o artigo dele saiu no jornal de hoje...

Ela tapou o rosto com as mãos e recomeçou a chorar silenciosamente. Gavin, então, viu a *Gazeta de Yarvil e Adjacências* em cima da mesa. Nunca tinha lido esse jornal. Sem perguntar ou oferecer, foi até o armário e lhe preparou um drinque.

— Obrigada, Gavin — disse ela, pensativa, quando ele lhe deu o copo.

— Deve ter sido Howard Mollison — sugeriu, sentando-se ao lado dela. — Por causa do que Barry disse sobre ele.

— Não acredito — retrucou Mary, enxugando os olhos com a mão. — É muito cruel. Ele nunca fez nada parecido quando Barry estava — e deu mais um soluço — vivo.

Voltando-se para o filho, pediu:

— Jogue esse jornal fora, Fergus.

O garoto parecia confuso e magoado.

— Mas e o artigo do...

— Jogue fora! — insistiu Mary, com uma ponta de histeria na voz. — Posso ler no computador, se eu quiser. Foi a última coisa que ele fez no dia do nosso aniversário de casamento.

Fergus pegou o jornal em cima da mesa e ficou parado por um instante, olhando a mãe, que enterrou o rosto nas mãos de novo. Então, com um olhar rápido para Gavin, o rapaz saiu da cozinha, levando a *Gazeta*.

Depois de alguns minutos, quando Gavin achou que Fergus não iria mais voltar, pôs a mão no braço de Mary, acariciando-o para consolá-la. Ficaram ali sentados por um tempo, e ele se sentia muito mais feliz sem o jornal na mesa.

II

Parminder não iria trabalhar na manhã seguinte, mas tinha uma reunião em Yarvil. Assim que os filhos saíram para a escola, começou a organizar as coisas metodicamente, para ter certeza de que levaria tudo de que ia precisar. Quando o telefone tocou, ela levou um susto tão grande que deixou a bolsa cair no chão.

— Alô? — atendeu, com um grito agudo. Do outro lado da linha, Tessa ficou preocupada.

— Minda, sou eu... Você está bem?

— Estou... estou... O toque do telefone me assustou — disse Parminder, recolhendo chaves, papéis, moedas e tampões pelo chão da cozinha. — O que foi?

— Nada — disse Tessa. — Só estou ligando para conversar e saber como você está.

O assunto do post anônimo pairava entre elas como um monstro zombeteiro, se balançando na linha do telefone. Parminder quase não tinha deixado a amiga falar sobre isso durante a ligação da véspera. Ficou gritando sem parar:

— *É mentira, uma mentira imunda, e não venha me dizer que Howard Mollison não está por trás disso!*

Tessa não ousou insistir naquele assunto.

— Não posso falar agora — disse Parminder. — Tenho uma reunião em Yarvil. A revisão do caso de um menininho com classificação de potencial situação de risco.

— Ah, tudo bem. Desculpe. Podemos nos falar mais tarde, então?

— Claro — respondeu a médica. — Ótimo. Até mais tarde.

Parminder pegou as coisas que tinham caído da bolsa e saiu correndo de casa, voltando apressada do portão do jardim para ver se tinha trancado a porta direito.

Enquanto dirigia, várias vezes se deu conta de que não tinha noção do que se passara no último quilômetro, e dizia a si mesma, com raiva, para prestar atenção. Mas as palavras maliciosas do post anônimo voltavam a toda hora na sua cabeça. Ela já sabia o texto de cor.

A conselheira dra. Parminder Jawanda, que se diz tão devotada a cuidar dos pobres e carentes da região, teve sempre um motivo secreto para as suas boas ações. Ela sempre foi apaixonada por mim, e mal conseguia esconder isso cada vez que me olhava. Em todas as reuniões do Conselho, sempre votou de acordo com o que eu lhe dissesse. Agora que estou morto, ela será inútil como conselheira, porque perdeu o cérebro que a comandava.

Tinha visto a mensagem na manhã do dia anterior, quando abriu o site do Conselho para checar a ata da última reunião. O choque foi quase físico: a sua respiração se acelerou e ela ficou ofegante, como nos momentos mais excruciantes do trabalho de parto, quando tentava se abstrair da dor, se libertando da agonia daquele momento.

Agora todo mundo saberia. Não havia onde se esconder.

Os pensamentos mais estranhos passavam pela sua cabeça. Por exemplo, o que a sua avó diria se soubesse que ela estava sendo acusada, em fórum público, de amar o marido de outra mulher, um *gora*, um homem branco, além de tudo. Quase conseguia ver a sua *bebe* cobrindo o rosto com uma das dobras do sári, sacudindo a cabeça e balançando o corpo para a frente e para trás, como fazia toda vez que um golpe duro atingia a família.

— Alguns maridos iam querer saber se isso é verdade — tinha lhe dito Vikram na noite passada, e ela notou que havia uma contração diferente no seu sorriso sarcástico.

— É claro que não é verdade — respondeu, com uma das mãos tremendo sobre a boca. — Como você pode me perguntar uma coisa dessas? É claro que não é verdade. Você o conhecia. Ele era meu amigo... Apenas um amigo!

Estava passando pela Bellchapel. Como é que tinha chegado até ali sem perceber? Dirigia de maneira perigosa, porque não estava prestando a mínima atenção.

Lembrou-se da noite em que ela e Vikram foram a um restaurante, quase vinte anos atrás, a noite em que concordaram em se casar. Ela lhe contou sobre o rebuliço que a família tinha feito quando Stephen Hoyle a levou em casa, e ele também achou que aquilo não tinha cabimento algum. Naquela época, ele tinha entendido. Mas não entendia quando era Howard Mollison que a acusava, e não os seus parentes tacanhos. Aparentemente, não percebia que *goras* podiam ser tacanhos, mentirosos e maldosos...

Parminder passou da entrada do retorno. Tinha de se concentrar, tinha de prestar atenção.

— Estou atrasada? — perguntou, de longe, correndo pelo estacionamento, para se encontrar com Kay Bawden. Tinha visto a assistente social apenas uma vez na vida, quando ela foi ao seu consultório pegar uma receita de pílula anticoncepcional.

— De jeito nenhum — disse Kay. — Estou esperando para ir com você até a sala de reunião porque lá dentro é um verdadeiro labirinto.

O Departamento de Assistência Social de Yarvil ficava num prédio de escritórios horroroso da década de 1970. Enquanto subiam no elevador, Parminder ficou se perguntando se Kay sabia sobre o post anônimo no site do Conselho, ou sobre as acusações feitas contra ela pela família de Catherine Weedon. Imaginou a porta do elevador se abrindo e uma fila de pessoas de toga esperando para acusá-la e condená-la. E se a reavaliação do caso de Robbie Weedon fosse apenas uma armadilha, e ela estivesse indo para o seu próprio julgamento...?

Kay a conduziu pelo corredor da instituição, deserto e em péssimo estado, até a sala de reunião. Três outras mulheres já estavam sentadas lá e sorriram para Parminder.

— Essa é Nina, que trabalha com a mãe de Robbie na Bellchapel — disse Kay, sentando-se com as costas voltadas para as janelas com venezianas. — Essa é minha supervisora, Gillian, e essa é Louise Harper, que dirige a Pré-Escola Anchor Road. Dra. Parminder Jawanda, a médica de Robbie — acrescentou Kay.

Parminder aceitou um café. As outras quatro mulheres começaram a conversar sem a incluir.

(*A conselheira dra. Parminder Jawanda, que se diz tão devotada a cuidar dos pobres e carentes da região...*

Que *se diz* tão devotada. Howard Mollison, seu desgraçado. Ele sempre a achara uma hipócrita; Barry tinha lhe dito isso.

— Ele pensa que, só porque vim de Fields, quero que Pagford seja ocupada pelos yarvilianos. Mas você, que é de classe média alta, ele acha que não tem o direito de estar do lado de Fields. Acha que você é uma hipócrita ou gosta de fazer confusão só para se divertir.)

— ...entender por que a família tem um médico de Pagford? — perguntou uma das três assistentes sociais desconhecidas, cujo nome Parminder já tinha esquecido.

— Muitas famílias em Fields têm registro de saúde em Pagford — disse Parminder imediatamente. — Mas acho que houve algum problema entre os Weedon e o médico...

— É, eles foram expulsos da clínica de Cantermill — disse Kay, que tinha à sua frente uma pilha de papéis maior do que qualquer outra ali. — Terri atacou uma enfermeira. E então eles foram mandados para você. Há quanto tempo?

— Quase cinco anos — respondeu Parminder, que tinha repassado todos os detalhes do caso na clínica.

(Ela tinha visto Howard na igreja, no velório de Barry, fingindo que estava rezando, com as mãos gordas e grandes postas diante do peito, e os Fawley ajoelhados ao seu lado. Parminder sabia que os cristãos supostamente acreditavam nisso. *Ama ao teu próximo como a ti mesmo*... Se Howard fosse honesto, ele se viraria para o lado e rezaria para Aubrey...

Ela sempre foi apaixonada por mim, e mal conseguia esconder isso, cada vez que me olhava...

Será que não conseguia mesmo?)

— ...a última vez que você o viu, Parminder? — perguntou Kay.

— Quando a irmã dele o levou à clínica por causa de uma infecção de ouvido — disse a médica. — Há uns dois meses.

— E como estava a sua condição física geral na época? — perguntou uma das outras mulheres.

— De uma maneira geral, ele estava bem — respondeu Parminder, retirando da bolsa a cópia de registros. — Eu o examinei cuidadosamente, porque... bem, porque conheço o histórico da família. Ele estava com peso adequado, embora eu duvide que a sua dieta seja saudável. Não tinha piolhos nem lêndeas ou algo do gênero. Estava um pouco assado, e lembro que a irmã disse que às vezes ele ainda fazia xixi na calça.

— Elas põem fralda nele de vez em quando — disse Kay.

— Mas você não teria maiores preocupações com relação à saúde dele? — indagou a mulher que tinha feito a primeira pergunta a Parminder.

— Não havia nenhum sinal de maus-tratos — disse ela. — Tirei a roupa dele e examinei o seu corpo todo com bastante atenção. Não havia hematomas ou qualquer outro tipo de machucado.

— Não há nenhum homem na casa — interveio Kay.

— E a infecção no ouvido? — perguntou a supervisora.

— Foi uma infecção bacteriana bastante comum, que provavelmente se aproveitou de uma virose. Nada de estranho nisso. Típico em crianças da idade dele.

— Então, de um modo geral...

— Já vi crianças em situações bem piores — acrescentou Parminder.

— Você disse que foi a irmã que o levou à clínica e não a mãe? Você também é médica de Terri?

— Acho que não vejo Terri lá na clínica há uns cinco anos — disse Parminder, e a supervisora se voltou para Nina.

— Como ela está indo com a metadona?

(*Ela sempre foi apaixonada por mim...*

Talvez o Fantasma seja Shirley ou Maureen, e não Howard... Era mais o feitio delas ficar prestando atenção em todos os detalhes, quando ela estava ao lado de Barry, querendo captar alguma coisa com as suas mentes sujas de mulher velha..., pensou Parminder.)

— ...até agora por mais tempo no programa — disse Nina. — Ela tem falado muito na reavaliação do caso. Tenho a impressão de que sabe que está tendo a sua última chance. E ela não quer perder Robbie. Disse isso algumas vezes. Acho que você conseguiu que ela finalmente entendesse a situação, Kay. Percebo que ela está assumindo mais responsabilidades agora, pela primeira vez desde que a conheço.

— Obrigada, mas não quero ficar muito entusiasmada. A situação ainda é bastante precária — disse Kay. Aquelas palavras cautelosas, porém, contrastavam com o leve e irrepreensível sorriso de satisfação em seu rosto. — E como vão as coisas na escola, Louise?

— Bom, ele voltou — disse a quarta assistente social. — Há três semanas que não falta nem um dia sequer, o que é uma mudança e tanto. A irmã adolescente é que vai levá-lo. As roupas são pequenas demais para ele, e quase sempre sujas. Mas ele fala sobre a hora do banho e das refeições em casa.

— E o comportamento?

— Ele está atrasado no desenvolvimento. Sua linguagem é bem pobre, e ele não gosta de homens. Quando algum pai aparece na escola, ele não chega perto. Fica rodeando as professoras e ajudantes, e parece muito ansioso. E uma ou duas vezes — acrescentou, virando uma página das suas anotações — ele fez com as menininhas menores ou perto delas gestos que imitavam nitidamente o ato sexual.

— Seja qual for a nossa decisão, acho que ele não deve ser retirado da classificação de potencial situação de risco — disse Kay, e houve um murmúrio de aprovação na sala.

— Parece que tudo depende de Terri permanecer no programa ou não — disse a supervisora, voltando-se para Nina — e de ficar longe das drogas.

— É isso mesmo, com toda a certeza — concordou Kay. — Mas estou preocupada também com o fato de que, mesmo que fique sem usar heroína, ela não seja uma mãe de verdade para Robbie. Parece que Krystal é que cuida dele, e ela tem dezesseis anos e um monte de problemas também.

(Parminder se lembrou do que ela disse para Sukhvinder duas noites atrás.

Krystal Weedon! Aquela garota estúpida! Foi isso que você aprendeu com a Krystal Weedon naquela equipe... a descer até o nível dela?

Barry gostava de Krystal. Via nela qualidades invisíveis aos olhos das outras pessoas.

Uma vez, já há um certo tempo, Parminder contou a Barry a história de Bhai Kanhaiya, o herói sique que cuidava das necessidades dos feridos em combate, fossem eles amigos ou inimigos. Quando lhe perguntaram por que ele ajudava a todos indiscriminadamente, Bhai Kanhaiya respondeu que a luz de Deus brilha em todas as almas e que, por isso, ele não podia fazer distinção entre os homens.

A luz de Deus brilha em todas as almas.

Ela tinha chamado Krystal Weedon de estúpida e dito que ela era de um nível mais baixo.

Barry nunca teria dito isso.

Sentia-se envergonhada.)

— ...quando a bisavó dava a eles algum suporte em termos de cuidado, mas...

— Ela morreu — disse Parminder, se apressando em dizer isso antes que alguém o fizesse. — Enfisema e AVC.

— Isso mesmo — concordou Kay, ainda olhando para as próprias anotações. — Então voltamos a Terri. Ela esteve numa instituição quando era criança. Terri frequenta os grupos de orientação para pais?

— Já lhe oferecemos, mas ela não tinha nenhuma condição de frequentar um grupo — explicou a representante da escola.

— Se ela concordasse em participar de um grupo e o frequentasse seriamente, seria um grande passo — observou Kay.

— Se fecharmos — disse Nina, que trabalhava na Bellchapel, se dirigindo a Parminder com um suspiro —, acho que ela vai ter que ir à sua clínica para receber a metadona.

— Tenho medo que ela não vá — interrompeu Kay, antes que Parminder pudesse responder.

— O que você quer dizer com isso? — perguntou a médica, zangada.

Todas as outras olharam para ela.

— Apenas que pegar ônibus e se lembrar de compromissos não são o forte de Terri — disse Kay. — Para ir até a Bellchapel ela precisa apenas subir a rua.

— Ah — disse Parminder, mortificada. — Claro. Me desculpe. Claro, acho que você tem toda a razão.

(Pensou que Kay estivesse se referindo à acusação contra ela por causa da morte de Catherine Weedon, que achasse que Terri Weedon não confiaria nela por causa disso.

Concentre-se no que elas estão dizendo. O que há de errado com você?)

— Então, resumindo — propôs a supervisora, olhando para as suas próprias anotações. — Temos aqui um caso de negligência com intervalos de cuidados adequados. — Ela suspirou, mas havia mais exasperação do que tristeza nesse gesto. — A crise foi controlada. Terri não está mais se drogando, Robbie voltou para a escola, onde podemos ficar de olho nele, e não há nenhuma preocupação imediata quanto à sua segurança. Como disse Kay, ele deve permanecer na classificação de potencial situação de risco... E acho realmente que devemos marcar outra reunião sobre o caso daqui a um mês...

A reunião demorou mais uns quarenta minutos.

Depois Kay acompanhou Parminder até o estacionamento.

— Foi ótimo você ter vindo pessoalmente. A maioria dos médicos só envia o relatório.

— Eu tinha a manhã de folga — disse Parminder. A explicação para a sua presença na reunião era bem simples: odiava ficar sentada em casa sem ter o que fazer. Mas Kay achou que ela estava esperando mais elogios e não se fez de rogada.

Quando chegaram ao carro da médica, Kay lhe disse:

— Você é membro do Conselho, não é? Colin lhe deu as estatísticas sobre Bellchapel que passei para ele?

— Deu, sim — respondeu Parminder. — Seria muito bom se pudéssemos conversar a respeito disso qualquer hora dessas. O assunto está na pauta da próxima reunião do Conselho.

Mas quando Kay foi embora, depois de lhe dar o seu número de telefone e lhe fazer mais alguns sinceros agradecimentos, Parminder voltou a pensar em Barry, no Fantasma e nos Mollison. Estava passando por Fields quando aquela ideia simples, que tanto tentou encobrir e abafar, conseguiu finalmente romper a barreira das suas defesas.

Talvez eu o tenha amado realmente.

III

Andrew passou horas tentando decidir que roupa usar no seu primeiro dia de trabalho no Copper Kettle. Acabou escolhendo mesmo uma das roupas que estavam no encosto da cadeira no seu quarto. Uma espinha enorme tinha aparecido justamente hoje, com uma ponta de pus brilhante, no lado esquerdo do seu rosto. Andrew chegou ao cúmulo de tentar disfarçá-la com a base de Ruth, que pegou escondido da gaveta da penteadeira da mãe. Estava na cozinha na noite de sexta, pensando em Gaia e nas sete horas que passaria junto dela e que ainda iam demorar para chegar, quando o seu pai voltou do trabalho num estado que ele jamais tinha visto. Simon parecia assustado, quase desorientado.

— Onde está a sua mãe?

Ruth estava vindo da despensa, toda animada.

— Oi, Docinho de Coco. Como... O que houve?

— Tive que pedir demissão.

Ruth pôs as mãos no rosto, horrorizada, depois correu para o marido e passou os braços pelo seu pescoço, abraçando-o.

— Por quê? — sussurrou ela.

— Aquela mensagem — disse Simon. — Na porra do site. Eles fizeram Jim e Tommy se demitirem também. Era pedir demissão ou justa causa. Um acordo de merda. Eles não vão me pagar nem o que deram a Brian Grant.

Andrew ficou absolutamente imóvel, petrificando-se devagar como uma estátua de culpa.

— Merda — disse Simon, no ombro de Ruth.

— Você vai arrumar outra coisa — sussurrou ela novamente.

— Não aqui por perto — retrucou o marido.

Ele se sentou numa das cadeiras da cozinha, ainda de casaco, e ficou olhando em volta, aparentemente muito aturdido para falar qualquer coisa. Ruth ficava dando voltas ao seu redor, consternada, carinhosa e à beira das lágrimas. Andrew ficou contente de detectar naquele olhar catatônico de Simon traços do seu costumeiro exagero teatral. Isso o fez se sentir um pouco menos culpado. Simon continuava sentado sem dizer uma palavra sequer.

O jantar foi tenso. Paul, ao saber das novidades, ficou aterrorizado, porque o pai podia acusá-lo de ter causado tudo isso. No início da refeição, Simon agia como um mártir cristão, ferido, mas digno diante da perseguição implacável. Até que...

— Vou pagar alguém para acertar aquele gordo filho da puta pelas costas — explodiu, enquanto engolia uma colherada do *crumble* de maçã, e a família entendeu que ele estava falando de Howard Mollison.

— Sabe, Si, colocaram outra mensagem no site do Conselho — disse Ruth, ofegante. — Não foi apenas com você. Shir... Me contaram lá no trabalho. A mesma pessoa... o Fantasma de Barry Fairbrother... colocou algo terrível sobre a dra. Jawanda. Então Shirley e Howard chamaram alguém para dar uma olhada no site, e a pessoa descobriu que seja lá quem for que tenha escrito as mensagens estava usando o login de Barry Fairbrother. Então, para dar mais segurança, eles o removeram... da base de dados ou coisa que o valha...

— E isso vai trazer a porra do meu emprego de volta?

Ruth não falou nada por alguns minutos.

Andrew estava nervoso com o que a sua mãe tinha acabado de contar. Era preocupante que O_Fantasma_de_Barry_Fairbrother estivesse sendo investigado, e assustador que outra pessoa tivesse seguido o seu exemplo.

Quem mais teria a ideia de usar o login de Barry Fairbrother, a não ser Bola? Mas por que Bola atacaria a dra. Jawanda? Ou era apenas mais uma maneira de implicar com Sukhvinder? Andrew não estava gostando nada disso...

— Qual é o problema? — rosnou Simon do outro lado da mesa.

— Nada... — murmurou Andrew, mas então decidiu acrescentar: — É que estou chocado... É... Por você ter perdido o emprego...

— Ah, você está *chocado*, é? — vociferou Simon, e Paul deixou cair a colher, lambuzando-se todo de sorvete. — (Limpe isso, Paulinha, sua bichinha!) Esse é o mundo real, Cara de Pizza — gritou para Andrew. — Tem filhos da puta por toda a parte querendo derrubar a gente. Então *você* — e apontou para o filho mais velho —, trate de conseguir algum podre de Mollison, ou não precisa se preocupar em voltar para casa amanhã!

— Si...

Simon empurrou a cadeira para trás, jogou longe a colher, que caiu no chão com estardalhaço, e saiu da cozinha, batendo a porta atrás de si. Andrew esperou pelo inevitável e não se decepcionou.

— Foi um choque terrível para ele — sussurrou Ruth para os filhos, tremendo. — Depois de todos esses anos de dedicação à empresa... E ele está preocupado, porque não sabe como vai cuidar de nós...

Quando o despertador tocou às seis e meia da manhã seguinte, Andrew o desligou com um tapa e literalmente pulou da cama. Sentindo-se como se fosse Natal, ele se lavou e se vestiu apressadamente, mas depois gastou quarenta minutos cuidando do cabelo e do rosto, espalhando pequenas porções de base por cima das espinhas mais visíveis.

Ficou esperando que Simon estivesse no corredor quando passou na frente da porta do quarto dos pais, mas não havia ninguém ali, e, depois de engolir o café da manhã, saiu da garagem, pedalando a bicicleta de corrida de Simon, e desceu a colina em direção a Pagford.

Era uma manhã enevoada, o que prometia um belo dia de sol mais tarde. As persianas da delicatéssen ainda estavam abaixadas, mas a porta se abriu quando ele a empurrou, fazendo soar uma campainha.

— Por aí não — gritou Howard, se arrastando na direção dele. — Você entra pelos fundos. E pode botar a bicicleta perto das lixeiras. Tire ela aí da frente.

Para chegar ao pequeno pátio de pedra, frio e úmido, nos fundos da delicatéssen, passava-se por um beco estreito. O pátio era cercado por muros altos, e havia ali umas lixeiras industriais de metal e um alçapão que se abria para uma escada bem íngreme que levava ao porão.

— Você pode prendê-la aí em qualquer lugar, desde que não atrapalhe a passagem — disse Howard, que apareceu na porta dos fundos, respirando com dificuldade e com o rosto todo suado. Enquanto Andrew lutava tentando fechar o cadeado da corrente, Howard enxugou a testa com o avental. — Certo, vamos começar pelo porão — disse ele, apontando para o alçapão, quando Andrew terminou de prender a bicicleta. — Desça e dê uma olhada lá embaixo.

Ele se debruçou sobre a abertura enquanto Andrew descia os degraus. Havia muitos anos Howard já não conseguia descer ao seu próprio porão. Maureen geralmente cambaleava escada abaixo e acima algumas vezes por semana. Mas agora que as mercadorias se acumulavam para a abertura do café, pernas mais jovens tinham se tornado indispensáveis.

— Dê uma boa olhada em volta — gritou ele, quando já não podia mais ver Andrew. — Está vendo onde guardamos os bolos e a *pâtisserie*? Os grandes sacos de grãos de café e as caixas de chá? E, no canto, está vendo o papel higiênico e os sacos de lixo?

— Estou vendo, sim — respondeu Andrew, e a sua voz ecoou lá das profundezas.

— Você pode me chamar de sr. Mollison — disse Howard, com um tom levemente mordaz na voz rouca.

Lá embaixo, no porão, Andrew se perguntava se devia começar a fazer isso imediatamente.

— Ok... sr. Mollison.

Soou meio debochado, e ele se apressou em tentar desfazer essa impressão com uma pergunta interessada.

— O que tem dentro desses armários grandes?

— Dê uma olhada — disse Howard, impaciente. — É para isso que está aí. Para saber onde deve guardar as coisas e onde deve ir buscá-las.

Howard ouviu os sons abafados de Andrew abrindo as portas pesadas do armário, e torceu para que o garoto não fosse muito idiota e não precisasse de muita orientação. A sua asma estava particularmente ruim hoje, o nível de pólen no ar devia estar bastante alto, e além disso havia todo o trabalho extra, a excitação e os pequenos aborrecimentos com a inauguração do café. Estava suando tanto que talvez tivesse que ligar para Shirley lhe pedindo que trouxesse uma camisa limpa antes da abertura da loja.

— O furgão chegou — gritou Howard, quando ouviu o barulho do motor do outro lado do beco. — Suba aqui. Você vai carregar as coisas até o porão e guardá-las nos lugares certos, ok? E me traga cinco litros de leite para o café, entendeu?

— Entendi... sr. Mollison — disse Andrew lá de baixo.

Howard foi voltando lentamente para pegar a bombinha que tinha deixado no bolso do casaco pendurado na sala dos funcionários, atrás do balcão da delicatéssen. Depois de usá-la, sentiu-se muito melhor. Enxugando o rosto com o avental outra vez, sentou-se numa das cadeiras que rangiam para descansar um pouco.

Desde que foi ver a dra. Jawanda por causa da ferida na pele, Howard pensou várias vezes no que ela tinha falado sobre o seu peso: que era a origem de todos os seus problemas de saúde.

Obviamente, uma tolice. Vejam o garoto dos Hubbard: um varapau, com aquela asma violenta. Howard sempre tinha sido grande, desde que se entendia por gente. Nas pouquíssimas fotografias em que aparecia com o pai, que abandonou a família quando Howard tinha uns quatro, cinco anos, ele era apenas cheinho. Depois que o pai foi embora, a mãe pôs Howard sentado na cabeceira da mesa, entre ela e a avó, e ficava chateada se ele não repetisse o prato. Aos poucos, ele foi crescendo para preencher o espaço entre as duas mulheres. Aos doze anos, já pesava tanto quanto o pai que os tinha deixado. Howard então passou a associar um apetite voraz à masculinidade. O corpanzil era uma das suas características marcantes. E fora construído, com prazer, pelas mulheres que o amavam. Pensou que era típico de Aluga-Ouvido, aquela desmancha-prazeres castradora, querer que ele perdesse peso.

Mas, às vezes, nos momentos de fraqueza, quando ficava difícil respirar ou andar, Howard sentia medo. Era muito fácil para Shirley fingir que o marido nunca tinha estado em perigo, mas ele se lembrava das longas noites no hospital depois da cirurgia de ponte de safena, quando não conseguia dormir com medo de que o seu coração vacilasse e parasse. Toda vez que via Vikram Jawanda, lembrava-se de que aqueles dedos escuros e longos tinham tocado o coração que batia no seu peito aberto. A cordialidade com que envolvia cada um desses encontros era a sua maneira de afastar o terror instintivo e primitivo. Tinham lhe dito no hospital, depois da cirurgia, que ele precisava perder um pouco de peso, mas já tinha emagrecido naturalmente treze quilos por causa daquela comida horrorosa, e Shirley estava determinada a engordá-lo de novo assim que ele saísse de lá.

Howard ficou sentado por mais alguns minutos, desfrutando da facilidade de respirar depois de usar a bombinha. O dia de hoje seria muito importante. Trinta e cinco anos atrás, ele apresentou a Pagford todas aquelas iguarias finas, com o entusiasmo de um aventureiro do século XVI voltando para casa com delícias do outro lado do mundo. E Pagford, depois de uma desconfiança inicial, começou a farejar timidamente o seu estoque com certa curiosidade. Pensou melancolicamente na mãe, que havia falecido recentemente e que sempre tivera orgulho dele e do seu tino para os negócios. Queria que ela estivesse ali para ver o café. Howard se ergueu novamente, pegou o chapéu Sherlock Holmes do cabideiro e o colocou cuidadosamente na cabeça, como se estivesse coroando a si mesmo.

As novas garçonetes chegaram juntas às oito e meia. Ele tinha uma surpresa para elas.

— Tomem, isso é para vocês — disse, segurando os uniformes, uns vestidos pretos com um aventalzinho branco de babado, exatamente como tinha imaginado. — Devem caber. Maureen disse que sabia o tamanho certo. Ela também vai usar um.

Gaia segurou o riso quando Maureen entrou na delicatéssen vindo do café e sorriu para elas. Ela estava usando tamancos Dr. Scholl com uma meia preta. E o seu vestido terminava uns cinco centímetros acima daqueles joelhos enrugados.

— Vocês podem se trocar na sala dos funcionários, garotas — disse ela, indicando o lugar de onde Howard tinha acabado de sair.

Gaia já estava tirando a calça jeans no banheiro dos funcionários quando viu a expressão no rosto de Sukhvinder.

— Que que há, Sukh? — perguntou.

O novo apelido lhe deu coragem para dizer o que, do contrário, seria incapaz de pronunciar.

— Não posso vestir isso — sussurrou ela.

— Por quê? — perguntou Gaia. — Vai ficar legal.

Mas o vestido preto tinha mangas curtas.

— Não posso.

— Por q... Minha nossa! — disse Gaia.

Sukhvinder tinha arregaçado as mangas do suéter. A parte interna dos seus braços estava coberta de cicatrizes e de cortes recém-fechados, que iam do pulso até quase o ombro.

— Sukh — disse Gaia baixinho. — Que que você anda fazendo?

Sukhvinder balançou a cabeça, com os olhos cheios de lágrimas.

Gaia pensou por um momento e então disse:

— Já sei... Venha.

Ela estava tirando a camiseta de manga comprida.

Alguém empurrou a porta com força, e o ferrolho, que não estava no lugar certo, se abriu: Andrew, suando em bicas, já ia entrando, carregando dois pacotes enormes de papel higiênico, quando um grito zangado de Gaia o deteve. Ele voltou tropeçando na direção de Maureen.

— Elas estão se trocando lá dentro... — repreendeu-o Maureen, com um tom ferino na voz.

— O sr. Mollison me disse para guardar esses pacotes no banheiro dos funcionários.

Caralho, caralho. Ela estava só de calcinha e sutiã. Ele tinha visto quase tudo.

— Desculpe — gritou Andrew na frente da porta fechada. O seu rosto chegava a latejar de tão vermelho.

— Punheteiro — resmungou Gaia do outro lado. Estava entregando a camiseta para Sukhvinder. — Ponha por baixo do vestido.

— Vai ficar estranho.

— Azar. Você arranja uma preta para a semana que vem. Vai parecer que você só usa mangas compridas. Nós contamos uma história qualquer... Eczema, ela tá com eczema — anunciou Gaia, quando saíram da sala dos funcionários, vestidas e de avental. — Pelo braço todo. Tá soltando uma casquinha.

— Ah... — disse Howard, olhando para os braços brancos da camiseta de Sukhvinder, e depois outra vez para Gaia, que estava deslumbrante, como ele havia imaginado.

— Vou arranjar uma camiseta preta na semana que vem — disse Sukhvinder, incapaz de olhar nos olhos de Howard.

— Tudo bem — exclamou ele, dando tapinhas na parte de baixo das costas de Gaia, bem acima da sua cintura, indicando que elas fossem para o café. — Preparem-se — disse a todos os funcionários. — Vamos abrir em alguns instantes... Por favor, Maureen, abra as portas!

Já havia um pequeno grupo de clientes esperando na calçada. Um cartaz do lado de fora dizia: *Copper Kettle — Inauguração hoje — Primeiros cafés de graça!*

Por horas a fio Andrew não viu mais Gaia. Howard o manteve ocupado, carregando leite e suco de fruta para cima e para baixo, pelas escadas do porão, e esfregando o chão da pequena cozinha dos fundos. E o seu horário de almoço foi antes do das duas garçonetes. Só vislumbrou Gaia rapidamente quando Howard o convocou lá no balcão do café, e eles se cruzaram, passando a poucos centímetros um do outro, ela indo na direção da sala dos fundos.

— Estamos cheios de trabalho, sr. Price — disse Howard, de muito bom humor. — Pegue um avental limpo e passe um pano nas mesas para mim, enquanto Gaia almoça.

Miles e Samantha Mollison se sentaram com as duas filhas e Shirley na mesa da janela.

— Parece que as coisas estão indo às mil maravilhas, não é mesmo? — disse Shirley, dando uma olhadinha em volta. — Mas o que a garota dos Jawanda está usando por baixo do vestido?

— Ataduras? — sugeriu Miles, apertando os olhos.

— Oi, Sukhvinder — gritou Lexie, que a conhecia da escola primária.

— Não grite, querida — repreendeu Shirley, o que deixou Samantha irritada.

Maureen saiu de trás do balcão com o seu vestido curto preto e o avental de babado, e Shirley começou a rir.

— Ah, querida — disse ela calmamente, vendo Maureen se aproximar radiante.

Era verdade, pensou Samantha, Maureen estava ridícula, especialmente ao lado das duas garotas de dezesseis anos que usavam o mesmo uniforme, mas não daria a Shirley a satisfação de concordar com ela. Ela se virou ostensivamente para o outro lado, vendo o garoto que limpava as mesas ao redor. Ele era magro, mas tinha ombros suficientemente largos. Dava para ver os seus músculos debaixo da camiseta folgada. Era incrível pensar que o traseiro grande e gordo de Miles já tinha sido tão pequeno e rijo... Então o garoto virou para a luz, e ela viu as suas espinhas.

— Não está nada mal, não é? — disse Maureen, com aquela sua voz rouca, dirigindo-se a Miles. — O café ficou lotado o dia inteiro.

— Certo, meninas — disse Miles. — E que tal se a gente aumentasse os lucros do vovô?

Samantha imediatamente pediu uma sopa quando Howard veio se arrastando lá da delicatéssen. Ele ficou andando de um lado para o outro o dia todo, entrando no café a cada dez minutos para cumprimentar os clientes e checar o dinheiro no caixa.

— Um tremendo sucesso — disse a Miles, se apertando na mesa. — O que achou, Sammy? Ainda não tinha visto, tinha? Gostou da pintura na parede? E da louça?

— Ah... — disse Samantha. — Está lindo.

— Eu estava pensando em comemorar os meus sessenta e cinco anos aqui — disse Howard, distraidamente coçando a ferida que os cremes de Parminder ainda não tinham curado —, mas não é grande o suficiente. Acho que vamos ter que ficar com o salão da igreja.

— Quando vai ser, vovô? — perguntou Lexie, toda animada. — Eu posso ir?

— Dia 29. Você está com... dezesseis?... Claro que pode ir — disse Howard, feliz.

— Dia 29? — perguntou Samantha. — Ah, mas...

Shirley lhe deu uma olhada.

— Howard está planejando isso há meses. Temos falado sobre isso o tempo todo.

— ...é a noite do show de Libby — disse Samantha.

— É alguma coisa da escola? — perguntou Howard.

— Não — respondeu Libby. — Mamãe comprou ingressos para o show da minha banda favorita. É em Londres.

— E eu vou junto — disse Samantha. — Ela não pode ir sozinha.

— A mãe de Harriet falou que ela podia...

— Já disse que, se você vai para Londres, *eu vou* com você, Libby.

— Dia 29? — perguntou Miles, olhando feio para Samantha. — O dia seguinte à eleição?

Samantha soltou a gargalhada de deboche que tinha deixado de dar quando viu Maureen.

— É o Conselho Distrital, Miles. Não vai haver coletiva de imprensa.

— Bom, vamos sentir a sua falta, Sammy — disse Howard, se levantando com a ajuda do encosto da cadeira. — Melhor pegar um... Certo, Andrew, você já acabou aqui... Vá ver se precisamos de alguma coisa do porão.

Andrew teve de esperar ao lado do balcão que as pessoas passassem, indo e voltando do banheiro. Maureen estava entregando a Sukhvinder pratos de sanduíches.

— Como está a sua mãe? — perguntou à garota repentinamente, como se a ideia tivesse acabado de lhe ocorrer.

— Bem — respondeu Sukhvinder, ficando vermelha.

— Não está muito chateada com aquelas coisas desagradáveis que escreveram sobre ela no site do Conselho?

— Não — disse Sukhvinder, com lágrimas nos olhos.

Andrew seguiu para o pátio dos fundos, que agora, no início da tarde, era quente e ensolarado. Ele tinha esperança de que Gaia estivesse ali, pegando um pouco de ar, mas ela devia ter ido para a sala dos funcionários. Desapontado, acendeu um cigarro. Mal tinha acabado de aspirar a fumaça, Gaia surgiu do café. Havia terminado de almoçar e estava com uma lata de refrigerante na mão.

— Oi — disse Andrew, com a boca seca.

— Oi — disse ela. Então, depois de um ou dois minutos, perguntou: — Ei, por que aquele seu amigo é tão filho da puta com Sukhvinder? É pessoal ou ele é racista?

— Ele não é racista — respondeu Andrew. E tirou o cigarro da boca, tentando manter as mãos firmes, sem tremer, mas não pôde pensar em mais nada para falar. O sol que batia nas lixeiras aquecia as suas costas suadas. A proximidade dela, naquele vestidinho preto apertado, o massacrava, especialmente agora que já tinha vislumbrado o que havia ali debaixo. Deu mais uma tragada, sem saber quando se sentiu assim antes, tão deslumbrado, tão vivo.

— O que foi que ela fez para ele, então?

A curva dos quadris para a cintura fina, a perfeição dos olhos grandes e cheios de manchinhas esverdeadas por cima da lata de Sprite. Andrew teve vontade de dizer: *Nada, ele é um babaca. Posso bater nele se me deixar tocar em você...*

Sukhvinder apareceu no pátio, piscando por causa da luz do sol. Estava muito desconfortável e com calor por causa da camiseta de Gaia.

— Ele está chamando você — disse a garota.

— Ele que espere — retrucou Gaia tranquilamente. — Estou terminando aqui. Só gastei quarenta minutos da hora do almoço.

Andrew e Sukhvinder ficaram olhando a garota dar outro gole no refrigerante, embasbacados com a sua arrogância e a sua beleza.

— Aquela vaca velha estava dizendo alguma coisa sobre a sua mãe? — perguntou Gaia.

Sukhvinder assentiu.

— Eu acho que deve ter sido o amigo *dele* — disse a garota, encarando Andrew novamente, e ele achou a ênfase no *dele* extremante sensual, mesmo que a intenção fosse depreciá-lo — que pôs a mensagem sobre a sua mãe no site.

— Não pode ser — disse Andrew, e a sua voz vacilou ligeiramente. — Quem quer que tenha feito isso atacou o meu pai também, há duas semanas.

— O quê? — perguntou Gaia. — A mesma pessoa postou alguma coisa sobre o seu pai?

Ele fez que sim, feliz com o interesse dela.

— Alguma coisa sobre roubo, não foi? — perguntou Sukhvinder, com um atrevimento notável.

— É — disse Andrew. — E ele foi mandado embora ontem. Então, a mãe dela — e encarou os olhos brilhantes de Gaia quase com firmeza — não é a única que está sofrendo.

— Que merda — disse Gaia, virando a lata de cabeça para baixo e, em seguida, jogando-a na lixeira. — As pessoas aqui são completamente doidas.

IV

O post sobre Parminder no site do Conselho fez os medos de Colin Wall atingirem níveis de pesadelo. Não tinha a menor ideia de onde os Mollison estavam recebendo informações, mas se sabiam disso sobre Parminder...

— Pelo amor de Deus, Colin! — exclamou Tessa. — É apenas uma fofoca maldosa! Não tem fundamento nenhum.

Mas Colin não teve coragem de acreditar nela. Era dado, por temperamento, a pensar que os outros também viviam escondendo segredos que os deixavam loucos. E nem ao menos podia encontrar algum conforto no fato de que tinha vivido a maior parte da sua vida adulta com medo de catástrofes que não aconteceram, porque, pela lei das probabilidades, isso não significava que elas não pudessem vir a acontecer de fato, um dia desses.

Estava pensando sobre a sua exposição iminente, como de costume, enquanto voltava do açougue às duas e meia, e só percebeu onde estava quando o tumulto na frente do novo café chamou a sua atenção. Teria atravessado para o outro lado da praça se já não estivesse bem na frente do Copper Kettle. A proximidade com qualquer um dos Mollison agora o assustava. E, então, viu algo pela vidraça da janela do café que o fez entender tudo.

Quando entrou na cozinha de casa dez minutos depois, viu Tessa ao telefone, falando com a irmã. Colocou a perna de cordeiro na geladeira e subiu as escadas, direto para o quarto de Bola, no sótão. Empurrou a porta de repente e, como esperava, o quarto estava vazio.

Nem se lembrava da última vez em que tinha estado ali. O chão estava coberto de roupa suja. E havia um cheiro estranho, embora Bola deixasse sempre a claraboia aberta. Colin notou uma caixa de fósforos grande sobre a escrivaninha. Ele a abriu e viu, quase sem acreditar, pequenas baganas. Perto da caixa, ao lado do computador, para quem quisesse ver, havia uma embalagem daquelas folhas finas para enrolar cigarros.

O coração de Colin batia tão forte que parecia que ia sair pela boca.

— Colin? Onde você está? — perguntou Tessa lá de baixo.

— Aqui em cima! — grunhiu ele.

Ela apareceu na porta do quarto de Bola com um ar assustado, ansioso. Sem dizer nada, ele pegou a caixa de fósforos e mostrou a ela o que havia lá dentro.

— Ah — exclamou Tessa baixinho.

— Ele disse que ia sair com Andrew Price hoje — prosseguiu Colin. Tessa ficou assustada ao ver o músculo na mandíbula de Colin pulsando, para baixo e para cima. — Acabei de passar pelo novo café na praça, e Andrew Price está trabalhando lá, limpando as mesas. Então, onde está Stuart?

Por várias semanas, Tessa tinha fingido acreditar no filho quando ele dizia que ia sair com Andrew. Ela ficava afirmando para si mesma que Sukhvinder devia estar enganada em pensar que Bola estava saindo (ou teria de algum modo consentido em sair) com Krystal Weedon.

— Não sei — respondeu ela. — Vamos descer que eu faço um chá para você. Vou ligar para ele.

— Acho que vou esperar aqui — disse Colin, sentando-se na cama toda desarrumada.

— Venha, Colin... Venha comigo — pediu Tessa.

Ela estava apavorada de deixá-lo ali no quarto. Não sabia o que ele podia achar nas gavetas ou na mochila de Bola. E não queria que ele ficasse vasculhando o computador ou debaixo da cama. Alimentava ainda mais segredos, recusando-se terminantemente a tirar aquela história a limpo.

— Venha, Colin. Vamos lá para baixo — insistiu ela.

— Não — disse Colin, e cruzou os braços como se fosse uma criança mimada, com aquele músculo saltando na mandíbula. — Usando drogas... O filho do vice-diretor!

Tessa se sentou na cadeira da escrivaninha em frente ao computador e começou a sentir que a mesma raiva de sempre tomava conta dela. Sabia que se preocupar consigo mesmo era uma consequência inevitável da doença de Colin, mas às vezes...

— Muitos adolescentes experimentam... — principiou Tessa.

— Você ainda o defende, não é? Será que não percebe que é justamente porque você está sempre passando a mão na cabeça de Stuart que ele acha que pode se safar de qualquer situação sem maiores consequências?

Ela estava tentando manter a raiva sob controle, porque sabia que devia ser um elo entre os dois.

— Desculpe, Colin, mas você e o seu trabalho não são as únicas coisas que existem...

— Sei, então se eu for demitido...

— Por que cargas-d'água você seria demitido?

— Pelo amor de Deus — gritou Colin, indignado. — Isso tudo me atinge... As coisas já estão muito ruins... Ele é o aluno mais problemático da...

— Isso não é verdade — retrucou Tessa. — Ninguém, a não ser você, acha que o Stuart é um adolescente problemático. Ele não é Dane Tully.

— Mas está indo pelo mesmo caminho... Usando drogas...

— Eu disse que você devia tê-lo mandado para a Paxton High. *Sabia* que, se ele fosse para a Winterdown, você ia achar que tudo o que ele fizesse era um ataque pessoal! Não me admira que ele esteja se rebelando, já que tudo o que ele faz ou deixa de fazer acaba se refletindo em você. Nunca quis que Stuart fosse para a sua escola.

— E eu — explodiu Colin, se levantando da cama bruscamente — nunca o quis de jeito nenhum.

— Não diga uma coisa dessas — gaguejou Tessa. — Sei que está com raiva... Mas não diga uma coisa dessas.

A porta da frente bateu lá embaixo. Tessa olhou ao seu redor, assustada, como se Bola pudesse se materializar instantaneamente ao lado deles. Mas não foi apenas o barulho que a assustou. Stuart nunca batia a porta; ele normalmente entrava e saía sorrateiramente, como se deslizasse por entre as frestas.

Ouviu os passos do filho na escada... Será que sabia ou suspeitava que eles estavam no seu quarto? Colin ficou esperando, com os punhos cerrados ao lado do corpo. Tessa ouviu aquele último degrau que rangia, e então Bola apareceu na frente deles. Tinha certeza de que ele havia estudado aquela expressão antes de entrar: uma mistura de tédio e desdém.

— Boa tarde — disse o garoto, olhando da mãe para o pai, rígido e tenso. Ele tinha a serenidade que Colin jamais teve. — Que surpresa!

Desesperada, Tessa tentou preparar o terreno.

— Papai estava preocupado porque não sabíamos onde você estava — disse ela, com um tom de súplica na voz. — Você disse que ia sair com Arf hoje, mas papai viu...

— É, mudança de planos — disse Bola.

Ele olhou de relance para o lugar onde tinha deixado a caixa de fósforos.

— Então você não quer nos contar onde esteve? — perguntou Colin. Havia manchas brancas em volta da sua boca.

— Claro, se vocês querem saber... — respondeu Bola, e esperou pela reação deles.

— Stu... — disse Tessa, meio sussurrando, meio gemendo.

— Saí com Krystal Weedon — declarou ele.

Ah, Deus do céu, não, pensou Tessa. *Não, não, não...*

— Você o quê? — indagou Colin, tão surpreso que se esqueceu de colocar agressividade na voz.

— Eu saí com Krystal Weedon — repetiu Bola, um pouco mais alto.

— E desde quando — disse Colin, depois de uma breve pausa — ela é sua amiga?

— Tem um tempo — respondeu o garoto.

Tessa percebeu que o marido lutava para fazer uma pergunta absurda demais para ser formulada.

— Você devia ter nos contado, Stu — disse ela.

— Contado o quê? — perguntou ele.

Ela estava com medo de que aquela discussão tomasse um rumo perigoso.

— Aonde você estava indo — respondeu ela, levantando-se e tentando não demonstrar nenhuma emoção. — Da próxima vez, ligue para a gente.

Tessa olhou para Colin na esperança de que ele fosse seguir o seu exemplo, andando na direção da porta. Mas ele ficou parado no meio do quarto, olhando para Bola com horror.

— Você está... envolvido com Krystal Weedon? — perguntou Colin.

Pai e filho se encararam. Colin era mais alto alguns centímetros, mas era Bola que tinha o poder.

— “Envolvido”? — repetiu o garoto. — O que você quer dizer com “envolvido”?

— Você sabe muito bem... — retrucou Colin, com o rosto ficando vermelho.

— Você quer saber se eu tô trepando com ela?

O gritinho de Tessa, "Stu!", foi completamente abafado pelo berro de Colin, "Como é que você se atreve?!".

Bola ficou apenas olhando para Colin, com um sorriso de deboche. Tudo nele era desafio e ironia.

— O quê?! — perguntou Bola.

— Você está... — cada vez mais vermelho, Colin tentava achar as palavras — ...dormindo com Krystal Weedon?

— E se eu tivesse, algum problema? — objetou ele, e olhou para a mãe enquanto dizia: — Vocês estão tentando ajudar Krystal, não estão?

— Ajudar...

— Não estão tentando manter a clínica de reabilitação aberta pra ajudar a família de Krystal?

— O que isso tem a ver...?

— Então não vejo problema nenhum se eu estiver saindo com ela.

— E você *está* saindo com ela? — indagou Tessa rispidamente. Se Bola queria levar a discussão para esse lado, que fosse. — Você está *saindo* com ela, Stuart?

Seu sorriso de deboche a enojou. Ele não parecia nem disposto a fingir algum respeito.

— Bom, como nós não transamos nem aqui nem na casa dela, sim, estou...

Colin levantou o braço com o punho cerrado e deu um soco, que acertou em cheio o rosto de Bola. O garoto, que estava prestando atenção na mãe, foi pego de surpresa. Ele cambaleou para o lado, bateu na escrivaninha e caiu no chão. Mas, logo em seguida, já tinha se levantado, e Tessa agora estava entre os dois, de frente para o filho.

Atrás dela, Colin ficava repetindo:

— Seu desgraçado! Seu desgraçado!

— Ah, é?! — disse Bola, agora sem o sorriso de deboche. — Melhor ser desgraçado do que ser um babaca que nem você!

— Não! — gritava Tessa. — Colin, saia daqui. *Saia daqui!*

Horrorizado, furioso e tremendo da cabeça aos pés, Colin hesitou um momento e depois saiu do quarto, pisando duro. Eles o ouviram tropeçar aqui e ali, descendo a escada.

— Como você pôde? — sussurrou Tessa.

— Como você pôde o quê, porra? — perguntou Stuart, e o olhar no seu rosto a deixou tão apreensiva que ela correu para trancar a porta do quarto.

— Você está se aproveitando daquela garota, Stuart, e sabe disso, e a maneira como falou com o seu...

— Porra nenhuma — gritou Bola, andando de um lado para o outro. Toda aquela aparência de indiferença tinha ido embora. — Não tô me aproveitando dela porra nenhuma. Ela sabe exatamente o que quer... Não é porque mora naquele bairro de merda que não sabe o que quer... A verdade é que você e Pombinho não querem que eu trepe com ela porque ela não é do mesmo nível...

— Isso não é verdade — disse Tessa, muito embora fosse, e, apesar de toda a preocupação que tivesse com relação a Krystal, adoraria saber que Bola teve discernimento suficiente para usar camisinha.

— Vocês são dois hipócritas de merda, você e Pombinho — disse ele, ainda andando de um lado para o outro. — Ficam repetindo todas essas babaquices sobre ajudar os Weedon, mas não querem...

— Chega! — gritou Tessa. — Não se atreva a falar comigo desse jeito. Será que você não percebe... não entende... que está sendo muito egoísta...?

Não conseguiu ir adiante. Virou de costas, andou até a porta, furiosa, e saiu, batendo-a atrás de si.

Quando Tessa saiu do quarto, Bola estranhamente parou de andar de um lado para o outro e ficou olhando a porta fechada por alguns minutos. Então enfiou a mão no bolso, pegou um cigarro e o acendeu, sem se preocupar em soprar a fumaça pela claraboia. Ficou andando em círculos pelo quarto, e não tinha nenhum controle sobre os próprios pensamentos: imagens soltas, desconexas tomaram conta da sua cabeça, passando muito rápido numa onda de fúria.

Ele se lembrou de uma sexta-feira à noite, quase um ano antes, quando Tessa veio ao seu quarto lhe dizer que o pai queria levá-lo para jogar futebol com Barry e os filhos dele.

(— O quê?! — Bola ficou atordoado. Aquela proposta não tinha nenhum cabimento.

— Só de brincadeira. É uma pelada — disse Tessa, começando a recolher a roupa suja pelo chão para evitar o olhar do filho.

— Por quê?

— Papai acha que pode ser legal — respondeu Tessa, se abaixando para pegar uma camisa da escola. — Declan quer treinar, ou algo assim. Ele vai ter um jogo importante.

Na verdade, Bola jogava futebol muito bem. As pessoas achavam isso surpreendente; achavam que alguém como ele não devia gostar de esportes e, com certeza, desprezava essa coisa de time. Mas ele jogava como falava, com muita habilidade: driblava os adversários, fazia lançamentos, arriscava jogadas, sem se preocupar com o resultado.

— Eu nem sabia que ele jogava.

— Papai joga muito bem. Quando nos conhecemos, ele jogava duas vezes por semana — disse Tessa, impaciente. — Amanhã de manhã, às dez horas, certo? Vou lavar a sua calça de moletom.)

Bola deu uma tragada no cigarro, lembrando-se disso quase sem querer. Por que tinha concordado com aquilo? Hoje em dia, teria simplesmente se recusado a participar da farsa de Pombinho. Ficaria na cama até que eles cansassem de chamá-lo. Mas, um ano antes, ainda não sabia nada sobre autenticidade.

(Em vez disso, saiu de casa com Pombinho e suportou a caminhada de cinco minutos ao lado do pai, em silêncio absoluto; um e outro igualmente conscientes do abismo que os separava.

O campo pertencia à Escola St. Thomas. Estava ensolarado e vazio. Eles se dividiram em dois times de três, porque Declan tinha convidado um amigo para passar o fim de semana na casa dele. O tal amigo, que claramente admirava Bola, veio com ele e o seu pai.

Bola e Pombinho passavam um pelo outro em silêncio, enquanto Barry, de longe o pior jogador, ficava encorajando, incentivando e aplaudindo o tempo todo, com aquele seu sotaque de Yarvil, correndo para cima e para baixo pelo campo que delimitaram usando suéteres. Quando Fergus marcou um gol, Barry correu na sua direção para que pulassem juntos, comemorando, e batessem peito com peito, mas calculou mal a distância e deu uma cabeçada no queixo do filho. Os dois caíram no chão, Fergus gemendo de dor e rindo, e Barry pedindo desculpas em meio a gargalhadas de genuína alegria. Bola se pegou rindo daquela cena, mas então ouviu a risada forçada e desajeitada de Pombinho, e se afastou, de cara amarrada.

E então veio aquele momento, aquele momento constrangedor, lamentável, quando o jogo estava empatado, e faltavam poucos minutos para o fim da partida. Ele conseguiu roubar a bola de Fergus, e Pombinho gritou:

— Vamos lá, cara!

"Cara". Pombinho nunca tinha usado essa expressão na vida. Aquilo soou vazio, forçado, digno de pena. Ele estava tentando ser como Barry, imitando aquele seu jeito espontâneo de encorajar os filhos. Pombinho estava querendo impressionar Barry.

A bola saiu voando dos seus pés como uma bala de canhão, e antes mesmo que atingisse o rosto desprevenido e abobalhado de Pombinho, antes que os seus óculos se quebrassem, antes que o sangue começasse a escorrer do seu supercílio, o garoto percebeu qual tinha sido a sua verdadeira intenção: ele quis efetivamente acertar Pombinho, e chutou aquela bola como uma punição.)

Os dois nunca mais jogaram futebol juntos. Aquela breve experiência, condenada ao fracasso, de relacionamento entre pai e filho foi arquivada como tantas outras antes dela.

E eu nunca o quis de jeito nenhum.

Tinha certeza de que escutou aquilo. Pombinho devia estar falando dele. Eles estavam no seu quarto. De quem mais estariam falando?

Não to nem aí, pensou Bola. Sempre tinha desconfiado disso. Só não sabia por que aquela sensação de frio se espalhava no seu peito. Bola recolocou a cadeira da escrivaninha no lugar onde estava, antes de cair sobre ela ao ser atingido pelo soco de Pombinho. Uma reação autêntica teria sido tirar a mãe da frente e acertar um soco na cara dele também. Quebrar os seus óculos mais uma vez. Fazê-lo sangrar. Bola ficou com ódio de si mesmo por não ter feito isso.

Mas havia outras maneiras. Há anos vinha ouvindo coisas. E sabia muito mais sobre os medos absurdos do pai do que eles imaginavam.

Os seus dedos estavam mais vagarosos que de costume. A cinza do cigarro na sua boca caiu no teclado enquanto ele entrava no site do Conselho Distrital. Semanas antes, tinha procurado por injeções SQL na internet e achou o código que Andrew não quis lhe dar. Depois de analisar a área de mensagens por alguns minutos, fez o login, sem dificuldade, como Beth Rossiter, mudou o nome do usuário para O_Fantasma_de_Barry_Fairbrother e começou a digitar.

V

Shirley Mollison estava convencida de que o marido e o filho tinham exagerado: não podia ser tão perigoso assim deixar os posts do Fantasma no ar. Não conseguia ver em que essas mensagens eram piores que uma fofoca qualquer, e isso, pelo que soubesse, ainda não era punido por lei. Também não acreditava que a lei fosse tão tola e irracional a ponto de responsabilizá-la pelo que outra pessoa escreveu. Isso seria terrivelmente injusto. Por mais orgulho que tivesse do diploma de advogado de Miles, tinha certeza de que dessa vez ele estava redondamente enganado.

Checava as mensagens no site com mais frequência do que Miles e Howard a tinham aconselhado a fazer, mas não porque estivesse com medo das possíveis consequências legais. Certa de que o Fantasma de Barry Fairbrother ainda não havia concluído a tarefa que se impôs de destruir os que eram pró-Fields, estava ansiosa para ser a primeira a colocar os olhos no próximo post. Várias vezes por dia corria para o antigo quarto de Patricia e entrava na página. Às vezes um leve arrepio percorria o seu corpo enquanto descascava batatas ou passava o aspirador de pó, e ela voava para o escritório, apenas para se desapontar mais uma vez.

Shirley sentia uma afinidade especial e secreta com o Fantasma. Ele escolhera o site dela como fórum para expor a hipocrisia dos oponentes de Howard, e isso lhe dava o orgulho de um naturalista que tinha criado um hábitat no qual espécies raras se dignavam a construir os seus ninhos. Mas não era só isso. Shirley apreciava a raiva do Fantasma, a sua ferocidade, a sua audácia. Ela se perguntava quem poderia ser, visualizando um homem forte e sombrio ao lado dela e de Howard, apoiando-os, abrindo caminho para eles em meio aos adversários, que iam caindo à medida que ele os atingia com as suas próprias e repulsivas verdades.

De algum modo, nenhum dos homens de Pagford parecia digno de ser o Fantasma, e ficaria desapontada em saber que ele era um dos membros da facção anti-Fields que conhecia.

— Isso *se* ele for realmente um homem — disse Maureen.

— Bem-pensado — retrucou Howard.

— Acho que é um homem — disse Shirley, tranquilamente.

Quando Howard saiu para o café no domingo de manhã, Shirley, ainda de robe e com uma xícara de chá na mão, foi direto para o escritório e entrou no site.

As fantasias de um vice-diretor, postado por O_Fantasma_de_Barry_Fairbrother.

Ela se sentou com as mãos trêmulas, clicou no post e o leu, boquiaberta. Depois correu para o saguão, pegou o telefone e ligou para o café, mas estava ocupado.

Apenas cinco minutos depois, Parminder Jawanda, que agora também tinha o hábito de olhar as mensagens no site do Conselho com mais frequência que antes, abriu a página e viu o tal post. Como Shirley, a sua reação imediata foi pegar o telefone.

Tessa e Colin Wall estavam tomando café da manhã sem o filho, que ainda dormia lá no quarto do sótão. Quando Tessa atendeu, Parminder nem deixou que a amiga acabasse de falar.

— Tem um post sobre Colin no site do Conselho. Não sei como, mas não deixe que ele veja isso.

Os olhos assustados de Tessa se voltaram para o marido, mas Colin estava muito próximo do aparelho e ouviu cada palavra de Parminder.

— Ligo para você mais tarde — disse Tessa, apressada. — Colin... — chamou ela, atrapalhando-se toda para desligar o aparelho. — Colin, espere...

Mas ele já tinha saído da cozinha, como uma bala, com aquele seu andar meio saltitante, os braços colados ao corpo, e Tessa teve que correr para alcançá-lo.

— Talvez seja melhor não olhar... — pediu ela, mas a mão grande e ossuda de Colin já movimentava o mouse em cima da mesa. — Ou eu posso ler e...

As fantasias de um vice-diretor

Um dos homens que espera representar a nossa comunidade no Conselho Distrital é Colin Wall, vice-diretor da Escola Secundária Winterdown. Os eleitores talvez se interessem em saber que Wall, um disciplinador severo, tem fantasias bem incomuns. O sr. Wall tem tanto medo que um aluno venha a acusá-lo de assédio sexual que frequentemente tem que se ausentar do trabalho para se acalmar. Se o sr. Wall efetivamente acariciou um aluno do primeiro ano, isso é algo que o Fantasma não pode afirmar. No entanto, o fervor das suas fantasias febris sugere que, mesmo que ele não tenha feito isso, adoraria fazê-lo.

Foi Stuart que escreveu isso, pensou Tessa imediatamente.

O rosto de Colin estava assustador à luz que vinha do monitor. Era assim que ela imaginava que ele ficaria se tivesse um derrame.

— Colin...

— Eu acho que Fiona Shawcross contou para todo mundo — sussurrou ele.

A catástrofe que havia temido desde sempre se abateu sobre ele. Era o fim de tudo. Sempre se imaginou tomando pílulas para dormir. Será que havia o suficiente em casa?

Tessa, que ficou momentaneamente confusa com aquela menção à diretora, retrucou:

— Fiona não faria isso... De todo modo... ela não sabe...

— Ela sabe que tenho TOC.

— É, mas ela não sabe... do que você tem medo...

— Sabe, sim — respondeu Colin. — Eu disse a ela na última vez em que tirei licença.

— Por quê? — esbravejou Tessa. — Deus do céu, por que você foi contar isso a ela?

— Queria explicar por que era tão importante que eu me afastasse um tempo — respondeu Colin, quase humilde. — Achei que ela tinha que saber como era sério.

Tessa controlou um desejo intenso de gritar com ele. A aversão que se podia perceber na forma como Fiona o tratava ou falava dele agora estava explicada. Tessa nunca tinha gostado dela, sempre muito dura e pouco solidária.

— Seja como for — disse ela —, não acho que Fiona tenha alguma coisa a ver com...

— Não diretamente — interrompeu Colin, enxugando o suor de cima dos lábios com a mão trêmula. — Mas Mollison deve ter ouvido alguma fofoca sabe-se lá onde.

Não foi Mollison. Stuart escreveu isso, sei que foi ele. Tessa podia reconhecer o filho em cada linha. Era impressionante que Colin não visse isso, que não tivesse ligado a mensagem à briga de ontem, ao soco que tinha dado no filho. *Ele não pôde nem resistir a terminar com uma aliteração. Deve ter escrito todas as mensagens... Simon Price. Parminder.* Tessa estava horrorizada.

Mas Colin não estava pensando em Stuart. Estava evocando pensamentos tão vívidos quanto lembranças, quanto impressões sensoriais, ideias violentas e vis: a mão que apalpava e agarrava quando ele ia passando em meio à massa compacta de corpos juvenis; um grito de dor, o rosto contorcido de uma criança. E ele se perguntando incessantemente: tinha mesmo feito aquilo? Tinha gostado? Não conseguia se lembrar. Sabia apenas que continuava pensando naquilo, vendo aquilo acontecer, sentindo aquilo acontecer. Carnes macias em uniformes de algodão azul; apalpar e agarrar, dor, choque, violação. Quantas vezes? Não sabia. Ficava horas se perguntando quantas crianças conheciam o seu segredo, se elas tinham falado umas com as outras, quanto tempo levaria até que fosse descoberto.

Sem saber ao certo quantas vezes molestou alguém, e incapaz de confiar em si mesmo, Colin andava sempre carregado de papéis e pastas para manter as mãos ocupadas e não poder atacar ninguém, quando passava pelos corredores. Gritava, pedindo ao bando de crianças que saísse da frente, que se afastasse para deixá-lo passar. Mas não adiantava. Sempre havia os atrasados, que passavam por ele correndo, esbarrando nele, e, com as mãos ocupadas, Colin imaginava outras formas de contatos inapropriados: um movimento de ombros para que o cotovelo roçasse num seio; um passo para o lado para garantir que os corpos se tocassem; uma perna acidentalmente enroscada para que sentisse a virilha na sua carne.

— Colin — disse Tessa.

Mas ele começou a chorar, soluçando tanto que o seu corpo grande e desengonçado se sacudia todo. E quando ela o abraçou e apertou o rosto contra o dele, as suas lágrimas se misturaram.

A alguns quilômetros de distância, em Hilltop House, Simon Price estava sentado na sala de estar, na frente de um computador novinho em folha. Ao ver Andrew sair pela manhã, de bicicleta, para o trabalho de fim de semana com Howard Mollison, e ao lembrar que teve que pagar o preço de mercado por aquele computador, Simon ficou irritado e ainda por cima se sentindo injustiçado. Não voltou a entrar no site do Conselho Distrital desde a noite em que havia jogado fora o computador roubado, mas hoje lhe ocorreu, por uma associação de ideias, checar se a mensagem que tinha lhe custado o emprego ainda estava lá, podendo ser vista por possíveis empregadores.

Não estava. Simon não sabia se devia isso à mulher, porque Ruth, por medo, não queria admitir que havia ligado para Shirley, mesmo que tivesse sido para pedir a remoção do post. Animado pelo fato de a mensagem não estar mais lá, procurou pelo post sobre Parminder, que também já havia sido removido.

Já estava quase fechando a página quando viu o post mais recente, intitulado As fantasias de um vice-diretor. Ele o leu duas vezes e então, sozinho na sala de estar, começou a rir. Foi uma risada selvagem, triunfante. Nunca tinha gostado daquele homem grande e saltitante, com aquela testa enorme. Era bom saber que, comparado a esse sujeito, ele próprio até que tinha se dado bem.

Ruth entrou na sala, sorrindo timidamente. Estava contente de ouvir Simon rir, porque ele andava num humor medonho desde que perdera o emprego.

— Do que você está rindo?

— Sabe o pai de Bola? Wall, o vice-diretor?... Ele é um maldito pedófilo.

O sorriso de Ruth desapareceu. E ela correu para ler o post.

— Vou tomar um banho — disse Simon, no maior bom humor.

Ruth esperou até que ele tivesse saído da sala para ligar para a amiga Shirley e alertá-la sobre esse novo escândalo, mas o telefone dos Mollison estava ocupado.

Shirley tinha, finalmente, conseguido falar com Howard na delicatéssen. Ela ainda estava de robe, e ele andava de um lado para o outro, na pequena sala atrás do balcão.

— ...estava tentando falar com você há um tempão...

— Mo estava no telefone. O que está escrito? Devagar.

Shirley leu a mensagem sobre Colin, pronunciando cada palavra como se fosse uma apresentadora de jornal. Não chegou ao fim da mensagem; Howard a interrompeu antes.

— Você copiou a mensagem em algum lugar?

— O quê?

— Está lendo da tela? Isso ainda está no site? Você ainda não tirou isso de lá?

— Estou tirando agora — mentiu Shirley, assustada. — Pensei que você ia gostar...

— Tire logo! Deus do céu, Shirley, isso está ficando fora de controle... Não podemos deixar esse tipo de coisa no site.

— Só achei que você devia...

— Trate de se livrar disso imediatamente e conversamos quando eu chegar — gritou Howard.

Shirley ficou furiosa: eles nunca tinham levantado a voz um para o outro.

VI

A próxima reunião do Conselho Distrital, a primeira depois da morte de Barry, seria fundamental para a batalha que vinha se travando com relação a Fields. Howard se recusou a adiar a votação sobre o futuro da Clínica de Reabilitação Bellchapel e sobre o desejo do vilarejo de transferir a jurisdição do bairro para Yarvil.

Por isso Parminder tinha sugerido que ela, Colin e Kay se encontrassem à noite, na véspera da reunião, para traçarem uma estratégia.

— Pagford não pode decidir unilateralmente alterar os limites do distrito, pode? — perguntou Kay.

— Não — respondeu Parminder, com toda a paciência (Kay continuava sendo uma recém-chegada) —, mas o Conselho Municipal consulta Pagford, e Howard está determinado a fazer com que a opinião *dele* seja aprovada.

O encontro foi na casa dos Wall, porque Tessa tinha pressionado Colin a convidá-las, para que pudesse ouvir a conversa. Tessa serviu o vinho, colocou uma vasilha grande com batata frita sobre a mesinha de centro e se sentou em silêncio, ouvindo os outros três falar.

Estava exausta e zangada. O post anônimo sobre Colin o fez ter uma das crises de ansiedade mais agudas que jamais tivera. Foi tão grave que ele não pôde ir à escola. Parminder sabia como ele estava doente — foi ela que assinou o atestado para justificar as faltas —, mas ainda assim o convocou para essa reunião estratégica, sem se importar, ao que parecia, com possíveis novas efusões de paranoia e angústia, com que Tessa teria de lidar durante a noite.

— Há definitivamente uma indignação no ar com relação à maneira como os Mollison estão agindo — dizia Colin, naquele tom imponente e erudito que por vezes adotava quando fingia não saber o que eram o medo e a paranoia. — Eles pensam que podem falar em nome de Pagford, e acho que isso está começando a irritar as pessoas. Pelo menos foi essa a impressão que tive quando andei conversando com as pessoas.

Seria tão bom, pensou Tessa com amargura, se às vezes Colin pudesse usar essa capacidade de dissimulação em benefício *dela*. Algum tempo atrás, teria gostado de ser a única confidente dele, o repositório dos seus terrores e a fonte de toda a sua confiança, mas agora não ficava mais envaidecida com isso. Colin continuava acordando-a às duas da manhã para que, até as três e meia, ela o visse se balançar para a frente e para trás sentado na beira da cama, gemendo e chorando, dizendo que queria morrer, que não podia suportar aquilo, que desejava nunca ter se candidatado àquela cadeira, que estava arruinado...

Tessa ouviu os passos de Bola na escada e ficou tensa, mas o filho passou pela porta aberta na direção da cozinha sem fazer nada, a não ser lançar um olhar sarcástico para Colin, que estava empoleirado num pufe de couro na frente da lareira, com os joelhos quase encostados no peito.

— Talvez a candidatura de Miles esteja efetivamente desagradando a todos... Mesmo os que naturalmente apoiam os Mollison — disse Kay, esperançosa.

— É possível — concordou Colin, balançando a cabeça.

Kay se virou para Parminder.

— Você acha que o Conselho vai realmente votar para despejar a Bellchapel? Sei que as pessoas reclamam das agulhas descartáveis e dos viciados perambulando pela vizinhança, mas a clínica fica a quilômetros de distância... Por que Pagford se incomoda tanto com isso?

— Howard e Aubrey apoiam um ao outro — explicou Parminder, com o rosto tenso e umas olheiras arroxeadas. (Era ela que iria participar da reunião do Conselho no dia seguinte e lutar contra Howard Mollison e os seus comparsas sem Barry ao seu lado.) — Estão precisando fazer uns cortes nos gastos da administração municipal. Se Howard expulsa a clínica daquele prédio, vai ser muito mais caro encontrar outro lugar para abrigá-la. Fawley pode alegar então que os custos aumentaram e justificar assim o corte da verba do Conselho. Então, ele fará o possível para que Fields seja reintegrado a Yarvil.

Cansada de tantas explicações, Parminder fingiu que examinava a nova pilha de documentos sobre a Bellchapel que Kay havia levado, para descansar um pouco daquela conversa.

Por que estou fazendo isso?, perguntou a si mesma.

Podia ter ficado em casa, ao lado de Vikram, que estava assistindo a uma comédia na televisão com Jaswant e Rajpal quando ela saiu. O som da risada deles a abalou. Quando foi que ela tinha rido pela última vez? Por que estava ali, bebendo um vinho horroroso, lutando por uma clínica de que nunca ia precisar e pela moradia de pessoas de quem provavelmente não gostaria, se as conhecesse? Não era Bhai Kanhaiya, que não via diferença entre a alma dos aliados e dos inimigos; não via a luz de Deus brilhando em Howard Mollison. E tinha mais prazer em pensar na derrota de Howard do que na possibilidade de as crianças de Fields continuarem frequentando a St. Thomas ou de os viciados do bairro se curarem na Bellchapel, embora, de uma maneira fria e desapaixonada, reconhecesse que todas essas coisas eram boas...

(Mas sabia por que realmente estava fazendo aquilo tudo. Queria vencer por Barry. Ele lhe contou tudo sobre quando foi estudar na St. Thomas. Os seus colegas de turma o convidavam para brincar na casa deles. Como na época estava vivendo num trailer com a mãe e os dois irmãos, ficou encantado com aquelas casas limpas e confortáveis da Hope Street, deslumbrado com os casarões vitorianos da Church Row. Chegou a ir a uma festa de aniversário naquela casa estranha, com formato de cabeça de vaca, que acabou comprando, tempos depois, para criar os quatro filhos.

Ele se apaixonou por Pagford, com o seu rio, os seus campos e as suas casas de paredes sólidas. E se imaginava vivendo numa delas, com um jardim para brincar, uma árvore para pendurar um balanço, espaço e verde por todos os lados. Ele catava castanhas e as levava para Fields. Depois de brilhar na St. Thomas, onde sempre teve as melhores notas, Barry foi o primeiro da família a ir para a universidade.

Amor e ódio, pensou Parminder, um pouco assustada com a própria honestidade. *Amor e ódio, é por isso que estou aqui...*)

Virou a página de um dos documentos de Kay, fingindo que se concentrava nele.

Kay ficou feliz por ver a doutora examinando atentamente os relatórios que ela havia trazido, já que teve muito trabalho e levou um bom tempo para aprontá-los. Não podia acreditar que alguém, depois de ler esse material, não ficasse imediatamente convencido de que a Clínica Bellchapel tinha que permanecer exatamente onde estava.

Mas para Kay, em meio a todas aquelas estatísticas, aqueles estudos de caso anônimos e depoimentos pessoais, só uma paciente naquela clínica interessava: Terri Weedon. Podia sentir que Terri estava diferente, o que a deixava a um só tempo orgulhosa e assustada. Ela vinha dando uns sinais bem frágeis de começar a ter algum controle sobre sua própria vida. Nos últimos tempos, por duas vezes, disse a Kay: "Eles não vão levar Robbie. Não vou deixar", e isso não era apenas uma agressividade impotente descarregada contra o destino, mas uma verdadeira carta de intenções.

— Eu levei ele pra escola ontem — disse a Kay, que cometeu o erro de demonstrar o seu espanto. — Por que essa cara, porra? Não acredita que levei ele pra merda da escola?

Se as portas da Bellchapel se fecharem para Terri, com certeza a estrutura delicada que elas estavam tentando construir com os destroços de uma vida iria pelos ares, em mil pedaços. Terri parecia ter um medo visceral de Pagford que Kay não conseguia entender.

— Odeio a porra daquele lugar — disse ela, quando Kay o mencionou por acaso.

Tudo que Kay sabia sobre a relação de Terri com Pagford era que a sua falecida avó sempre tinha morado no vilarejo. No entanto, a ideia de ver Terri obrigada a ir até lá toda semana para conseguir a metadona a deixava apavorada: achava que o seu autocontrole ia desmoronar e, com ele, a frágil segurança que a família vinha adquirindo.

Colin resolveu prosseguir de onde Parminder tinha parado, explicando a história de Fields; Kay assentia, entediada, dizendo "hã, hã", mas os seus pensamentos estavam muito longe dali.

Ele estava profundamente lisonjeado por ver essa mulher jovem e atraente beber cada uma das suas palavras. Sentia-se um pouco mais calmo essa noite, pela primeira vez desde que tinha lido aquele post já removido do site. Nenhuma das catástrofes que ficava imaginando quando se deitava na cama aconteceu. Não tinha sido demitido. Não precisou enfrentar uma multidão raivosa à sua porta. Ninguém no site do Conselho de Pagford, ou tampouco em nenhum outro site na internet (tinha feito várias pesquisas no Google), estava pedindo que fosse vigiado ou levado para a prisão.

Bola passou novamente pela porta aberta, tomando um iogurte às colheradas. Olhou de relance para a sala e, por um breve instante, encontrou os olhos de Colin, que imediatamente perdeu o fio do que estava dizendo.

— ...e... bem, sim, resumindo, é isso — concluiu ele, de forma lamentável. Voltou-se para Tessa em busca de confiança, mas a mulher estava olhando impassível para o nada. Colin ficou um pouco magoado. Achava que Tessa ia gostar de vê-lo se sentindo tão melhor, tão mais controlado, depois daquelas noites insones e miseráveis. A medonha sensação do pavor atacava o seu estômago, mas ficava bem ao lado de Parminder, que, como ele, era vítima e bode expiatório nessa história toda, e da assistente social jovem e bonita que lhe dava uma atenção solidária.

Ao contrário de Kay, Tessa havia escutado cada palavra que Colin tinha acabado de dizer sobre o direito de Fields permanecer ligado a Pagford. Não havia, na sua opinião, nenhuma convicção por trás das palavras de Colin. Ele queria acreditar no que Barry tinha acreditado, e queria derrotar os Mollison porque era isso o que Barry queria fazer. Colin não gostava de Krystal Weedon, mas, como Barry gostava muito dela, admitia que devia haver mais valor naquela garota do que ele podia perceber. Tessa sabia muito bem que ele era uma mistura estranha de arrogância e humildade, convicções inabaláveis e insegurança.

Estão completamente iludidos, pensou Tessa, olhando os três enquanto examinavam um gráfico que Parminder tinha extraído das anotações de Kay. *Pensam que vão reverter sessenta anos de raiva e ressentimento com algumas páginas de estatísticas.* Nenhum deles era Barry. Ele tinha sido um exemplo vivo do que as pessoas propunham na teoria: através da educação, sair da pobreza para a riqueza, da falta de poder e dependência para dar uma contribuição valiosa à sociedade. Será que não viam que advogados inúteis eles eram, comparados àquele homem que tinha morrido?

— As pessoas estão muito irritadas porque os Mollison estão tentando comandar tudo — disse Colin.

— E acho — reforçou Kay — que vai ser difícil para eles, depois de ler esse material, fingirem que a clínica não está fazendo um trabalho fundamental.

— Nem todo mundo se esqueceu de Barry lá no Conselho — acrescentou Parminder, com um ligeiro tremor na voz.

Tessa percebeu que os seus dedos engordurados estavam tentando pegar alguma coisa no vazio. Enquanto os outros três falavam, ela acabou sozinha com a vasilha de batata frita.

VII

Era uma manhã clara e quente, e o laboratório de informática da Winterdown foi ficando abafado à medida que a hora do almoço se aproximava, e as janelas sujas da sala salpicavam os monitores empoeirados com pontos de luz que ajudavam a desviar a atenção. Mesmo que Gaia e Bola não estivessem ali para distraí-lo, Andrew Price não conseguia se concentrar. Não pensava em outra coisa, a não ser na conversa dos pais que tinha escutado na noite anterior. Estavam pensando em se mudar para Reading, onde a irmã e o cunhado de Ruth moravam. Atento às vozes que vinham da porta aberta da cozinha, Andrew ficou parado no pequeno corredor escuro e ouviu tudo: aparentemente, Simon tinha recebido uma oferta de emprego, ou havia a possibilidade de receber, do tio que Andrew e Paul mal conheciam, porque o seu pai não gostava dele.

— Vou ganhar menos — disse Simon.

— Você não sabe. Ele não falou...

— Deve ser. E tudo lá é mais caro.

Ruth fez um barulhinho indefinido. Quase sem respirar ali no corredor, Andrew poderia afirmar, apenas pelo simples fato de a sua mãe não ter se apressado em concordar com Simon, que ela queria ir.

O garoto achava impossível imaginar os seus pais morando em outra casa que não fosse Hilltop House, ou em outro cenário que não Pagford. Tinha certeza de que os dois viveriam ali para sempre. Ele, Andrew, um dia iria para Londres, mas Simon e Ruth ficariam enraizados àquele vale como árvores, até morrerem.

Pé ante pé, voltou para o quarto e ficou vendo pela janela as luzes cintilantes de Pagford no fundo escuro do vale entre as colinas. Parecia até que nunca tinha visto aquela paisagem antes. Em algum lugar lá embaixo, Bola estava fumando no seu quarto no sótão, provavelmente vendo sites de pornografia. Gaia também estava lá, absorta nos misteriosos rituais, típico das garotas. Ocorreu a Andrew que ela tinha passado por isso, foi arrancada do lugar em que vivia e transplantada para Pagford. Enfim teriam algo em comum. E sentiu um prazer melancólico ao pensar que, se fosse embora, partilharia algo com ela.

Mas Gaia não causou o seu próprio desenraizamento. Com um aperto na boca do estômago, pegou o celular e mandou uma mensagem para Bola:

Docinho de Coco tem oferta de emprego em Reading. Deve aceitar.

Bola ainda não havia respondido, e Andrew não o viu durante toda a manhã, porque não tinham as mesmas aulas naquele dia. Também não esteve com Bola nos últimos fins de semana, porque estava trabalhando no Copper Kettle. A última conversa que tiveram foi sobre o post de Bola falando de Pombinho no site do Conselho.

— Acho que Tessa tá desconfiada — disse Bola. — Ela fica me olhando como se soubesse.

— E o que você vai dizer? — murmurou Andrew, assustado.

Conhecia muito bem o desejo de glória e reconhecimento de Bola, e também a sua paixão por empunhar a verdade como uma arma, mas não tinha certeza se o amigo compreendia que o seu papel de protagonista nas atividades do Fantasma de Barry Fairbrother jamais devia ser revelado. Nunca havia sido muito fácil explicar a Bola o que era ter Simon como pai e, de um modo geral, estava ficando cada vez mais difícil explicar as coisas para o amigo.

Quando o professor de informática passou por ele e ficou parado num ângulo de onde não poderia vê-lo, Andrew buscou Reading na internet. A cidade era imensa em comparação a Pagford. Tinha um festival de música anual e ficava apenas a uns sessenta quilômetros de Londres. Deu uma olhada nos horários dos trens. Talvez pudesse ir à capital nos fins de semana, exatamente como fazia pegando o ônibus para Yarvil. Mas aquilo tudo parecia irreal: Pagford era tudo o que conhecia, e não conseguia imaginar a família existindo em outro lugar.

Na hora do almoço, foi direto para a rua procurar por Bola. Acendeu um cigarro assim que saiu do pátio e ficou feliz em ouvir, enquanto guardava o isqueiro no bolso, uma voz feminina, que disse:

— E aí?!

Gaia e Sukhvinder o alcançaram.

— Tudo bem? — perguntou ele, soprando a fumaça do cigarro longe do rosto lindo de Gaia.

Os três tinham agora alguma coisa que ninguém mais tinha. Dois fins de semana de trabalho no café haviam criado uma ligação tênue entre eles. Conheciam todo o repertório de frases de Howard e suportaram o interesse lascivo de Maureen pelas suas vidas particulares. Riram juntos dos joelhos enrugados da mulher, naquele vestido de garçonete curto demais, e trocaram, como comerciantes em terra estrangeira, pequenas pérolas de informação pessoal. As garotas sabiam que o pai de Andrew tinha perdido o emprego. Andrew e Sukhvinder sabiam que Gaia estava trabalhando para juntar dinheiro e comprar uma passagem de trem para Hackney. Gaia e Andrew sabiam que a mãe de Sukhvinder odiava que a filha trabalhasse para Howard Mollison.

— Onde está o seu amigo Bola? — perguntou ela, quando os três começaram a andar juntos.

— Sei não — respondeu Andrew. — Não vi ele ainda.

— Melhor assim — disse Gaia. — Quantos desse aí você fuma por dia?

— Não fico contando — respondeu ele, animado ao ver o interesse dela. — Quer um?

— Não — disse Gaia. — Detesto cigarro.

Imediatamente Andrew ficou imaginando se ela também detestava beijar quem fuma. Niamh Fairbrother não tinha reclamado quando ele enfiou a língua na sua boca, na festa da escola.

— Marco não fuma? — perguntou Sukhvinder.

— Não, ele é atleta — respondeu Gaia.

A essa altura, Andrew já estava quase acostumado à figura de Marco de Luca. Na verdade, havia algumas vantagens naquela situação: apaixonada por alguém de fora de Pagford, Gaia estava de certa forma protegida. Com o tempo, o impacto das fotografias dos dois juntos na página do Facebook já tinha se atenuado. Não conseguia decidir se aquilo era só um desejo seu ou não, mas achava que as mensagens que deixavam um para o outro por lá estavam se tornando menos frequentes e menos carinhosas. Não podia saber o que acontecia pelo telefone ou por e-mail, mas tinha certeza, pelo rosto de Gaia quando alguém mencionava o nome de Marco, de que ela não estava muito animada.

— Olha ele ali — disse Gaia.

Não, ela não estava falando do bonitão do Marco, mas de Bola Wall, que conversava com Dane Tully do lado de fora da loja de conveniência.

Sukhvinder parou de repente, mas Gaia a puxou pelo braço.

— Você pode andar por onde quiser — disse Gaia, empurrando-a delicadamente e apertando os olhos, enquanto se aproximavam do lugar onde Bola e Dane estavam.

— E aí, Arf! — saudou Bola, quando os três se aproximaram.

— Fala — disse Andrew.

Tentando evitar problemas, principalmente que Bola resolvesse implicar com Sukhvinder na frente de Gaia, perguntou:

— Viu a minha mensagem?

— Que mensagem? — perguntou Bola. — Ah, vi... Aquela história do Si? Você vai embora, então, é isso?

Disse aquilo de um jeito tão indiferente... Andrew só podia atribuir aquela atitude à presença de Dane Tully.

— É, talvez — respondeu Andrew.

— Pra onde você vai? — perguntou Gaia.

— O meu pai recebeu uma oferta de emprego em Reading — disse Andrew.

— Ah, é onde o meu pai mora — retrucou Gaia, surpresa. — Podemos sair juntos quando eu for pra lá. O festival é o máximo. Você quer um sanduíche, Sukh?

Andrew ficou tão atordoado com a proposta de Gaia que, quando conseguiu esboçar alguma reação, ela já tinha desaparecido dentro da loja de conveniência. Por um instante, o ponto de ônibus imundo, a loja de conveniência e até mesmo Dane Tully, com as suas tatuagens, a camiseta e a calça de moletom surradas, pareciam emanar uma luz celestial.

— Até mais, tenho umas coisas pra fazer — disse Bola.

Dane deu uma risadinha. E antes que Andrew pudesse dizer qualquer coisa ou se oferecer para acompanhá-lo, Bola já tinha ido embora.

Bola sabia que Andrew ficaria perplexo e magoado com o seu comportamento indiferente, e estava contente com isso. Não quis entender por que estava contente ou por que aquele desejo generalizado de provocar sofrimento vinha sendo a sua emoção dominante nos últimos dias. Recentemente, tinha decidido que questionar os seus próprios motivos era uma forma de inautenticidade; um aperfeiçoamento da sua filosofia, o que a tornava, de modo geral, mais fácil de ser seguida.

Enquanto se dirigia a Fields, Bola ia pensando no que tinha acontecido na sua casa, na noite anterior. A mãe entrou no seu quarto pela primeira vez desde que Pombinho lhe deu aquele soco.

(— Aquela mensagem sobre o seu pai no site do Conselho Distrital — disse ela. — Tenho que perguntar isso, Stuart, e espero... Stuart, foi você que escreveu aquela mensagem?

Ela levou alguns dias para criar coragem de acusá-lo, e ele estava preparado.

— Não — respondeu.

Talvez tivesse sido mais autêntico dizer sim, mas tinha preferido não falar nada, e não via por que deveria se justificar para si mesmo.

— Não foi você? — perguntou ela, sem alterar a voz ou a expressão do rosto.

— Não — repetiu ele.

— Porque muito, muito poucas pessoas sabem o que papai... com o que ele se preocupa.

— É, mas não fui eu.

— O post foi colocado na mesma noite em que você e papai tiveram aquela discussão e ele lhe deu...

— Já disse que não fui eu.

— Você sabe que ele é doente.

— É, você vive me dizendo isso.

— Eu vivo dizendo isso porque é verdade! Ele não pode evitar... Tem uma doença mental séria, que causa enorme angústia e sofrimento.

O celular de Bola deu um toque, e ele olhou de relance para a mensagem de Andrew, que aparecia na tela. O texto foi um verdadeiro soco na boca do estômago: Arf ia embora para sempre...

— Estou falando com você, Stuart...

— Tá bom... O que é?

— Todos esses posts... Simon Price, Parminder, papai... Você conhece todas essas pessoas. Se está por trás de tudo isso...

— Já disse, não fui eu.

— ...está causando um mal enorme. Um mal muito sério e terrível, Stuart, à vida das pessoas.

Bola tentou imaginar a vida sem Andrew. Eles se conheciam desde que tinham cinco anos.

— Não fui eu — disse mais uma vez.)

Um mal muito sério e terrível à vida das pessoas.

Foram eles que fizeram as suas próprias vidas, pensou com ironia, dobrando a esquina da Foley Road. As vítimas do Fantasma de Barry Fairbrother estavam atoladas na lama da hipocrisia e das mentiras, e não gostavam de escândalos. Eram insetos estúpidos que fugiam da luz brilhante. Não sabiam nada da vida real.

Viu uma casa logo à frente, com um pneu careca na grama no meio do quintal. Tinha uma forte desconfiança de que aquela fosse a casa de Krystal, e, quando viu o número, soube que tinha razão. Nunca estivera ali antes e nunca teria aceitado encontrá-la em casa, na hora do almoço, quinze dias atrás. Mas as coisas haviam mudado. Ele havia mudado.

Diziam que a mãe dela era prostituta. Com certeza era viciada. Krystal lhe disse que estaria sozinha em casa porque a mãe iria à Clínica de Reabilitação Bellchapel receber a sua dose de metadona. Bola caminhou pelo quintal sem diminuir o passo, mas com uma ansiedade inesperada.

Krystal estava olhando da janela do quarto para ver quando ele chegasse. Fechou as portas de todos os cômodos lá embaixo, de modo que ele só pudesse ver o corredor. Pegou tudo o que estava espalhado e jogou dentro da sala e da cozinha. O carpete estava gasto e queimado em algumas partes, e o papel de parede, manchado, mas ela não podia fazer nada a respeito disso. Não tinha sobrado nenhum desinfetante com cheiro de pinho. Ela borrifou a cozinha e o banheiro, de onde vinha o cheiro ruim da casa, com um resto de água sanitária que conseguiu encontrar.

Quando Bola bateu, ela desceu correndo. Não tinham a tarde toda pela frente. Terri devia estar de volta com Robbie à uma hora. Não era muito tempo para se fazer um bebê.

— Oi — disse ela, abrindo a porta.

— Tudo bem? — perguntou Bola, soltando a fumaça do cigarro pelo nariz.

Não sabia muito bem o que esperava encontrar ali. A primeira impressão que teve do interior da casa foi a de estar dentro de uma caixa encardida e vazia. Não havia móveis, e as portas fechadas à sua esquerda e em frente eram estranhamente ameaçadoras.

— Estamos sozinhos? — perguntou o garoto, assim que cruzou a soleira da porta.

— Estamos. Vamos lá pra cima. Pro meu quarto.

Ela o levou. Quanto mais se embrenhava na casa, pior ficava aquele cheiro de água sanitária misturado a imundície. Bola tentava não ligar. Todos os cômodos do andar de cima estavam com a porta fechada, exceto um. Krystal entrou nele.

O garoto não queria parecer chocado, mas não havia nada no quarto a não ser um colchão, coberto com um lençol e um edredom velho, e uma pequena pilha de roupas amontoadas no canto. Na parede, umas fotos recortadas de revistas foram grudadas com fita adesiva; era uma mistura de astros da música e outras celebridades.

Krystal tinha feito a colagem na véspera, imitando a que havia na parede do quarto de Nikki. Como sabia que Bola viria, quis deixar o quarto mais acolhedor. Fechou as cortinas finas, o que deu uma tonalidade azulada à luz do dia.

— Me dá um cigarro. Tô fissurada.

Ele acendeu um para ela. Estava mais nervosa do que nunca; ele a preferia convencida e experiente.

— Não temos muito tempo — disse ela, com o cigarro na boca, começando a tirar a roupa. — Minha mãe vai voltar logo.

— É, tá na Bellchapel, né? — perguntou Bola, tentando de algum modo recuperar aquela Krystal durona.

— É — respondeu, sentando-se no colchão e tirando a calça de moletom.

— O que vai acontecer se eles fecharem? — perguntou o garoto, tirando o blazer. — Ouvi dizer que estão pensando nisso.

— Não sei — respondeu Krystal, mas na verdade estava assustada. A força de vontade da mãe, frágil e vulnerável como um passarinho ainda no ninho, podia vacilar com a mais ínfima ameaça.

Ela já estava só de calcinha e sutiã. Bola tirava os sapatos quando percebeu alguma coisa escondida debaixo das roupas amontoadas: a caixinha de joias de plástico aberta e, enrolado dentro dela, um relógio que ele conhecia.

— Isso é da minha mãe? — perguntou, surpreso.

— O quê? — retrucou Krystal, em pânico. — Não — mentiu. — Era da minha vó Cath. Não...!

Ele o tirou da caixa.

— É dela — disse o garoto, reconhecendo a pulseira.

— Não é porra nenhuma.

A garota estava aterrorizada. Já tinha praticamente esquecido que tinha roubado aquele relógio e de quem ele era. Bola ficou calado, e ela não gostou nada daquilo.

O relógio na mão dele a um só tempo o desafiava e repreendia. Numa sucessão rápida de imagens, se viu indo embora, colocando-o descuidadamente no bolso, ou devolvendo-o a Krystal, dando de ombros.

— É meu — disse ela.

Ele não queria dar uma de polícia. Queria ser sem lei. Mas só o devolveu a ela e continuou tirando a roupa quando lembrou que aquele relógio tinha sido um presente de Pombinho. Vermelha, Krystal tirou a calcinha e o sutiã e entrou, nua, debaixo do edredom.

Bola se aproximou dela, de cueca samba-canção, segurando uma camisinha ainda na embalagem.

— Não vamos precisar disso — disse ela, com firmeza. — Tô tomando pílula agora.

— Ah, tá?

Ela se afastou para dar lugar a ele no colchão. Bola entrou debaixo do edredom.

Enquanto tirava a cueca, ficou se perguntando se ela estaria mentindo sobre a pílula como estava sobre o relógio. Mas queria experimentar sem camisinha, para variar.

— Vai logo — sussurrou ela, pegando o pacotinho quadrado da mão dele e o atirando sobre o blazer largado no chão.

Bola imaginou Krystal grávida de um filho seu; a cara que Tessa e Pombinho fariam quando lhes desse a notícia. Um filho em Fields, a sua carne e o seu sangue. Pombinho jamais aguentaria um baque desses.

Foi para cima dela. Isso, ele sabia, era a vida real.

VIII

Às seis e meia da tarde, Howard e Shirley Mollison entraram no salão da igreja de Pagford. Shirley estava carregando uma pilha de papéis, e Howard usava o colar oficial de presidente do Conselho, decorado com as cores azul e branca das insígnias de Pagford.

O assoalho rangeu sob o peso maciço de Howard, enquanto ele se dirigia à cabeceira das mesas arranhadas, que já estavam dispostas ali, uma colada à outra. Howard gostava tanto desse salão quanto da sua própria loja. As escoteiras o usavam nas terças, e o Instituto das Mulheres, nas quartas. Ele tinha sediado bazares beneficentes e comemorações de datas especiais, recepções de casamento e velórios, e cheirava a todas essas coisas: a roupas usadas e café; a bolo caseiro e salada de batata; a poeira e corpos humanos; mas fundamentalmente a madeira envelhecida e pedra. Lustres em bronze batido pendiam das vigas do teto em grossos cabos pretos, e as portas de mogno entalhadas conduziam até a cozinha.

Shirley circulava de um lado para o outro, distribuindo papéis. Adorava as reuniões do Conselho. Além de ficar orgulhosa e se divertir vendo Howard presidi-las, Maureen não participava delas. Como não tinha nenhuma obrigação oficial, devia se contentar com as migalhas que Shirley se dignasse a partilhar com ela.

Os outros conselheiros foram chegando sozinhos ou aos pares. Howard os cumprimentava efusivamente, a voz trovejante ecoando pelas vigas do teto. Era raro os dezesseis membros do Conselho comparecerem às reuniões; hoje ele esperava que viessem doze.

Metade das cadeiras já estava ocupada quando Aubrey Fawley chegou, andando daquele seu jeito habitual, como se estivesse enfrentando uma ventania, parecendo fazer um grande esforço, com o tronco ligeiramente encurvado e a cabeça baixa.

— Aubrey! — exclamou Howard, alegremente, e pela primeira vez se adiantou para cumprimentar um recém-chegado. — Como vai? E Julia? Receberam o meu convite?

— Desculpe, eu não...

— Para os meus sessenta e cinco anos? Aqui... no sábado... depois da eleição.

— Ah, claro, claro. Howard, tem uma jovem lá fora... Ela disse que é da *Gazeta de Yarvil e Adjacências*. Alison qualquer coisa.

— Ah... — replicou Howard. — Estranho. Acabei de mandar o meu artigo para ela, sabe, o que escrevi em resposta ao de Fairbrother... Talvez tenha alguma coisa a ver com isso. Vou até lá.

Ele se afastou, adernando o corpo de um lado para o outro, cheio de pressentimentos vagos. Parminder Jawanda entrou quando ele se aproximava da porta. Com as sobrancelhas franzidas, como de costume, passou direto por ele, sem o cumprimentar, e pela primeira vez Howard não perguntou "Tudo certinho com Parminder?".

Lá fora, no pátio, encontrou uma mulher jovem e loura, atarracada e de ombros largos, com uma aura de animação imperturbável, com a qual Howard se identificou de imediato. Ela estava segurando um notebook, observando as iniciais esculpidas na porta dupla.

— Olá, olá — disse Howard, respirando com certa dificuldade. — Alison, não é? Howard Mollison. Você veio até aqui só para me dizer que escrevo muito mal?

Ela sorriu e apertou a mão que ele lhe estendeu.

— Ah, não, gostamos do artigo — assegurou ela. — É que, como as coisas estão ficando bem interessantes, pensei em vir assistir à reunião. Tem algum problema? A presença de jornalistas é permitida, não é? Andei dando uma olhada no regulamento.

Ela se dirigia para a porta enquanto falava.

— Claro, claro, os jornalistas podem assistir às reuniões do Conselho — disse Howard, seguindo-a. Deteve-se, porém, na porta do salão, num gesto cortês, para deixar que ela entrasse primeiro. — Exceto quando há casos que precisam ser discutidos a portas fechadas.

Ela o encarou, e ele pôde ver os seus dentes, mesmo na luz fraca do fim de tarde.

— Como todas essas mensagens anônimas no seu site, fazendo acusações? Do Fantasma de Barry Fairbrother?

— Ah, querida — respondeu Howard, chiando a cada expiração e sorrindo para ela. — Com certeza elas *não* interessam ao seu jornal. São só uns comentários tolos de internet.

— Foram somente alguns? Disseram que a maior parte foi removida do site.

— Não, não, estão enganados — respondeu Howard. — Foram apenas dois ou três, que eu saiba. Brincadeiras de mau gosto. Pessoalmente — acrescentou ele, improvisando mais que depressa —, acho que isso é coisa de garoto.

— Garoto?

— É, adolescentes se divertindo.

— Adolescentes teriam como alvo os conselheiros distritais? — perguntou ela, ainda sorrindo. — Ouvi dizer que uma das vítimas perdeu o emprego. Possivelmente por causa das alegações feitas contra ele no seu site.

— Isso é novidade para mim — disse Howard, mentindo. Shirley tinha encontrado com Ruth lá no hospital na véspera e ficou sabendo dessa história.

— Vi na pauta — disse Alison, quando os dois finalmente entraram na sala toda iluminada — que vocês vão discutir sobre a Bellchapel. O sr. Fairbrother e o senhor fizeram boas observações sobre os dois lados da questão nos seus artigos... Recebemos algumas cartas depois da publicação do texto do sr. Fairbrother. Meu editor ficou satisfeito. Qualquer coisa que faça as pessoas escreverem para o jornal...

— É, li essas cartas — comentou Howard. — Ninguém parece ter nada de bom a dizer sobre a clínica, não é?

Os conselheiros à mesa estavam observando os dois. Alison Jenkins olhou para eles, com um sorriso imperturbável.

— Deixe-me pegar uma cadeira para você — disse Howard. Ligeiramente ofegante, levantou uma delas e a colocou a uns trinta centímetros da mesa.

— Obrigada — disse Alison, puxando a cadeira uns quinze centímetros mais para perto.

— Senhoras e senhores — alertou Howard. — A imprensa estará presente na nossa sessão de hoje à noite. Apresento-lhes a srta. Alison Jenkins, da *Gazeta de Yarvil e Adjacências*.

Alguns dos conselheiros se mostraram interessados na presença de Alison e até contentes com isso, mas a maioria parecia desconfiada. Howard voltou com dificuldade para o seu lugar na cabeceira da mesa, perto de Aubrey e Shirley, que o observavam sem entender nada.

— O Fantasma de Barry Fairbrother — disse a eles, em voz baixa, enquanto se sentava com todo o cuidado numa cadeira de plástico (tinha quebrado uma delas duas reuniões antes). — E Bellchapel. Ah, aí está você, Tony — gritou ele, dando o maior susto em Aubrey. — Venha, Tony... E vamos dar mais uns minutinhos para Henry e Sheila chegarem também, pode ser?

O burburinho da conversa em volta da mesa estava levemente mais baixo do que de costume. Alison Jenkins já escrevia algo no seu notebook. *Tudo culpa de Barry Fairbrother*, pensou Howard, irritado. Ele era o conselheiro que convidava a imprensa para as reuniões. Por um breve instante, Howard pensou em Barry e no seu Fantasma como uma única e mesma pessoa, um encrenqueiro vivo ou morto.

Como Shirley, Parminder havia trazido um monte de papéis para a reunião. No alto daquela pilha estava a pauta, que ela fingia ler para não ter de falar com ninguém. Na verdade, estava pensando na mulher sentada praticamente atrás dela. A *Gazeta de Yarvil e Adjacências* publicou uma nota sobre a morte de Catherine Weedon e a acusação da família contra a médica. O nome de Parminder não tinha sido citado, mas, sem dúvida alguma, a jornalista sabia quem ela era. Talvez Alison também soubesse do post anônimo a seu respeito no site do Conselho.

Calma! Você está ficando igual a Colin.

Howard já estava lendo as justificativas de não comparecimento e pedindo para alterar a ordem de alguns tópicos previstos na pauta, mas Parminder mal podia ouvi-lo por causa do som do próprio sangue pulsando nos seus ouvidos.

— Agora, a menos que alguém tenha alguma objeção — anunciou Howard —, vamos tratar dos itens oito e nove primeiro, porque o conselheiro municipal Fawley tem novidades a respeito de ambos, e não vai poder ficar conosco por muito tempo...

— Tenho que sair às oito e meia — disse Aubrey, olhando para o relógio.

— ...claro, então, a menos que haja alguma objeção... Ninguém?... A palavra é sua, Aubrey.

Aubrey começou a falar de um jeito simples e desapaixonado. Havia uma nova revisão de limites a caminho, e, pela primeira vez, fora de Pagford, manifestava-se o desejo de reintegrar Fields a Yarvil. Aparentemente, arcar com os custos relativamente baixos que Pagford tinha com Fields era algo que valia a pena aos olhos daqueles que esperam trazer para Yarvil votos de oposição ao governo. Ali, eles fariam uma diferença considerável, ao passo que em Pagford, que desde os anos 1950 vinha se mantendo como um reduto conservador, eles estariam sendo desperdiçados. A coisa toda poderia ser feita a pretexto de simplificação e eficiência: afinal, Yarvil já fornece quase todos os serviços para o bairro.

Aubrey concluiu dizendo que, se Pagford realmente desejava eliminar aquele bairro da sua jurisdição, seria muito útil que o vilarejo comunicasse o seu desejo ao Conselho Municipal.

— ...uma mensagem clara e direta... — disse ele —, e acho que realmente dessa vez...

— Nunca funcionou antes — disse um fazendeiro, e ouviu-se um burburinho geral de concordância.

— Mas agora vai funcionar, John. Nós nunca fomos convidados a dar a nossa opinião antes — retrucou Howard.

— Não devíamos decidir qual é a nossa posição antes de declará-la publicamente? — perguntou Parminder, com voz gélida.

— Certo — disse Howard, indiferente. — Gostaria de começar, dra. Jawanda?

— Não sei quantas pessoas leram o artigo de Barry na *Gazeta* — principiou Parminder. Todos os rostos se voltaram para a médica, e ela tentou não pensar no post anônimo ou na jornalista sentada bem ali atrás. — Acho que ele apresenta argumentos convincentes para que Fields seja mantido como parte de Pagford.

Parminder viu Shirley, que estava escrevendo diligentemente, dar um sorrisinho para a caneta.

— Dizendo como isso beneficiou pessoas como Krystal Weedon? — perguntou Betty, uma senhora idosa que estava na ponta da mesa. Parminder sempre odiou aquela mulher.

— Lembrando que as pessoas que moram em Fields também fazem parte da nossa comunidade — respondeu ela.

— Eles se consideram parte de Yarvil — disse o fazendeiro. — Sempre foi assim.

— Eu me lembro do dia em que Krystal Weedon empurrou outra criança no rio durante um passeio da escola — afirmou Betty.

— Não foi bem assim — contestou Parminder, com raiva. — Minha filha estava lá... Foram dois garotos brigando... De todo modo...

— Ouvi dizer que tinha sido Krystal Weedon — insistiu Betty.

— Ouviu errado — retrucou Parminder, tão exaltada que chegou a gritar.

Todos ficaram chocados. Ela também. O eco da sua voz reverberou nas paredes velhas. Parminder mal podia engolir; manteve a cabeça baixa, olhando fixamente para a pauta, e ouviu a voz de John vinda lá do outro lado.

— Barry teria feito melhor se tivesse falado de si mesmo, e não daquela garota. Ele, sim, foi muito beneficiado por estudar na St. Thomas.

— O problema é que, para cada Barry — disse outra mulher —, ficamos com um monte de marginais.

— Eles são gente de Yarvil, ponto final — sentenciou um homem. — Eles pertencem a Yarvil.

— Isso não é verdade — rebateu Parminder, mantendo deliberadamente a voz baixa, embora todos tenham se calado para ouvi-la, esperando vê-la gritar outra vez. — Não é verdade mesmo. Vejam os Weedon. Esse era o ponto central do artigo de Barry. Eles são uma família de Pagford há muitas gerações, mas...

— Mas se mudaram para Yarvil! — disse Betty.

— Não havia moradia aqui — disse Parminder, lutando contra a própria raiva —, e nenhum de vocês queria novas construções na periferia da cidade.

— Vocês não estavam aqui, sinto muito — disse Betty, com o rosto vermelho, olhando ostensivamente para o lado oposto de Parminder. — Vocês não conhecem a história.

Todos começaram a falar ao mesmo tempo. De repente, havia uma série de grupinhos conversando, e Parminder não conseguia ouvir nada do que eles diziam. Com um nó na garganta, não se atrevia a olhar ninguém nos olhos.

— Vamos votar? — perguntou Howard, gritando da cabeceira da mesa, e todos fizeram silêncio novamente. — Quem for a favor de informar ao Conselho Municipal que Pagford ficará feliz com a redefinição dos limites, tirando Fields da nossa jurisdição, levante a mão.

As mãos de Parminder estavam fechadas no seu colo com tanta força que ela podia sentir as unhas entrando na própria carne. Houve um ruído de braços se erguendo ao redor dela.

— Excelente! — exclamou Howard, e o êxtase na sua voz ressoou triunfante pelas vigas do teto. — Bem, Tony, Helen e eu vamos redigir um texto e o enviaremos a todos vocês. Se for aprovado, acabamos logo com isso. Excelente!

Alguns conselheiros aplaudiram. Os olhos de Parminder ficaram enevoados, e ela começou a piscar com força. A pauta parecia girar, entrando e saindo de foco. Fez-se um silêncio tão longo que ela acabou erguendo os olhos: Howard, em sua excitação, teve que recorrer à bombinha, e a maioria dos conselheiros o observava com ar solícito.

— Bem, então — disse Howard, ainda chiando ao respirar. Pôs a bombinha de lado, com o rosto vermelho e sorridente, e prosseguiu. — A menos que alguém tenha algo mais a acrescentar — fez uma ligeira pausa —, podemos passar ao item nove. A Bellchapel. Aubrey tem algo a nos dizer sobre essa questão também.

Barry não deixaria isso acontecer. Ele teria discutido. Teria feito John rir e votar conosco. Ele devia ter escrito sobre si mesmo e não sobre Krystal... Eu o decepcionei.

— Obrigado, Howard — disse Aubrey, enquanto o sangue latejava nos ouvidos de Parminder, e ela enfiava ainda mais as unhas nas palmas das mãos. — Como todos sabem, temos que fazer cortes drásticos na administração municipal...

Ela sempre foi apaixonada por mim, e mal conseguia esconder isso cada vez que me olhava...

— ...e um dos projetos que temos que examinar é a Bellchapel — prosseguiu Aubrey. — Achei que devia dizer algumas palavras, porque, como sabem, o prédio pertence ao distrito de Pagford...

— ...e o contrato está chegando ao fim — acrescentou Howard. — É isso.

— Mas ninguém está interessado naquele lugar, está? — perguntou um contador aposentado do outro lado da mesa. — Está em muito mau estado, pelo que ouvi dizer.

— Ah, tenho certeza de que a gente pode achar um novo inquilino — disse Howard, com toda a tranquilidade —, mas essa não é a questão. A questão aqui é saber se achamos que a clínica está fazendo um bom...

— Essa não é a questão aqui, de jeito nenhum — disse Parminder, cortando-o. — Não é atribuição do Conselho Distrital decidir se a clínica está fazendo um bom trabalho ou não. Nós não destinamos recursos para financiar o trabalho deles. Então isso não é da nossa competência.

— Mas somos os donos do prédio — disse Howard, ainda sorrindo, sempre educado —, então acredito que é natural que queiramos considerar...

— Se vamos considerar as informações sobre o trabalho da clínica, acho que é muito importante que tenhamos um retrato justo do que é feito por lá — retrucou Parminder.

— Me desculpe — disse Shirley, voltando-se para Parminder, piscando os olhos. — Mas será que poderia fazer a gentileza de não interromper o presidente, dra. Jawanda? É dificílimo tomar notas quando as pessoas falam junto com as outras. E agora fui eu que interrompi — acrescentou, sorrindo. — Me desculpe.

— Imagino que a comunidade queira manter os recursos que arrecadamos com o prédio — disse Parminder, ignorando Shirley. — E, que eu saiba, não temos outro potencial inquilino em vista. Então me pergunto por que teríamos que considerar o fim do contrato com a clínica.

— Eles não curam os pacientes — disse Betty. — Simplesmente lhes dão mais drogas. E eu ficaria bem feliz de vê-los fora dali.

— Nós vamos ter que tomar decisões bem difíceis no Conselho Municipal — afirmou Aubrey Fawley. — O governo está querendo uma economia de mais de um bilhão das administrações locais. Não vamos poder continuar oferecendo determinados serviços como fazíamos antes. Essa é a realidade.

Parminder odiava o modo como os conselheiros agiam com Aubrey, bebendo as suas palavras ditas com aquela voz profunda e modulada, e assentindo gentilmente enquanto ele falava. Sabia perfeitamente que alguns deles a chamavam de Aluga-Ouvido.

— Pesquisas mostram que o uso de drogas ilícitas aumenta durante períodos de recessão — disse Parminder.

— Porque eles querem — falou Betty. — Ninguém os obriga a usar drogas.

A médica olhou ao seu redor, buscando apoio para o que tinha dito. Shirley sorriu para ela.

— Vamos ter que fazer escolhas duras — disse Aubrey.

— Então estão de acordo com Howard — interrompeu-o Parminder —, e já decidiram que vão dar à clínica um empurrãozinho, obrigando-a a sair do prédio.

— Posso listar maneiras muito melhores de gastar o dinheiro do que com um bando de criminosos — disse o contador.

— Eu cortaria todos os benefícios deles — declarou Betty.

— Fui convidado para essa reunião para deixá-los a par do que está acontecendo na administração municipal — disse Aubrey calmamente. — Nada além disso, dra. Jawanda.

— Helen — bradou Howard, apontando para outra conselheira, cuja mão estava levantada e que, havia alguns minutos, tentava dar a sua opinião.

Parminder não ouviu nada do que a mulher disse. Já tinha até se esquecido da pilha de papéis que estava debaixo da pauta, à qual Kay Bawden dedicou tanto tempo: as estatísticas, o perfil dos casos de sucesso, a explicação dos benefícios do uso da metadona contra a dependência de heroína, estudos mostrando o custo financeiro e social dessa dependência. Tudo à sua volta parecia estar se dissolvendo, tornando-se ligeiramente irreal. Sabia que explodiria como jamais havia explodido na vida, e não havia mais como lamentar, prevenir ou fazer qualquer coisa, exceto ver acontecer. Era tarde, tarde demais...

— ...a cultura dos direitos adquiridos — disse Aubrey. — Pessoas que praticamente nunca trabalharam um dia sequer na vida.

— E, convenhamos — pontificou Howard —, esse é um problema com uma solução muito simples. *Parem de usar drogas.*

Ele se virou para Parminder sorrindo, conciliador.

— Chamam isso de abstinência, não é assim, dra. Jawanda?

— Ah, então você acha que eles devem assumir a responsabilidade pelo seu vício e mudar o seu comportamento, é isso? — perguntou Parminder.

— De forma simplificada, sim.

— Antes que gastem mais dinheiro do governo.

— Exata...

— E você? — perguntou Parminder bem alto, enquanto a explosão silenciosa começava a tomar conta dela. — Sabe quantos milhares de libras *você*, Howard Mollison, custa ao serviço de saúde, por causa de sua incapacidade de parar de se empanturrar?

Uma mancha vermelho-escura intensa se espalhava pelo pescoço de Howard e ia subindo pelo seu rosto.

— Sabe quanto a sua ponte de safena custou ao governo, e os remédios, e a sua longa estada no hospital? E as consultas médicas a que você vai por causa da asma, da pressão alta e daquela erupção cutânea horrorosa...? Tudo isso causado pela sua recusa em perder peso.

À medida que a voz de Parminder ia se transformando em gritos estridentes, outros conselheiros começaram a protestar em defesa de Howard. Shirley se pôs de pé, e Parminder continuava berrando, recolhendo os papéis que, sabe-se lá como, tinham se espalhado enquanto ela gesticulava.

— E quanto ao sigilo médico? — berrava Shirley. — Ultrajante. Isso é absolutamente ultrajante.

Parminder já passava apressada pela porta, quando ouviu, a despeito do seu próprio choro convulsivo, Betty pedir a sua expulsão imediata do Conselho. Estava fugindo do salão sabendo que tinha provocado um cataclismo, e não queria mais nada além de ser tragada pela escuridão e desaparecer para sempre.

IX

A *Gazeta de Yarvil e Adjacências* foi, no mínimo, excessivamente cautelosa ao relatar o que havia sido dito durante a mais cáustica reunião do Conselho Distrital de Pagford. Fez pouca diferença. O relato atenuado do jornal foi generosamente aumentado pelas vívidas descrições das testemunhas oculares, oferecidas por todos os que estiveram presentes, e ainda gerava um falatório indiscriminado. Para piorar ainda mais as coisas, uma matéria de primeira página detalhava os ataques anônimos na internet com o nome do homem morto, que, para citar Alison Jenkins, "*causaram muita especulação e raiva. Ver reportagem integral na página quatro*". Ainda que os nomes dos acusados e os detalhes das suas supostas transgressões não tenham sido revelados, ver os termos "alegações sérias" e "atividades criminosas" impressos no papel perturbou Howard muito mais do que os posts originais.

— Nós devíamos ter reforçado a segurança do site assim que o primeiro post apareceu — disse ele, se dirigindo à mulher e à sócia em frente à lareira.

Uma chuvinha miúda de primavera batia na janela, e a grama escura reluzia com minúsculos pontinhos avermelhados de luz. Howard chegava a tremer e monopolizava todo o calor que emanava do carvão artificial. Por vários dias, quase todo cliente da delicatéssen e do café falava sobre os posts anônimos, sobre o Fantasma de Barry Fairbrother e sobre a explosão de Parminder Jawanda na reunião do Conselho. Howard odiava que todos agora estivessem comentando o que ela lhe disse, aos berros. Pela primeira vez na vida, não se sentia à vontade na sua loja e estava preocupado com a sua reputação antes inabalável em Pagford. A eleição para a substituição de Barry Fairbrother no Conselho aconteceria no dia seguinte, e, se antes isso o deixava animado e otimista, agora gerava preocupação e nervosismo.

— Toda essa história causou um mal enorme. Um mal *enorme* — repetia ele.

A sua mão avançava pela barriga para se coçar, mas ele a tirava rapidamente dali, suportando a coceira com a resignação de um mártir. Não esqueceria tão cedo o que a dra. Jawanda havia gritado para o Conselho e para a imprensa. Ele e Shirley já tinham examinado as determinações do Conselho Geral de Medicina, procurado o dr. Crawford e apresentado uma queixa formal. Parminder não tinha sido vista no trabalho desde então, porque sem dúvida já se arrependera daquela explosão. No entanto, Howard não podia esquecer o que viu no seu rosto enquanto ela gritava. Nunca havia visto tanto ódio no rosto de um outro ser humano, e isso o deixou transtornado.

— Daqui a pouco ninguém mais vai falar sobre isso — assegurou-lhe Shirley.

— Não tenho tanta certeza — disse Howard. — Não tenho tanta certeza. Isso denigre a nossa imagem. A do Conselho. Brigas na frente da imprensa. Parece que estamos divididos. Aubrey disse que o Conselho Municipal não ficou nada satisfeito. Essa coisa toda enfraquece a nossa decisão sobre Fields. Bate-boca em público, tudo vai ficando enlameado... Fica parecendo que o Conselho não está falando em nome do vilarejo.

— Mas estamos — disse Shirley, com uma risadinha. — Ninguém mais quer Fields em Pagford... Bem, quase ninguém.

— A reportagem fez parecer que o nosso lado está se impondo sobre os pró-Fields. Que tentamos intimidá-los — disse Howard, sucumbindo à tentação de se coçar e fazendo isso com vontade. — Tudo bem que Aubrey sabe que não foi ninguém do nosso lado, mas não foi isso que aquela jornalista fez parecer. E vou lhe dizer uma coisa: se Yarvil nos fizer parecer desonestos e ineptos... Eles procuram por uma chance de nos colocar sob a sua jurisdição há anos.

— Isso não vai acontecer — rebateu Shirley imediatamente. — Isso não pode acontecer.

— Eu pensei que tivesse acabado — disse Howard, ignorando a mulher e falando de Fields. — Pensei que havíamos conseguido. Que tínhamos nos livrado deles.

O artigo ao qual dedicara tanto tempo, explicando por que o bairro e a Clínica de Reabilitação Bellchapel drenavam os recursos de Pagford e manchavam o seu nome, tinha sido completamente obscurecido pelo escândalo da explosão de Parminder e pelo Fantasma de Barry Fairbrother. Howard agora já nem se lembrava do prazer que sentiu ao ler as acusações contra Simon Price, e que não lhe passara pela cabeça remover o tal post até que a mulher de Simon pediu que o tirassem de lá.

— O Conselho Municipal me mandou um e-mail — disse ele a Maureen — com uma série de perguntas sobre o site. Queriam saber que precauções estamos tomando para evitar a difamação. Acham que a segurança é negligente.

Shirley, que viu nesse comentário uma crítica pessoal, retrucou friamente:

— Eu disse que já cuidei disso, Howard.

O sobrinho de uns amigos do casal tinha passado por lá na véspera, enquanto Howard estava no trabalho. O rapaz estava quase se formando em ciência da computação. Recomendou a Shirley que tirassem do ar aquele site ridiculamente fácil de ser *hackeado* e chamassem "alguém que saiba o que está fazendo" para desenvolver um novo.

Shirley mal entendeu todo o jargão técnico que ele havia usado. Sabia que *hackear* era violar sistemas ilegalmente, e, quando o estudante parou de falar aquela língua incompreensível, ficou toda confusa, com a impressão de que o Fantasma havia conseguido de alguma maneira descobrir a senha das pessoas, talvez apenas perguntando a elas astuciosamente durante uma conversação casual.

Já tinha mandado e-mails pedindo a todos que trocassem as suas senhas e não as revelassem a ninguém. Era o que queria dizer com "já cuidei disso".

Quanto à sugestão de tirar do ar o site do qual era curadora e guardiã, Shirley não tomou nenhuma providência e nem sequer comentou o fato com Howard. Tinha medo de que um site com todas as medidas de segurança sugeridas por aquele rapaz pretensioso estivesse muito além das suas habilidades técnicas e administrativas. Já tinha atingido o limite da sua capacidade, mas estava determinada a manter o posto de administradora.

— Se Miles for eleito... — principiou Shirley, mas logo foi interrompida pela voz grave de Maureen.

— Vamos torcer para que toda essa coisa desagradável não arranhe a sua candidatura. Vamos torcer para que não haja nenhuma repercussão contra ele.

— As pessoas sabem que Miles não tem nada a ver com isso — disse Shirley, com frieza.

— Sabem mesmo? — retrucou Maureen, e Shirley a odiou. Como se atrevia a se sentar na sala dela e contradizê-la? E, o que era pior, Howard estava balançando a cabeça, concordando com Maureen.

— Essa é a minha preocupação — disse ele. — E precisamos de Miles mais do que nunca, para dar novamente alguma coesão ao Conselho. Depois que Aluga-Ouvido disse o que disse... depois de todo aquele tumulto... nós nem votamos sobre a Bellchapel. Precisamos de Miles.

Shirley já tinha saído da sala, num protesto mudo por Howard ter ficado do lado de Maureen. Foi para a cozinha preparar o chá, irritada, pensando se não devia levar só duas xícaras, para a outra entender que não era bem-vinda, afinal, ela bem que merecia.

No fundo, tudo o que sentia pelo Fantasma era uma admiração desafiadora. As acusações dele tinham exibido toda a verdade sobre pessoas das quais ela não gostava e a quem desprezava; pessoas que eram teimosas e destrutivas. Tinha certeza de que o eleitorado de Pagford veria as coisas como ela e votaria em Miles, e não naquele homem repulsivo, o tal Colin Wall.

— Quando temos que ir votar? — perguntou Shirley, entrando na sala novamente com a bandeja de chá tilintando, e ignorando Maureen de forma proposital (porque era o nome do filho deles que todos marcariam na cédula).

Mas, para piorar a sua irritação, ouviu Howard sugerir que eles três fossem juntos, depois de fechar a loja.

Miles Mollison estava quase tão preocupado quanto o pai, achando que aquele clima de irritação sem precedentes nos dias que antecediam a eleição pudesse afetar as suas chances eleitorais. Naquela manhã, entrou na loja de conveniência da praça e ouviu um pedaço da conversa entre a mulher do caixa e um cliente já bem idoso.

— ...Mollison sempre achou que era o rei de Pagford — dizia o velho, sem ligar para a expressão impassível da atendente da loja. — Eu gostava de Barry Fairbrother. Foi uma tragédia. Uma tragédia. O filho do Mollison fez nossos testamentos, e achei ele muito metido a besta.

Ao ouvir isso, Miles ficou sem jeito, deu meia-volta e saiu dali, com o rosto pegando fogo como um garoto de escola. Perguntava-se se não teria sido este velho tão bem-articulado que enviou aquela carta anônima. A sua crença de que todos gostavam muito dele estava abalada, e ficou tentando imaginar como se sentiria se ninguém votasse nele no dia seguinte.

Quando estava se despindo para ir deitar naquela noite, ficou observando o reflexo da esposa no espelho da penteadeira. Há dias Samantha vinha sendo sarcástica sempre que ele mencionava a eleição. Gostaria de receber algum apoio, algum conforto naquela noite. E estava excitado também. Já fazia muito tempo. Parando para pensar, achou que havia sido na noite anterior à morte de Barry Fairbrother. Ela estava um pouco bêbada. Mas, nos últimos tempos, ela sempre precisava estar um pouco bêbada.

— Como foi o trabalho? — perguntou ele, vendo-a tirar o sutiã na frente do espelho.

Samantha não respondeu imediatamente. Esfregou as marcas vermelhas deixadas pelo sutiã apertado debaixo dos braços e então disse, sem olhar para Miles:

— Estava mesmo querendo conversar com você sobre isso.

Detestava ter que tocar nesse assunto. Era algo que vinha adiando há semanas.

— Roy acha que tenho que fechar a loja. Ela não está indo muito bem.

Não dava para lhe dizer até que ponto os negócios iam mal: isso seria um choque para Miles. Ela própria ficou chocada quando o contador expôs a situação em termos bem claros. Ela já sabia e não sabia. É estranho como a nossa cabeça pode saber o que o coração se recusa a aceitar.

— Ah — exclamou Miles. — Mas vai ficar com o site?

— Vou.

— Isso é bom — disse Miles, encorajando-a. Esperou quase um minuto, em respeito à morte da loja, e então prosseguiu: — Imagino que você não tenha visto a *Gazeta* hoje.

Samantha pegou a camisola em cima do travesseiro, e ele deu uma boa olhada nos seios dela. Sem dúvida, sexo hoje o ajudaria a relaxar.

— É uma pena, Sam — disse ele, engatinhando pela cama às suas costas e esperando que ela vestisse a camisola, para só então abraçá-la. — Essa história da loja. Era um lugarzinho fantástico. E já são quantos anos... dez?

— Quatorze — respondeu ela.

Sabia o que ele queria. Pensou em dizer para ele ir se foder e fugir para o quarto de hóspedes, mas o problema era que então haveria discussão e ficaria um climão entre eles, e o que ela queria mais do que tudo no mundo era poder ir para Londres com Libby dali a dois dias, usando a camiseta que tinha comprado para as duas, e ficar bem perto de Jake e dos seus companheiros de banda por uma noite inteira. Samantha tinha depositado toda a sua felicidade na perspectiva daquela viagem. Mas não era só isso: o sexo podia amenizar o aborrecimento que Miles vinha demonstrando por ela não ir ao aniversário de Howard.

Deixou então que ele a abraçasse e beijasse. Fechou os olhos, subiu em cima do marido e se imaginou cavalgando Jake numa praia deserta de areia branca, ela com dezenove anos, e ele com vinte e um. E gozou imaginando que Miles os observava, furioso, com um binóculo, de um pedalinho distante.

X

Às nove da manhã do dia da eleição para a vaga de Barry no Conselho Distrital, Parminder deixou a antiga casa paroquial e subiu a Church Row, para passar na casa dos Wall. Bateu à porta e esperou até que, finalmente, Colin apareceu.

Ele estava com olheiras profundas, os olhos vermelhos e o rosto encovado. A sua pele parecia ter se tornado mais fina, e as suas roupas, maiores. Ainda não tinha voltado ao trabalho. Saber que Parminder havia revelado informações médicas confidenciais sobre Howard em público aos berros interrompeu o processo ainda tão incipiente da sua recuperação. Aquele Colin robusto de algumas noites atrás, que se sentou no pufe de couro e fingia estar confiante na vitória, parecia nunca ter existido.

— Está tudo bem? — perguntou ele, fechando a porta, desconfiado.

— Está, sim — respondeu ela. — Pensei que você quisesse ir até o salão da igreja comigo para votarmos.

— Eu... não — replicou ele, de forma quase inaudível. — Desculpe.

— Sei como se sente, Colin — disse a médica em voz baixa, mas firme. — Mas, se não votar, eles vão vencer. E não vou deixar eles vencerem. Vou até lá e vou votar em você, e quero que venha comigo.

Parminder tinha sido efetivamente suspensa do trabalho. Os Mollison apresentaram queixa formal a todas as associações profissionais cujo endereço conseguiram achar, e o dr. Crawford aconselhou Parminder a tirar uma licença. Para a sua grande surpresa, ela se sentiu estranhamente aliviada.

Mas Colin insistia, fazendo que não com a cabeça. E Parminder achou que tinha visto lágrimas nos seus olhos.

— Não consigo, Minda.

— Consegue, sim — disse ela. — Você *consegue*, Colin! Tem que fazer frente a eles. Pense em Barry!

— Não consigo... Desculpe... Eu...

Ele pareceu engasgar, e então caiu no choro. Colin já tinha chorado na frente dela antes, lá na clínica, soluçando convulsivamente, desesperado com o peso do medo que carregava todos os dias da sua vida.

— Venha comigo — disse ela, sem ficar constrangida, e o segurou pelo braço, conduzindo-o até a cozinha. Lá lhe estendeu um papel-toalha e o deixou se entregar ao choro. — Onde está Tessa?

— No trabalho — gaguejou ele, enxugando os olhos.

Havia um convite para a festa de aniversário de sessenta e cinco anos de Howard Mollison na mesa da cozinha; alguém o tinha rasgado bem no meio.

— Recebi um desses também — disse Parminder. — Antes de gritar com ele. Ouça, Colin. Votar...

— Não consigo — sussurrou Colin.

— ...vai mostrar a eles que não nos derrotaram.

— Mas eles nos derrotaram — respondeu Colin.

Parminder caiu na gargalhada. Depois de ficar olhando para ela por um instante, boquiaberto, Colin começou a rir também: uma risada sonora como o latido de um cachorro grande.

— Certo, eles nos tiraram dos nossos empregos — disse Parminder —, e nenhum de nós está querendo sair de casa, mas, fora isso, acho que, na verdade, estamos muito bem.

Colin tirou os óculos e pressionou o papel-toalha nos olhos molhados, sorrindo.

— Vamos *lá*, Colin. Quero votar em você. Ainda não acabou. Depois que eu perdi as estribeiras e disse a Howard que ele não era melhor do que um drogado na frente do Conselho inteiro e da imprensa local...

Colin começou a rir de novo, e ela ficou contente. Não o via rir assim desde o Ano-Novo, e foi Barry que o tinha feito rir.

—...eles se esqueceram de votar o despejo da Clínica Bellchapel. Então, por favor, pegue o seu casaco. Vamos até lá juntos.

Colin parou de fungar e de dar risadinhas nervosas. Olhava as próprias mãos, esfregando uma na outra, como se as estivesse lavando.

— Ainda temos uma chance, Colin. Você pode fazer a diferença. As pessoas não gostam dos Mollison. Se você entrar, vamos ficar numa posição muito mais forte para lutar. Por favor, Colin.

— Está certo — concordou ele, depois de alguns instantes, impressionado com a própria ousadia.

Era uma caminhada curta no ar fresco e puro, cada um segurando com força o seu título de eleitor. Não havia ninguém votando àquela hora no salão da igreja, exceto eles. Os dois fizeram um X ao lado do nome de Colin e saíram dali com a sensação de alívio de quem não foi apanhado em flagrante.

Até o meio-dia, Miles Mollison não tinha ido votar. Quando estava saindo do escritório, parou na porta da sala do seu sócio.

— Estou indo votar, Gav — anunciou.

Gavin fez sinal mostrando que estava ao telefone; falava com a companhia de seguros de Mary.

— Ah... Desculpe... Estou indo votar, Shona — disse Miles, se virando para a secretária.

Não custava nada lembrar que contava com o apoio deles. Desceu a escada correndo e se dirigiu para o Copper Kettle, onde tinha combinado de encontrar a mulher, numa conversa breve depois do sexo da véspera, para que pudessem ir juntos até o salão da igreja.

Samantha passou a manhã em casa, deixando a loja aos cuidados da sua funcionária. Sabia que não podia mais adiar; tinha que contar a Carly que a loja ia fechar e que ela ficaria desempregada, mas não conseguiu fazer isso antes do fim de semana e do show em Londres. Quando Miles apareceu com aquele sorrisinho animado, foi tomada pela fúria.

— Papai não vem? — foram as primeiras palavras dele.

— Eles vão mais tarde, depois que fecharem a loja — respondeu Samantha.

Havia duas senhoras votando quando ela e Miles chegaram lá. Samantha ficou esperando, olhando para os seus cabelos de um cinza-metálico, os seus casacos grossos e os seus tornozelos mais grossos ainda. Era assim que ela ficaria um dia. A mais curvada das duas notou a presença de Miles e, ao sair, sorriu e disse:

— Acabei de votar em você!

— Muito obrigado — disse Miles, encantado.

Samantha entrou na cabine de votação e ficou olhando para os dois nomes na cédula, Miles Mollison e Colin Wall, segurando o lápis que estava amarrado com um barbante. Então escreveu, desleixadamente, "Eu odeio Pagford" no meio da cédula, dobrou-a, atravessou a sala na direção da urna e a depositou lá dentro.

— Obrigado, amor — disse Miles baixinho, dando um tapinha nas costas da mulher.

Tessa Wall, que jamais havia deixado de votar numa eleição, passou pela igreja quando voltava da escola para casa e não parou. Ruth e Simon Price ficaram o dia inteiro conversando sobre a possibilidade de se mudarem para Reading. Ruth tinha jogado fora o título de eleitor deles quando limpou a mesa da cozinha para o jantar.

Gavin nunca teve a intenção de votar. Se Barry estivesse vivo e concorrendo, ele votaria, mas não tinha vontade nenhuma de ajudar Miles a conquistar mais um dos seus objetivos. Às cinco e meia, arrumou as suas coisas, irritado e triste, porque tinha esgotado de vez o estoque de desculpas para não ir jantar na casa de Kay. E, pelo visto, hoje seria particularmente desagradável, porque a companhia de seguros tinha lhe dado alguma esperança de que ia finalmente beneficiar Mary, e ele queria muito ir até a casa dela para lhe dar a notícia pessoalmente. Isso significava que teria que guardar as novidades até o dia seguinte, já que não ia desperdiçá-las pelo telefone.

Quando Kay abriu a porta daquele jeito apressado e zangado, Gavin soube que ela estava de mau humor.

— Desculpe, hoje foi um dia terrível — disse Kay, embora ele não tivesse reclamado de nada; na verdade, mal tinham se cumprimentado. — Cheguei tarde em casa. Pretendia já estar com tudo quase pronto.

Do andar de cima vinha uma batida forte e repetitiva de bateria e um solo de guitarra estridente. Gavin achou incrível que os vizinhos não estivessem reclamando. Kay o viu olhando para o teto e disse:

— Ah, Gaia está furiosa porque um garoto de quem ela gostava lá em Hackney começou a sair com outra garota.

Pegou a taça de vinho que já estava bebendo e tomou um generoso gole. Ficou com uma certa dor na consciência por ter chamado Marco de Luca de "um garoto". Ele praticamente se mudou para a casa delas, algumas semanas antes de deixarem Londres. Kay o tinha achado encantador, atencioso e prestativo. Gostaria de ter tido um filho como Marco.

— Ela vai sobreviver — disse Kay, afastando tais lembranças, e voltou para as batatas que estavam no fogo. — Tem dezesseis anos, e, nessa idade, a gente se recupera logo. Pegue um pouco de vinho.

Gavin se sentou numa das cadeiras da mesa da cozinha, esperando que Kay conseguisse fazer Gaia diminuir o som. Ela tinha literalmente que gritar para superar a vibração da guitarra, o chacoalhar das tampas das panelas e o barulho do exaustor. E, mais uma vez, ele desejava ardentemente a melancolia calma da cozinha de Mary, a sua gratidão, a necessidade que ela tinha dele.

— O quê? — indagou ele bem alto, porque percebeu que Kay tinha lhe dito alguma coisa.

— Perguntei se você votou.

— Se eu votei?

— Na eleição do Conselho Distrital — disse ela.

— Não — respondeu Gavin. — Não estou nem aí para isso.

Não tinha certeza se ela tinha ouvido. Kay estava falando novamente, e apenas quando se virou para a mesa, com facas e garfos na mão, ele conseguiu escutar o que ela dizia.

— ...um absurdo total, na verdade, os conselheiros estarem de conluio com Aubrey Fawley. Eu acho que a Bellchapel vai fechar se Miles ganhar...

Foi escorrer as batatas na pia, e o barulho da água caindo abafou a voz dela de novo.

— ...se aquela idiota não tivesse perdido a calma, poderíamos ter uma chance melhor. Dei a ela um monte de material sobre a clínica, e acho que não usou nada. Ficou só gritando com Howard Mollison, dizendo que ele era enorme de gordo. O cúmulo da falta de profissionalismo...

Gavin tinha ouvido uns comentários sobre a explosão da dra. Jawanda, e achava aquilo tudo de certa forma engraçado.

— ...e toda essa incerteza é muito prejudicial para os funcionários da clínica, sem falar nos pacientes.

Mas Gavin não conseguia sentir nem pena nem indignação; apenas ficava muito chateado ao ver o interesse que Kay parecia ter pelas relações e personagens envolvidos nas misteriosas questões locais. Ainda por cima, isso mostrava claramente como ela estava criando raízes cada vez mais profundas em Pagford, e não ia ser fácil tirá-la dali.

Voltou-se para a janela e olhou o quintal lá fora, cuja grama estava bem alta. Tinha se oferecido para ajudar Mary e Fergus a cuidar do jardim deles no fim de semana. Com sorte, pensou, Mary iria convidá-lo para jantar outra vez, e, nesse caso, poderia faltar àquela festa de aniversário de Howard Mollison, que Miles pelo visto achava que ele não queria perder de jeito nenhum.

— ...queria manter os Weedon, mas não, Gillian disse que temos que dar vez a todos, que não podemos ficar escolhendo. *Você* diria que isso é ficar escolhendo?

— Desculpe, o que disse?

— Mattie está de volta — respondeu ela, e ele se esforçou muito para lembrar que Mattie era uma colega de trabalho, cujos casos ela estava cobrindo. — Eu queria continuar trabalhando com os Weedon, porque às vezes você cria um vínculo especial com determinada família, mas Gillian não quer deixar. É muito doido isso.

— Pelo que ouvi dizer, você deve ser a única pessoa no mundo que quer continuar com os Weedon — disse Gavin.

Kay teve que se munir de toda a sua força de vontade para não responder à altura. Foi tirar os filés de salmão do forno. A música de Gaia estava tão alta que podia senti-la vibrando na assadeira que largou em cima do fogão.

— Gaia! — gritou ela, furiosa, correndo até a escada, e Gavin tomou o maior susto. — GAIA! Abaixe isso! Estou falando sério! ABAIXE ISSO!

Gaia baixou o volume da música quase imperceptivelmente. Kay voltou para a cozinha, bufando. A discussão com a filha, antes de Gavin chegar, havia sido uma das piores que já tiveram. Gaia disse expressamente que pretendia ligar para o pai e pedir para ir morar com ele.

— Bem, então boa sorte — gritou Kay.

Mas talvez Brendan dissesse sim. Ele a deixara quando Gaia tinha apenas um mês. Mas agora estava casado e com três outros filhos. Tinha uma casa enorme e um bom emprego. E se dissesse sim?

Gavin ficou contente de não terem que conversar enquanto comiam. O barulho ensurdecedor da música preenchia o silêncio, e ele podia pensar em Mary em paz. Contaria a ela amanhã que a companhia de seguros parecia interessada em fazer um acordo, e receberia sua gratidão e admiração.

Ele tinha quase limpado o prato quando percebeu que Kay não havia comido nada. Estava olhando para ele do outro lado da mesa, e a expressão no seu rosto deixou Gavin preocupado. Será que, de algum modo, ele havia revelado os seus pensamentos mais íntimos?...

Lá em cima, a música de Gaia parou de repente, e a quietude pulsante que se seguiu o aterrorizou. Gavin desejou que Gaia pusesse depressa outra música nas alturas.

— Você nem ao menos tenta — disse Kay, com um olhar triste. — Nem ao menos finge que se interessa, Gavin.

Ele tentou pegar o atalho mais fácil.

— Kay, tive um dia cheio hoje — justificou ele. — Desculpe se não estava preparado para as minúcias da política local assim que entr...

— Não estou falando da política local — retrucou ela. — Você se senta aí e parece que preferia estar em qualquer outro lugar... É... É ultrajante. O que você quer, Gavin?

Ele viu a cozinha, e o rosto suave de Mary.

— Tenho que implorar para ver você — prosseguiu Kay —, e, quando vem aqui, só consegue deixar ainda mais claro que não queria ter vindo.

Queria que ele dissesse "isso não é verdade". Mas o momento em que ainda seria possível negar alguma coisa já havia passado. Estavam se aproximando, a uma velocidade crescente, da crise que Gavin a um só tempo temia e desejava ardentemente.

— Diga o que você quer — pediu ela, exausta. — Só peço isso.

Os dois podiam sentir que a relação deles estava desmoronando sob o peso de tudo que Gavin se recusava a dizer. E foi com a sensação de estar pondo um fim à infelicidade dos dois que ele encontrou as palavras que não queria dizer em voz alta, talvez nunca, mas que, de algum modo, pareciam desculpar a ambos.

— Eu não queria que isso acontecesse — disse Gavin, com toda a sinceridade. — Não tive a intenção. Sinto muito, Kay, mas acho que estou apaixonado por Mary Fairbrother.

Ele viu pela expressão no seu rosto que ela não estava preparada para isso.

— Mary Fairbrother? — repetiu ela.

— É — disse ele (e sentiu um certo prazer em falar sobre isso, embora sabendo que a estava ferindo. Nunca tinha sido capaz de falar sobre isso com ninguém) —, acho que estou apaixonado por ela há muito tempo. Nunca admiti isso... Quero dizer, quando Barry estava vivo, eu nunca tive...

— Pensei que ele fosse o seu melhor amigo — sussurrou ela.

— E era.

— Não faz nem um mês que ele morreu!

Gavin não gostou de ouvir isso.

— Olhe — disse ele —, estou tentando ser honesto com você. Estou tentando ser correto.

— Você está tentando ser *correto*?

Ele sempre tinha imaginado que tudo terminaria num acesso de fúria, mas ela ficou parada ali, olhando-o vestir o casaco, com lágrimas nos olhos.

— Desculpe — disse Gavin, e saiu daquela casa pela última vez.

O que sentiu ao chegar à calçada foi uma onda de euforia, e correu para o carro. Poderia contar a Mary sobre a companhia de seguros ainda naquela noite.

Parte Cinco

Privilégio

7.32 A pessoa que fez uma declaração difamatória pode requerer privilégio se provar que o fez sem maldade e no cumprimento de um dever público.

Charles Arnold-Baker
Administração dos Conselhos Locais
7ª edição

I

Terri Weedon estava acostumada a ser abandonada. O primeiro e pior abandono tinha sido o de sua mãe, que nem sequer se despediu, simplesmente saiu de casa um dia, levando uma mala, enquanto Terri estava na escola.

Houve muitas assistentes sociais e cuidadoras depois que ela fugiu de casa aos quatorze anos, e algumas delas foram bastante boas, mas todas iam embora quando acabava o trabalho no fim do expediente. Cada nova partida acrescentava outra fina camada à crosta que encobria o seu ser.

Fez amigos nos abrigos, mas aos dezesseis anos todos iam embora, e a vida os dispersou. Conheceu Ritchie Adams e teve dois filhos com ele. Minúsculas coisinhas rosadas, puras e belas como nunca tinha visto nada igual no mundo: e tinham saído dela. Por duas vezes, durante algumas horas felizes no hospital, sentiu-se como se ela mesma estivesse renascendo.

E então as crianças foram levadas embora, e ela nunca mais voltou a vê-las.

Grinfa a abandonou. A avó Cath a abandonou. Quase todo mundo tinha ido embora, quase ninguém ficou. A essa altura já devia estar acostumada.

Quando Mattie, a assistente social que cuidava do seu caso, reapareceu, Terri perguntou:

— Cadê a outra?

— Kay? Ela só me substituiu enquanto estive doente — disse Mattie. — E então, onde está Liam? Quer dizer... Robbie, não é?

Terri não gostava de Mattie. Por um único motivo: ela não tinha filhos. Como é que alguém que não tinha filhos podia lhe dizer como criar os seus? O que entendia disso? Na verdade, também não gostava de Kay... mas sentia uma sensação estranha quando estava com ela, o mesmo que sentia quando estava com a avó Cath, antes de ela a chamar de puta e lhe dizer que nunca mais queria voltar a vê-la... Dava para sentir que Kay — mesmo carregando aquelas pastas como todas as outras, mesmo insistindo em fazer a reavaliação do caso dela — queria que as coisas dessem certo para ela, e não apenas para os formulários. Dava realmente para sentir isso. Mas ela tinha ido embora, *e com certeza já nem lembra que a gente existe*, pensou Terri, furiosa.

Na sexta à tarde, Mattie contou a Terri que era quase certo que a Bellchapel fosse fechar.

— É pura política — disse rispidamente. — Querem economizar dinheiro, e o tratamento com metadona é muito criticado no Conselho Municipal. Além disso, Pagford quer o prédio de volta. Tudo isso saiu no jornal, talvez você tenha visto.

Às vezes ela falava com Terri desse jeito, entrando numa conversa do tipo afinal-estamos-nisso-juntas, o que era chocante, porque ao mesmo tempo ela perguntava se Terri não estava se esquecendo de alimentar o filho. Mas dessa vez foi o que ela disse e não o modo como disse que deixou Terri zangada.

— Vão fechar, é? — repetiu ela.

— Parece que sim — respondeu Mattie, sem prestar muita atenção. — Mas isso não vai fazer diferença nenhuma para você. Bom, é claro que...

Terri começou três vezes o tratamento na Bellchapel. O interior empoeirado da antiga igreja, com as suas divisórias, os seus folhetos, o banheiro com aquela luz neon azulada (assim não dava para encontrar uma veia e se aplicar) tinham se tornado familiares, quase amigáveis. Ultimamente, começou a perceber uma mudança no jeito como os funcionários falavam com ela. No começo, todos esperavam que ela fracassasse novamente, mas aos poucos passaram a falar com ela exatamente como Kay falava: como se soubessem que havia uma pessoa ali dentro daquele seu corpo cheio de marcas de picadas e cicatrizes de queimadura.

— ...é claro que *vai* ser diferente, mas você pode pegar a metadona com o médico — disse Mattie. Ela folheou páginas e páginas do extenso dossiê com todas as informações sobre a vida de Terri. — Você tem registro com a dra. Jawanda em Pagford, certo? Pagford... Por que ir tão longe?

— Acertei uma enfermeira em Cantermill — respondeu Terri, com ar meio distraído.

Depois que Mattie foi embora, Terri ficou um bom tempo sentada naquela cadeira imunda da sala de estar, roendo as unhas até tirar sangue.

Quando Krystal chegou, trazendo Robbie da escola, Terri lhe contou que iam fechar a Bellchapel.

— Ainda não tá nada certo — disse Krystal, com autoridade.

— Como é que você sabe? — perguntou Terry. — Vão fechar, sim, e querem me mandar pra porra de Pagford, com aquela vaca que matou a vó Cath. Pra lá eu não vou nem morta.

— Você tem que ir — retrucou a garota.

Krystal estava assim há dias, mandando na mãe, agindo como se ela fosse a adulta.

— Não tenho que ir porra nenhuma — esbravejou Terri. — Sua vaca atrevida — acrescentou, só por precaução.

— Se você começar a usar essa merda de novo — disse Krystal, com o rosto vermelho —, eles vão levar Robbie embora.

O menino, que ainda estava segurando a mão da irmã, começou a chorar.

— Tá vendo? — gritaram as duas, uma para a outra.

— É você que está fazendo isso com ele — disse Krystal, aos berros. — E a doutora não fez nada pra vó Cath. Cheryl é que fica falando merda. Aquela gente não sabe porra nenhuma!

— E você é que sabe tudo, não é? — berrou Terri. — Você sabe de tudo quanto é merda...

Krystal cuspiu nela.

— Sai daqui! — exclamou Terri, e, como a filha era maior e mais pesada que ela, pegou um sapato do chão e ameaçou jogá-lo na garota. — Sai daqui!

— Vou sair mesmo — gritou Krystal. — E vou levar Robbie comigo. Você pode ficar aqui, fodendo com o merda do Obbo, e fazer outro filho com ele!

E antes que Terri pudesse detê-la, saiu arrastando Robbie, que continuava a chorar.

Krystal foi com o irmão pedir abrigo na casa de Nikki. Nem lembrou que, àquela hora da tarde, ela ainda estaria perambulando pela rua. Foi a mãe de Nikki que abriu a porta, com o uniforme da loja de departamentos onde trabalhava.

— Ele não pode ficar aqui — disse a mulher com firmeza, enquanto Robbie chorava e tentava se soltar da mão da irmã, que o segurava com força. — Onde está a sua mãe?

— Em casa — respondeu Krystal, e tudo o que ela pretendia dizer se evaporou diante do olhar severo daquela mulher.

Então ela voltou com Robbie para a Foley Road, onde Terri, com um ar triunfante que chegava a ser cruel, agarrou o filho pelo braço, levou-o para dentro e barrou a entrada de Krystal.

— Já tá cheia dele — zombou Terri, e os seus gritos abafaram o choro do menino. — Cai fora.

E bateu a porta.

Naquela noite, Terri fez Robbie dormir junto com ela, no colchão. Ficou acordada, pensando que não precisava de Krystal para nada, mas sentia falta dela tanto quanto da heroína.

Krystal andava com muita raiva há vários dias. Aquilo que ela disse sobre Obbo...

(— Ela disse *o quê*? — perguntou ele, rindo, com ar incrédulo, quando se encontraram na rua, e Terri murmurou alguma coisa sobre Krystal estar chateada.)

...ele não faria aquilo. Não poderia ter feito aquilo.

Obbo era um dos poucos que tinham ficado por perto. Terri o conhecia desde os quinze anos. Frequentaram a mesma escola, perambulavam por Yarvil quando ela estava no abrigo, tomavam sidra debaixo das árvores do caminho que passava pela fazenda ao lado de Fields. E dividiram o primeiro baseado.

Krystal nunca gostou dele. *Ciúmes*, pensou Terri, vendo Robbie dormir à luz do poste que entrava pelas cortinas finas. *Puro ciúme. Ele fez mais por mim que qualquer outro*, pensou Terri, desafiadora, porque para ela bondade não casava com abandono. Por isso todos os cuidados da avó Cath tinham sido aniquilados pela rejeição.

Mas Obbo a ajudou a se esconder de Ritchie, o pai dos seus dois filhos mais velhos, naquele dia que ela fugiu de casa, descalça e sangrando. Às vezes lhe dava heroína de graça. Para ela, isso era o mesmo que bondade. Procurar abrigo com ele era muito mais seguro que ir para aquela casinha da Hope Street, que certa vez, por três dias gloriosos, ela chegou a achar que fosse um lar.

Krystal não voltou no sábado pela manhã, mas isso não era novidade. Terri sabia que ela devia estar na casa de Nikki. Com raiva porque não havia praticamente nada para comer em casa e estava sem cigarro, e porque Robbie não parava de chorar chamando pela irmã, Terri entrou no quarto da filha e começou a revirar as roupas que encontrava, à procura de dinheiro ou quem sabe algum cigarro perdido. Alguma coisa fez barulho ao cair no chão quando ela afastou as velhas roupas de remo de Krystal, completamente amarrotadas. Viu então a caixinha de plástico, virada, com a medalha que Krystal tinha ganhado e o relógio de Tessa Wall debaixo dela.

Terri pegou o relógio e ficou olhando para ele. Era a primeira vez que o via. Ficou se perguntando onde Krystal teria arranjado aquilo. A primeira coisa que lhe passou pela cabeça foi que a filha o tivesse roubado, mas depois achou que poderia ter sido um presente da avó Cath, ou algo que ela houvesse deixado para a bisneta em testamento. E isso era mais perturbador do que a ideia do roubo. Pensar que aquela vaca falsa escondeu o relógio o tempo todo, muito bem-guardado, sem nunca tocar no assunto...

Terri enfiou o relógio no bolso da calça de moletom e chamou Robbie para ir com ela até a loja. Levou horas para calçar os sapatos nele. Acabou perdendo a paciência e lhe deu um tapa. Adoraria ir sozinha, mas as assistentes sociais não gostavam dessa história de deixar as crianças em casa, mesmo que, sem ele, ela fizesse tudo muito mais depressa.

— Cadê Krystal? — perguntou Robbie, choramingando, enquanto a mãe o puxava pela mão. — Qué Krystal!

— Não sei onde aquela piranha está — respondeu ela, arrastando-o pela rua.

Obbo estava na esquina do supermercado, conversando com dois homens. Quando a viu, se despediu dos sujeitos, que foram embora.

— Tudo bem, Ter?

— Indo — mentiu. — Larga, Robbie.

Robbie estava agarrando sua perna magra com tanta força que chegava a machucar.

— Escuta — disse Obbo —, você pode ficar com umas coisas pra mim por um tempo?

— Que coisas? — perguntou Terri, arrancando Robbie da sua perna e o segurando pela mão.

— Umas sacolas com umas coisas — respondeu Obbo. — Vai me quebrar um galhão, Ter.

— Quanto tempo?

— Só uns dias. Posso levar pra você hoje à noite?

Terri pensou em Krystal e no que ela diria se soubesse.

— Tá certo, pode levar — disse Terri.

Ela se lembrou de outra coisa, então tirou o relógio de Tessa do bolso.

— Queria vender isso, o que você acha?

— Nada mau — respondeu Obbo, sentindo o peso do relógio na palma da mão. — Dou vinte por ele. Posso levar hoje à noite também.

Terri achou que o relógio valesse mais, mas não queria contrariá-lo.

— Tá bom, então.

Foi entrando no supermercado, de mãos dadas com Robbie, mas de repente se virou.

— Não tô usando — disse ela. — Então não leva...

— Tá de novo no tratamento? — perguntou ele, sorrindo para ela por trás das lentes grossas dos óculos. — Abre o olho, a Bellchapel vai fechar. Saiu no jornal.

— É — respondeu ela, infeliz, e puxou Robbie para dentro do supermercado. — Tô sabendo.

Não vou pra Pagford, pensou ela, pegando uns biscoitos na prateleira. *Pra lá eu não vou.*

Estava quase acostumada às críticas e à avaliação constantes, aos olhares de esguelha dos que passavam por ela, aos insultos dos vizinhos, mas não iria de jeito nenhum para aquele vilarejo presunçoso receber ajuda hipócrita. Não iria viajar no tempo, uma vez por semana, para aquele lugar onde a avó Cath tinha dito que ficava com ela, mas depois a abandonou. Teria que passar por aquela escolinha toda bonita que mandou umas cartas horríveis sobre Krystal, dizendo que as roupas dela estavam muito pequenas e muito sujas e que o seu comportamento era inaceitável. Tinha medo de encontrar os parentes já há muito esquecidos na Hope Street, disputando a casa da avó Cath. E do que Cheryl diria se soubesse que ela tinha ido procurar, por livre e espontânea vontade, a vaca paquistanesa que matou a avó Cath. Mais uma acusação contra ela, da família que a desprezava.

— Ninguém vai me obrigar a ir pra porra daquele lugar — murmurou Terri em voz alta, puxando Robbie para o caixa.

II

— Prepare-se — disse Howard Mollison ao filho, em tom de provocação, ao meio-dia daquele sábado. — Mamãe vai postar o resultado da eleição no site. Quer esperar ou posso lhe contar agora?

Miles se virou instintivamente para Samantha, que estava sentada na frente dele na bancada, no meio da cozinha. Estavam tomando café antes que ela e Libby fossem para a estação, para irem ao show em Londres. Com o telefone colado ao ouvido, ele disse:

— Pode falar.

— Você venceu. Com folga. Quase cinquenta por cento a mais que Wall.

Miles sorriu para a porta da cozinha.

— Ok — disse ele, mantendo a voz o mais firme que pôde. — Bom saber.

— Não desligue — pediu Howard. — Mamãe quer falar com você.

— Parabéns, querido — exclamou Shirley, exultante. — Que notícia maravilhosa! Sabia que você ia vencer.

— Obrigado, mamãe — disse Miles.

Bastaram aquelas duas palavras para Samantha entender tudo, mas ela tinha decidido não ser debochada nem sarcástica. A camiseta da banda já estava na mala, ela tinha feito o cabelo e comprado sapatos novos. Mal podia esperar para ir embora.

— Então agora você é o conselheiro Mollison, não é? — perguntou ela, quando ele desligou.

— Isso mesmo — confirmou o marido, com certa cautela.

— Parabéns — disse ela. — Vai ser uma comemoração e tanto hoje à noite. Sinto muito não poder ir — mentiu, entusiasmada com a proximidade da fuga. Comovido, Miles se inclinou para a frente e apertou a mão dela.

Libby entrou na cozinha chorando e com o celular na mão.

— O que houve? — perguntou Samantha, assustada.

— Você pode ligar pra mãe da Harriet, por favor?

— Por quê?

— Você pode ligar, por favor?

— Por quê, Libby?

— Porque ela quer falar com você — prosseguiu a garota, enxugando os olhos e o nariz com o dorso da mão —, porque Harriet e eu tivemos uma briga feia. Você pode, por favor, ligar pra ela?

Samantha pegou o telefone e foi para a sala. Tinha apenas uma vaga ideia de quem era aquela mulher. Desde que as meninas entraram no internato, ela praticamente não tinha nenhum contato com os pais das amigas delas.

— Sinto *muitíssimo* ter que fazer isso — disse a mãe de Harriet. — Prometi a Harriet que falaria com você. Já *tentei* explicar que não é que *Libby* não queira que ela vá... Você sabe como elas são amigas, e detesto ver as duas desse jeito...

Samantha olhou para o relógio. Tinham que sair em dez minutos, no máximo.

— Harriet meteu na cabeça que Libby tinha um ingresso sobrando, mas não queria que ela fosse. Já disse a ela que não é verdade... Que você tinha ficado com o ingresso porque não queria que Libby fosse sozinha, não é?

— Claro — replicou Samantha. — Ela não pode ir sozinha.

— Eu sabia — disse a outra, e sua voz soou estranhamente triunfante. — Compreendo *perfeitamente* que você queira protegê-la, e *nunca* faria essa sugestão se não achasse que isso vai lhe poupar muita chateação. É que as garotas são tão amigas... E Harriet é totalmente obcecada por essa banda estúpida... Pelo que a sua filha acabou de dizer a Harriet no telefone, acho que ela também está louca para a amiga ir junto. Entendo *perfeitamente* por que você quer ficar de olho em Libby, mas acontece que a minha irmã vai levar as duas filhas ao show, então haverá um adulto lá com elas. Posso levar Libby e Harriet essa tarde, nós nos encontraríamos com minha irmã e as filhas na porta do estádio e poderíamos passar a noite na casa da minha irmã. Pode ficar tranquila, minha irmã ou eu vamos estar com Libby o tempo todo.

— Ah... É muito gentil da sua parte. Mas uma amiga minha — respondeu Samantha, com um zumbido estranho nos ouvidos — está esperando por nós, entende...

— Mas você pode ir visitar a sua amiga... O que estou querendo dizer é que não há necessidade nenhuma de você ir ao show, se vai haver sempre alguém mais com as meninas... E Harriet está absolutamente desesperada, desesperada mesmo... Não queria me meter, mas isso estava ameaçando a amizade delas... E é claro que compraríamos o seu ingresso — acrescentou ela, num tom menos efusivo.

Não havia mais nenhum lugar para ir, nenhum lugar para se esconder.

— Ah — disse Samantha. — Claro, só achei que seria bom ir junto com ela.

— Elas preferem ficar uma com a outra — disse a mãe de Harriet, com firmeza. — E você não vai ter que ficar agachada, atrás de um bando de patricinhas, ha ha ha... Para a minha irmã não tem problema, ela só tem um metro e meio.

III

Para a decepção de Gavin, estava parecendo que, afinal, ele teria que comparecer à festa de aniversário de Howard Mollison. Se Mary, cliente do escritório e viúva do seu melhor amigo, tivesse pedido que ficasse para o jantar, ele consideraria essa justificativa mais do que suficiente para não ir... Mas Mary não disse nada. Ela recebeu a visita de alguns parentes e ficou estranhamente perturbada quando ele apareceu.

Ela não quer que eles saibam, pensou Gavin, consolando-se com essa suposta precaução de Mary, enquanto ela o acompanhava até a porta.

Voltou ao Smithy, relembrando a conversa que tinha tido com Kay.

Pensei que ele fosse o seu melhor amigo. Não faz nem um mês que ele morreu!

É, e estou cuidando dela por Barry, respondeu ele mentalmente. *Tenho certeza que ele iria querer que fosse assim. Não esperávamos que isso fosse acontecer. Barry está morto. E isso não pode magoá-lo agora.*

Sozinho no Smithy, procurou um terno limpo para ir à festa, porque o convite dizia "passeio completo", e ficou imaginando Pagford, aquele vilarejo fofoqueiro, se deliciando com a história de Gavin e Mary.

E daí?, pensou ele, impressionado com a própria coragem. *Ela por acaso vai ficar sozinha para sempre? Acontece. Vou cuidar dela.*

E, apesar da relutância em ir à festa, que, tinha certeza, seria enfadonha e cansativa, estava envolto numa bolha de felicidade e entusiasmo.

Lá no alto, em Hilltop House, Andrew Price fazia um penteado diferente no cabelo, usando o secador da mãe. Nunca esteve tão ansioso para ir a uma festa como hoje. Ele, Gaia e Sukhvinder tinham sido contratados por Howard para servir as comidas e as bebidas aos convidados. E havia alugado um uniforme para Andrew, especialmente para a ocasião: camisa branca, calça preta e gravata-borboleta. Trabalharia ao lado de Gaia como garçom, e não como ajudante.

Mas havia mais um motivo para aquela ansiedade. Gaia tinha terminado com o lendário Marco de Luca. Ele a encontrou chorando nos fundos do Copper Kettle naquela tarde, quando saiu para fumar um cigarro.

— Ele é que saiu perdendo — tinha dito Andrew, tentando evitar qualquer traço de contentamento na voz.

— Valeu, Andrew — respondera ela, fungando.

— Seu viadinho — disse Simon, quando Andrew finalmente desligou o secador. Estava esperando para dizer isso há alguns minutos, de pé no corredor escuro, olhando pela porta entreaberta, vendo Andrew se arrumar na frente do espelho. O garoto levou o maior susto e depois riu. Seu bom humor desconcertou Simon. — Que figura! — exclamou o pai, ridicularizando-o, quando Andrew passou por ele no corredor de camisa e gravata. — Com essa gravatinha ridícula... Você está parecendo um imbecil.

Imbecil é você! Tá desempregado, e fui eu que fiz isso.

O sentimento de Andrew em relação ao que tinha feito ao pai mudava praticamente de hora em hora. Às vezes a culpa o massacrava, contaminando tudo, mas depois se dissolvia, deixando-o radiante com o seu triunfo secreto. Hoje à noite, esse pensamento aquecia ainda mais o entusiasmo que ardia no seu peito, por baixo da camisa branca fina, e fazia a pele do seu corpo inteiro formigar, prolongando o arrepio provocado pelo ar frio da noite, enquanto ele descia a colina a toda pedalando a bicicleta de corrida de Simon. Estava empolgado, cheio de esperança. Gaia estava disponível e vulnerável. E o pai dela morava em Reading.

Quando ele chegou ao salão da igreja, Shirley Mollison estava do lado de fora, num vestido de festa, amarrando nas grades gigantescos balões de gás dourados que tinham a forma dos números seis e cinco.

— Olá, Andrew — exclamou ela, quase cantarolando. — Não deixe a bicicleta aqui na entrada, por favor.

Ele seguiu pedalando até o lado da igreja, passando por um BMW verde, conversível, novinho em folha, estacionado a poucos metros da entrada. Quando voltou, andou em volta do carro, dando uma olhada naquele interior luxuoso.

— Que bom que você chegou, Andy!

Andrew percebeu imediatamente que o chefe estava tão bem-humorado e animado quanto ele mesmo. Parecia até um mágico, seguindo a caminho do salão com aquele imenso smoking de veludo. Havia apenas cinco ou seis pessoas aqui e ali: faltavam ainda vinte minutos para a festa começar. Havia balões azuis, brancos e dourados amarrados por todo lado. Numa enorme mesa de madeira, pilhas de travessas estavam cobertas por panos de prato, e na parte mais alta do salão um DJ de meia-idade preparava os seus equipamentos.

— Vá ajudar Maureen, Andrew, por favor.

Ela arrumava os copos do outro lado da mesa, sob a luz intensa e nada lisonjeira da luminária do teto.

— Ora, ora, como você está bonito — grasnou ela, quando o garoto se aproximou.

Maureen usava um vestido muito curto, justo e brilhante, que revelava todos os contornos do seu corpo ossudo. Aqui e ali, porém, viam-se pregas e pneuzinhos inesperados, expostos pelo tecido inclemente. De algum lugar veio um "oi" meio abafado. Gaia estava agachada no chão, na frente de uma caixa de pratos.

— Tire os copos das caixas, por favor, Andy — pediu Maureen —, e coloque tudo aqui em cima, onde vamos fazer o bar.

O garoto obedeceu. Enquanto estava abrindo uma das caixas, uma mulher que ele nunca tinha visto antes se aproximou, trazendo várias garrafas de champanhe.

— Coloque isso na geladeira, por favor, se é que tem alguma aqui.

Ela tinha o nariz reto de Howard, os enormes olhos azuis de Howard e os cabelos encaracolados de Howard, e, embora os traços dele fossem meio femininos, suavizados pela gordura, a sua filha — só podia ser filha dele — não era nada bonita, ainda que fosse atraente, com as sobrancelhas grossas, os olhos grandes e uma covinha no queixo. Ela estava de calça comprida e camisa de seda, desabotoada na altura do pescoço. Depois de largar as garrafas em cima da mesa, afastou-se. Pelo seu jeito e por alguma coisa na qualidade das roupas que vestia, Andrew teve certeza de que ela era a dona daquele BMW lá fora.

— Essa é a Patricia — sussurrou Gaia no seu ouvido, e mais uma vez ele ficou arrepiado, como se tivesse levado um choque elétrico. — A filha de Howard.

— É, dá pra ver — disse ele, muito mais interessado em observar Gaia abrindo uma garrafa de vodca e colocando uma dose num copo. Enquanto ele olhava, ela bebeu tudo, de um gole só, sacudindo o corpo todo depois de fazer isso. Gaia mal tinha fechado a garrafa quando Maureen reapareceu ao lado deles com uma cuba de gelo.

— Que velha assanhada — disse Gaia, vendo Maureen se afastar, e Andrew sentiu o cheiro do álcool na boca da garota. — Que roupa é *aquela*?

Ele riu, virou, mas parou de repente, porque Shirley estava bem ao lado deles com aquele seu sorrisinho meigo.

— A srta. Jawanda ainda não chegou? — perguntou ela.

— Deve estar chegando, acabou de me mandar uma mensagem — respondeu Gaia.

Mas Shirley não estava nem aí para Sukhvinder. Tinha escutado os comentários dos adolescentes, o que lhe devolveu o bom humor ligeiramente abalado pelo prazer evidente de Maureen com a própria roupa. Não era fácil atingir uma autoestima tão cega, tão iludida, mas enquanto se afastava e caminhava na direção do DJ, Shirley planejava o que diria a Howard da próxima vez que o encontrasse sozinho.

Acho que os garotos estão... rindo de Maureen... É uma pena que esteja usando aquele vestido... Odeio vê-la fazendo papel de boba.

E como estava precisando de um pequeno estímulo essa noite, lembrou-se de que havia muitas coisas com que se alegrar. Ela, Howard e Miles estariam no Conselho juntos, e isso seria maravilhoso, simplesmente maravilhoso.

Perguntou ao DJ se ele sabia que a canção favorita de Howard era "The Green, Green Grass of Home", na versão de Tom Jones. *O verde verdíssimo da relva do lar.* Um clássico. Era mesmo a cara do marido. Olhou ao seu redor para ver se havia outros pequenos detalhes a serem resolvidos, mas deparou com o motivo pelo qual a sua felicidade naquela noite não seria tão perfeita como tinha sonhado.

Patricia estava sozinha, observando as insígnias de Pagford na parede, sem fazer nenhum esforço para falar com quem quer que fosse. Shirley adoraria que Patricia usasse uma saia de vez em quando, mas, pelo menos, ela tinha vindo sozinha. Teve medo de que houvesse mais alguém no BMW, e quando viu a filha descer do carro sem mais ninguém, achou que tinha saído no lucro.

Ninguém imagina que uma mãe possa não gostar do próprio filho; pelo contrário, espera-se que ela goste dele não importa o que aconteça, mesmo que ele não seja o que se espera, mesmo que venha a ser do tipo de pessoa que, se não fosse seu parente, você atravessaria a rua para evitar qualquer tipo de contato. Howard tinha uma visão menos rígida das coisas; até fazia piadinhas inofensivas quando Patricia não estava presente. Shirley não conseguia alcançar esse nível de desprendimento. Sentiu-se obrigada a se aproximar da filha, numa esperança vaga e inconsciente de conseguir diluir a estranheza que, receava ela, todos percebiam na sua forma característica de se vestir e agir.

— Quer alguma coisa para beber, querida?

— Agora não — respondeu Patricia, ainda olhando para as insígnias de Pagford. — Não passei muito bem ontem à noite. Acho que exagerei um pouco. Saímos para beber com os colegas de trabalho de Melly.

Shirley esboçou um sorriso para o brasão acima delas.

— Melly está bem, obrigada por perguntar — disse Patricia.

— Ah, que bom — replicou Shirley.

— Gostei do convite — provocou Patricia. — Pat e *acompanhante*.

— Desculpe, querida, mas é assim que se faz quando as pessoas..., você sabe, não são casadas.

— Ah, é isso que diz no seu manual de etiqueta preferido, não é? Bem, Melly não quis vir, já que o nome dela nem ao menos estava no convite. Chegamos até a brigar, e acabei vindo sozinha. Deu certo, não?

Patricia saiu, pisando duro, em direção ao bar, deixando para trás uma Shirley meio trêmula. A raiva de Patricia era assustadora desde que ela era criança.

— Está atrasada, srta. Jawanda — exclamou ela, recuperando a calma quando viu Sukhvinder se aproximar correndo, toda afobada. Na opinião de Shirley, a garota estava sendo um tanto ou quanto insolente, aparecendo assim mesmo, depois do que a mãe tinha dito a Howard, ali, naquele mesmo salão. Ficou observando-a correr e se juntar a Andrew e Gaia, e pensou que diria a Howard que eles deviam dispensar Sukhvinder. Ela era mole, e com certeza aquele eczema que ela escondia debaixo da camiseta preta de mangas compridas era um problema em termos de higiene. Shirley decidiu que seria bom procurar, no seu site de medicina favorito, se aquilo era contagioso.

Os convidados começaram a chegar pontualmente às oito. Howard pediu a Gaia que ficasse ao seu lado na porta, para recolher os casacos, porque queria que todos o vissem mandando e desmandando naquela garota de vestidinho preto com avental de babado e chamando-a pelo primeiro nome. Mas logo havia casacos demais para que ela os carregasse sozinha, então ele teve que chamar Andrew para ajudar também.

— Pega uma garrafa — disse Gaia, dirigindo-se a Andrew, enquanto os dois penduravam os casacos, uns por cima dos outros, no minúsculo vestiário — e esconde lá na cozinha. A gente pode se revezar para ir lá tomar uns goles.

— Ok — assentiu Andrew, encantado.

— Gavin! — gritou Howard, quando o sócio do filho entrou pela porta sozinho, às oito e meia.

— Kay não veio? — perguntou Shirley mais que depressa. (Maureen estava atrás da mesa, calçando uns sapatos altíssimos, cheios de brilho, então tinha pouco tempo para passar a sua frente.)

— Não, ela infelizmente não pôde vir — respondeu Gavin, mas, para o seu horror, deu de cara com Gaia, que aguardava para levar o seu casaco.

— A minha mãe podia vir, sim — disse a garota bem alto, encarando-o. — Mas você deu o fora nela, não foi, Gav?

Howard deu uns tapinhas no ombro de Gavin, fingindo não ter ouvido nada.

— Ótimo ver você, pegue um drinque — acrescentou, com aquele seu vozeirão.

Shirley ficou impassível, mas a excitação daquele momento não se dispersou rapidamente, e, ao receber os próximos convidados, estava meio confusa e distraída. Quando Maureen veio se juntar a eles, com aquele vestido horroroso e se equilibrando em cima dos saltos altíssimos, Shirley sentiu um imenso prazer em lhe contar baixinho:

— Acabamos de ter uma ceninha *muito* constrangedora. *Muito* constrangedora. Gavin e a mãe de Gaia... Ah, querida... Se nós soubéssemos.

— O quê? O que aconteceu?

Mas Shirley balançou a cabeça, saboreando o intenso prazer de frustrar a curiosidade de Maureen, e abriu bem os braços quando Miles, Samantha e Lexie entraram no salão.

— Aqui está ele! O conselheiro Miles Mollison!

Samantha viu Shirley abraçar Miles como se não estivesse ali. Saiu tão bruscamente de um estado de felicidade e expectativa para o choque e a decepção que os seus pensamentos pareciam um zumbido constante, e ela tinha que fazer um esforço enorme para se dar conta do mundo à sua volta.

(Miles tinha dito:

— Que ótimo. Então você pode ir à festa do papai. Ainda agora mesmo você estava dizendo...

— É — respondeu ela —, eu sei. É ótimo, não é?

Mas ficou perplexo quando a viu de calça jeans e com a camiseta da banda, com a qual tinha se imaginado por mais de uma semana.

— O traje é passeio completo.

— Miles, é no salão da igreja de Pagford.

— Eu sei, mas o convite...

— Eu vou assim.)

— Olá, Sammy — disse Howard. — Você está linda. Nem precisa se arrumar.

Ele a abraçou, lascivo como sempre, e lhe deu uma palmadinha no traseiro apertado dentro da calça jeans.

Samantha sorriu para Shirley de um jeito frio e forçado e passou direto por ela, encaminhando-se para o bar. Dentro dela, uma vozinha desagradável não parava de perguntar: *Mas, afinal, o que achava que ia acontecer no show? O que estava querendo? O que esperava encontrar?*

Nada. Só um pouco de diversão.

O sonho de braços jovens e musculosos, de muitas risadas; o que ela queria era uma espécie de catarse naquela noite, alguém segurando a sua cintura fina outra vez e o sabor picante do novo, do ainda inexplorado. A sua fantasia tinha perdido as asas e se espatifado no chão.

Eu só queria ver.

— Você tá linda, Sammy.

— Valeu, Pat.

Não via a cunhada há mais de um ano.

Gosto de você mais do que qualquer um nessa família, Pat.

Miles se aproximou e beijou a irmã.

— Como vai? E Mel? Não veio?

— Não, ela não quis vir — respondeu Patricia. Estava tomando champanhe, mas, pela cara que fez, parecia até que era vinagre. — O convite veio em nome de *Pat e acompanhante*... Foi uma briga horrível. Um a zero pra mamãe.

— Ah, Pat, também não é assim — disse Miles, sorrindo.

— Também não é assim o quê, porra?

Uma alegria furiosa tomou conta de Samantha: um pretexto para atacar.

— É de uma grosseria do cacete convidar a companheira da sua irmã desse jeito, e você sabe disso, Miles. A sua mãe tinha que ter umas aulas de etiqueta, se quer saber.

Ele estava certamente mais gordo do que um ano atrás. Dava para ver o pescoço apertado no colarinho da camisa. Perdia o fôlego rapidamente.

E aquela mania de ficar parado, meio quicando nas pontas dos pés, que tinha herdado do pai não ajudava em nada. Samantha sentiu um nojo profundo do marido e se afastou, indo até a ponta da mesa, onde Andrew e Sukhvinder preparavam os drinques.

— Tem gim? Quero um duplo.

Mal reconheceu Andrew. Ele lhe serviu uma dose, tentando não olhar para os seios dela, completamente à mostra naquela camiseta, mas era como tentar não apertar os olhos sob um sol forte.

— Você conhece eles? — perguntou Samantha, depois de tomar a metade do gim-tônica de uma só vez.

Andrew ficou vermelho antes de conseguir pensar em alguma coisa para dizer. Para piorar ainda mais as coisas, ela deu uma risada cínica e acrescentou:

— A banda. Estou falando da banda.

— É, eu... É, já ouvi falar. Eu não... Não gosto muito...

— É mesmo? — indagou ela, depois de virar o restante do gim. — Quero outro... por favor.

Ela percebeu então quem ele era: o garoto sem graça da delicatéssen. Parecia mais velho naquele uniforme. Quem sabe aquelas semanas carregando caixas para cima e para baixo não tinham lhe dado alguns músculos.

— Ah — exclamou Samantha, apontando para um homem que atravessava o salão cada vez mais cheio, indo na direção oposta —, olhe lá o Gavin. O segundo homem mais chato de Pagford, depois do meu marido, claro.

Saiu dali contente consigo mesma e segurando outro copo. O gim provocou exatamente o efeito de que ela precisava, anestesiando-a e estimulando-a ao mesmo tempo. Enquanto andava, pensou: *Ele gostou dos meus peitos; vamos ver o que acha da minha bunda.*

Gavin viu Samantha se aproximando e tentou escapar, puxando conversa com qualquer um... A pessoa mais próxima era Howard, e Gavin se infiltrou rapidamente no grupo que cercava o anfitrião.

— Resolvi arriscar — dizia Howard para três outros homens. Gesticulava com um charuto na mão e deixou cair um pouco da cinza no smoking de veludo. — Resolvi arriscar e arregacei as mangas. Simples assim. Sem fórmulas mágicas. Ninguém me ajudou... Ah, Sammy. Quem são esses rapazes?

Enquanto os quatro velhos olhavam para o grupo pop, esticado por causa dos seus seios, Samantha se virou para Gavin.

— Oi — disse ela, se inclinando e forçando-o a beijá-la. — Kay não veio?

— Não — respondeu Gavin, secamente.

— Estamos falando de negócios, Sammy — declarou Howard, todo contente, e Samantha pensou na própria loja, falida e acabada. — Sempre fui um empreendedor — informou ao grupo, repetindo o que todos já estavam cansados de ouvir. — Simples assim. Não precisa de mais nada. Sempre fui um empreendedor.

Enorme e redondo, ele era como um sol de veludo em miniatura, irradiando satisfação e contentamento. Graças ao *brandy* que tinha na mão, a sua voz já estava mais branda e agradável.

— Estava disposto a correr o risco... Podia ter perdido tudo.

— Bem, acho que a sua mãe é que poderia ter perdido tudo — corrigiu Samantha. — Hilda não hipotecou a casa para cobrir metade do dinheiro investido na loja?

Ela viu Howard piscar os olhos várias vezes, mas ele continuava sorrindo.

— Todo o crédito para minha mãe, então — disse ele —, por ter trabalhado muito e economizado muito para dar ao filho um empurrão. Multipliquei o que ela me deu, e estou devolvendo tudo à família... Pagando para as suas filhas estudarem na St. Anne, por exemplo. Tudo o que vai volta, não é, Sammy?

Ela esperava isso de Shirley, mas não de Howard. Os dois esvaziaram os seus copos. Samantha viu Gavin se afastar e não tentou detê-lo.

Gavin estava se perguntando se seria possível ir embora sem ser notado. Estava nervoso, e o barulho só piorava tudo. Desde que encontrou Gaia na entrada do salão, uma ideia terrível o assombrava. E se Kay tivesse contado tudo à filha? E se a garota soubesse que ele estava apaixonado por Mary Fairbrother, e tivesse contado a outras pessoas? Isso era perfeitamente possível vindo de uma garota vingativa de dezesseis anos.

A última coisa que queria era que o vilarejo inteiro soubesse que estava apaixonado por Mary antes que ele mesmo tivesse a chance de contar a ela. Pretendia falar com ela dali a uns meses, um ano talvez... Depois do primeiro aniversário da morte de Barry... E, nesse meio-tempo, iria alimentando as minúsculas sementes de confiança e dedicação que já estavam ali, até que Mary percebesse a realidade dos próprios sentimentos, exatamente como tinha acontecido com ele.

— Não está bebendo nada, Gav! — disse Miles. — Temos que dar um jeito nisso.

Decidido, levou o sócio até a mesa de bebidas e pegou uma cerveja para ele. Enquanto isso, não parou de falar e, como Howard, exalava uma aura de felicidade e orgulho quase visível.

— Você sabia que ganhei a eleição?

Gavin não sabia, mas não quis fingir surpresa.

— É. Parabéns.

— Como está Mary? — perguntou ele, alegremente; esta noite era amigo de todo o vilarejo que o tinha elegido. — Ela está bem?

— Acho que sim...

— Ouvi dizer que ela deve ir para Liverpool. Tomara que seja melhor para ela.

— O quê? — perguntou Gavin, muito sério.

— Maureen estava falando sobre isso hoje de manhã, que a irmã de Mary veio convencê-la a voltar para casa com as crianças. Ela ainda tem família em Liver...

— A casa dela é aqui.

— Acho que era Barry que gostava de Pagford. Não sei se Mary vai querer ficar aqui sem ele.

Gaia observava Gavin por uma fresta da porta da cozinha. Estava segurando um copo de papel com uma boa dose de vodca que Andrew tinha roubado para ela.

— Esse cara é um filho da puta! — exclamou a garota. — Se ele não tivesse feito a minha mãe acreditar que gostava dela, a gente ainda estaria em Hackney. Ela é tão burra. Eu devia ter dito a ela que ele não estava assim tão a fim. Nunca chamava ela pra sair. Depois que eles trepavam, ele ficava louco pra ir embora.

Andrew, que estava arrumando mais sanduíches numa bandeja quase vazia, mal podia acreditar que ela falasse daquele jeito. A Gaia dos seus sonhos, que povoava todas as suas fantasias, era uma virgem, sexualmente criativa e aventureira. Não sabia o que a Gaia real tinha feito ou deixado de fazer com Marco de Luca. Mas, falando da mãe daquele jeito, ela parecia saber como os homens se comportavam depois do sexo se estivessem *realmente* interessados...

— Bebe um pouco — disse ela, aproximando o copo de papel da boca de Andrew, quando ele já estava quase saindo com a bandeja. Ele tomou alguns goles de vodca, e com uma risadinha ela se afastou para deixá-lo passar, acrescentando: — Diz a Sukh pra dar um pulo aqui pra beber também.

O salão estava cheio e barulhento. Andrew deixou os sanduíches frescos sobre a mesa, mas ninguém parecia muito interessado em comida. Sukhvinder se virava para atender todos os pedidos na mesa das bebidas, mas muita gente começou a se servir sozinha.

— Gaia tá chamando você lá na cozinha — disse Andrew, e a substituiu. Nem precisava bancar o barman. Foi enchendo todos os copos que encontrava pela frente, deixando-os em cima da mesa para as pessoas se servirem.

— Oi, Amendoim! — exclamou Lexie Mollison. — Você me dá um champanhe?

Eles estudaram juntos na St. Thomas, mas não se viam há muito tempo. O seu jeito de falar tinha mudado um pouco depois que ela foi para a St. Anne. E ele detestava ser chamado de Amendoim.

— Tá bem aí na sua frente — disse ele, apontando umas taças.

— Lexie, você não vai beber — exclamou Samantha, surgindo do meio da multidão. — Nem pensar.

— Vovô disse...

— Não quero saber o que ele disse.

— Todo mundo...

— Já disse que não!

Lexie saiu batendo os pés. Andrew, contente de vê-la ir embora, sorriu para Samantha, e ficou surpreso quando ela sorriu para ele também.

— Você responde assim aos seus pais?

— Claro — disse ele, e ela riu. Os seus seios eram realmente imensos.

— Senhoras e senhores — ecoou uma voz pelo microfone, e todo mundo parou para escutar Howard. — Queria dizer algumas palavras... A maioria de vocês provavelmente já sabe que o meu filho Miles foi eleito para o Conselho Distrital!

Os convidados aplaudiram, e Miles levantou o copo que tinha na mão acima da cabeça, agradecendo. Andrew ficou assustado ao ouvir Samantha dizer baixinho, mas de forma bem audível:

— Uhu, seu merda!

Como ninguém vinha pegar bebidas, Andrew fugiu para a cozinha. Gaia e Sukhvinder estavam sozinhas, bebendo e rindo, e, quando o viram chegar, gritaram:

— *Andy!*

Ele riu também.

— Vocês estão bêbadas?

— Estou — respondeu Gaia.

— Não — respondeu Sukhvinder. — Mas *ela* está.

— Tô nem aí — disse Gaia. — Mollison pode me mandar embora se quiser. Não preciso mais economizar pra comprar a passagem pra Hackney.

— Ele nunca vai mandar você embora — disse Andrew, servindo-se de um pouco de vodca. — Você é a favorita dele.

— É — concordou Gaia. — Velho babão.

E os três caíram na gargalhada.

A voz rouca de Maureen entrou pela porta da cozinha, amplificada pelo microfone.

— Venha, então, Howard! Venha... Um dueto pelo seu aniversário! Venha. Senhoras e senhores... A canção favorita de Howard!

Os adolescentes se entreolharam horrorizados, mas se divertindo com aquilo. Gaia foi rindo e cambaleando até a porta, e a abriu.

Os primeiros acordes de "The Green, Green Grass of Home" ecoaram, e em seguida ouviram-se a voz de baixo de Howard e a de contralto grave de Maureen.

The old home town looks the same,
As I step down from the train...

"A velha cidade natal parece a mesma, assim que desço do trem..." Gavin era o único que estava ouvindo as gargalhadas. Olhou ao seu redor, mas tudo o que viu foram as portas da cozinha, escancaradas, ainda balançando um pouco.

Miles tinha saído para conversar com Aubrey e Julia Fawley, que chegaram mais tarde, cheios de sorrisos corteses. Gavin estava preso num redemoinho de pavor e ansiedade. Aquela breve e iluminada sensação de liberdade e felicidade tinha sido obscurecida pela dupla ameaça de Gaia contar a todo mundo o que ele tinha dito à mãe dela e de Mary ir embora de Pagford para sempre. O que fazer?

Down the lane I walk, with my sweet Mary,
Hair of gold and lips like cherries...

— Kay não veio? — perguntou Samantha, enquanto ouviam "Pela estrada eu vou com a minha doce Mary, cabelos dourados e lábios de cereja...".

Ela se aproximou, debruçando-se sobre a mesa ao lado dele com um sorriso irônico.

— Você já me perguntou isso — respondeu Gavin. — Não veio, não.

— Está tudo bem entre vocês?

— Isso não é da sua conta — replicou ele, sem conseguir se conter. Estava cansado do seu deboche e das suas constantes provocações. Os dois estavam sozinhos, talvez pela primeira vez, pois Miles ainda estava às voltas com os Fawley.

Ela fez questão de se mostrar chocada, chegou até a exagerar na reação. Estava com os olhos vermelhos e caprichou na resposta que lhe deu. Pela primeira vez, Gavin se sentiu mais enojado do que intimidado.

— Desculpe. Eu estava apenas...

— Perguntando. Eu sei — disse ele, enquanto Howard e Maureen faziam uma dancinha, de braços dados.

— Gostaria de ver você se arrumar. Você e Kay formam um belo par.

— É. Mas gosto da minha liberdade — retrucou Gavin. — E não conheço muitos casais felizes.

Samantha tinha bebido muito para compreender totalmente aquela insinuação, mas ficou com a impressão de que era uma alfinetada.

— O casamento é sempre um mistério para quem está de fora — disse ela, cautelosa. — Ninguém pode saber o que acontece entre duas pessoas, só elas mesmas. Você não devia julgar ninguém, Gavin.

— Obrigado pelo conselho — rebateu ele, no limite da irritação. Colocou o copo de cerveja sobre a mesa e se dirigiu para o vestiário.

Samantha o viu se afastar, certa de que tinha levado a melhor na discussão. Depois voltou a sua atenção para a sogra, que estava no meio do salão, vendo Howard e Maureen cantarem. Saboreou a raiva de Shirley, que podia ser percebida claramente no sorriso mais frio e forçado que o seu rosto já tinha exibido durante aquela noite. Ao longo de todos esses anos de convivência, Howard e Maureen sempre cantaram juntos. Ele adorava cantar, e, no passado, Maureen já tinha feito *backing vocals* para uma banda de *skiffle*. Quando a música acabou,

Shirley bateu palmas apenas uma vez, como se estivesse chamando um lacaio. Samantha caiu na gargalhada e foi até o bar na ponta da mesa, mas ficou decepcionada quando não encontrou o garoto de gravata-borboleta por lá.

Andrew, Gaia e Sukhvinder ainda estavam rindo loucamente na cozinha. Riam porque Howard e Maureen fizeram aquele dueto e porque já tinham tomado dois terços da garrafa de vodca, mas principalmente riam porque estavam rindo, alimentando os próprios risos até não aguentarem mais.

A janelinha que ficava sobre a pia, deixada entreaberta para que a cozinha não ficasse muito abafada, balançou e se abriu, fazendo barulho. E eles viram a cabeça de Bola surgir na abertura.

— Boa noite — disse o garoto. Certamente tinha subido em alguma coisa para alcançar a janela, porque deu para ouvir o barulho de algo caindo quando ele deu impulso com o corpo e veio aterrissar bem em cima do escorredor de louça, derrubando vários copos, que se espatifaram no chão.

No mesmo instante, Sukhvinder saiu da cozinha. E imediatamente Andrew soube que não queria que Bola ficasse ali. Apenas Gaia parecia não se importar com a presença dele. Ainda rindo, ela disse:

— Sabia que esse lugar aqui tem porta?

— Não brinca?! — retrucou Bola. — Cadê a bebida?

— Essa é nossa — disse Gaia, segurando a garrafa nos braços como se fosse um bebê. — Andy pegou pra gente. Vai pegar uma pra você.

— Sem problemas — disse Bola, impassível, e foi para o salão.

— Preciso ir ao banheiro... — murmurou Gaia, escondendo de volta a garrafa debaixo da pia e saindo da cozinha também.

Andrew a seguiu. Sukhvinder tinha voltado para o bar. Gaia entrou no banheiro, e Bola estava encostado na mesa, com uma cerveja numa das mãos e um sanduíche na outra.

— Achei que você não ia querer vir a essa festa — disse Andrew.

— Fui convidado, cara — respondeu Bola. — Estava no convite. Família Wall.

— Pombinho sabe que você está aqui?

— Sei lá — respondeu o garoto. — Ele tá se escondendo. Afinal, não conseguiu a cadeira do velho Barry. Todo o tecido social vai ruir agora que Pombinho não estará lá para impedir isso. Puta que pariu, isso aqui tá uma droga — acrescentou ele, cuspindo um pedaço do sanduíche. — Quer um cigarro?

O salão estava tão barulhento, e os convidados já tão bêbados a essa altura, que ninguém mais parecia se importar com onde Andrew poderia estar. Quando chegaram lá fora, encontraram Patricia Mollison, sozinha, encostada no seu carro esportivo, olhando para o céu estrelado e fumando.

— Querem um desses? — ofereceu ela, estendendo-lhes o maço.

Depois de acender o cigarro dos garotos, ficou parada ali, com uma das mãos enfiada no bolso. Havia alguma coisa naquela mulher que intimidava Andrew, e ele não conseguia nem ao menos olhar para Bola para ver o que ele achava.

— Sou Pat — disse ela, depois de alguns segundos. — A filha de Howard e Shirley.

— Oi — disse Andrew. — Eu sou Andrew.

— Stuart — se apresentou Bola.

Aparentemente, ela não estava a fim de continuar aquela conversa. Andrew sentiu aquilo como uma espécie de elogio e tentou imitar a indiferença dela. O silêncio foi rompido por passos e pelo som abafado de vozes femininas.

Gaia vinha puxando Sukhvinder pela mão. Estava rindo, e, ao vê-la, Andrew percebeu que o efeito da vodca não tinha diminuído absolutamente.

— Você — disse a garota, dirigindo-se a Bola — tem sido um monstro com Sukhvinder.

— Para com isso — exclamou a outra, tentando se livrar da mão da amiga. — Tô falando sério... Me solta...

— Mas é verdade — insistiu Gaia, ofegante. — Um monstro! Andou postando umas coisas no Facebook dela?

— *Para!* — gritou Sukhvinder, que conseguiu enfim se soltar e voltou correndo para o salão.

— Você tem sido um monstro com ela — insistiu Gaia, agarrando-se à grade para se equilibrar. — Fica chamando ela de lésbica e aquelas coisas todas...

— Não tem nada de mais em ser lésbica — disse Patricia, estreitando os olhos por causa da fumaça do cigarro. — Mas, na idade de vocês, a gente acha que tem.

Andrew percebeu que Bola olhou para Pat com o rabo do olho.

— Eu nunca disse que tinha problema. Era só sacanagem — explicou o garoto.

Gaia foi escorregando pela grade e sentou no chão frio, apoiando a cabeça nos braços.

— Tá tudo bem? — perguntou Andrew. Se Bola não estivesse ali, ele bem que sentaria ao lado dela.

— Tô muito bêbada — murmurou ela.

— Talvez seja melhor meter o dedo na garganta de uma vez — sugeriu Patricia, olhando para ela, com ar impassível.

— Belo carro — disse Bola, observando o BMW.

— Verdade — replicou Patricia. — É novo. Ganho duas vezes mais do que meu irmão — prosseguiu ela. — Mas Miles é o Menino Jesus, o Messias... Conselheiro Mollison Segundo... de Pagford. Você gosta de Pagford? — perguntou, dirigindo-se a Bola, enquanto Andrew se preocupava com Gaia, que respirava fundo com a cabeça entre os joelhos.

— Não — respondeu o garoto. — Isso aqui é o fim do mundo.

— É... Eu pessoalmente vivia louca para ir embora. Conheceu Barry Fairbrother?

— Mais ou menos — disse Bola.

Alguma coisa na voz do amigo deixou Andrew preocupado.

— Ele era o meu mentor de literatura lá na St. Thomas — disse Patricia, sempre com os olhos fixos no fim da rua. — Um cara legal. Adoraria ter vindo para o enterro, mas Melly e eu estávamos em Zermatt. Que história é essa de um Fantasma de Barry que está deixando a minha mãe tão empolgada?...

— Alguém está postando umas coisas no site do Conselho — respondeu Andrew mais que depressa, antes que Bola pudesse dizer alguma coisa. — Boatos e coisas do gênero.

— É, minha mãe adora isso — observou Patricia.

— O que será que o Fantasma vai dizer no próximo post? — perguntou Bola, dando uma olhadela para o amigo.

— É capaz de não ter mais post agora que a eleição acabou — balbuciou Andrew.

— Ah, não sei, não — disse Bola. — Ainda pode ter mais coisa irritando o fantasma do velho Barry...

Bola sabia que estava deixando o amigo aflito, e adorava a ideia. Andrew vinha passando o tempo todo naquele emprego de merda, e logo, logo ia embora de Pagford. Bola não lhe devia nada. A verdadeira autenticidade não pode conviver com culpa e obrigação.

— Melhorou? — perguntou Patricia, dirigindo-se a Gaia, que fez que sim com a cabeça, com o rosto ainda escondido. — O que foi que deixou você assim, a bebida ou o dueto?

Andrew deu uma risadinha, por educação, mas também porque queria desviar a conversa do assunto sobre o Fantasma de Barry Fairbrother.

— Também fiquei com o estômago embrulhado — prosseguiu Patricia. — Maureen e meu pai cantando juntos, lado a lado, de braços dados. — Deu a última tragada profunda no cigarro, jogou a guimba no chão e pisou nela com o salto do sapato. — Quando eu tinha doze anos, peguei Maureen chupando o meu pai. E ele me deu uma nota de cinco para eu não contar nada para a minha mãe.

Andrew e Bola ficaram chocados, com medo até de olhar um para o outro. Patricia enxugou o rosto com o dorso da mão: estava chorando.

— Eu não devia ter vindo a essa maldita festa — exclamou. — Sabia que não devia ter vindo.

Entrou no BMW, e os dois garotos ficaram olhando, atônitos, ela ligar o carro, dar marcha a ré e ir embora noite adentro.

— Puta que pariu! — exclamou Bola.

— Acho que vou vomitar — murmurou Gaia.

— O sr. Mollison tá chamando... pra servir as bebidas.

Assim que deu o recado, Sukhvinder voltou para o salão.

— Não consigo — sussurrou Gaia.

Andrew a deixou ali. Quando abriu a porta, chegou a se assustar com a barulheira que vinha do salão. Todo mundo estava dançando. Teve que se afastar para dar passagem a Aubrey e Julia Fawley. Já de costas para a festa, os dois pareciam bem contentes de sair dali.

Samantha Mollison não estava dançando. Continuava encostada naquela mesa que, ainda agora mesmo, estava repleta de bebidas já servidas. Enquanto Sukhvinder se apressava em recolher os copos vazios, Andrew foi abrir a última caixa. Trouxe então os copos limpos para o salão e começou a enchê-los.

— Sua gravata está torta — disse Samantha, e se debruçou sobre a mesa para ajeitá-la. Constrangido, o garoto fugiu para a cozinha assim que ela o soltou. Entre cada leva de copos que ia botando na lava-louça, tomava um gole da vodca que tinha roubado. Queria ficar tão bêbado quanto Gaia: queria voltar àquele momento em que estavam rindo juntos loucamente, antes de Bola aparecer.

Dez minutos depois, voltou para ver como estavam as bebidas lá na mesa. Samantha continuava no mesmo lugar, com os olhos vidrados, e tinha à sua disposição vários copos recém-servidos. Howard saltitava no meio da pista de dança, com o suor a lhe escorrer pelo rosto, rindo às gargalhadas de alguma coisa que Maureen tinha lhe dito. Abrindo caminho em meio à multidão, Andrew voltou lá para fora.

De início não conseguiu localizá-la, mas de repente viu os dois. Gaia e Bola estavam agarrados, a uns dez metros da porta, encostados nas grades do portão, os corpos bem colados, a língua de um na boca do outro.

— Andrew, desculpe, mas não consigo sozinha — disse Sukhvinder, às suas costas, meio desesperada. Mas então ela avistou Bola e Gaia, e deixou escapar algo que era um misto de grito e gemido. O garoto voltou com ela para o salão, inteiramente atordoado. Na cozinha, despejou o resto da vodca num copo e bebeu tudo de um só gole. Mecanicamente, encheu a pia e começou a lavar os copos que não cabiam na lava-louça.

O álcool não era como a maconha. Estava se sentindo vazio, mas também pronto para bater em alguém: em Bola, por exemplo.

Algum tempo depois, percebeu que o relógio de plástico da parede da cozinha tinha passado da meia-noite para uma hora e que as pessoas já estavam indo embora.

Ele devia ir pegar os casacos no vestiário. Bem que tentou fazer isso por alguns minutos, mas depois foi tropeçando para a cozinha, deixando a tarefa por conta de Sukhvinder.

Samantha estava recostada na geladeira, sozinha, com um copo na mão. Andrew percebeu que a sua visão não estava nada nítida, como se tudo à sua frente fosse uma série de fotogramas. Gaia não voltou. Com certeza já tinha ido embora com Bola há muito tempo. Samantha dizia alguma coisa. Ela também estava bêbada. A sua presença já não o deixava constrangido. Andrew começou a achar que logo, logo ia vomitar.

— ...odeio Pagford... — disse ela —, mas você ainda tem idade para cair fora daqui.

— Verdade — concordou ele, sem conseguir sentir os próprios lábios. — E vou mesmo. Logo, logo.

Ela afastou o cabelo que lhe caía na testa e o chamou de querido. A imagem de Gaia com a língua enfiada na boca de Bola ameaçava fazer tudo desaparecer. Sentia o perfume de Samantha, vindo em ondas daquela pele quente.

— Essa banda é uma merda — disse ele, apontando para o peito dela, mas não achava que ela pudesse ouvi-lo.

A boca de Samantha era áspera e quente, e aqueles seus seios enormes estavam apertados contra o seu peito. As costas dela eram tão largas quanto as dele...

— Que porra é essa?!

Andrew estava caído em cima do escorredor de louça, e Samantha estava sendo arrastada para fora da cozinha por um homem grandalhão, de cabelo curto e grisalho. Tinha a vaga ideia de que algo ruim havia acontecido, mas a estranha inconsistência da realidade estava ficando cada vez mais forte. De repente, só havia uma coisa a fazer: correr até a lixeira e vomitar, vomitar, vomitar.

— Desculpe, não dá pra entrar — dizia a voz de Sukhvinder. — Tem umas coisas empilhadas aqui atrás da porta.

Andrew amarrou bem o saco de lixo onde havia vomitado. Sukhvinder o ajudou a limpar a cozinha. Precisou vomitar mais duas vezes, mas em ambas as ocasiões conseguiu chegar ao banheiro.

Já eram quase duas horas da manhã quando Howard, suado, mas sorridente, veio agradecer e se despedir.

— Vocês fizeram um ótimo trabalho — disse ele. — Até amanhã, então. Um ótimo... Mas onde está a srta. Bawden?

Andrew deixou que Sukhvinder inventasse uma mentira qualquer. Lá fora, soltou a corrente que prendia a bicicleta de Simon e saiu pedalando pela escuridão.

O frio durante o longo caminho de volta até Hilltop House clareou as suas ideias, mas não amenizou nem a sua amargura, nem a sua tristeza.

Será que ele tinha dito a Bola que estava a fim de Gaia? Talvez não, mas Bola sabia. Ele *sabia* que Bola sabia... Será que a essa hora eles estavam trepando?

Bom, mas estou mesmo indo embora, pensou o garoto, que ia empurrando a bicicleta colina acima, com o tronco inclinado para a frente e tremendo de frio. *Então, quero mais que eles se fodam...*

Nesse momento, uma outra ideia lhe passou pela cabeça: *É melhor mesmo eu ir embora...* Será que ele tinha se agarrado com a mãe de Lexie Mollison? Será que o marido dela pegou os dois juntos? Isso aconteceu mesmo?

Estava com medo de Miles, mas também estava louco para contar essa história para Bola. Queria ver a cara que ele ia fazer...

Quando entrou em casa, exausto, ouviu a voz de Simon vindo lá da cozinha às escuras.

— Guardou a bicicleta na garagem?

Ele estava sentado à mesa da cozinha, comendo uma tigela de cereais. Já eram quase duas e meia da madrugada.

— Não conseguia dormir — disse Simon.

Por incrível que pareça, ele não estava zangado. Como Ruth não estava por perto, ele não precisava provar que era mais forte ou mais esperto que os filhos. Parecia pequeno e cansado.

— Acho que vamos ter que nos mudar para Reading, Cara de Pizza — comentou ele. E aquilo era quase um tratado de paz.

Ligeiramente trêmulo, sentindo-se velho, confuso e terrivelmente culpado, Andrew quis dar ao pai algo que pudesse compensar o que ele tinha feito. Era hora de recuperar o equilíbrio e ver Simon como um aliado. Eles eram uma família. Iam embora juntos. Talvez em algum outro lugar as coisas fossem melhorar.

— Tenho uma coisa pra você — disse o garoto. — Vem cá. Aprendi a fazer isso na escola.

E levou o pai até o computador.

IV

Um céu azul enevoado se estendia como uma cúpula sobre Pagford e Fields. A luz do amanhecer reluziu na velha pedra do memorial de guerra no meio da praça, nas fachadas de concreto rachado da Foley Road, e tingia as paredes brancas de Hilltop House de um dourado pálido. Entrando no carro para mais um longo plantão no hospital, Ruth Price olhou para o rio Orr lá embaixo, brilhando ao longe como uma fita prateada, e achou que seria uma imensa injustiça outra pessoa possuir a sua casa e a sua vista dentro em breve.

A pouco mais de um quilômetro dali, na Church Row, Samantha Mollison ainda dormia a sono solto no quarto de hóspedes. A porta não tinha chave, mas ela tinha feito uma espécie de barricada com a poltrona, antes de desabar na cama, ainda meio vestida. Os sinais de uma forte dor de cabeça perturbavam o seu torpor, e o sol, que penetrava por uma fresta das cortinas, vinha cair como um raio laser bem no canto de um dos seus olhos. Ela se remexeu um pouco, nas profundezas daquela sonolência em que se encontrava, aflita, com a boca seca, e os seus sonhos eram estranhos e cheios de culpa.

Lá embaixo, na cozinha clara e limpa, Miles estava sentado, ereto e sozinho, fitando a geladeira, com uma xícara de chá intocada à sua frente. Mentalmente voltou a ver a cena em que se lançava sobre a esposa embriagada, aos beijos com um garoto de dezesseis anos.

Três casas adiante, Bola Wall estava deitado no quarto, fumando, ainda com as roupas que tinha usado na festa de aniversário de Howard Mollison. Quis passar a noite acordado, e conseguiu. Tinha a boca ligeiramente entorpecida e meio dormente pela quantidade de cigarros que havia fumado, mas o cansaço acabou provocando o efeito contrário ao que ele desejava: não estava conseguindo pensar com clareza, mas a sua infelicidade e a sua apreensão estavam mais aguçadas que nunca.

Banhado de suor, Colin Wall acordou de mais um dos pesadelos que o atormentavam há anos. Sempre fazia coisas terríveis nos seus sonhos, aquelas coisas que passava o tempo todo temendo quando estava acordado. Dessa vez, tinha matado Barry Fairbrother, a polícia conseguiu encontrá-lo e veio lhe dizer que sabia que ele tinha eliminado Fairbrother. Já haviam feito a autópsia.

Olhando para a tão conhecida sombra do lustre no teto, Colin se perguntou por que nunca tinha pensado na possibilidade de ter matado Barry; e de imediato a pergunta surgiu na sua mente: *Como sabe que não matou?*

No térreo, Tessa estava aplicando a injeção de insulina na barriga. Sabia que Bola tinha voltado para casa na noite anterior porque podia sentir o cheiro de cigarro que vinha lá de cima quando chegava perto da escada que levava ao seu quarto. Não sabia aonde ele tinha ido nem a que horas tinha voltado, o que a deixava assustada. Como as coisas tinham chegado a esse ponto?

Feliz da vida, Howard Mollison dormia profundamente na sua cama de casal. As cortinas estampadas cobriam-no de pétalas cor-de-rosa, protegendo-o de um despertar mais brusco, mas os seus chiados e os seus sonoros roncos já haviam acordado a sua esposa. Na cozinha, Shirley comia umas torradas e tomava um café, de óculos, envergando o seu robe de chenile. Via Maureen dançando de braços dados com o seu marido no salão da igreja, e ficou com tanta raiva que nem conseguia sentir o gosto do que estava comendo.

No Smithy, a alguns quilômetros do centro de Pagford, Gavin Hughes se ensaboava sob a ducha quente perguntando-se por que jamais tivera a coragem de outros homens, e como eles conseguiam fazer a escolha certa entre alternativas quase infinitas. No fundo desejava uma vida que havia vislumbrado, mas jamais experimentara. No entanto, essa mesma vida desejada o assustava. Escolher é algo perigoso: quando escolhemos, temos que abrir mão de todas as outras possibilidades.

Kay Bawden estava deitada na sua cama da Hope Street, acordada e exausta, ouvindo a quietude do amanhecer em Pagford e vendo Gaia, que dormia ao seu lado na cama de casal, pálida e sem forças à luz do dia que raiava. No chão, perto da garota, havia um balde que Kay decidira pôr ali, depois de levar a filha praticamente carregada até o banheiro várias vezes naquela madrugada e passar uma hora segurando o cabelo dela para que ele não entrasse na privada.

— Por que você nos trouxe pra cá? — choramingava Gaia, vomitando dentro do vaso sanitário. — Me larga. Me deixa em paz. Porra!... *Odeio você.*

Olhando o rosto da filha adormecida, Kay ficou se lembrando do bebezinho lindo que dormia ao seu lado, dezesseis anos atrás. Lembrou também que as duas choraram juntas quando ela se separou de Steve, seu companheiro por oito anos. Steve, que frequentava as reuniões de pais da escola de Gaia e que a ensinou a andar de bicicleta. Pensou na fantasia que nutriu por tanto tempo (pensando bem agora, uma fantasia tão boba quanto a de Gaia, que aos quatro anos queria ter um unicórnio) de formar uma família com Gavin e finalmente dar a Gaia um verdadeiro padrasto e uma bonita casa no campo. Sonhou tanto com um final feliz, com uma vida para a qual Gaia quisesse sempre voltar. Porque a partida da filha vinha se aproximando dela como um meteorito, e Kay via a perda de Gaia como uma catástrofe que poderia destruir o seu mundo.

Estendeu o braço por baixo do edredom e segurou o da filha. Ao tocar aquele corpo quente que ela havia posto no mundo por acidente, Kay começou a chorar baixinho, mas com tanta violência que o colchão chegava a sacudir.

No final da Church Row, Parminder Jawanda colocou um casaco por cima da camisola e foi tomar café no quintal dos fundos. Sentada num banco de madeira, sob aquele sol ainda gélido, percebeu que um dia lindo se anunciava, mas parecia haver um bloqueio entre os seus olhos e o seu coração. O imenso peso que sentia no peito amortecia todo o resto.

A notícia da vitória de Miles Mollison na eleição para o Conselho Distrital não foi nenhuma surpresa, mas, ao ver o pequeno anúncio postado por Shirley no site da instituição, sentiu mais um lampejo daquela loucura que se havia apoderado dela na última reunião: um desejo de atacar quase imediatamente suplantado por uma profunda desesperança.

— Vou renunciar ao cargo de conselheira — disse a Vikram. — Para que continuar?

— Mas você gosta tanto — replicou ele.

Gostava, sim, mas quando Barry também fazia parte daquele Conselho. Era fácil pensar nele naquela manhã, quando tudo estava quieto, imóvel. Um homenzinho, de barba avermelhada... Ela tinha bem uns dez centímetros a mais que ele. Nunca sentiu a menor atração física por ele. *O que era amor, afinal?*, pensou Parminder, enquanto um vento brando soprava a cerca alta de ciprestes, que contornava o extenso gramado dos fundos da casa dos Jawanda. O amor é quando alguém preenchia um espaço na sua vida, um espaço que ficava inteiramente vazio quando essa pessoa ia embora?

Eu adorava rir, pensou Parminder. *Sinto muita falta disso.*

E foi a lembrança do riso que fez, enfim, as lágrimas brotarem dos seus olhos, escorrerem pelo seu nariz e caírem no café, formando uns minúsculos furinhos, que pareciam de pequenas balas de revólver. Estava chorando porque pelo visto nunca mais ia voltar a rir, e também porque na véspera, enquanto ouviam a música alegre que vinha lá do salão da igreja, Vikram lhe dissera:

— Por que não vamos a Amritsar no verão?

O Templo Dourado, o santuário mais sagrado da religião à qual o seu marido era completamente indiferente. Entendeu de imediato o que Vikram estava tentando fazer. Pela primeira vez na vida, o tempo ficou suspenso e vazio nas suas mãos. Nenhum dos dois sabia o que o Conselho Geral de Medicina decidiria a seu respeito se considerasse a sua atitude com relação a Howard Mollison uma violação à ética profissional.

— Mandeep diz que o lugar é uma grande armadilha para turistas — replicou ela, rejeitando de vez a sugestão do marido.

Por que fui dizer aquilo?, perguntou-se Parminder, chorando ainda mais ali no jardim, com o café esfriando na xícara. *Seria bom levar as crianças para conhecer Amritsar. Ele está tentando ser gentil. Por que não concordei?*

Teve uma vaga sensação de haver traído algo ao recusar a visita ao Templo Dourado. A imagem do santuário surgiu em meio às suas lágrimas, com a cúpula em forma de flor de lótus refletida num espelho de água, aquela cúpula de um mel brilhante, que se destacava contra um fundo de mármore branco.

— Mãe.

Sukhvinder tinha vindo pelo gramado sem que ela notasse. Estava de jeans e com um suéter bem largo. Parminder se apressou em enxugar o rosto e apertou os olhos para enxergar melhor a filha, que estava contra o sol.

— Não quero ir trabalhar hoje.

A reação de Parminder foi imediata, seguindo aquele mesmo espírito de contradição que a fizera recusar a viagem a Amritsar.

— Você assumiu um compromisso, Sukhvinder.

— Não tô me sentindo bem.

— Você quer dizer que está cansada. Foi você que quis trabalhar. Agora, cumpra com as suas obrigações.

— Mas...

— Você vai para o trabalho, sim — cortou a médica, e parecia até que ela estava pronunciando uma sentença. — Não vai dar aos Mollison mais um motivo para reclamarem.

Depois que a filha voltou para dentro de casa, Parminder se sentiu culpada. Esteve a ponto de chamá-la de volta. Limitou-se, porém, a pensar que precisava arranjar algum tempo para se sentar com Sukhvinder e conversar com ela sem brigar.

V

Krystal andava pela Foley Road no sol das primeiras horas da manhã, comendo uma banana. Não conseguia saber se gostava ou não daquela fruta com um sabor e uma textura tão estranhos. Ela e a mãe nunca compravam frutas.

A mãe de Nikki tinha acabado de expulsá-la de casa sem a menor cerimônia.

— Temos coisas para fazer, Krystal — disse ela. — Vamos jantar na casa da avó de Nikki.

Depois disso, resolveu lhe dar aquela banana como café da manhã. Krystal foi embora sem reclamar. A família toda de Nikki mal cabia à mesa da cozinha.

Fields não ficava mais bonito banhado pelos raios de sol da manhã. Pelo contrário, a luz do dia realçava ainda mais a sujeira e os estragos, as rachaduras nas paredes de concreto, as janelas tapadas com tábuas e o lixo acumulado.

A praça de Pagford parecia recém-pintada sempre que o sol brilhava. Duas vezes por ano, as crianças da escola primária passavam pelo centro do vilarejo, duas a duas, em fila, a caminho da igreja, para o serviço religioso do Natal e da Páscoa. (Ninguém jamais quis dar a mão a Krystal. Bola havia dito a todo mundo que ela tinha piolho. Ela ficou se perguntando se ele ainda se lembrava disso.) Havia corbelhas cheias de flores, pinceladas de roxo, rosa e verde, e sempre que ela passava pelas jardineiras que ficavam na frente do Black Canon arrancava uma pétala de uma flor qualquer. De início, todas eram frescas e macias entre os seus dedos, mas logo escureciam e se tornavam pegajosas à medida que ela as esmagava. Em geral, se livrava delas esfregando a mão debaixo de um dos bancos de madeira da Igreja de São Miguel.

Entrou em casa e logo percebeu, pela porta aberta à sua esquerda, que Terri não tinha ido para a cama. Estava sentada na poltrona de sempre, de olhos fechados e com a boca aberta. Krystal bateu a porta com força, mas Terri nem se mexeu.

Mais que depressa, se aproximou da mãe e sacudiu o seu braço fino. A cabeça de Terri pendeu para a frente, encostando no seu peito encarquilhado, e ela soltou um ronco.

Krystal a soltou. A imagem do homem morto no banheiro voltou à sua memória.

— Sua vaca estúpida — exclamou a garota.

Mas, de repente, percebeu que Robbie não estava por ali. Subiu a escada correndo, chamando por ele.

— Tô aqui — ouviu-o dizer, por trás da porta fechada do quarto dela.

Quando forçou a porta e conseguiu abri-la, viu Robbie parado ali, nu. Atrás dele, deitado no seu colchão, sem camisa e coçando o peito, estava Obbo.

— Tudo bem, Krys? — perguntou ele, com um risinho.

Ela passou a mão em Robbie e o carregou para o seu próprio quarto. As suas mãos tremiam tanto que ela levou horas para vesti-lo.

— Ele fez alguma coisa com você? — perguntou ao menino, bem baixinho.

— Tô com fome — disse Robbie.

Depois de vesti-lo, ela o pegou no colo e desceu correndo. Dava para ouvir Obbo circulando pelo seu quarto.

— Que que ele tá fazendo aqui? — gritou ela, dirigindo-se a Terri, que estava inteiramente grogue, atirada na poltrona. — Por que que ele tava com Robbie?

O menino se debatia para sair do seu colo; ele odiava que gritassem.

— E que porra é essa aí? — perguntou Krystal, sempre aos berros, percebendo só agora duas sacolas pretas no chão, ao lado da poltrona de Terri.

— Nada — respondeu a mulher vagamente.

Mas Krystal já tinha aberto o zíper de uma delas.

— *Não é nada!!!* — esbravejou Terri.

Ali dentro havia uns pacotes de haxixe, grandes como tijolos, embalados cuidadosamente em folhas de polietileno: Krystal, que mal sabia ler, que era praticamente incapaz de identificar metade dos legumes expostos num supermercado, que não fazia ideia do nome do primeiro-ministro, sabia perfeitamente que o conteúdo daquela sacola, se descoberto, significava prisão para a sua mãe. Viu, então, a lata com os cavalos e o cocheiro de cartola na tampa, meio escondida na poltrona em que Terri estava sentada.

— Você usou — exclamou a garota, ofegante, como se uma calamidade invisível houvesse desabado sobre ela e tudo ao seu redor estivesse destruído. — Você usou a porra da...

Ouviu Obbo descendo a escada e pegou Robbie no colo novamente. O menino começou a chorar e se debateu nos seus braços, assustado com a sua raiva, mas Krystal o segurou com toda a força.

— Solta ele, porra — gritava Terri, inutilmente. Krystal já tinha aberto a porta e, correndo o mais rápido que podia, apesar do peso do irmão, que se debatia e gemia, voltou para a rua.

VI

Shirley tomou banho e tirou uma roupa do armário enquanto Howard continuava a dormir, roncando. O sino da Igreja de São Miguel e Todos os Santos soando para o serviço das dez horas chegou aos seus ouvidos quando ela estava abotoando o casaco. Sempre achou que aquele barulho devia ser altíssimo na casa dos Jawanda, que moravam bem em frente, e torceu para que eles ouvissem aquele som como a proclamação, em altos brados, do apoio de Pagford aos velhos costumes e tradições, de que eles, obviamente, não faziam parte.

Sem pensar muito, porque era o que quase sempre fazia, Shirley saiu pelo corredor, entrou no antigo quarto de Patricia e sentou-se na frente do computador.

A filha devia estar ali, dormindo no sofá-cama que Shirley havia preparado para ela. Mas era um alívio não ter que lidar com ela naquela manhã. Howard, que ainda cantarolava "The Green, Green Grass of Home" quando chegaram de volta a Ambleside já de madrugada, só deu pela falta de Patricia quando Shirley enfiou a chave na porta da frente.

— Onde está Pat? — perguntou ele, num sussurro, recostado no portal.

— Ah, ela ficou chateada porque Melly não quis vir — respondeu Shirley com um suspiro. — Tiveram uma briga ou algo assim... Deve ter voltado para casa para tentar acertar as coisas.

— Sempre uma emoção extra — exclamou ele, esbarrando nas paredes do estreito corredor, a caminho do quarto.

Shirley entrou no seu site de medicina favorito. Quando digitou a primeira letra do termo que queria procurar, o site exibiu novamente as definições das injeções de adrenalina. Ela então aproveitou para rever rapidamente como agiam e como deviam ser utilizadas, porque talvez ainda tivesse a chance de salvar a vida do rapazinho que trabalhava no café. Em seguida digitou com todo o cuidado a palavra "eczema", e ficou sabendo, não sem alguma decepção, que a doença não era infecciosa, e portanto não poderia ser usada como desculpa para demitir Sukhvinder Jawanda.

Por pura força do hábito, digitou o endereço do site do Conselho Distrital de Pagford e clicou na área de mensagens.

Agora era capaz de reconhecer de cara, só pelo formato e pelo tamanho, o nome O_Fantasma_de_Barry_Fairbrother, exatamente como um apaixonado reconhece de imediato a nuca da mulher amada, ou a forma de seus ombros ou o seu jeito de andar.

Bastou uma olhada nas mensagens recentes para quase explodir de empolgação: o Fantasma não a tinha abandonado. Sabia que a explosão da dra. Jawanda não poderia passar em branco.

O caso do representante máximo de Pagford

Leu a frase, mas a princípio não entendeu nada. Estava esperando ver ali o nome de Parminder. Leu de novo e quase perdeu o fôlego, como alguém que é atingido por um balde de água fria.

Há anos que Howard Mollison, o representante máximo de Pagford, e Maureen Lowe, moradora de longa data do vilarejo, são muito mais do que meros sócios. É do conhecimento de todos que Maureen prova regularmente os mais finos salames de Howard. Aparentemente a única pessoa que não está a par desse segredo é Shirley, esposa de Howard.

Paralisada na cadeira, Shirley pensou: *Não é verdade.*

Não podia ser verdade.

Tinha desconfiado disso uma ou duas vezes... Chegou até a fazer algumas insinuações a Howard...

Não, não ia acreditar naquilo. Não podia acreditar naquilo.

Mas os outros acreditariam. Acreditariam no Fantasma. Todos acreditavam nele.

Quando tentou remover a mensagem do site, atrapalhou-se toda, porque as suas mãos pareciam até luvas vazias, inertes, desajeitadas. Enquanto aquela mensagem permanecesse ali, a cada segundo mais alguém poderia lê-la, acreditar nela, rir dela, transmiti-la para o jornal local... Howard e Maureen... Howard e Maureen...

A mensagem foi apagada. Shirley ficou sentada ali, olhando para o monitor, com os pensamentos correndo como ratos numa caixa de vidro, tentando escapar, mas não havia nenhuma saída, nenhum apoio para os pés, nenhuma maneira de voltar para aquele lugar feliz onde ela vivia antes de ver aquela coisa horrorosa, exibida publicamente para o mundo inteiro ver...

Ele tinha rido de Maureen.

Não, *ela* tinha rido de Maureen. Howard tinha rido de Kenneth.

Sempre juntos: nas férias, no trabalho, nos passeios de fim de semana...

...a única pessoa que não está a par desse segredo...

...ela e Howard não precisavam de sexo: dormindo há anos em camas separadas, tinham um acordo tácito...

...prova regularmente os mais finos salames de Howard...

(A mãe de Shirley estava viva ali no quarto ao seu lado: rindo e debochando dela, derramando o vinho que bebia... Shirley não suportava esse tipo de riso. Nunca conseguiu aguentar obscenidades e escárnio.)

Levantou-se de um salto, tropeçando nos pés da cadeira, e correu para o quarto. Howard ainda estava dormindo, deitado de barriga para cima, roncando como um porco.

— Howard — disse ela. — Howard.

Ele demorou alguns minutos para acordar. Estava confuso e desorientado, mas, parada ali ao seu lado, Shirley ainda o via como um cavaleiro protetor que poderia salvá-la.

— Howard, o Fantasma de Barry Fairbrother postou mais uma mensagem.

Ligeiramente irritado por ter sido acordado assim tão bruscamente, Howard fez um grunhido e enfiou o rosto no travesseiro.

— É sobre você — disse Shirley.

Em geral, ela e Howard não diziam claramente o que pensavam. E Shirley sempre gostou disso. Mas hoje queria ir direto ao assunto.

— É sobre você — repetiu ela — e Maureen. Segundo ele, vocês têm... um caso.

Howard passou a mão enorme pelo rosto e esfregou os olhos. Shirley estava convencida de que ele os esfregou muito mais do que o necessário.

— O quê? — indagou ele, enquanto tinha o rosto protegido pela mão.

— Que você e Maureen têm um caso.

— De onde ele tirou isso?

Não havia naquela pergunta negação, nem ofensa, nem riso de incredulidade. Apenas a preocupação com relação à fonte daquela informação.

Dali em diante, Shirley sempre se lembraria daquele momento como uma morte, uma vida efetivamente encerrada.

VII

— Porra, Robbie! Cala a boca.

Krystal foi arrastando Robbie até um ponto de ônibus várias ruas adiante, para que nem Obbo, nem Terri pudessem encontrá-los. Não sabia se tinha dinheiro para a passagem, mas estava decidida a ir para Pagford. A avó Cath tinha morrido, o sr. Fairbrother tinha morrido, mas Bola estava lá, e ela precisava engravidar dele.

— Por que ele tava lá no quarto com você? — perguntou ela aos gritos, mas Robbie continuava chorando e não respondeu.

O celular de Terri estava quase sem bateria. Krystal ligou para Bola, mas caiu na caixa postal.

Lá na Church Row, o garoto estava ocupado, comendo umas torradas e ouvindo os pais terem mais uma daquelas conversas esquisitas no escritório, do outro lado do corredor. Essa era uma ótima maneira de se desligar dos seus próprios pensamentos. No seu bolso, o telefone vibrou, mas ele não atendeu. Não havia ninguém com quem quisesse falar. Andrew não era. Não depois da noite de ontem.

— Colin, você sabe muito bem o que deve fazer — dizia a sua mãe. Pela voz, parecia exausta. — Por favor, Colin...

— Nós jantamos com eles no sábado à noite. Na véspera da morte dele. Fui eu que fiz o jantar. E se...

— Colin, *você não colocou nada na comida*... Pelo amor de Deus! Eu estou aqui fazendo isso... Não tenho nada que fazer isso, Colin, você sabe muito bem que eu não tenho que entrar nesse jogo. É o seu TOC que está fazendo você pensar essas coisas.

— Mas eu posso ter colocado, Tess. De repente me passou pela cabeça: e se eu pus alguma coisa...

— Então por que é que nós estamos vivos, você, eu e Mary? Eles fizeram uma autópsia, Colin!

— Mas ninguém nos deu nenhum detalhe. Mary não nos disse nada. Acho que é por isso que ela não quer mais falar comigo. Está desconfiada.

— Colin, pelo amor de Deus...

A voz de Tessa era agora um sussurro insistente, baixo demais para ser ouvido. O celular de Bola vibrou novamente. O garoto tirou o aparelho do bolso. Era o número de Krystal. Ele atendeu.

— Oi — disse Krystal, e ele ouviu alguma coisa que parecia uma criança gritando. — A gente pode se encontrar?

— Não sei, não — respondeu ele, bocejando. Estava pretendendo ir para a cama.

— Tô indo pra Pagford de ônibus. A gente podia dar uma volta.

Na véspera, ele agarrou Gaia Bawden lá na grade, do lado de fora do salão da igreja, até ela o empurrar e começar a vomitar. Depois, quando ela começou a brigar com ele de novo, Bola decidiu voltar para casa e deixar ela ali.

— Não sei, não — repetiu ele. Estava se sentindo muito cansado, muito triste.

— Ah, vamos — insistiu a garota.

Bola ouviu a voz de Colin vindo lá do escritório.

— Isso é o que você diz, mas será que ia aparecer? E se eu...

— Não podemos continuar com isso, Colin... Você sabe que não deve levar essas ideias a sério.

— Como pode dizer isso? Como não levar isso a sério? Se eu for o responsável...

— Tá bom — disse Bola. — Encontro você daqui a vinte minutos em frente ao pub lá na praça.

VIII

Finalmente, Samantha teve que sair do quarto de hóspedes, porque estava com muita vontade de fazer xixi. Tomou uns goles de água gelada direto da torneira do banheiro até se sentir enjoada, engoliu dois comprimidos de paracetamol que apanhou no armário de remédios acima da pia e depois tomou um banho.

Vestiu-se sem se olhar no espelho. Fez tudo isso tentando distinguir algum ruído que lhe indicasse onde estaria Miles, mas a casa parecia completamente silenciosa. Talvez ele tivesse levado Lexie a algum lugar, pensou ela, longe da mãe bêbada, devassa e papa-anjo...

(— Ele era da turma de Lexie na escola! — esbravejou Miles, quando ficaram sozinhos no quarto. Ela esperou até ele se afastar da porta, correu então para abri-la e fugiu para o quarto de hóspedes.)

A náusea e a mortificação a inundavam. Adoraria poder esquecer, apagar aquilo tudo, mas ainda via nitidamente o rosto do garoto quando ela se atirou sobre ele... Lembrava direitinho a sensação do corpo dele contra o seu, aquele corpo tão magro, tão jovem...

Se ao menos fosse Vikram Jawanda, poderia haver alguma dignidade naquilo tudo... Estava precisando de um café. Não podia ficar ali no banheiro para sempre. Quando porém se virou para abrir a porta, viu o próprio reflexo no espelho e quase perdeu a coragem. Estava com o rosto inchado, mal podia abrir os olhos, e as linhas da sua pele pareciam mais acentuadas por causa da noite maldormida e da desidratação.

Ah, meu Deus, o que ele deve ter pensado de mim...

Miles estava sentado na cozinha quando ela entrou. Samantha nem olhou para o marido. Foi direto até o armário onde ficava o café. Mas, antes mesmo que abrisse a porta, ele lhe disse:

— Tem café aqui.

— Obrigada — murmurou ela, e encheu uma caneca com a bebida, evitando encará-lo.

— Mandei Lexie para a casa dos meus pais — disse Miles. — Precisamos conversar.

Samantha se sentou.

— Então vamos lá — disse ela.

— "Vamos lá"... É tudo o que tem a dizer?

— É você que quer conversar.

— Ontem à noite, na festa de aniversário do meu pai, saí procurando você e fui encontrá-la agarrada com um garoto de dezesseis anos...

— É, de dezesseis anos — confirmou Samantha. — Já é maior de idade. Menos mal.

Ele a olhava, atônito.

— Você acha isso engraçado? Se me visse tão bêbado a ponto de nem me dar conta...

— Mas eu me dei conta — interrompeu Samantha.

Recusava-se a ser outra Shirley, que encobria tudo com os panos quentes de uma ficção bem-comportada. Queria ser honesta, queria atravessar aquela espessa camada de complacência que encobria o rapaz que tinha amado um dia e que mal conseguia reconhecer.

— Você se deu conta... de quê? — perguntou Miles.

Ficou tão óbvio que ele esperava constrangimento e arrependimento que ela quase riu.

— De que estava beijando o garoto — respondeu Samantha.

Miles a encarou bem nos olhos, e ela perdeu a coragem, porque sabia exatamente o que ele diria em seguida.

— E se Lexie tivesse entrado naquela cozinha?

Samantha não tinha resposta para aquela pergunta. A ideia de Lexie ficar sabendo do que tinha acontecido lhe deu vontade de fugir dali e nunca mais voltar... E se o garoto lhe contasse? Eles foram colegas de escola. Ela tinha esquecido como era Pagford...

— Que diabos está acontecendo com você? — indagou o marido.

— Estou... infeliz — respondeu Samantha.

— Por quê? — perguntou ele, mas logo acrescentou: — É por causa da loja? É isso?

— Também — replicou ela. — Mas odeio morar em Pagford. Odeio viver tão perto assim dos seus pais. E, às vezes — acrescentou, bem devagar —, odeio acordar ao seu lado.

Achou que Miles fosse ficar com raiva, ele porém se limitou a perguntar tranquilamente:

— Está dizendo que não me ama mais?

— Não sei — respondeu Samantha.

Com a camisa aberta no pescoço, ele parecia mais magro. Pela primeira vez em muito tempo, ela achou que tinha visto alguém conhecido e vulnerável dentro daquele corpo que envelhecia e que estava sentado do outro lado da mesa. *E ele ainda me quer*, pensou, espantada, lembrando aquele rosto todo amassado que vira no espelho lá em cima.

— Mas, na noite em que Barry Fairbrother morreu — acrescentou ela —, fiquei feliz por você ainda estar vivo. Acho que sonhei que estava morto... Acordei e sei que fiquei feliz quando ouvi a sua respiração.

— Isso é... Isso é tudo o que tem a me dizer? Que ficou feliz por eu não estar morto?

E pensou que ele não estava zangado. Que bobagem... Ele só tinha ficado chocado.

— *Isso é tudo o que tem a me dizer?* Você fica completamente bêbada na festa de aniversário do meu pai...

— Seria melhor se não tivesse acontecido na maldita festa do seu pai? — perguntou ela, aos berros, pois a raiva dele provocava a sua própria. — Afinal, qual é o verdadeiro problema? Eu ter deixado você constrangido na frente da mamãe e do papai?

— Você estava beijando um *garoto de dezesseis anos*...

— Talvez ele seja o primeiro de muitos outros — gritou Samantha, levantando-se da mesa e colocando a caneca na pia com força. A asa da caneca quebrou e ficou na sua mão. — Você não entende, Miles? Não aguento mais! Odeio a porra da nossa vida, e odeio a porra dos seus pais...

— ...mas não se importa que eles paguem o colégio das meninas...

— ...odeio ver você se transformando no seu pai bem diante dos meus olhos...

— ...que nada, você simplesmente não gosta de me ver feliz quando está...

— ...porque o meu querido marido não dá a mínima para como estou me sentindo...

— ...tem tanta coisa para fazer por aqui, e você prefere ficar sentada em casa, emburrada...

— ...não pretendo ficar sentada em casa nunca mais, Miles...

— ...não vou pedir desculpas por participar das questões da comunidade...

— ...bem, eu estava falando sério quando disse que *você era a pessoa menos indicada para ocupar o lugar dele*.

— O quê? — perguntou Miles, levantando-se tão bruscamente que a cadeira caiu para trás, mas Samantha já estava se dirigindo para a porta da cozinha.

— Isso mesmo que você ouviu — respondeu ela, aos berros. — Como eu disse naquela carta, Miles, você é a pessoa menos indicada para ocupar o lugar de Barry Fairbrother. Ele era sincero.

— A carta era *sua*?

— Isso mesmo — disse ela, ofegante, com a mão na maçaneta da porta. — Fui *eu* que mandei aquela carta. Numa noite em que bebi demais enquanto você estava no telefone com a sua mãe. E — acrescentou, abrindo a porta — também não votei em você.

A expressão dele a deixou furiosa. No corredor, ela calçou uns tamancos, o primeiro par de sapatos que encontrou, e saiu porta afora, antes que ele pudesse alcançá-la.

IX

A viagem levou Krystal de volta à infância. Por anos a fio, fez aquele caminho de ônibus sozinha para a St. Thomas. Sabia perfeitamente quando a velha abadia ia surgir, e mostrou as ruínas ao irmão.

— Olha lá as ruínas daquele castelo bem grande!

Robbie estava com fome, mas o entusiasmo de andar de ônibus conseguiu distraí-lo um pouco. Krystal continuava segurando firme a sua mão. Tinha prometido lhe dar alguma coisa para comer quando chegassem, mas não sabia como ia conseguir fazer isso. Talvez pudesse pedir dinheiro emprestado a Bola e comprar um saco de batatas fritas, além, é claro, da passagem de volta.

— A minha escola era aqui — disse a garota. Robbie passava os dedos pelos vidros sujos da janela, criando umas formas abstratas. — Sua escola também vai ser aqui.

Quando lhe dessem uma casa, por causa da gravidez, com toda a certeza ia ser lá em Fields; ninguém quer comprar casas naquele bairro, porque estão todas caindo aos pedaços. Mas Krystal achava que isso era até bom, porque, apesar do péssimo estado daquelas casas, Robbie e o bebê ficariam na área de abrangência da St. Thomas. De qualquer modo, era quase certo que os pais de Bola lhe dessem dinheiro para comprar uma máquina de lavar, pois ela ia ser a mãe do neto deles. Quem sabe até não iam ter televisão?

O ônibus ia descendo a ladeira rumo a Pagford, e Krystal avistou o rio reluzente, que podia ser visto por um breve instante, antes que a estrada chegasse ao ponto mais baixo do trajeto. Quando entrou para a equipe de remo, ficou decepcionada ao ver que não iam treinar no rio Orr, mas naquele canal velho e sujo lá de Yarvil.

— Chegamos — disse a Robbie, enquanto o ônibus contornava lentamente a praça toda florida.

Bola tinha esquecido que esperar na porta do Black Canon significava ficar bem em frente à Mollison & Lowe e ao Copper Kettle. Ainda faltava mais de uma hora para o meio-dia, quando o café abria aos domingos, mas Bola não sabia com que antecedência Andrew tinha que chegar ao trabalho. Hoje não estava com a menor vontade de encontrar o seu mais antigo amigo, então ficou meio escondido na esquina do pub, e só apareceu quando o ônibus chegou.

O veículo foi embora, revelando Krystal e um menininho de aparência meio suja.

Sem entender nada, Bola se aproximou deles.

— Esse aqui é o meu irmão — disse Krystal em tom agressivo, respondendo a algo que percebeu na expressão de Bola.

Ele teve que fazer mais um ajuste mental na sua concepção do que seria uma vida autêntica e sem disfarces. Andava meio fascinado pela ideia de engravidar Krystal (e mostrar a Pombinho o que os homens de verdade podem fazer de forma corriqueira e sem esforço), mas ver aquele garotinho agarrado à mão e à perna da irmã o deixou desconcertado.

Adoraria não ter concordado em se encontrar com Krystal. Ao lado dela, estava se sentindo ridículo. Quando a viu ali, no meio da praça, achou que seria mil vezes melhor estar naquela casa fedida e miserável.

— Tem um dinheiro pra me emprestar? — perguntou a garota.

— O quê? — replicou Bola, que estava lerdo de tão cansado. Já não lembrava por que quis passar a noite toda acordado, e a sua língua chegava a latejar de tanto que tinha fumado.

— Dinheiro — repetiu Krystal. — Ele tá com fome, e perdi uma nota de cinco. Depois eu pago.

Bola enfiou a mão no bolso da calça jeans e encontrou uma nota toda amassada. De repente, não quis que ela achasse que ele era rico. Catou então lá no fundo todas as moedas que pôde encontrar.

Foram até a loja de conveniência, que ficava a dois quarteirões da praça, e Bola esperou do lado de fora enquanto Krystal entrou para comprar um saco de batatas fritas e um chocolate. Ninguém disse nada, nem mesmo Robbie, que parecia estar com medo de Bola. Finalmente, depois de dar as batatas ao irmão, Krystal perguntou:

— Pra onde a gente vai?

Ele não estava achando que iriam trepar. Não com o menininho ali. Pensou em levá-la até o Pombal, era um lugar mais escondido, e ainda por cima aquilo seria a dessacralização definitiva da sua amizade com Andrew. Agora, já não devia nada a ninguém. Mas desistiu porque não podia nem pensar em foder com ela na frente de uma criança de três anos.

— Ele vai ficar direitinho — disse Krystal. — Vai ganhar chocolate. Agora não, mais tarde — acrescentou, dirigindo-se a Robbie, que choramingava pedindo o chocolate que estava na mão dela. — Depois de comer batata frita.

Saíram andando em direção à velha ponte de pedra.

— Ele vai ficar direitinho — repetiu a garota. — Ele é obediente. Não é, Robbie? — disse ela, um pouco mais alto, dirigindo-se ao irmão.

— Qué chocolate — pediu o menino.

— Tá, daqui a pouco.

Sabia que ia precisar ser bem legal com Bola hoje. No ônibus, percebeu que ter levado Robbie tornaria as coisas mais difíceis, embora não houvesse outro jeito.

— O que aconteceu com você?

— Teve uma festa ontem à noite — respondeu Bola.

— Ah, é? Quem tava lá?

Ela teve que esperar pela resposta porque o garoto bocejou, se espreguiçando.

— Arf Price. Sukhvinder Jawanda. Gaia Bawden.

— Ela mora em Pagford? — perguntou Krystal, agressiva.

— Mora, na Hope Street.

Sabia onde ela morava porque Andrew tinha deixado escapar essa informação. O amigo nunca tinha lhe dito que gostava dela, mas, nas poucas matérias em que estavam na mesma turma, Bola reparou que ele passava quase o tempo todo olhando para a garota. Notou também que Andrew ficava bem atrapalhado quando estava perto de Gaia ou quando alguém falava dela.

Krystal, por sua vez, estava pensando na mãe de Gaia: a única assistente social de quem já gostou, a única que conseguiu alcançar a sua mãe. Então ela morava na Hope Street, na mesma rua que a avó Cath. E provavelmente estava lá a essa hora. E se...

Mas Kay não estava mais com elas. Mattie tinha voltado a ser a sua assistente social. De todo modo, sabia que não tinha nada que ir incomodá-la em casa. Uma vez, Shane Tully seguiu a assistente social até a casa dela, e o juiz lhe deu ordem de restrição. Mas, antes, Shane já tinha tentado acertar um tijolo no para-brisa do carro da mulher...

Além disso, pensou Krystal, apertando os olhos quando, depois de uma curva, o rio quase a ofuscou com milhares de pontinhos brancos de luz, Kay continuava responsável pelos relatórios, pelo dossiê, e ainda detinha o poder de decisão. Ela parecia bem legal, mas nenhuma das soluções que encontrasse poderia manter Krystal e Robbie juntos...

— Podíamos ir lá pra baixo — sugeriu a Bola, apontando para um local logo depois da ponte, onde a margem do rio ficava mais larga. — E Robbie podia ficar esperando aqui nesse banco.

A garota achou que podia ficar de olho no irmão e ao mesmo tempo conseguir que ele não visse nada. Não que ele nunca tivesse visto aquilo antes, naquela época em que Terri levava estranhos para casa.

No entanto, por mais cansado que estivesse, Bola não se conformava. Não ia conseguir transar na grama, na frente de um menino de três anos.

— Não — disse ele, tentando parecer indiferente.

— Ele não vai atrapalhar — replicou Krystal. — Vai ficar comendo chocolate. Nem vai perceber — acrescentou, sabendo perfeitamente que não era verdade. Robbie conhecia aquilo tudo bem demais. Houve até um problema na escola quando ele ficou imitando a posição cachorrinho numa outra criança.

Bola se lembrou de que a mãe de Krystal era prostituta. Detestava o que a garota estava sugerindo, mas isso não era demonstrar falta de autenticidade?

— Qual o problema? — perguntou Krystal, num tom meio agressivo.

— Nenhum — respondeu ele.

Dane Tully faria isso. Pikey Pritchard também. Pombinho, nem em um milhão de anos.

Krystal levou Robbie até o banco. Bola se abaixou para verificar se dava para ver, por cima do encosto daquele banco, o local onde eles iam ficar e achou que o menino certamente não veria nada. Em todo caso, ia tratar de fazer tudo o mais rápido possível.

— Toma — disse Krystal, dirigindo-se ao irmão e lhe entregando a barra de chocolate, que ele pegou todo animado. — Você só vai poder comer tudo se ficar sentado aqui um pouquinho, tá? Você vai ficar sentado aqui, e eu vou ficar logo ali, perto das plantas. Entendeu, Robbie?

— Tendi — respondeu o menino, feliz da vida, com as bochechas já todas sujas de chocolate e caramelo.

Krystal saiu de fininho e desceu até a margem do rio, na esperança de que Bola não criasse problema em transar sem camisinha.

X

Gavin saiu de óculos escuros por causa do sol da manhã, mas nem por isso conseguiu se esconder: Samantha Mollison reconheceu imediatamente o seu carro. Quando a viu andando pela calçada sozinha com as mãos nos bolsos e a cabeça baixa, dobrou à esquerda bruscamente. Em vez de seguir em frente para chegar à casa de Mary, atravessou a velha ponte de pedra e estacionou numa alameda transversal do outro lado do rio.

Não queria que Samantha o visse parando diante da casa de Mary. Aquilo não tinha a menor importância nos dias de semana, quando ele estava de terno, carregando sua pasta. Na verdade, não importava até ele admitir o que sentia por Mary. Mas agora importava, sim. Apesar de tudo, porém, a manhã estava linda, e uma caminhada lhe daria mais tempo.

Não tenho que tomar nenhuma decisão definitiva, pensou ele, atravessando a ponte a pé. Ali embaixo, viu um menininho sentado sozinho num banco, comendo chocolate. *Não preciso dizer nada... Vou dançar conforme a música...*

Mas as palmas das suas mãos estavam úmidas. A ideia de Gaia contando às gêmeas Fairbrother que ele estava apaixonado pela mãe delas não lhe saiu da cabeça durante toda aquela noite maldormida.

Mary pareceu feliz ao vê-lo.

— Não veio de carro? — perguntou ela, olhando para a rua às suas costas.

— Estacionei lá perto do rio — respondeu Gavin. — Está um dia tão bonito que me deu vontade de andar a pé, e então me ocorreu que eu talvez pudesse aparar o seu gramado, se você quiser...

— Ah, Graham já fez isso — disse ela —, mas é muita gentileza sua. Entre. Venha tomar um café.

Mary ficou falando enquanto circulava pela cozinha. Estava usando uma velha calça jeans cortada e uma camiseta. Aquela roupa deixava bem claro como ela tinha emagrecido, mas o seu cabelo brilhava de novo, exatamente como Gavin se lembrava dele. De onde estava, via as gêmeas deitadas numa manta estendida sobre a grama recém-cortada, ambas com fone de ouvido ligado aos iPods.

— Como você está? — indagou Mary, sentando-se ao lado dele.

Não podia imaginar por que ela parecia tão preocupada. Lembrou então que havia lhe contado na véspera que ele e Kay tinham terminado.

— Estou bem — respondeu ele. — Acho que foi melhor assim.

Mary sorriu e lhe deu uns tapinhas no braço.

— Ontem à noite — disse ele, sentindo a boca ligeiramente seca — alguém disse que talvez você vá embora daqui.

— As notícias correm rápido em Pagford — exclamou ela. — Por enquanto, é apenas uma ideia. Theresa quer que eu volte para Liverpool.

— E o que os meninos estão achando disso?

— Bem, vou esperar até junho por causa das provas de Fergus e das meninas. Com Declan é tudo mais fácil. É claro que nenhum de nós quer ir embora...

Ao dizer isso, começou a chorar. Gavin ficou tão feliz que estendeu o braço e pôs a mão no seu pulso delicado.

— É claro que não...

— ...o túmulo de Barry.

— Ah, claro — balbuciou Gavin, e a sua felicidade se apagou como uma vela.

Mary enxugou os olhos cheios de lágrimas com o dorso da mão. Gavin a achou um pouco mórbida. Na sua família, os mortos eram cremados. O enterro de Barry foi o segundo a que ele compareceu na vida, e detestou cada detalhe daquela cerimônia. Na sua opinião, as sepulturas eram apenas marcos para o lugar onde um cadáver estava se decompondo. Era uma ideia repulsiva, e, no entanto, as pessoas achavam que deviam ir visitá-las, levando flores, como se o morto pudesse se recuperar.

Mary tinha se levantado para pegar lenços de papel. Lá fora, na grama, as gêmeas usavam agora o mesmo fone de ouvido e balançavam a cabeça ao ritmo da mesma música.

— Então Miles se elegeu para a vaga de Barry — comentou ela. — Daqui deu para ouvir as comemorações a noite inteira.

— Bom, era a festa de... É, isso mesmo — concordou Gavin.

— E Pagford está prestes a se ver livre de Fields — acrescentou ela.

— É, parece que sim.

— E agora, com Miles no Conselho, vai ficar mais fácil fechar a Bellchapel — concluiu ela.

Gavin, que não se interessava a mínima por essas histórias, sempre demorava um pouco para lembrar o que era a Bellchapel.

— É, acho que sim.

— Então tudo que Barry queria está acabado — acrescentou ela.

As suas lágrimas tinham secado, e a indignação devolveu a cor ao seu rosto.

— Eu sei — admitiu Gavin. — Isso é muito triste realmente.

— Não sei, não — disse ela, ainda zangada e vermelha de raiva. — Por que Pagford tem que arcar com as despesas de Fields? Barry só conseguia ver um lado da questão. Achava que todo mundo lá em Fields era como ele. Achava que Krystal Weedon era como ele, mas não é verdade. Nunca lhe passou pela cabeça que aquela gente de Fields pode ser feliz vivendo lá.

— É — concordou Gavin, feliz da vida por ver que ela discordava de Barry, e sentindo como se a sombra do seu túmulo não estivesse mais ali entre eles. — Entendo o que quer dizer. Pelo que ouvi sobre Krystal Weedon...

— Ele dedicou a ela mais tempo e mais atenção do que dedicava às próprias filhas — disse Mary. — E ela não deu um centavo para a coroa do enterro dele. As garotas me contaram. Toda a equipe de remo contribuiu, menos Krystal. E nem foi ao enterro, depois de tudo o que ele fez por ela.

— É, isso mostra...

— Desculpe, mas não consigo parar de pensar nessa história toda — interrompeu ela, agitada. — Não posso me impedir de pensar que ele ainda queria que eu me preocupasse com a maldita Krystal Weedon. Não consigo esquecer isso. No seu último dia de vida, não fez nada para melhorar aquela dor de cabeça terrível, porque ficou escrevendo a droga daquele artigo.

— Eu sei — disse Gavin. — Eu sei. Acho — principiou ele, com a sensação de estar pisando numa velha ponte de cordas — que essa é uma coisa típica dos homens. Miles é igual. Samantha não queria que ele se candidatasse para o Conselho, mas ele se candidatou. Sabe, tem homens que gostam mesmo do poder...

— Barry não se interessava pelo poder — exclamou Mary, e Gavin rapidamente voltou atrás.

— Não, não, claro que não. O que ele queria...

— Ele simplesmente não podia evitar — interrompeu Mary. — Achava que todo mundo era como ele, que bastava estender a mão para que as pessoas começassem a melhorar.

— É — disse Gavin —, o problema é que existem outras pessoas que podem precisar dessa mão... Na nossa própria casa...

— Isso mesmo — concordou ela, recomeçando a chorar.

— Mary — principiou Gavin, levantando da cadeira e se aproximando dela (agora estava naquela ponte de corda, sentindo um misto de pânico e ansiedade) —, olhe... eu sei que ainda é cedo... Quero dizer, é cedo demais... Mas você vai encontrar alguém.

— Aos quarenta — disse ela, soluçando —, com quatro filhos...

— Muitos homens — prosseguiu ele, mas mudou de ideia; não queria que ela achasse que tinha muitas opções. — O homem certo — corrigiu-se — não vai ligar para o fato de você ter filhos. De todo modo, eles são ótimos... Qualquer um gostaria de conviver com eles.

— Ah, Gavin, você é tão bom — disse Mary, mais uma vez enxugando os olhos.

Ele passou o braço pelos seus ombros, e ela não tentou se desvencilhar. Ficaram assim, em silêncio, enquanto ela assoava o nariz, e depois ele percebeu que ela estava tentando se afastar.

— Mary... — disse ele.

— O quê?

— Tenho que... Mary, acho que estou apaixonado por você.

Por alguns segundos, Gavin sentiu o imenso orgulho de um paraquedista que deixa a terra firme para se lançar no espaço infinito.

Mas ela se afastou.

— Gavin. Eu...

— Desculpe — disse ele, percebendo, assustado, a expressão de repulsa que havia no seu rosto. — Queria que ficasse sabendo disso por mim. Disse a Kay que era por isso que queria me separar dela, e tive medo de que alguém pudesse vir lhe contar isso. Não teria dito nada por enquanto, poderia esperar meses, até anos — acrescentou, tentando trazer de volta o sorriso ao seu rosto e a disposição que ela demonstrou quando lhe disse que ele era tão bom.

Mas Mary fazia que não com a cabeça, com os braços cruzados diante do peito magro.

— Gavin, eu nunca, jamais...

— Esqueça o que eu disse — pediu ele, tolamente. — Vamos esquecer tudo isso.

— Achei que você tivesse entendido — prosseguiu ela.

Ele concluiu que devia saber que ela estava aprisionada na armadura invisível da dor, e que aquilo devia protegê-la.

— Mas eu entendo — mentiu. — Não teria lhe dito nada se...

— Barry sempre disse que você tinha uma queda por mim.

— Não — exclamou ele, aflito.

— Acho você um homem tão bacana — disse ela, ofegante. — Mas eu não... Quer dizer, mesmo que eu...

— Não — disse ele bem alto, tentando abafar a voz dela. — Eu entendo. Ouça, é melhor eu ir embora.

— Não precisa...

Mas agora ele quase a odiava. Tinha entendido o que ela estava tentando dizer: *Mesmo que eu não estivesse sofrendo pela morte do meu marido, não ia querer você.*

Aquela visita de Gavin tinha sido tão breve que, quando Mary, ligeiramente trêmula, jogou fora o café na pia, ele ainda estava quente.

XI

Howard disse a Shirley que não estava se sentindo muito bem, que achava melhor ficar na cama e descansar e que o Copper Kettle poderia passar uma tarde sem ele. Acrescentou:

— Vou ligar para Mo.

— Não, pode deixar que eu ligo — retrucou Shirley, prontamente.

Quando fechou a porta do quarto, Shirley pensou: *Ele está usando a desculpa do coração.*

Howard tinha dito ainda "Não seja boba, Shirl", "Isso é bobagem, pura bobagem", e ela não insistiu. Todos aqueles anos evitando com cuidado os assuntos espinhosos (Shirley perdeu literalmente a fala quando a filha Patricia, então com vinte e três anos, lhe disse: "Eu sou gay, mãe.") tinham feito algo se calar dentro dela.

A campainha tocou. Lexie disse:

— Papai me mandou vir pra cá. Ele e a mamãe têm que fazer alguma coisa. Cadê o vovô?

— Na cama — respondeu Shirley. — Ele exagerou um pouco ontem à noite.

— A festa tava ótima, não tava? — perguntou a garota.

— Maravilhosa — concordou Shirley, sentindo uma tempestade se formar dentro dela.

Depois de um tempo, Shirley já estava cansada da tagarelice da neta.

— Que tal almoçar lá no café? — sugeriu. — Howard — disse, então, aproximando-se da porta fechada do quarto —, estou levando Lexie para almoçar no café.

Pela voz parecia que ele tinha ficado preocupado; ela estava contente. Não tinha medo de Maureen. Encararia Maureen bem nos olhos...

No caminho, porém, lhe ocorreu que Howard podia ter ligado para Maureen assim que ela saiu de casa. Como era boba... Chegou a pensar que, se tivesse ligado para Maureen dizendo que Howard não estava se sentindo bem, ia impedir que eles se comunicassem... Estava esquecendo...

As ruas tão conhecidas e tão amadas pareciam diferentes, estranhas. Repassou os traços do retrato que exibia para aquele mundinho adorável: esposa e mãe, voluntária do hospital, secretária do Conselho Distrital, primeira-dama do vilarejo. E Pagford sempre fora o seu espelho, refletindo naquele respeito polido o seu mérito e o seu valor. Mas o Fantasma tinha carimbado na superfície cristalina da sua vida uma revelação que anularia aquilo tudo: "o seu marido dormia com a sócia, e ela nunca desconfiou disso..."

Era só o que iam dizer quando alguém mencionasse o seu nome; era só disso que se lembrariam ao falar dela.

Empurrou a porta do café, a campainha tocou, e Lexie exclamou:

— Olha lá, Amendoim Price!

— Howard está bem? — grasnou Maureen.

— Só um pouco cansado — respondeu Shirley, dirigindo-se a uma mesa e se sentando. O seu coração batia tão depressa que ela se perguntava se não teria também um problema cardíaco.

— Diga a ele que as garotas não apareceram — acrescentou Maureen, aborrecida, parada junto à sua mesa — e nem se deram o trabalho de avisar. Por sorte o movimento não está tão grande.

Lexie foi até o balcão para conversar com Andrew, que estava trabalhando de garçom. Sentada ali sozinha, consciente dessa solidão pouco habitual, Shirley pensou em Mary Fairbrother, magra e empertigada no enterro de Barry, com a viuvez a envolvendo como o manto de uma rainha: a piedade, a admiração. Ao perder o marido, Mary tinha se tornado motivo, passivo e silencioso, da admiração de todos, ao passo que ela, ligada a um homem que a havia traído, tinha sido atirada à sordidez, virado motivo de deboche...

(Tempos atrás, lá em Yarvil, alguns homens tinham feito umas piadas grosseiras com ela por causa da reputação da sua mãe, muito embora ela própria fosse a mais pura das criaturas.)

— Vovô tá meio doente — dizia Lexie, dirigindo-se a Andrew. — O que que tem nesses bolos?

Ele se abaixou atrás do balcão, escondendo o rosto vermelho.

Eu agarrei a sua mãe.

Quase não veio trabalhar. Ficou com medo de que Howard fosse demiti-lo por ele ter beijado a sua nora, e ficou apavorado achando que Miles Mollison pudesse aparecer por lá, procurando por ele. Ao mesmo tempo, não era tão ingênuo a ponto de não saber que Samantha, que devia ter bem mais de quarenta, é que seria vista como a vilã da história. A sua defesa era simples: "Ela estava bêbada e me atacou."

Mas no seu constrangimento havia uma ligeira ponta de orgulho. Estava ansioso para ver Gaia, pois queria lhe contar que uma mulher adulta tinha ficado a fim dele. Esperava que pudessem rir juntos dessa história, como haviam rido de Maureen, mas que, no fundo, ela ficasse impressionada; e enquanto estivessem rindo, também pudesse descobrir o que ela tinha feito com Bola; até onde os dois tinham ido. Estava disposto a perdoá-la. Ela também estava bêbada. Mas Gaia não apareceu.

Foi buscar um guardanapo para Lexie e quase esbarrou na esposa do patrão, que estava parada junto do balcão, segurando a sua injeção de adrenalina.

— Howard me pediu para verificar uma coisa — disse Shirley. — E essa seringa não devia ficar guardada aqui. Vou botar ela lá nos fundos.

XII

Quando já tinha comido mais da metade do chocolate, Robbie ficou com muita sede. Krystal não comprou nada para ele beber. Desceu do banco e se agachou na grama quentinha, de onde podia ver a irmã no meio dos arbustos com aquele estranho. Pouco depois, saiu andando pela margem do rio, na direção dos dois.

— Tô com sede — choramingou o menino.

— Sai daqui, Robbie — gritou Krystal. — Volta lá pro banco.

— Qué água!

— Merda, Robbie... fica lá no banco, daqui a pouquinho vou comprar alguma coisa pra você beber. Sai daqui!

Ele subiu de novo a margem escorregadia do rio, chorando. Estava acostumado a não ter o que queria, mas também a desobedecer, porque as regras e as broncas dos adultos eram absolutamente arbitrárias. Por isso, tinha aprendido a conquistar uns pequenos prazeres onde e quando pudesse.

Como estava zangado com Krystal, afastou-se um pouco do banco e foi andando para a rua. Um homem de óculos escuros veio pela calçada na sua direção.

(Gavin esqueceu onde tinha deixado o carro. Saiu às pressas da casa de Mary e desceu a Church Row. Só percebeu que tinha virado para o lado errado quando chegou perto da casa de Miles e Samantha. Sem querer passar de novo pela casa dos Fairbrother, deu uma volta bem maior para chegar até a ponte.

Viu o menino sujo de chocolate, malcuidado e repugnante, e passou direto. A sua felicidade estava em frangalhos, quase desejou ir até a casa de Kay para que ela o consolasse em silêncio... Ela sempre era mais carinhosa quando ele estava triste. Aliás, foi por isso que se interessou por ela no começo.)

O barulhinho da água correndo só fez aumentar a sede de Robbie. Ele continuou chorando mais uns instantes, mudou de rumo e se afastou da ponte, voltando para o lugar onde Krystal estava escondida. Os arbustos tinham começado a balançar. Continuou andando, querendo beber alguma coisa. De repente, percebeu um buraco na cerca que ficava à esquerda da rua. Chegando lá, espiou pela brecha e viu um campo de futebol.

Robbie se esgueirou pela tal brecha e ficou olhando todo aquele verde, com aquelas castanheiras altas e as traves dos gols. Sabia o que era aquilo porque o seu primo Dane havia lhe mostrado como chutar uma bola lá no parquinho perto de casa. O menino nunca tinha visto tanto verde assim.

Uma mulher estava atravessando o campo, de braços cruzados e cabeça baixa.

(Samantha saiu andando sem rumo. Só queria andar, andar por qualquer lugar, desde que não fosse perto da Church Row. Estava se fazendo mil perguntas e tinha chegado a muito poucas respostas; e uma das coisas que se perguntou foi se não teria exagerado quando contou a Miles que havia escrito aquela carta idiota quando estava bêbada, e que tinha mandado por puro despeito. Aquilo agora lhe parecia uma besteira muito grande...

Ao erguer os olhos, avistou Robbie. Nos fins de semana, era comum as crianças passarem por aquele buraco da cerca para brincar no campo de futebol. Até as suas filhas tinham feito isso quando eram mais novas.

Dirigiu-se para o portão e se afastou do rio, seguindo em direção à praça. Por mais que tentasse, não conseguia se livrar da aversão que sentia por si mesma.)

Robbie passou de volta pelo buraco na cerca e por alguns instantes foi atrás daquela mulher que andava depressa, mas logo a perdeu de vista. Não queria jogar fora o resto do chocolate que derretia na sua mão, mas estava com tanta sede... Talvez Krystal já tivesse acabado. Saiu andando, então, na direção contrária.

Ao se aproximar dos arbustos na margem do rio, percebeu que eles não estavam mais balançando e achou então que podia ir até lá.

— Krystal — chamou ele.

Mas estava tudo vazio ali. Krystal tinha ido embora.

Robbie começou a chorar, chamando a irmã aos gritos. Voltou lá para cima e, desesperado, ficou olhando a rua para um lado e para o outro, mas não havia sinal dela.

— Krystal — gritou ele.

Uma mulher de cabelo grisalho e curtinho, que seguia a passos rápidos pela outra calçada, olhou para ele, franzindo as sobrancelhas.

Shirley havia deixado Lexie no Copper Kettle, onde ela parecia estar contente, mas, no meio da praça, avistou Samantha, a última pessoa que gostaria de encontrar. Resolveu, então, seguir na direção oposta.

Apesar de estar andando depressa, continuou ouvindo o choro e os gritos do menino por um bom tempo. Ia segurando firme a seringa de adrenalina que levava no bolso. Não ia ser motivo de brincadeiras sórdidas. Queria ser pura e objeto de piedade, como Mary Fairbrother. A raiva que sentia era tão grande, tão perigosa, que Shirley não conseguia sequer pensar direito; queria agir, punir, pôr um fim a tudo aquilo.

Pouco antes de chegar à velha ponte de pedra, viu uns arbustos balançarem à sua esquerda. Deu uma olhada, e o que viu de relance foi algo repulsivo, desprezível, e isso a deixou ainda mais decidida.

XIII

Sukhvinder estava andando por Pagford há mais tempo que Samantha. Saiu da antiga casa paroquial logo depois que a sua mãe lhe disse que ela tinha que ir para o trabalho, e desde então vagava pelas ruas, evitando as invisíveis zonas proibidas próximas à Church Row, à Hope Street e à praça.

Levava quase cinquenta libras no bolso, o que havia ganhado no café e na festa, e também a gilete. Pensou em pegar também a caderneta da poupança, que ficava num arquivo no escritório do seu pai, mas Vikram estava sentado na sua escrivaninha. Esperou um pouco no ponto do ônibus para Yarvil, mas, quando viu Shirley e Lexie Mollison descendo a rua, tratou de sair dali.

A traição de Gaia havia sido brutal e inesperada. Agarrando-se com Bola Wall... Agora que tinha Gaia, ele ia largar Krystal. Sabia perfeitamente que qualquer garoto largaria qualquer garota por Gaia. Mas não aguentaria ir trabalhar e ficar ouvindo a sua única aliada tentando convencê-la de que, na verdade, Bola era um cara legal.

O seu celular vibrou. Gaia já tinha lhe mandado duas mensagens.

Eu tava mt doida ontem?
Vc vai pro trab?

Nem uma palavra sobre Bola Wall. Nem uma palavra sobre se esfregar com o seu torturador. A nova mensagem perguntava: Vc tá ok?

Sukhvinder botou o celular no bolso novamente. Podia ir andando na direção de Yarvil e pegar o ônibus já fora do vilarejo, onde ninguém a veria. Os pais só dariam pela sua falta às cinco e meia, quando ela devia estar voltando do café.

Um plano desesperado foi se formando enquanto ela ia andando, cansada e com calor: se conseguisse um lugar para ficar por menos de cinquenta libras... Tudo o que queria era ficar sozinha e usar a gilete.

Estava seguindo pela beira do rio; o Orr corria ao seu lado. Se atravessasse a ponte, poderia pegar a outra rua e chegar ao entroncamento da estrada.

— Robbie! *Robbie!* Cadê você?

Era Krystal Weedon, correndo de um lado para o outro, na margem do rio. Bola Wall estava fumando, com uma das mãos no bolso, observando Krystal.

Sukhvinder dobrou à direita em direção à ponte, apavorada com a simples perspectiva de que um dos dois pudesse notar a sua presença. Os gritos de Krystal ecoavam na água.

Sukhvinder avistou alguma coisa um pouco mais abaixo, no rio.

Antes mesmo de pensar no que fazia, as suas mãos já estavam na pedra quente, e, dando impulso, a garota subiu na mureta da ponte.

— *Ele está no rio, Krys!* — gritou ela, e pulou na água. Cortou a perna num monitor quebrado de um computador, quando a correnteza a puxou para o fundo.

XIV

Ao abrir a porta do quarto, tudo o que Shirley viu foram duas camas vazias. O seu plano de justiça exigia um Howard adormecido; ia ter que sugerir que ele voltasse para a cama.

Mas não se ouvia som algum vindo nem da cozinha, nem do banheiro. Shirley estava preocupada, achando que podia ter se desencontrado dele porque voltou para casa pela margem do rio. Vai ver que ele se vestiu e foi trabalhar; a essa altura podia estar com Maureen na salinha dos fundos, falando dela. Podia até estar planejando se divorciar dela para casar com Maureen, agora que o jogo tinha acabado e não havia mais por que fingir.

Entrou na sala de estar quase correndo, com a intenção de ligar para o Copper Kettle. Howard estava de pijama, caído no chão. Tinha o rosto arroxeado e os olhos esbugalhados. Pela boca, fazia um barulho sibilante. Com uma das mãos segurava o próprio peito quase sem forças. O paletó do pijama tinha subido. Dava para ver perfeitamente o pedaço de pele irritada onde ela planejava espetar a agulha.

Os olhos de Howard encontraram os seus num apelo mudo.

Shirley o encarou, aterrorizada, e saiu correndo da sala. A primeira coisa que fez foi esconder a seringa numa lata de biscoitos; depois a pegou de volta e a enfiou atrás dos livros de culinária.

Voltou correndo para a sala, pegou o telefone e ligou para a emergência.

— Pagford? Para o chalé da margem do Orr. A ambulância já está a caminho.

— Ah, muito obrigada, graças a Deus — disse Shirley, e estava quase desligando quando percebeu o que a mulher tinha dito e gritou: — Não, não, não é o chalé da margem do Orr...

Mas a telefonista já tinha desligado, e ela teve que ligar novamente. Estava tão apavorada que deixou cair o aparelho. No carpete, ao seu lado, aquele sibilar da respiração de Howard estava ficando cada vez mais fraco.

— Não é o chalé da margem do Orr — gritou ela. — É para o Evertree Crescent, número trinta e seis, em Pagford... O meu marido está tendo um ataque cardíaco...

XV

Na Church Row, Miles Mollison saiu correndo de casa, ainda de chinelo, e desceu a toda a ladeira íngreme até chegar à antiga casa paroquial, que ficava na esquina. Com a mão esquerda, começou a esmurrar a grossa porta de carvalho, enquanto com a direita tentava digitar o número do celular da sua mulher.

— Sim? — disse Parminder, abrindo a porta.

— É o meu pai — principiou Miles, ofegante — ...outro ataque cardíaco... Mamãe ligou para a ambulância... Você pode vir? Por favor!

Parminder já ia voltando para dentro de casa para pegar a sua maleta, mas se deteve.

— Não posso — disse ela. — Estou impedida de exercer a medicina, Miles. Não posso.

— Você está brincando... Por favor... A ambulância só vai chegar daqui a...

— Não posso, Miles — repetiu ela.

Ele deu meia-volta e saiu correndo pelo portão, que estava aberto. Logo adiante, viu Samantha atravessando o jardim de casa. Gritou o seu nome, com a voz embargada, e ela se virou, surpresa. A princípio, achou que aquele pânico era por sua causa.

— Papai... teve um ataque cardíaco... A ambulância está chegando... A maldita Parminder Jawanda não quis vir...

— Meu Deus — exclamou Samantha. — Ah, meu Deus.

Entraram no carro às pressas e subiram a rua. Miles, de chinelo, Samantha, com aqueles tamancos que tinham feito várias bolhas nos seus pés.

— Ouça, Miles, uma sirene... A ambulância já chegou...

Mas quando entraram no Evertree Crescent, não havia nada ali, e o barulho da sirene já tinha sumido.

Num gramado, a um quilômetro dali, Sukhvinder Jawanda vomitava a água do rio debaixo de um salgueiro, enquanto uma senhora idosa a envolvia com umas mantas que já estavam quase tão encharcadas quanto as roupas da garota. Ali perto, o homem que estava passeando com o cachorro e tirou Sukhvinder da água, puxando-a pelo cabelo e pelo moletom, estava agachado junto a um corpo pequeno e inerte.

Sukhvinder teve a impressão de sentir Robbie se debater quando ela o pegou, mas talvez tenha sido a correnteza cruel do rio que o puxou com força, tentando arrancá-lo dos seus braços. Ela era boa nadadora, mas o Orr a puxou para o fundo, arrastando-a para onde bem quis, sem que ela pudesse resistir. A água a levou além da curva mais abaixo e a empurrou para a terra. Sukhvinder conseguiu gritar. E foi então que viu o homem com um cachorro correndo na sua direção.

— Não tem jeito — disse o tal homem, que tinha passado vinte minutos tentando reanimar o corpinho de Robbie. — Ele se foi.

Sukhvinder começou a chorar e desabou no chão frio e úmido, tremendo desesperadamente. Quando se ouviu o som da sirene, já era tarde demais.

Enquanto isso, em Evertree Crescent, os paramédicos lutavam para deitar Howard na maca; Miles e Samantha tiveram que ajudar.

— Vamos atrás da ambulância, você vai com papai — gritou para Shirley, que parecia atordoada e nada disposta a entrar no veículo.

Maureen, que acabara de despachar o último cliente do Copper Kettle, estava parada na soleira da entrada.

— Quantas sirenes — disse ela, virando a cabeça para trás para falar com Andrew, que estava limpando as mesas, exausto. — Deve ter acontecido alguma coisa.

E respirou fundo, como se esperasse sentir o cheiro da tragédia no ar quente da tarde.

Parte Seis

Pontos fracos dos grupos de voluntários

22.23 (...) O principal ponto fraco de tais grupos é que são difíceis de se constituir, propensos a se desintegrar (...).

Charles Arnold-Baker
Administração dos Conselhos Locais
7ª edição

I

Muitas e muitas vezes Colin Wall imaginou a polícia batendo à sua porta. Isso finalmente aconteceu ao anoitecer de um domingo: uma mulher e um homem vieram à sua casa, não para prendê-lo, mas procurando pelo seu filho.

Houve um acidente fatal, e "Stuart, não é isso?" foi uma das testemunhas.

— Ele está?

— Não — respondeu Tessa. — Ah, meu Deus... Robbie Weedon... Mas ele mora em Fields... Por que estava aqui?

A policial explicou, com toda a delicadeza, o que acreditavam que tinha acontecido.

— Os adolescentes não ficaram de olho nele — foi a frase que usou.

Tessa achou que ia desmaiar.

— Sabem onde ele está? — indagou o policial.

— Não — respondeu Colin, abatido e com profundas olheiras. — Onde ele foi visto pela última vez?

— Quando o nosso colega chegou ao local, parece que ele... bem, parece que ele fugiu.

— Ah, meu Deus — exclamou Tessa novamente.

— Ninguém atende — disse Colin com toda a calma; ele já tinha ligado para o celular de Bola. — Temos que ir procurar por ele.

Colin passara a vida inteira se preparando para catástrofes. Estava pronto. Pegou o casaco.

— Vou tentar ligar para Arf — disse Tessa, correndo até o telefone.

As notícias trágicas ainda não tinham chegado a Hilltop House, que ficava lá no alto, isolada do vilarejo. O celular de Andrew tocou na cozinha.

— ...lô? — atendeu ele, com a boca cheia de torrada.

— Andy? Aqui é Tessa Wall. Stu está com você?

— Não — respondeu ele. — Desculpa.

Mas não lamentava que Bola não estivesse com ele.

— Uma coisa aconteceu, Andy. Stu estava na beira do rio com Krystal Weedon. Ela trouxe o irmãozinho, e ele se afogou. Stu fugiu... fugiu para algum lugar. Tem ideia de onde ele possa estar?

— Não — respondeu Andrew automaticamente, porque essa era a combinação que havia entre os dois. Nunca dizer nada aos pais.

Mas o horror do que ela tinha acabado de lhe contar se infiltrou pelo telefone como um nevoeiro pegajoso. De repente, tudo estava menos claro, menos certo. Tessa já ia desligar.

— Espera aí, sra. Wall — disse ele. — Acho que sei... Tem um lugar lá perto do rio...

— Não acredito que ele esteja perto do rio agora — retrucou Tessa.

Andrew pensou por alguns segundos e foi ficando cada vez mais convencido de que Bola estava no Pombal.

— É o único lugar que me passa pela cabeça — insistiu o garoto.

— Então, me diga onde fica...

— Tenho que levar a senhora lá.

— Passo aí em dez minutos — gritou ela.

Colin já estava patrulhando as ruas de Pagford a pé. Tessa pegou o seu Nissan, subiu a estrada sinuosa da colina e viu Andrew à sua espera na esquina onde normalmente pegava o ônibus da escola. Ele foi lhe dando as indicações, enquanto cruzavam o vilarejo. Ao crepúsculo, as luzes da rua ficavam muito fracas.

Estacionaram perto das árvores, naquele local onde Andrew geralmente deixava a bicicleta de Simon. Tessa saiu do carro e seguiu o garoto pela beira da água, atônita e assustada.

— Ele não pode estar aqui — disse ela.

— É mais para lá — insistiu ele, apontando para a encosta escura e íngreme da colina Pargetter, que mergulhava no rio num ponto em que a margem se reduzia a uma estreita faixa de terra à beira da correnteza.

— Ali onde? — indagou Tessa, apavorada.

Andrew sempre soube que, baixinha e gorducha como era, Tessa não conseguiria ir com ele.

— Vou ver se ele está lá — disse Andrew. — É melhor a senhora esperar aqui.

— Mas é muito perigoso! — gritou ela, para suplantar o ruído do rio caudaloso.

Sem prestar muita atenção ao que ela disse, Andrew começou a andar, apoiando as mãos e os pés nos lugares que já conhecia. Enquanto se esgueirava por aquela borda estreita, Tessa e ele tiveram a mesma ideia: que Bola podia ter caído, ou pulado, no rio que corria ensurdecedor bem perto dos pés do garoto.

Tessa ficou parada ali, na beira da água, até não conseguir mais ver Andrew. Afastou-se, então, tentando não chorar, pois afinal Stuart podia estar ali, e precisava conversar com ele com toda a calma. Pela primeira vez, pensou em Krystal. A polícia não tinha dito nada sobre a garota, e o pânico que sentiu por causa do filho superou qualquer outra preocupação...

Por favor, meu Deus, permita que eu encontre Stuart, pediu ela. *Permita que eu encontre Stuart, por favor, meu Deus.*

Tirou então o celular do bolso do casaco e ligou para Kay Bawden.

— Não sei se você já está sabendo — disse ela aos gritos por causa do barulho da correnteza, e lhe contou toda a história.

— Mas eu não sou mais a assistente social deles — disse Kay.

A alguns metros dali, Andrew chegou à entrada do Pombal. O buraco estava inteiramente às escuras; ele nunca tinha estado ali assim tão tarde. Deu um impulso e pulou lá para dentro.

— Bola? — Percebeu um movimento qualquer lá no fundo. — Bola? Você tá aí?

— Você tem fogo, Arf? — disse uma voz irreconhecível. — Deixei cair a porra dos fósforos.

Andrew pensou em avisar Tessa, mas como ela não sabia quanto tempo demorava para se chegar ao Pombal, podia esperar mais um pouco.

Estendeu o isqueiro. Àquela luz vacilante, viu que o rosto do amigo estava quase tão mudado quanto a sua voz. Bola estava com os olhos vermelhos e o rosto todo inchado.

A chama se apagou. A brasa do cigarro de Bola brilhava no escuro.

— Ele morreu? O irmão dela?

Nem tinha passado pela cabeça de Andrew que Bola não soubesse de nada.

— Morreu — respondeu ele, e logo acrescentou: — Acho que sim. Foi o que... o que disseram.

Houve um momento de silêncio, e ele ouviu um grito baixo, mas estridente, saído da escuridão.

— Sra. Wall — gritou Andrew, espichando a cabeça ao máximo para fora do buraco, pois assim o barulho do rio não deixava que ele ouvisse os soluços do amigo. — Sra. Wall, ele tá aqui!

II

A policial foi muito gentil ali no pequeno chalé abarrotado de coisas na margem do rio, onde a água fria agora se espalhava por cobertores, cadeiras de chintz e tapetes gastos. A proprietária do lugar, uma senhora idosa, trouxe uma garrafa térmica com água quente e uma xícara de chá fervente, que Sukhvinder não conseguiu segurar porque tremia como vara verde. Aos trancos e barrancos, conseguiu balbuciar umas poucas informações: o seu nome, o de Krystal e o do menininho morto que estava sendo levado na ambulância. O homem que passeava com o cachorro e que a tinha tirado do rio era praticamente surdo. Prestou depoimento aos policiais na sala ao lado, e Sukhvinder odiou ficar ouvindo o relato que ele fazia falando muito alto. Tinha prendido o cachorro, que gania sem parar, a uma árvore perto da janela.

Depois a polícia telefonou para os pais dela. Quando eles chegaram, Parminder, que vinha trazendo roupas limpas para a filha, tropeçou numa mesinha ao atravessar a sala e quebrou um dos enfeites da senhora. No minúsculo banheiro, os dois viram o corte profundo e sujo na perna da garota, que sangrava e deixava manchas escuras no tapetinho. Vendo aquele ferimento, Parminder gritou para o marido, que estava agradecendo efusivamente a todos, e disse que tinham que levar Sukhvinder para o hospital.

A garota vomitou outra vez no carro, e a mãe, que estava ao seu lado no banco de trás, a limpava. Durante todo o caminho, os dois não pararam de falar em voz alta. Vikram ficava repetindo coisas como "ela vai ter que tomar anestesia", "sem dúvida alguma esse corte precisa levar pontos"; já Parminder, ali ao lado da filha, que tremia e ainda estava com vontade de vomitar, ficava dizendo "você podia ter morrido, você podia ter morrido".

Era como se ainda estivesse debaixo d'água, como se estivesse num lugar onde não podia respirar. Tentou interromper aquela ladainha e ser ouvida pelos pais.

— Krystal sabe que ele morreu? — perguntou ela, tremendo muito. E Parminder teve que pedir que repetisse a pergunta várias vezes.

— Não sei — respondeu ela enfim. — Você podia ter morrido, Ris.

No hospital, mandaram que ela se despisse novamente. Desta vez, porém, Parminder estava ao seu lado atrás das cortinas. E a garota só se deu conta do erro que tinha cometido quando viu a expressão horrorizada no rosto da mãe; mas a essa altura já era tarde demais.

— Meu Deus — exclamou Parminder, segurando o braço da filha. — Meu Deus. O que você fez a si mesma?

Sukhvinder não sabia o que dizer. Então começou a chorar e a tremer incontrolavelmente, e Vikram gritou que todo mundo, inclusive Parminder, a deixasse em paz, e que se apressassem, que o corte precisava ser limpo e costurado, que ela precisava de anestesia e de um raio X.

Mais tarde, ela ficou deitada numa cama, com os pais, um de cada lado, acariciando as suas mãos. Ela estava quente, meio zonza, e a perna já não doía mais. Do lado de fora da janela, o céu estava escuro.

— Howard Mollison teve outro ataque cardíaco. — Ouviu a mãe dizer ao pai. — Miles queria que eu fosse até lá.

— Que cara de pau! — exclamou Vikram.

Mas, para a surpresa de Sukhvinder, os dois não falaram mais de Howard Mollison. Continuaram apenas acariciando as suas mãos, até que, pouco depois, ela adormeceu.

Do outro lado do prédio, numa salinha azul, com cadeiras de plástico e um aquário num dos cantos, Miles e Samantha estavam sentados ao lado de Shirley, os três aguardando notícias do centro cirúrgico. Miles continuava de chinelos.

— Não acredito que Parminder Jawanda tenha se recusado a vir — disse ele pela enésima vez, com a voz embargada. Samantha se levantou, passou por Shirley e abraçou o marido, beijando o seu cabelo espesso, com fios grisalhos aqui e ali, e sentindo aquele cheiro familiar.

Shirley comentou com uma voz aguda e entrecortada:

— Não me espanta nada que ela não tenha vindo. Não me espanta nada. Um absurdo.

Da sua antiga vida e das suas antigas certezas, tudo o que lhe restava era a possibilidade de atacar alvos conhecidos. O choque lhe tirara praticamente tudo: já não sabia mais em que podia acreditar, nem em que podia depositar alguma esperança. O homem lá no centro cirúrgico não era aquele com quem achava que tinha se casado. Se pudesse voltar àquele lugar feliz de segurança onde vivia antes de ler aquele post terrível...

Talvez devesse acabar com aquele site. Remover a área de mensagens inteirinha. Tinha medo de que o Fantasma pudesse voltar e dizer de novo aquela coisa horrível...

Queria ir para casa agora mesmo e tirar o site do ar. Além disso, assim que chegasse, poderia dar sumiço à injeção de adrenalina de uma vez por todas...

Ele viu... Tenho certeza de que ele viu...

Mas, na verdade, eu nunca faria isso... Não mesmo. Eu estava com raiva. Eu nunca faria isso...

E se Howard sobrevivesse e as suas primeiras palavras fossem: "Ela saiu correndo da sala quando me viu. Ela não chamou a ambulância imediatamente. Ela estava segurando uma seringa..."?

Mas então eu vou dizer que o cérebro dele tinha sido afetado, pensou Shirley, desafiadora.

E se ele morrer...

Ao seu lado, Samantha estava abraçada a Miles. Shirley não gostava nada disso; *ela* é que tinha que ser o centro das atenções; era o marido *dela* que estava lá em cima, lutando pela vida. Desejou ser como Mary Fairbrother, mimada e admirada, uma heroína trágica. Não era assim que ela tinha imaginado...

— Shirley?

Ruth Price, com o uniforme de enfermeira, entrou correndo na sala, com uma expressão de solidariedade no rosto magro.

— Acabei de saber... Não pude deixar de vir... Ah, Shirley, que horror, sinto muito.

— Ruth, querida — exclamou Shirley, se levantando e deixando que a outra a abraçasse. — Quanta gentileza sua. Quanta gentileza.

Shirley gostou de apresentar a amiga do hospital a Miles e Samantha, e receber a sua piedade e bondade na frente deles. Foi uma pequena prova do que ela tinha imaginado ser a viuvez...

Mas Ruth precisava voltar ao trabalho, e Shirley se sentou novamente na sua cadeira de plástico, com aqueles pensamentos incômodos.

— Ele vai ficar bom — murmurava Samantha, dirigindo-se a Miles, que tinha apoiado a cabeça no ombro da mulher. — Ele vai sair dessa. Como da outra vez.

Shirley ficou olhando um peixinho, brilhante como neon, que ia muito rápido, de um lado para o outro dentro do aquário. Era o passado que ela gostaria de poder mudar; o futuro era um vazio.

— Alguém ligou para Mo? — perguntou Miles momentos depois, enxugando os olhos com o dorso de uma das mãos e apertando com a outra a perna de Samantha. — Mamãe, quer que eu...

— Não — interrompeu Shirley, rispidamente. — Vamos esperar... até termos alguma notícia.

Lá em cima, no centro cirúrgico, o corpo de Howard Mollison ultrapassava as bordas da mesa de cirurgia. O seu peito estava inteiramente aberto, exibindo as ruínas do trabalho realizado por Vikram Jawanda. Dezenove pessoas se dedicavam a consertar o estrago, enquanto as máquinas às quais Howard estava ligado continuavam a fazer um barulho baixo, contínuo e implacável, confirmando que ele ainda vivia.

E bem lá embaixo, nas entranhas do hospital, o corpo de Robbie Weedon jazia branco e frio no necrotério. Ninguém tinha ido com ele até o hospital, e ninguém tinha vindo vê-lo naquela gaveta metálica.

III

Andrew recusou a carona até Hilltop House. Tessa e Bola estavam, portanto, sozinhos no carro.

— Não quero ir pra casa — disse Bola.

— Está bem — respondeu Tessa, e seguiu dirigindo, falando com Colin ao telefone. — Estou com ele aqui... Andy o encontrou. Daqui a pouco estamos de volta... É... É, vou, sim...

As lágrimas escorriam pelo rosto de Bola; o seu corpo o estava traindo. Exatamente como daquela vez, quando ficou com tanto medo de Simon Price que fez xixi na calça e a urina quente escorreu pela sua perna, encharcando a sua meia. Agora o líquido quente e salgado escorria pelo seu rosto e caía no seu peito, deixando umas marquinhas que pareciam gotas de chuva.

Ficava imaginando o enterro. Um caixãozinho minúsculo.

Bem que não queria fazer aquilo com o menino ali tão perto.

Será que algum dia ia se livrar do peso da morte dessa criança?

— Então você fugiu — disse Tessa, friamente, a despeito daquelas lágrimas.

Tinha rezado para encontrá-lo com vida, mas agora o seu sentimento mais forte era de repulsa. As lágrimas do filho não a comoviam. Estava acostumada a ver homens chorarem. Parte dela estava com vergonha por ele não ter, afinal, se atirado no rio.

— Krystal disse à polícia que vocês estavam juntos no meio dos arbustos. Vocês deixaram o menino sozinho, não foi?

Bola ficou atônito. Não podia acreditar na crueldade da mãe. Será que ela não entendia o desespero que o devorava, o horror, a sensação de ter sido contaminado?

— Bom, espero que você tenha engravidado essa garota — disse Tessa. — Isso lhe daria um motivo para viver.

Sempre que dobrava uma esquina, Bola achava que ela o estava levando de volta para casa. Sempre teve mais medo de Pombinho, mas agora não via diferença alguma entre os seus pais. Queria sair do carro, mas ela tinha trancado as portas.

Sem mais nem menos, ela saiu da pista e freou o carro. Agarrado às laterais do seu banco, Bola percebeu que eles estavam no acostamento próximo ao entroncamento que ia dar em Yarvil. Assustado, achando que a mãe ia mandar que ele descesse do carro, virou para ela com o rosto todo inchado.

— A sua mãe biológica — principiou Tessa, olhando-o de um jeito que ele nunca tinha visto antes, sem pena ou bondade — tinha quatorze anos. Pelo que nos disseram, achamos que era uma garota de classe média, muito inteligente. Ela se recusou terminantemente a dizer quem era o seu pai. Ninguém sabia se ela estava tentando proteger um namorado menor de idade ou se era coisa pior. Ficamos sabendo de tudo isso por garantia, no caso de você apresentar algum distúrbio mental ou físico. No caso — prosseguiu ela, falando com toda a clareza, como uma professora que dá ênfase à parte da matéria que vai cair na prova — de você ser o resultado de um incesto.

Bola olhou para o outro lado. Preferia mil vezes ter levado um tiro.

— Eu estava desesperada para adotar você — acrescentou ela. — Desesperada. Mas papai estava muito doente. Ele me disse: "Não posso fazer isso. Estou com medo de machucar o bebê. Preciso melhorar antes de pensarmos em adoção. E não posso fazer isso lidando com um recém-nascido." Mas eu estava tão decidida a adotar você que pressionei o seu pai para que ele mentisse, dizendo às assistentes sociais que estava muito bem, e fingisse ser uma pessoa feliz e normal. Levamos então você para casa. Você era muito pequeno, prematuro. Cinco dias depois da sua chegada, Colin saiu da cama no meio da noite sem eu perceber, foi até a garagem, enfiou uma mangueira no escapamento do carro e tentou se matar, porque estava convencido de que tinha sufocado você. Ele quase morreu. Portanto, pode dizer que a culpa é minha — prosseguiu Tessa — se o começo de tudo foi ruim tanto para você quanto para o papai, e também pode me culpar por tudo o que aconteceu desde então. Mas vou lhe dizer uma coisa, Stuart. O seu pai passou a vida toda enfrentando coisas que ele nunca fez. Não espero que você entenda a coragem que ele tem. Mas — e nesse ponto a voz dela finalmente falhou, e Bola ouviu a mãe que ele conhecia — ele ama você, Stuart.

Não conseguiu se impedir de acrescentar essa mentira. Hoje, pela primeira vez, teve certeza de que *era* mentira, e também de que tudo o que ela havia feito na vida, dizendo a si mesma que era o melhor caminho a tomar, não passou de um egoísmo cego, que só provocou transtornos e confusão à sua volta. *Mas quem pode suportar que algumas estrelas já morreram*, pensou ela, piscando os olhos para o céu; *quem pode suportar saber que todas elas já morreram?*

Virou a chave da ignição, engatou a marcha arranhando a caixa de câmbio e pegou a direção do entroncamento.

— Não quero ir para Fields — exclamou Bola, apavorado.

— Não estamos indo para Fields — disse ela. — Estou levando você para casa.

IV

A polícia conseguiu, finalmente, encontrar Krystal Weedon, que corria desamparada pela margem do rio, já nos limites do vilarejo, e continuava chamando o irmão com a voz rouca. A policial que se aproximou dela a chamou pelo nome, e tentou lhe dar a notícia da maneira mais delicada possível. Mesmo assim, a garota se debateu, tentando afastar a mulher, que acabou levando-a quase à força para o carro. Krystal nem percebeu quando Bola desapareceu entre as árvores; ele já não existia mais para ela.

Os policiais a levaram para casa, mas, quando bateram à porta da frente, Terri se recusou a vir atender. Tinha visto o carro chegando por uma janela do andar de cima, e achou que a filha tivesse feito uma coisa impensável e imperdoável: contado aos meganhas que aquelas sacolas com o haxixe de Obbo estavam lá. Arrastou as tais sacolas lá para cima, enquanto os policiais esmurravam a porta, e só veio abrir quando viu que não tinha mais jeito.

— Que que é? — gritou ela, por uma frestinha da porta.

Por três vezes a policial pediu para entrar, e Terri continuou recusando, perguntando insistentemente o que eles queriam. Alguns vizinhos começaram a espiar pelas janelas. Nem mesmo quando a policial lhe disse "É sobre o seu filho, Robbie", Terri entendeu o que estava acontecendo.

— Ele tá ótimo. Não tem problema nenhum com ele. Ele tá com Krystal.

Nesse momento, porém, ela viu a filha, que se recusou a ficar dentro do carro e já estava andando pelo caminho do quintal. Os olhos de Terri desceram pelo corpo da garota até o ponto onde Robbie deveria estar, agarrado a ela, com medo daqueles homens estranhos.

Saiu de casa como uma bala, com os braços esticados e as mãos ossudas, abertas como garras, e a policial teve que segurá-la pela cintura para afastá-la de Krystal, cujo rosto ela tentava arranhar.

— Sua vaca! Sua vaca, que que você fez com Robbie?

Krystal se esquivou das duas mulheres, que praticamente lutavam, correu para dentro de casa e bateu a porta.

— Puta que pariu — murmurou o policial, bem baixinho.

Longe dali, na Hope Street, Kay e Gaia Bawden se encaravam no corredor escuro. Nenhuma das duas era alta o bastante para trocar a lâmpada que tinha queimado há alguns dias, e não tinham uma escada. Tinham passado o dia inteiro discutindo; quase chegavam a um acordo, mas voltavam a se desentender. Finalmente, no momento em que a reconciliação parecia bem próxima, com Kay dizendo que também detestava Pagford, que tudo aquilo tinha sido um erro e que ia tentar dar um jeito de voltarem para Londres, o seu celular tocou.

— O irmão de Krystal Weedon morreu afogado — disse ela, num sussurro, assim que desligou o telefone.

— Ah — exclamou Gaia. Sabendo que devia demonstrar compaixão, mas temendo que a discussão sobre Londres fosse deixada de lado antes que ela tivesse conseguido uma promessa mais consistente da mãe, a garota acrescentou com uma leve apreensão na voz: — Que triste!

— Aconteceu aqui em Pagford — disse Kay. — Perto da estrada. Krystal estava com o filho de Tessa Wall.

Gaia ficou mais envergonhada ainda por ter deixado que Bola Wall a beijasse. Ele tinha um gosto horrível na boca, uma mistura de cigarro e cerveja, e tentou se aproveitar da bebedeira dela. Sabia perfeitamente que merecia coisa melhor que Bola Wall. Se tivesse sido Andy Price, não estaria se sentindo tão mal assim. Sukhvinder não tinha retornado as suas ligações o dia todo.

— Ela vai desmoronar — disse Kay, com o olhar perdido.

— Mas *você* não pode fazer nada, né? — retrucou Gaia.

— Bem... — principiou Kay.

— Ah, não, *de novo não!* — gritou Gaia. — É sempre, sempre a mesma coisa! Você já não é mais a assistente social deles. E *eu?* — acrescentou ela, sempre aos berros, batendo o pé no chão, como fazia quando era pequena.

O policial que estava na Foley Road já tinha chamado a assistente social responsável. Terri se debatia e berrava, tentando esmurrar a porta da frente. Lá de dentro vinha o barulho de móveis sendo arrastados para formar uma espécie de barricada. Os vizinhos já estavam chegando às portas das casas, assistindo fascinados ao ataque de Terri. De algum modo, o motivo daquilo tudo foi transmitido a esses espectadores pelos gritos incoerentes da mulher e pelo comportamento da polícia, que indicavam um mau presságio.

— O menininho morreu — diziam uns aos outros. Ninguém se aproximou para tentar acalmá-la ou consolá-la. Terri Weedon não tinha amigos.

— Vem comigo? — implorou Kay à filha emburrada. — Vou até lá ver se posso fazer alguma coisa. Quero saber como Krystal está. Ela não tem ninguém.

— Aposto que ela tava trepando com Bola Wall quando isso aconteceu — exclamou Gaia, sempre gritando, mas este foi o seu último protesto. Poucos minutos depois, ela estava prendendo o cinto de segurança no velho Vauxhall de Kay, feliz, apesar de tudo, porque a mãe tinha pedido que ela fosse junto.

No momento em que chegavam ao entroncamento, Krystal tinha acabado de encontrar o que procurava: um saquinho com heroína, escondido no armário, do lado do aquecedor; era o último dos dois que Obbo tinha dado a Terri em pagamento pelo relógio de Tessa Wall. A garota pegou aquele saquinho, junto com as coisas da mãe, e levou tudo para o banheiro, único cômodo da casa que tinha tranca.

A sua tia Cheryl deve ter ficado sabendo o que tinha acontecido, porque mesmo através de duas portas Krystal podia ouvir os seus gritos roucos misturados aos de Terri.

— Abre essa porta, sua vaca! Deixa a sua mãe entrar!

E os policiais também gritavam, tentando fazer as duas mulheres se calarem.

Krystal nunca tinha se picado antes, mas já tinha visto pessoas fazendo isso inúmeras vezes. Conhecia aqueles barcos compridos, sabia fazer um vulcão em miniatura para a aula de ciências, e sabia também como esquentar a colher, e que era preciso usar uma bolinha de algodão para dissolver a heroína e funcionar como filtro na hora de encher a seringa. Sabia que a dobra interna do cotovelo era o melhor lugar para se achar uma veia e sabia que a agulha tinha que ficar o mais deitada possível sobre a pele. Sabia, porque tinha ouvido isso várias vezes, que os principiantes não aguentavam a mesma quantidade que os viciados podiam usar, e isso era bom, porque ela não estava mesmo querendo aguentar.

Robbie tinha morrido por sua culpa. Tentando salvá-lo, ela o tinha matado. Várias imagens entrecortadas lhe passavam pela cabeça enquanto as suas mãos tentavam fazer o que precisava ser feito. O sr. Fairbrother correndo pela margem do canal, com seu agasalho esportivo, acompanhando a equipe que remava. O rosto da avó Cath, com aquela expressão feroz de dor e amor. Robbie esperando por ela, na janela da casa da família substituta, estranhamente limpo, pulando de felicidade ao vê-la se aproximar da porta.

Ouviu o policial chamando por ela pela abertura da caixa do correio, dizendo-lhe que não fizesse besteira, e a colega dele tentando acalmar Terri e Cheryl.

A agulha entrou com facilidade na veia de Krystal. Ela pressionou o êmbolo até o fundo, cheia de esperanças e sem remorso.

Quando Kay e Gaia chegaram e a polícia resolveu arrombar a porta, Krystal Weedon já tinha alcançado a sua única ambição: se juntar ao irmão num lugar onde ninguém mais poderia separá-los.

Parte Sete

Combate à pobreza

13.5 Doações em benefício dos pobres (...) são consideradas caridade, e uma doação para os pobres é caridade mesmo que aconteça de ela vir a beneficiar os ricos (...).

Charles Arnold-Baker
Administração dos Conselhos Locais
7ª edição

Quase três semanas depois que as sirenes ecoaram pelo vilarejo sonolento, numa manhã ensolarada de abril, Shirley Mollison estava sozinha no seu quarto, observando o próprio reflexo nas portas espelhadas do armário embutido. Dava uma última ajustada no vestido antes de ir para o South West, coisa que fazia agora diariamente. O cinto estava mais apertado quinze dias atrás, o seu cabelo grisalho estava precisando de um corte, e a careta que fazia por causa do sol que entrava no quarto podia perfeitamente ser a expressão do estado de espírito em que se encontrava.

Shirley havia passado um ano inteiro circulando pelas enfermarias do hospital, empurrando o carrinho dos livros, segurando pranchetas e flores, e nunca lhe passara pela cabeça que poderia se tornar uma daquelas pobres mulheres encurvadas, ao lado de uma cama qualquer, com as vidas inteiramente despedaçadas e os maridos abatidos e enfraquecidos. Howard não tinha se recuperado com a rapidez de sete anos atrás. Ainda estava ligado a vários aparelhos que emitiam um bipe constante, todo encolhido, fraco, com uma cor horrorosa, completamente dependente e reclamando de tudo. Às vezes ela fingia que precisava ir ao banheiro para escapar do seu olhar sinistro.

Quando Miles a acompanhava ao hospital, podia deixá-lo conversando com Howard, o que se limitava ao monólogo constante sobre as últimas novidades de Pagford. Com o filho, alto como era, andando ao seu lado pelos corredores gélidos, Shirley se sentia muito melhor, mais visível e também mais protegida. Ele conversava gentilmente com as enfermeiras, estendia a mão para ela entrar e sair do carro e lhe devolvia aquela sensação de ser uma criatura rara, digna de cuidado e proteção. Mas Miles não podia vir todos os dias e, para a profunda irritação de Shirley, pedia a Samantha para lhe fazer companhia. O que não era absolutamente a mesma coisa, embora a nora fosse uma das poucas pessoas capazes de trazer um sorriso ao rosto arroxeado e vazio de Howard.

Aparentemente ninguém percebia como era assustador o silêncio que reinava na casa. Quando os médicos disseram à família que a recuperação de Howard levaria meses, Shirley teve esperanças de que o filho a chamasse para ficar no quarto de hóspedes daquele casarão da Church Row, ou então que ele viesse, de vez em quando, dormir ali no chalé. Mas não: eles a deixaram sozinha, inteiramente só, a não ser por aqueles três dias dificílimos em que teve de bancar a anfitriã para Pat e Melly.

Eu nunca faria isso, repetia automaticamente para si mesma, no silêncio da noite, quando não conseguia dormir. *Na verdade, eu nunca faria isso... Não mesmo. Só estava com raiva. Eu nunca faria isso...*

Tinha enterrado a injeção de adrenalina de Andrew na terra macia debaixo do comedouro dos pássaros no jardim, como um pequeno cadáver. Nem gostava de lembrar que ela estava ali. Na primeira oportunidade, numa noite escura, véspera do dia da coleta do lixo, desenterrou a seringa e a jogou na lixeira de um vizinho.

Howard jamais falou sobre a seringa com ela nem com ninguém. Tampouco lhe perguntou por que tinha saído correndo quando o viu.

Shirley encontrava algum consolo desfiando acusações enérgicas contra pessoas que, na sua opinião inabalável, haviam provocado a desgraça que se abateu sobre a sua família. É claro que Parminder Jawanda era a primeira da lista, por sua recusa categórica em atender Howard. Em seguida vinham os dois adolescentes que, por sua irresponsabilidade abjeta, haviam desviado a ambulância que, se não fosse assim, teria vindo buscar Howard mais cedo.

Talvez esse argumento fosse um pouco fraco, mas era uma prazerosa maneira de denegrir Stuart Wall e Krystal Weedon, e Shirley encontrava, no seu círculo imediato, vários conhecidos dispostos a lhe dar ouvidos. Além disso, andavam dizendo que o garoto dos Wall era o Fantasma de Barry Fairbrother. Ele tinha confessado isso aos pais, que telefonaram pessoalmente às vítimas do filho para se desculpar. A identidade do Fantasma logo se espalhou pela comunidade, e isso, somado à notícia de que ele havia sido em parte responsável pelo afogamento de uma criança de três anos, fazia das acusações contra Stuart tanto um dever quanto um prazer.

Shirley era mais veemente em seus comentários que qualquer outro. Havia uma certa ferocidade nas suas censuras, que funcionavam como um pequeno exorcismo da admiração e da afinidade que ela sentira pelo Fantasma, e um repúdio daquele terrível último post que ninguém, pelo menos até agora, admitira ter visto. Os Wall não haviam telefonado para Shirley pedindo desculpas, mas ela estava sempre pronta, no caso de o garoto contar aos pais, ou no caso de alguém fazer algum comentário, para desferir um golpe final e definitivo na reputação de Stuart.

— Ah, claro, Howard e eu ficamos sabendo disso — era o que pretendia dizer, com uma dignidade glacial —, e acredito que foi esse choque que provocou o seu ataque cardíaco.

Na verdade, já tinha ensaiado essa frase em voz alta, na cozinha.

Descobrir se Stuart Wall de fato sabia alguma coisa sobre o seu marido e Maureen já não era tão urgente, porque Howard estava evidentemente incapacitado de voltar a envergonhá-la desse jeito, e talvez definitivamente; além disso, ninguém parecia estar comentando o assunto. E se o silêncio que dedicava a Howard, quando não podia evitar ficar sozinha com ele, era marcado por um sentimento de mágoa de ambos os lados, ela agora estava mais preparada para encarar a perspectiva da sua invalidez prolongada e da sua ausência no chalé com mais serenidade do que imaginava ser possível três semanas atrás.

A campainha soou, e Shirley correu para abrir a porta. Maureen estava parada ali, equilibrando-se em insensatos saltos altíssimos, usando um vestido verde-azulado brilhante e vulgar.

— Entre, querida, como vai? — disse Shirley. — Vou pegar a minha bolsa.

Era melhor ir ao hospital até com Maureen do que sozinha. Maureen não parecia se incomodar com a mudez de Howard. Falava e falava com aquele seu grasnido, e Shirley podia ficar sentada ali, em paz, envergando o seu sorrisinho meigo, e relaxar. De todo modo, como tinha assumido temporariamente o controle da parte de Howard nos negócios, Shirley vinha encontrando inúmeras maneiras de dissipar as suas suspeitas mais persistentes, dando várias bofetadas simbólicas em Maureen, ao discordar de qualquer decisão que ela tomasse.

— Sabe o que está acontecendo lá no fim da rua? — perguntou a viúva de Ken. — Lá na Igreja de São Miguel? *O enterro de Robbie e Krystal Weedon.*

— *Aqui?* — retrucou Shirley, horrorizada.

— Dizem que as pessoas se cotizaram — prosseguiu Maureen, transbordando de fofocas que Shirley desconhecia porque vivia agora nesse vaivém entre a casa e o hospital. — Não me pergunte quem. Mas eu não imaginava que a família fosse querer fazer o enterro assim tão perto do rio, não é mesmo?

(O menininho meio sujo e que dizia muito palavrão, cuja existência poucos conheciam e por quem só a mãe e a irmã tinham algum afeto especial, havia sofrido tamanha transformação no imaginário coletivo de

Pagford depois de se afogar que agora, por todo lado, falava-se dele como o bebê da água, um querubim, um anjinho puro e delicado que todos ali teriam abraçado com amor e compaixão, se ao menos tivessem conseguido salvá-lo.

Mas a agulha e a chama não exerceram nenhum efeito transformador sobre a reputação de Krystal; pelo contrário, ela ficou definitivamente gravada na mente da velha Pagford como uma criatura desalmada, cuja busca por aquilo que os mais velhos gostavam de chamar de prazeres da carne havia provocado a morte de uma criança inocente.)

Shirley estava vestindo o casaco.

— O incrível é que eu os vi naquele dia — disse ela, enrubescendo ligeiramente. — O menininho berrando perto de uns arbustos, e Krystal Weedon e Stuart Wall num outro...

— *Você viu?* E eles estavam mesmo...? — perguntou Maureen, ávida.

— Ah, sim... — respondeu Shirley. — Em plena luz do dia. A céu aberto. E o menino estava pertinho do rio quando eu o vi. Mais uns passos, e ele já estaria lá dentro.

Algo no rosto de Maureen a perturbou.

— Eu estava com muita pressa — disse Shirley, em tom áspero —, porque Howard tinha dito que estava se sentindo mal e fiquei muito preocupada. Não queria nem sair de casa, mas Miles e Samantha mandaram Lexie para cá... Sinceramente, acho que eles tinham brigado... E Lexie quis ir ao café... Eu não estava com cabeça para nada, tudo que conseguia pensar era: *Tenho que voltar para ficar perto de Howard...* Só me dei conta de que os tinha visto bem mais tarde... E o mais assustador — prosseguiu Shirley, mais vermelha do que nunca, retomando o seu refrão favorito — é que, se Krystal Weedon não tivesse deixado aquela criança sozinha enquanto estava se divertido lá nos arbustos, a ambulância teria chegado muito mais depressa para atender Howard. Porque, você sabe, com dois chamados quase simultâneos para Pagford, as coisas ficaram um pouco confusas...

— É claro — disse Maureen, interrompendo-a, quando se dirigiam para o carro, afinal já ouvira tudo aquilo antes. — Sabe, não consigo *imaginar* por que o funeral está sendo aqui em Pagford...

Adoraria propor que passassem pela igreja a caminho do hospital. Estava doida para ver como era essa tal família Weedon, e quem sabe até dar uma olhada naquela mãe viciada e degenerada, mas não conseguia achar um jeito de pedir isso.

— Sabe, Shirley, tem uma coisa boa nisso tudo — acrescentou ela, enquanto já estavam entrando no entroncamento. — Essa história de Fields está definitivamente encerrada. Isso deve ser um consolo para Howard. Mesmo que ele não possa comparecer às reuniões do Conselho por uns tempos, conseguiu o que pretendia.

Andrew Price descia a toda a ladeira íngreme que levava a Hilltop House, com o sol quente batendo nas suas costas e o vento agitando o seu cabelo. O olho roxo que conseguira há uma semana estava agora de um tom amarelo-esverdeado, com uma aparência, se é que isso é possível, bem pior do que quando ele apareceu na escola com o olho todo fechado. Disse aos professores que lhe perguntaram o que tinha acontecido que havia caído da bicicleta.

Estavam no recesso da Páscoa, e Gaia tinha lhe mandado uma mensagem de texto na véspera perguntando se ele ia ao enterro de Krystal no dia seguinte. Respondeu imediatamente que "sim" e agora, depois de muita indecisão, estava usando o seu melhor jeans e uma camisa cinza-escuro, porque não tinha terno.

Não sabia ao certo por que Gaia ia ao funeral, a menos que fosse para acompanhar Sukhvinder Jawanda, de quem ela parecia gostar mais do que nunca, agora que ia voltar para Londres com a mãe.

— Mamãe disse que nunca devia ter vindo pra Pagford — declarou Gaia, toda feliz, a Andrew e Sukhvinder, quando os três estavam sentados na mureta ao lado da loja de conveniência na hora do almoço. — Ela sabe que o Gavin é o maior babaca.

Deu a Andrew o número do seu celular e disse que os dois iam sair juntos quando ela fosse a Reading ver o pai, e até falou, como quem não quer nada, sobre a possibilidade de levá-lo para conhecer os seus lugares preferidos em Londres, se ele aparecesse por lá. Ela estava distribuindo agrados a todos à sua volta, como um soldado prestes a voltar para casa, e as suas promessas, feitas de um jeito tão descontraído, tornaram a perspectiva da sua própria mudança mais atraente. Andrew recebeu a notícia de que os pais já tinham uma oferta por Hilltop House com um misto de empolgação e tristeza.

A curva acentuada para a Church Row, que sempre o animava, hoje só o deixou mais triste. Viu gente caminhando pelo cemitério e ficou se perguntando como seria aquele enterro. Pela primeira vez naquela manhã, pensou em Krystal Weedon de uma forma mais concreta.

Uma lembrança, há tempos enterrada nos recantos mais profundos da sua mente, veio à tona: aquele dia em que, no pátio da St. Thomas, Bola, pretendendo fazer uma investigação desinteressada, lhe deu um amendoim escondido num marshmallow... Ainda hoje podia sentir a garganta ardendo e se fechando inexoravelmente. Lembrava que tentou gritar, que suas pernas ficaram fracas e que todas as crianças ao seu redor ficaram só olhando, impassíveis, estranhamente curiosas. Mas de repente ele ouviu o grito rouco de Krystal Weedon: "Andy Price tá tendo uma *ação* alérgica!"

Ela correu com aquelas pernas pequenas e fortes até a sala dos professores, e a diretora pegou Andrew e o levou às pressas à clínica que ficava nas redondezas, e lá o dr. Crawford lhe aplicou uma injeção de adrenalina. Ela foi a única que se lembrou do que a professora havia dito na aula, explicando aos alunos que Andrew tinha um problema de saúde que poderia pôr em risco a sua vida; ela foi a única que reconheceu os seus sintomas.

Krystal devia ter ganhado uma medalha de honra ao mérito, e talvez até um certificado de Aluna da Semana, mas, no dia seguinte (e Andrew se lembrava disso de forma tão nítida quanto se lembrava da própria crise), ela deu um soco tão forte na boca de Lexie Mollison que arrancou dois dentes da menina.

Com todo o cuidado, entrou com a bicicleta de Simon na garagem dos Wall e depois tocou a campainha com uma relutância que nunca tinha sentido antes. Tessa Wall abriu a porta, usando o seu melhor casaco cinza. Andrew estava chateado com ela. Por causa dela ficou com aquele olho roxo.

— Entre, Andy — disse Tessa, e o seu rosto estava tenso. — Só um minutinho.

Ele ficou esperando no corredor, onde o vitral da porta projetava no chão formas multicoloridas. Tessa foi até a cozinha, e Andrew avistou Bola, com o seu terno preto. O garoto estava todo encolhido numa cadeira, parecendo um bicho acuado, e tinha um dos braços erguido à frente da cabeça, como se estivesse se defendendo de uma surra.

Andrew virou de costas. Os dois não tinham voltado a se falar desde que ele levou Tessa até o Pombal. Há quinze dias Bola não ia à aula. Andrew lhe mandou uma ou duas mensagens de texto, mas ele não respondeu. A sua página do Facebook estava exatamente igual desde o dia da festa de aniversário de Howard.

Há uma semana, Tessa telefonou para os Price dizendo-lhes que Bola tinha confessado que havia postado as mensagens sob o pseudônimo O_Fantasma_de_Barry_Fairbrother, e pediu mil desculpas por todos os problemas que aquilo lhes causou.

— Como é que ele sabia que eu tinha aquele computador? — vociferou Simon, avançando na direção de Andrew. — Como a porra do Bola Wall podia saber que eu fazia trabalhos depois do expediente lá na gráfica?

O único consolo de Andrew era que, se o pai soubesse a verdade, ignoraria os protestos de Ruth e continuaria a esmurrá-lo até ele perder a consciência.

Andrew não sabia por que Bola tinha decidido fingir que era o autor de todos aqueles posts. Talvez por causa do seu eterno ego, da sua determinação em ser o cérebro por trás de tudo, o mais destrutivo, o mais cruel de todos. Ou talvez ele tenha pensado que estava tendo uma atitude nobre, assumindo a culpa por eles dois. De um jeito ou de outro, Bola tinha causado muito mais problemas do que imaginava; ele nunca soube exatamente, pensou Andrew, esperando ali no corredor, o que era viver com um pai como Simon Price, pois estava em segurança naquele quarto do sótão, com pais sensatos e civilizados.

Dava para ouvir que o casal Wall conversava em voz baixa, já que não tinham fechado a porta da cozinha.

— Temos que sair *agora* — dizia Tessa. — Ele tem obrigação moral de ir, e vai.

— Ele já foi bem castigado — retrucou a voz de Pombinho.

— Não estou pedindo para ele ir como...

— Não? — perguntou Pombinho, em tom ríspido. — Pelo amor de Deus, Tessa. Acha que querem ele por lá? Você vai. Stu pode ficar aqui comigo.

Um minuto depois, Tessa saiu da cozinha, puxando a porta com força.

— Stu não vai, Andy — disse Tessa, e o garoto percebeu que ela estava furiosa. — Sinto muito.

— Nenhum problema — murmurou ele. Na verdade, ficou contente com a notícia. Não achava que eles ainda tivessem o que dizer um ao outro. E assim ele poderia sentar perto de Gaia.

Um pouco mais abaixo na Church Row, Samantha Mollison estava na janela da sala de estar, com um café na mão, olhando as pessoas passando na direção da Igreja de São Miguel e Todos os Santos. Quando viu Tessa Wall e um garoto ao seu lado, que achou que fosse Bola, ela quase engasgou.

— Ah, meu Deus, ele está indo ao enterro — disse em voz alta, falando sozinha.

Então reconheceu Andrew, ficou vermelha e saiu da janela rapidamente.

Samantha havia ficado trabalhando em casa, o notebook estava aberto em cima do sofá. Mas, de manhã, ela tinha colocado um velho vestido preto, se perguntando se devia ou não ir ao enterro de Krystal e Robbie Weedon. Achava que tinha poucos minutos para se decidir.

Nunca tinha dito uma palavra gentil sobre Krystal Weedon. Não seria então meio hipócrita ir ao enterro, só porque tinha chorado ao ler a notícia da sua morte na *Gazeta de Yarvil e Adjacências*, e porque o rosto bochechudo da garota aparecia sorrindo em todas as fotos da turma de Lexie na St. Thomas?

Deixou o café sobre a mesa, correu para o telefone e ligou para Miles, que estava no escritório.

— Oi, meu bem — disse ele.

(Ela esteve sempre ao seu lado enquanto ele chorava de alívio ao lado do leito do hospital, onde Howard estava deitado, ligado a vários aparelhos, mas ainda vivo.)

— Oi — disse ela. — Tudo bem?

— Tudo. A manhã foi bem difícil. Que bom que você ligou — acrescentou Miles. — Está tudo bem?

(Tinham feito amor na noite passada, e ela não fingiu que o marido era outra pessoa.)

— O enterro vai começar — respondeu Samantha. — As pessoas estão passando...

Vinha guardando o que queria dizer havia quase três semanas, porque Howard estava no hospital, e não queria que Miles se lembrasse da briga terrível que tiveram. Mas já não estava aguentando mais.

— ...Miles, *eu vi esse menino*. Robbie Weedon. *Vi, sim.* — Samantha parecia em pânico, falava em tom de súplica. — Ele estava no campo de futebol da St. Thomas quando passei por lá naquela manhã.

— No campo de futebol?

— Pelo visto ele ficou vagando, enquanto os dois estavam... Ele estava sozinho — acrescentou ela, lembrando-se do menino sujo e malcuidado. Vinha se perguntando se teria ficado mais preocupada se a criança fosse mais limpinha, se de alguma forma inconsciente não teria confundido aqueles sinais evidentes de negligência com a desenvoltura, a dureza e a capacidade de se virar sozinho. — Achei que ele tinha ido brincar ali, mas não havia ninguém com ele. *Robbie Weedon tinha apenas três anos e meio, Miles.* Por que não perguntei a ele com quem estava?

— Ei, ei — exclamou Miles, num tom que significava alguma coisa como "espere aí, não é bem assim", e ela sentiu um alívio imediato: Miles estava cuidando dela, e os seus olhos se encheram de lágrimas. — Você não tem culpa de nada. Como poderia saber? Deve ter achado que a mãe dele estava ali por perto, em algum lugar.

(Quer dizer que ele não a odiava; não achava que ela era má. Nos últimos tempos, vinha se comovendo com a capacidade que o marido tinha de perdoar.)

— Não sei, não — retrucou ela, sem forças. — Quem sabe se eu tivesse falado com ele, Miles...

— Ele nem estava perto do rio quando você o viu.

Mas estava perto da rua, pensou Samantha.

Nas últimas três semanas, um desejo de se dedicar a algo maior do que ela mesma vinha crescendo dentro dela. Dia após dia, ficava esperando que aquela nova necessidade tão estranha passasse (*é assim que as pessoas se tornam religiosas*, pensou Samantha, tentando rir de si mesma), mas, na verdade, ela parecia até ter se intensificado.

— Miles — principiou ela —, o Conselho... Com o seu pai... E ainda por cima com a renúncia de Parminder Jawanda... Vocês vão ter que indicar dois nomes, não vão? — Conhecia perfeitamente aquele jargão; há anos que ouvia conversas sobre o assunto. — Quer dizer, não vão querer convocar mais uma eleição, a essa altura dos acontecimentos, não é?

— De jeito nenhum.

— Acho que Colin Wall podia ser um deles — disse ela, num ímpeto —, e andei pensando... e agora só com a loja on-line, tenho mais tempo... Eu talvez pudesse ser o outro.

— Você? — perguntou Miles, perplexo.

— Gostaria de participar mais — replicou Samantha.

Krystal Weedon morreu aos dezesseis anos, trancada no banheiro daquela casa pequena e imunda na Foley Road... Samantha não tinha bebido nem uma taça de vinho nas últimas duas semanas. Achava que talvez fosse bom conhecer os argumentos em defesa da Clínica de Reabilitação Bellchapel.

O telefone estava tocando no número dez da Hope Street. Kay e Gaia já estavam atrasadas para o enterro de Krystal. Quando a garota perguntou quem estava falando, o seu rosto adorável se endureceu: ela parecia muito mais velha.

— É Gavin — disse, dirigindo-se à mãe.

— Eu não liguei para ele — sussurrou Kay, pegando o telefone nervosa como uma garota de escola.

— Oi — disse Gavin. — Como é que você está?

— Indo para o enterro — respondeu Kay, olhando fixo para a filha. — De Krystal e Robbie Weedon. Como pode imaginar, não estou lá muito bem.

— Ah — exclamou Gavin. — Meu Deus, é verdade, me desculpe. Tinha me esquecido.

Teve a impressão de reconhecer aquele sobrenome na manchete da *Gazeta de Yarvil e Adjacências* e acabou afinal comprando um exemplar, com certa curiosidade. Achou que devia ter passado bem perto do lugar onde estavam os adolescentes e o menino, mas não se lembrava efetivamente de ter visto Robbie Weedon.

As últimas semanas foram bem estranhas. Andava sentindo muita falta de Barry. Não estava entendendo mais nada: quando devia estar mergulhado na tristeza porque Mary o tinha dispensado, tudo o que queria era tomar uma cerveja com o homem cuja mulher ele quis ter para si.

(Quando saiu da casa dela naquele dia, disse a si mesmo: "Está vendo, é nisso que dá querer *roubar* a vida do seu melhor amigo", e nem reparou que tinha cometido um ato falho.)

— Olhe — disse ele —, será que você não gostaria de ir beber alguma coisa mais tarde?

Kay quase caiu na gargalhada.

— Ela não quis saber de você, não foi?

E deu o telefone para Gaia desligar. Saíram de casa às pressas e seguiram para a praça quase correndo. Por alguns instantes, quando estavam passando na frente do Black Canon, Gaia segurou a mão da mãe.

Chegaram no momento em que os carros fúnebres despontavam no alto da rua, e se apressaram em entrar no cemitério enquanto os caixões vinham sendo transportados pela calçada.

(— Saia dessa janela, Stu — ordenou Colin Wall.

Mas Bola, que vinha tendo que conviver com a consciência da própria covardia, se debruçou ainda mais, tentando provar que era capaz de aguentar ao menos aquilo...

Os caixões passaram naqueles carros grandes, de janelas pretas: o primeiro era rosa-choque, e ao vê-lo o garoto perdeu o fôlego; e o segundo, minúsculo, de um branco brilhante...

Colin ficou na frente do filho para protegê-lo daquela visão, mas era tarde demais. Mesmo assim, resolveu fechar as cortinas. Na penumbra daquela sala de estar, onde o garoto confessou que tinha exposto a fraqueza do pai para todos; onde fez essa confissão na esperança de ser considerado por eles louco e doente; onde tentou assumir o máximo de culpa possível para que eles acabassem por espancá-lo, xingá-lo ou fazer com ele tudo aquilo que tinha consciência de merecer, Colin pôs a mão nas costas do filho com todo o carinho e o afastou da janela, levando-o para a cozinha ensolarada.)

Na frente da São Miguel e Todos os Santos, as pessoas que carregariam os caixões estavam se preparando para atravessar o pátio. Dane Tully era uma delas, com os seus brincos, a tatuagem de teia de aranha que ele próprio tinha feito no pescoço, e usando um sobretudo preto e pesado.

Os Jawanda esperaram com Kay e Gaia Bawden à sombra do teixo. Andrew Price circulava ali por perto, e Tessa Wall ficou um pouco mais afastada, com o rosto pálido e impassível. As outras pessoas reunidas formavam um grupo à parte junto das portas da igreja. Algumas delas tinham um ar atrevido, desafiador; outras pareciam resignadas e abatidas; outras ainda usavam roupas pretas baratas, mas a maioria estava de jeans ou agasalhos de moletom; uma garota estava com uma camiseta cortada e um piercing no umbigo, que refletia a luz do sol quando ela se mexia. Os caixões vieram entrando pelo pátio, reluzindo ao sol da manhã.

Foi Sukhvinder Jawanda que escolheu o caixão rosa para Krystal, porque tinha certeza de que ela teria adorado. Aliás, foi Sukhvinder que fez quase tudo: organizou, escolheu, persuadiu. Parminder ficou olhando a filha disfarçadamente, procurando pretextos para tocar nela: afastar os cabelos que lhe caíam nos olhos, ajeitar a gola do casaco.

Assim como Robbie saiu das águas do rio purificado e redimido aos olhos de Pagford, Sukhvinder Jawanda, que havia arriscado a vida tentando salvar o menino, tornou-se uma heroína. Graças ao artigo publicado sobre ela na *Gazeta de Yarvil e Adjacências*, à declaração pública de Maureen Lowe indicando o nome da garota para receber o prêmio especial da polícia, além do discurso que a diretora fez para toda a escola reunida, Sukhvinder soube, pela primeira vez na vida, o que era ofuscar os seus irmãos.

E odiou cada minuto de tudo isso. À noite voltava a sentir nos braços o peso do corpo do menino, arrastando-a para o fundo do rio; lembrava-se da tentação que sentiu de soltá-lo e poder se salvar, e se perguntava por quanto tempo teria resistido. A cicatriz na sua perna coçava e doía, se se mexesse ou ficasse parada. A notícia da morte de Krystal Weedon a deixou tão abalada que os seus pais decidiram levá-la a um terapeuta. Sukhvinder, porém, nunca mais voltou a se cortar desde que foi resgatada do rio; o afogamento iminente parecia ter expurgado aquela necessidade.

Então, no primeiro dia de volta às aulas depois de tudo o que aconteceu, com Bola Wall ainda ausente e com todos aqueles olhares de admiração que a acompanhavam pelos corredores, a garota ouviu dizer que Terri Weedon não tinha dinheiro para enterrar os filhos, que as sepulturas não teriam lápide e que os caixões seriam os mais baratos possíveis.

— É muito triste mesmo, Ris — concordou Parminder naquela noite, quando a família estava reunida, jantando, diante da parede coberta de fotos. O tom da sua voz foi tão delicado quanto o daquela policial; agora não havia mais vestígio de rispidez quando Parminder falava com a filha.

— Quero tentar convencer as pessoas a dar dinheiro — disse Sukhvinder.

Parminder e Vikram se entreolharam, sentados à mesa da cozinha. Ambos se opunham à ideia de sair pelo vilarejo pedindo doações aos moradores para uma causa dessas, mas nenhum dos dois disse nada. Agora que tinham visto os braços da filha, temiam aborrecê-la, e a sombra do tal terapeuta ainda desconhecido parecia pairar sobre o convívio daquela família.

— E — acrescentou Sukhvinder, com uma energia febril, que lembrava até a da própria Parminder — acho que o enterro deveria ser aqui na Igreja de São Miguel. Como o do sr. Fairbrother. Krys sempre participava das cerimônias religiosas aqui, quando estávamos na St. Thomas. Aposto que nunca entrou em outra igreja na vida.

A luz de Deus brilha em todas as almas, pensou Parminder e, para surpresa de Vikram, rapidamente aceitou.

— Claro. Vamos ver o que podemos fazer.

A maior parte das despesas foi paga pelos Jawanda e pelos Wall, mas Kay Bawden, Samantha Mollison e algumas das mães das integrantes da equipe de remo também contribuíram. Sukhvinder então fez questão de ir pessoalmente a Fields para dizer a Terri o que tinha feito e por quê; contou tudo sobre a equipe de remo e explicou por que o enterro de Krystal e Robbie devia ser na Igreja de São Miguel.

Parminder ficou particularmente preocupada, o que não era do seu feitio, com a ideia de Sukhvinder ir sozinha a Fields e ainda por cima naquela casa deplorável, mas a garota tinha certeza de que ia dar tudo certo. Os Weedon e os Tully sabiam que ela tinha tentado salvar a vida de Robbie. Dane Tully até parou de grunhir para ela na aula de inglês e mandou os amigos pararem também.

Terri concordou com tudo o que Sukhvinder sugeriu. Estava muito magra, suja, inteiramente passiva, falando apenas por monossílabos. E a garota ficou assustada com a aparência daquela mulher com os braços cheios de marcas e a boca desdentada; parecia que falava com um cadáver.

Dentro da igreja, a divisão foi nítida: os moradores de Fields ficaram nos bancos à esquerda, e os de Pagford, à direita. Shane e Cheryl Tully entraram junto com Terri e a levaram até o primeiro banco. Com um casaco que tinha o dobro do seu tamanho, a mulher mal parecia se dar conta de onde estava.

Um ao lado do outro, os dois caixões foram depositados em mesas diante do altar. Em cima do de Krystal havia um remo todo feito de crisântemos alaranjados; sobre o de Robbie, um ursinho de crisântemos brancos.

Kay Bawden se lembrou do quarto de Robbie, com aqueles poucos brinquedinhos vagabundos de plástico, e as suas mãos tremeram segurando o folheto do serviço fúnebre. Com toda a certeza ia haver um inquérito, porque o jornal local vinha fazendo uma campanha nesse sentido. Chegou a publicar uma matéria de capa sugerindo que o menino tinha sido deixado sob os cuidados de duas viciadas e que a sua morte poderia ter sido evitada, se não fosse pela negligência das assistentes sociais, que deveriam ter removido a criança para um lugar mais seguro. Mattie entrou de licença novamente, sob alegação de estresse, e a reavaliação do caso comandada por Kay estava sendo investigada. Ela se perguntava se isso pioraria ainda mais as suas chances de conseguir trabalho em Londres, já que todos os governos locais estavam reduzindo os seus quadros de assistentes sociais. E qual seria a reação de Gaia se tivessem que ficar em Pagford...? Ainda não tinha tido coragem de conversar sobre isso com a filha.

Andrew olhou de relance para Gaia, e trocaram sorrisos tímidos. Lá em Hilltop House, Ruth já estava arrumando as coisas para a mudança. Andrew podia jurar que, com aquele seu jeito eternamente otimista, a mãe estava cheia de esperanças, achando que, ao se sacrificar abrindo mão daquela casa e da beleza das colinas, a sua família seria recompensada com um verdadeiro renascimento. Definitivamente presa a uma imagem de Simon que não levava em conta os seus acessos de fúria e as falcatruas, esperava que tudo aquilo ficasse para trás, como caixas esquecidas na mudança... Mas, pelo menos, pensava Andrew, quando fossem para Reading, ele ficaria mais perto de Londres. Gaia tinha lhe garantido que estava tão bêbada que nem percebeu o que estava fazendo com Bola... Quem sabe ela não ia convidar ele e Sukhvinder para irem à sua casa, depois do enterro, para comer alguma coisa...

Gaia, que nunca tinha estado na Igreja de São Miguel, ouvia distraidamente a ladainha do padre, deixando os olhos vagarem por aquele teto alto e estrelado e pelos vitrais coloridos e brilhantes. Havia coisas bonitas ali em Pagford. E agora que sabia que ia embora, estava achando que talvez fosse até sentir saudade...

Tessa Wall resolveu se sentar mais atrás, sozinha. Isso a deixou exatamente sob o olhar tranquilo de são Miguel, que tinha o pé eternamente pousado naquele demônio de chifres e rabo, que se contorcia. Estava chorando desde que avistou os dois caixões brilhantes, e por mais que tentasse se conter, todos os que estavam por perto podiam ouvi-la soluçando baixinho. Temia que alguém da família Weedon pudesse identificá-la como a mãe de Bola e viesse lhe fazer acusações, mas nada disso aconteceu.

(A sua vida familiar estava de cabeça para baixo. Colin andava furioso com ela.

— *O que você disse a Stu?*

— Ele queria um gostinho da vida real — respondeu ela, chorando —, queria ver como era o lado sórdido da vida... Será que você não percebe o que isso tudo significa?

— E então você resolveu lhe dizer que ele pode ser fruto de um incesto e que eu tentei me matar quando nós o adotamos?

Tessa passou anos tentando reconciliá-los, mas foi a morte de uma criança e o profundo conhecimento que Colin tinha do que era sentir culpa que conseguiram fazer isso. Na noite anterior, ouviu os dois conversando lá no quarto de Bola e parou ao pé da escada para saber do que estavam falando.

— ...você pode tirar da cabeça essa história que a mamãe lhe contou — dizia Colin, em tom aborrecido. — Você não tem nenhuma anomalia mental nem física, não é mesmo? Então... pare de se preocupar. O terapeuta vai ajudá-lo com tudo isso...)

Tessa chorava e assoava o nariz no lenço já encharcado, pensando que não tinha feito nada por Krystal, encontrada morta no chão do banheiro... Ficaria aliviada se são Miguel descesse do seu vitral reluzente e viesse julgá-los a todos, decretando exatamente qual era a sua parcela de culpa naquelas mortes, naquelas vidas destruídas, naquele caos... Um dos filhos dos Tully, um menino irrequieto, lá do outro lado do corredor, pulou do banco em que estava, e o braço forte e tatuado de uma mulher o pegou, puxando-o de volta. O choro de Tessa foi interrompido por uma espécie de exclamação de surpresa. Tinha certeza de ter visto o relógio que havia perdido no pulso grosso daquela mulher.

Sukhvinder, que estava ouvindo Tessa chorar, ficou com pena dela, mas não teve coragem de se virar. Parminder estava com ódio de Tessa. Não houve como explicar à mãe sobre as cicatrizes no braço sem falar de Bola Wall. A garota implorou que ela não ligasse para os Wall, mas então Tessa ligou para Parminder, dizendo que Bola tinha assumido a culpa pelos posts com o pseudônimo O_Fantasma_de_Barry_Fairbrother no site do Conselho. A médica ficou tão furiosa que as duas não voltaram a se falar depois disso.

Sukhvinder achou tão estranho Bola assumir a culpa pela mensagem que ela própria tinha postado... Considerou aquilo quase como um pedido de desculpas. Sempre teve a impressão de que o garoto lia os seus pensamentos: será que ele sabia que ela tinha atacado a própria mãe? Sukhvinder se perguntava se seria capaz de dizer a verdade ao terapeuta, em quem os seus pais pareciam confiar tanto, e se algum dia conseguiria contar tudo a essa Parminder agora tão amável e arrependida...

Tentava acompanhar o serviço fúnebre, mas nada daquilo a estava ajudando como tinha esperado. Ficou contente com o ursinho e o remo de crisântemos que a mãe de Lauren tinha feito; ficou contente por Gaia e Andy terem vindo, e também as garotas da equipe de remo, mas adoraria que as gêmeas Fairbrother não tivessem se recusado a comparecer.

(— Mamãe vai ficar chateada — disse-lhe Siobhan. — Sabe, ela acha que o papai se dedicava demais a Krystal.

— Ah... — exclamou Sukhvinder, espantada.

— E, ainda por cima — acrescentou Niamh —, mamãe não gostou nada da ideia de ser obrigada a ver o túmulo de Krystal sempre que a gente for visitar o do papai. Os dois provavelmente vão ficar bem, um perto do outro.

Sukhvinder achou que esses motivos eram mesquinhos e cruéis, mas parecia até um sacrilégio usar esses termos com relação à sra. Fairbrother. As gêmeas se afastaram, abraçadas sempre como andavam. Nos últimos tempos, tratavam Sukhvinder friamente por ela ter se bandeado para o lado daquela forasteira, Gaia Bawden.)

Sukhvinder esperou que alguém se levantasse para dizer quem era realmente Krystal Weedon e o que ela tinha feito na vida, como o tio de Niamh e Siobhan tinha feito no funeral do sr. Fairbrother, mas a não ser pela breve menção às "vidas tragicamente ceifadas tão cedo" e à "família da nossa comunidade, com raízes profundas em Pagford", o padre parecia determinado a pular os fatos.

Sukhvinder, então, voltou os seus pensamentos para aquele dia em que elas tinham disputado a final regional. O sr. Fairbrother levou a equipe toda de micro-ônibus para enfrentar as garotas da St. Anne. O canal atravessava o terreno do colégio particular, e ficou decidido que elas iam se trocar no ginásio de esportes da St. Anne e que a regata começaria lá.

— Isso é conduta antiesportiva — disse o sr. Fairbrother durante o trajeto. — Elas vão ter a vantagem de competir em casa. Tentei mudar isso, mas eles não aceitaram. Não se deixem intimidar, certo?

— Tô nem aí pra por...

— Krys...

— Tô nem aí pra vantagem delas.

Mas, quando chegaram lá, Sukhvinder ficou com medo. Aquele gramado imenso, verdinho e bem-cuidado, e aquele prédio grande, todo de pedra clara, com torreões e milhares de janelas: nunca tinha visto nada assim, a não ser em cartões-postais.

— É igual ao Palácio de Buckingham! — gritou Lauren, lá de trás do ônibus. Krystal estava de boca aberta; às vezes ela era espontânea como uma criança.

Onde quer que elas fossem competir, os pais de todas as garotas e a bisavó de Krystal ficavam esperando na linha de chegada. Sukhvinder tinha certeza de que não era a única a se sentir pequena, assustada, inferior, quando se aproximaram dos portões daquele prédio lindo.

Uma mulher com uma toga acadêmica veio cumprimentar o sr. Fairbrother, que estava com o seu indefectível agasalho de moletom.

— Você deve ser a Winterdown!

— Claro que não, porra! Ele tem cara de prédio por acaso? — exclamou Krystal bem alto.

Era óbvio que a professora da St. Anne tinha ouvido aquilo, e o sr. Fairbrother se virou, tentando fazer cara feia para Krystal, mas as garotas podiam jurar que, na verdade, ele tinha achado engraçado. Todas começaram a rir e ainda estavam rindo quando o sr. Fairbrother as levou até a porta dos vestiários.

— Rápido! — gritou ele, quando elas entraram.

As garotas da St. Anne já estavam lá dentro com a sua treinadora. As duas equipes se olharam de alto a baixo separadas pelos bancos. Sukhvinder ficou impressionada com o cabelo das adversárias. Todas tinham cabelo comprido e naturalmente brilhante; poderiam perfeitamente fazer anúncio de xampu. Já no time delas, Siobhan e Niamh tinham o cabelo cortado na altura do pescoço. O de Lauren era bem curtinho. Krystal fazia sempre um rabo, bem apertado e no alto da cabeça. E ela tinha o cabelo grosso e difícil de pentear, como a crina de um cavalo.

Achou que tinha visto duas das garotas da St. Anne rindo e cochichando, e teve certeza disso quando Krystal se levantou para encará-las e disse:

— Pelo visto a merda de vocês tem cheiro de rosa, né?

— O que foi que você disse?! — exclamou a treinadora.

— Só pra saber — respondeu Krystal, com um arzinho doce, e virou de costas para tirar a calça de moletom.

A vontade de rir foi tão grande que ninguém conseguiu segurar. A equipe da Winterdown trocou de roupa rindo às gargalhadas. Krystal continuou fazendo palhaçadas e ficou debochando quando a equipe da St. Anne saiu do vestiário.

— Que gracinha — disse a última das garotas da fila.

— Muito obrigada — respondeu Krystal. — Se quiser, deixo você dar uma olhadinha de novo mais tarde. Sei que vocês são um bando de sapatas — gritou ela —, enfiadas aqui sem nenhum garoto por perto!

Holly se dobrou de tanto rir e acabou batendo com a cabeça na porta do armário que estava aberta.

— Olha a porra da porta, Hol — exclamou Krystal, encantada com a reação das colegas de equipe. — Sua cabeça vai fazer falta.

Enquanto desciam até o canal, Sukhvinder entendeu por que o sr. Fairbrother queria mudar o local da competição. Ele era o único torcendo por elas ali na largada. Já as suas adversárias contavam com o apoio de um monte de amigas gritando, aplaudindo e pulando, todas com o mesmo cabelo comprido e brilhante.

— Olha lá! — gritou Krystal, apontando para o grupo. — É Lexie Mollison! Lembra quando eu arranquei os seus dentes, Lex?

Sukhvinder teve um acesso de riso. Estava feliz e orgulhosa, andando ali ao lado de Krystal, e percebia que as outras garotas também estavam. Alguma coisa no modo como Krystal enfrentava o mundo as protegia dos olhares curiosos, dos ataques sutis e daquele prédio ao fundo que mais parecia um palácio.

Mas, quando entraram no barco, sabia que até Krystal estava sentindo a pressão. Ela se virou para Sukhvinder, que sempre se sentava às suas costas. Estava segurando alguma coisa.

— Meu amuleto da sorte — disse ela, e mostrou o que era.

Um coraçãozinho de plástico vermelho, preso a um chaveiro, com a foto do irmãozinho dela.

— Prometi que vou levar uma medalha pra ele — disse Krystal.

— É — retrucou Sukhvinder, tomada de fé e medo. — Vamos ganhar.

— Verdade — concordou Krystal, virando de novo para a frente e enfiando o tal coraçãozinho dentro do sutiã. — Elas não são páreo pra nós, gente! — gritou ela bem alto, para que toda a equipe a ouvisse. — É um bando de mosca-morta. Vamos lá!

Sukhvinder se lembrou do tiro de largada, da multidão entusiasmada, dos seus músculos ardendo. Ela se lembrou da sensação maravilhosa ao ver o ritmo perfeito daqueles oito remos e do prazer daquela seriedade profunda depois de terem rido tanto. Krystal venceu a prova por elas. Krystal anulou a tal vantagem que a St. Anne teria por competir em casa. Sukhvinder quis ser como ela: engraçada e durona, impossível de intimidar, sempre pronta para a briga.

Pediu duas coisas a Terri Weedon, que concordou com as duas, porque Terri sempre concordava com todo mundo. A medalha que ganharam naquele dia estava no pescoço de Krystal na hora do enterro. O outro pedido veio no final do serviço fúnebre, e, dessa vez, o padre pareceu resignado ao anunciá-lo.

Good girl gone bad —
Take three —
Action.
No clouds in my storms...
Let it rain, I hydroplane into fame
Comin' down with the Dow Jones...

"Garota boazinha que virou má... Tomada três. Ação. Não existem nuvens nas minhas tempestades... Pode chover, que eu hidroplano para a fama... Caindo junto com o Dow Jones..."

A família de Terri a conduziu até a porta, pelo tapete azul-royal do corredor central da igreja, e todas as pessoas ali evitaram olhá-la.

Também de J.K. Rowling

Harry Potter e a Pedra Filosofal
Harry Potter e a Câmara Secreta
Harry Potter e o Prisioneiro de Azkaban
Harry Potter e o Cálice de Fogo
Harry Potter e a Ordem da Fênix
Harry Potter e o Enigma do Príncipe
Harry Potter e as Relíquias da Morte

Animais Fantásticos & Onde Habitam
Quadribol Através dos Séculos
Os Contos de Beedle, o Bardo

Coordenação editorial
Daniele Cajueiro
Ana Carla Sousa
Guilherme Vieira

Coordenação de produção
Adriana Torres

Revisão de tradução
Janaína Senna

Preparação de originais e revisão
Anna Beatriz Seilhe
Gabriel Machado
Luana Luz
Maria Cristina Antonio Jeronimo
Mônica Surrage
Pedro Staite
Rachel Rimas
Victor Almeida

Diagramação e finalização da capa
Celina Faria
Leandro B. Liporage

Impresso em papel Chambril Avena 80g/m^2 da International Paper

www.internationalpaper.com.br